Cyfres y Cymoedd

Cwm Rhondda

Golygydd
Hywel Teifi Edwards

Argraffiad cyntaf—Hydref 1995

ISBN 1 85902 248 0

(h) Y Cyfranwyr

Dymuna'r cyhoeddwyr gydnabod cymorth
Adrannau Cyngor Llyfrau Cymru

Argraffwyd gan
Wasg Gomer, Llandysul, Dyfed

Cynnwys

Cyflwyniad

Gan mai hon yw'r drydedd gyfrol yng Nghyfres y Cymoedd ni raid sôn am bwrpas y fenter gan fod hwnnw eisoes wedi'i amlygu. Y mae'n dda gallu dweud ar sail pryniant a sylwadau darllenwyr fod yr ymateb i'r gyfres yn galonogol, ac 'rwy'n gobeithio y bydd yr olwg a geir ar ddiwylliant Cwm Rhondda yn y gyfrol hon eto'n plesio pawb sy'n ymddiddori yn y bywyd Cymraeg.

Mae'n siŵr y gwêl rhywrai eisiau ysgrif ac erthygl ar ryw gymwynaswr neu ddatblygiad a ddylasai gael sylw. Fe fydd cwyn o'r fath yn gwbwl ddealladwy o gofio cyfoeth cymreictod y Rhondda. Fy unig amddiffyniad fydd dweud—'Ceisiwch wneud cyfiawnder â'r Rhondda mewn un gyfrol!'

'Rwy'n ddiolchgar iawn i'r cyfranwyr i gyd am roi o'u dysg, a'u dawn a'u hamser i greu'r gyfrol hon. Cyfansoddwyd cerddi Rhydwen Williams a Gareth Alban Davies yn un swydd ar ei chyfer.

I Mrs. Gaynor Miles, ysgrifenyddes Adran y Gymraeg, y mae'r diolch eleni eto am baratoi'r cyfraniadau ar gyfer eu hargraffu, a'r cyfaill Dyfed Elis-Gruffydd, fel erioed, a ofalodd fod stamp safon Gwasg Gomer ar y gwaith terfynol.

Cafwyd pob cymorth, hefyd, gan y Llyfrgell Genedlaethol, Llyfrgell Prifysgol Cymru, Abertawe a Llyfrgell Dinas Abertawe i ddod o hyd i ddefnyddiau, a charwn ddiolch yn gynnes i Patricia Aithie, Cyril Batstone, Simon Eckley a Susan Scott, Llyfrgell Treorci am ganiatâd i gynnwys eu ffotograffau.

Beier y golygydd am bob diffyg a diolcher i Gymry Cwm Rhondda am bob mwynhad.

Hywel Teifi Edwards
Adran y Gymraeg
Prifysgol Cymru Abertawe   *Medi 1995*

Y Cymoedd

Hen amlinell dywell ar daen,
   trasiedi o wagenni gwag,
a'r hin deufin drwy'r seidin du
   yn ddyrnau, cleddau i'n clai.

Tipiau y tir, rhandir rhaib,
   man lle y mae'r cyfan wedi cau;
yma, chwarae-em a neidiem doe,
   yn fodlon dros olwynion a rheiliau.

Tadau a mamau mud,
   yn ildio'n ara' wrth fegera i fyw;
a'u plant, newynant yn noeth,
   newyn chwyrn yn herio'u hesgyrn gwan.

Hen enwau yw'r enwau nadd
   Ar gofebau a chalonnau lu,
a'r Dyffryn a Nant Melyn mwy,
   yn gysegrleoedd ac ardaloedd hud.

Rhydwen Williams

I Ddathlu Richard Morris, Y Bronllwyn, Y Gelli, Cwm Rhondda

Ar yr awr ginio
eisteddai Socrates yr hedin caled
ar y bocs *tools* wrth y partin:
y tywyllwch o gylch
yn gwasgu'n drymach
na'r gromen ddaear uwch ben,
y set ddrama'n un persbectif
o *rings* uchel
yn ymbellhau i'r ddau gyfeiriad,
y deuddeg lamp
yn llifoleuo'r llwyfan.

Taflem y dadleuon ato fel pelau,
ac yntau'n eu dychwelyd
yn ddeheuig, yn gwrtais,
fel petaem ni oll
o blith y *soffistigedig*
(ei air cyson am wŷr doeth, dysgedig).

Weithiau cawn fynd gydag ef
i rannau o'r pwll
lle peidiodd pob gweithio
ers llawer blwyddyn,
ac eisteddem ar ddarn o bren
yn y peithdir tanddaearol hwnnw
wrth olau ei *lamp fêch*
a goprai'r awyr fwll, ddisymud.
Ac yn y tragwyddoldeb gwneud
lle collodd amser a lle bob ystyr,
byddem yn trafod bywyd,
y problemau mawr,
holl ddrysni oes.

Clywem yn y pellter
glec postyn yn gwingo dan y pwysau,
neu garreg yn syrthio
fel petai ei bywyd
yn dibynnu ar hynny.

Yn ôl y siarad
bu ei fryd unwaith
ar fynd i'r weinidogaeth,
ond bod y ddiod wedi boddi'r arfaeth.
A threuliodd weddill ei oes
yng ngwasanaeth grymoedd y tywyllwch,
a'r gyfalafiaeth a oedd yn wrthun ganddo.

Collodd ei ffydd, a chyda hi, yr alwad.
Ond o dipyn i beth
aeth trwy ei arholiadau
a'i ddyrchafu'n *fireman*,
yn gweithio bellach ar y shifft dydd
yn nistrict yr *Incline*.

Yr oedd yn fyr ei olwg,
y nystagmus hefyd yn ei ddallu bron;
ond 'roedd ei lygad mewnol yn glir,
ei olygiad yn syth, diwyro.
Yr oedd fel Crist yn athrawiaethu
mewn ogof-deml o gysgodion,
ei air yn sicr, ei farn yn deg,
ei galon yn llosgi
gan gariad at y gwir.

Galwai heibio ar dro
pan oeddem wrth ein gwaith:
y cyfarch crwm, y sgwrs,
yr ochrgamu fel cranc trwy'r ffas;

ac wedyn
y fflam fach gopor
yn bwhwman yn y pellter,
nes cael ei llyncu'n llwyr
yn y distawrwydd arswydus.
Peidiodd â bod.

Gareth Alban Davies

Sylwadau'r bardd ar ei gerdd mewn llythyr, 26 Ebrill 1995

'Mae hi'n talu teyrnged ddilys i ŵr yr oeddwn yn hoff arbennig ohono tra'n gweithio ym Mhwll y Maendy. Mae'r manylion yn hanesyddol gywir. Bwriadwn i'r gerdd fod hefyd yn fath o ddarlun o broses hanes y diwydiant glo a'r gymdeithas a grewyd ganddo—diwylliant arbennig y lleiafrif, y seciwlareiddio wrth symud i gyfeiriad Sosialaeth, ond fod honno (hyd y medrwn farnu) yn Sosialaeth Gristnogol yn hytrach na Marcsaidd.

'Bûm yn gweithio am flwyddyn neu ddwy gyda theip digon gwahanol i Richard Morris. Ray Williams oedd hwnnw, "The Professor" yn ôl ei lysenw yn y pwll. 'Roedd meddwl hwnnw'n gwbl seciwlar, ond prin fod Marcsaeth yn rhan o'i gefndir yntau chwaith. Ar y llaw arall, yr oedd yn llawdrwm ar bobl capel, am fod yr eglwysi a'u gweinidogion wedi bradychu'r glowyr yn ystod y dirwasgiad. O ran teithi meddwl a gwybodaeth, 'doedd Ray ddim yn yr un cae â Richard!

'Bwriadwn i ddiwedd y gerdd adlewyrchu nid yn unig ddiwedd cyfnod, ond diwedd diwydiant cyfan—a'r distawrwydd yn dal i ddiasbedain yng nghlyw y miloedd sy'n cofio!'

'Cwm culach na cham ceiliog': braslun daearegol

Dyfed Elis-Gruffydd

Nid y lleiaf o gymwynasau Robert Plot (1640-96), ceidwad cyntaf Amgueddfa Ashmole, Rhydychen, oedd cyflwyno ei ddisgybl enwocaf, Edward Llwyd (1660-1709), i William Cole (m. 1702), Bryste, gŵr a feddai ar gasgliad a oedd gyda'r gorau yn ei ddydd o'r ffosilau hynny a nodweddai greigiau meysydd glo de Cymru a Bryste.[1] I Llwyd, a ymddiddorai mewn planhigion yn ogystal â ffosilau, yr oedd y 'dail mwyn' a welsai yng nghartref ac amgueddfa bersonol Cole ym 1690 yn ddigon o ryfeddod,[2] a phleser o'r mwyaf i'r naturiaethwr o Gymro tra oedd ar ei daith drwy dde Cymru ym 1693, oedd darganfod trysorau tebyg yng nghreigiau Morgannwg:

> The colepits of Glamorganshire, affoard as much variety of subterraneous plants as those of Gloc. & Somersetsh. &c.[3]

Bedair blynedd yn ddiweddarach, ac yntau bellach ar gymal cyntaf ei bererindod fawr drwy Gymru a'r gwledydd Celtaidd, manteisiodd Llwyd unwaith yn rhagor ar ei gyfle i grwydro rhannau o faes glo de Cymru. Yn ei lythyr dyddiedig Mehefin, 1697, at ei gyfaill Tancred Robinson, ceir disgrifiadau afieithus o'i ymweliad â gweithfeydd glo a mwyn haearn yng Ngwent a'r mathau ar blanhigion ffosil y cawsai hyd iddynt gerllaw'r lefelau.[4] Ac mewn llythyr arall a anfonodd at yr un cyfaill ym mis Medi, 1697, cofnodir ei ddarganfyddiadau yng Nghwm Rhondda:

> In a steep rock called Craig y park, and others in the parish of Ystrad Dyvodog, we observed divers veins of Coal, exposed to sight as naked as the rock . . .[5]

Yr hyn a welsai Llwyd oedd y gwythiennau o lo rhwym (glo bitwmen) a frigai ar lechweddau serth y cwm, fry uwchlaw'r afon rhwng Blaenrhondda a'r Porth.

Amhosibl yw dweud pa bryd y dechreuodd trigolion y fro hon weithio'r gwythiennau hyn ond mae'n amlwg na fu fawr o durio am lo cyn chwarter cyntaf y bedwaredd ganrif ar bymtheg. Serch hynny, ym 1778 gallai awdurdodau eglwys Ystradyfodwg brynu glo a gloddid mewn lefelau ar dir ffermydd cyfagos am 4*d* y llwyth[6] ac erbyn oddeutu 1790 arferid cludo glo '. . . for household purposes . . . from Trebanog in Cwm Rhondda, a distance of 12 or 13 miles, on horseback, over the mountains . . .' i Aberdâr.[7] Heb fod yn bell o Bontypridd sylwodd Benjamin Heath Malkin ar lôn a arweiniai '. . . to some coal-pits close by . . .'[8] ond am weddill ei daith drwy blwyf Ystradyfodwg yn gynnar yn haf 1803 '. . . ni welodd ddim ond cyfuniad o wylltineb natur a ffrwythlondeb amaethyddol',[9] golygfeydd a fyddai, ym marn awdur y '. . . gorau, o ddigon, o'r hen lyfrau teithio ar y deheudir . . .',[10] wrth fodd calon unrhyw deithiwr o Sais o gyffelyb anian:

The upper part of Ystradyvodwg parish is as untameably wild, as anything that can be conceived; and the few, who have taken the pains to explore the scattered magnificence of South Wales, agree in recommending this untried route to the English traveller, as one of the most curious and striking in the principality . . .[11]

Ym mhen ucha'r cwm bu'n rhaid iddo ddringo'r llwybr serth a throellog a arweiniai tua chopa Mynydd Beili-glas, uwchlaw Llyn Fawr, ond 'roedd yn werth yr ymdrech:

. . . this view alone well repays the labour of the journey, to those who affect the grander scenes of nature. On gaining the summit, the freshness of the breeze, the extensive view of the mountain valley, the reach of the Rontha Vawr on the opposite height, seen to its very source, with its projection down the crag, all bring to the mind the best descriptions of Alpine scenery, though on an inferior scale.[12]

Y mae ieithwedd Malkin yn gwbl nodweddiadol o'r modd rhamantaidd yr ymatebai teithwyr y cyfnod i ryfeddodau natur. Er hynny, yr oedd ei gyfeiriad at yr olygfa Alpaidd ei gwedd yn broffwydol.

Yn ystod haf 1840 teithiodd Jean Louis Rodolphe Agassiz (1807-73), y rhewlifegydd arloesol a chyd-awdur y gyfrol swmpus a thra dylanwadol, *Études sur les Glaciers* (1840), o'r Swistir i Loegr gyda'r bwriad o ganfod ym mynyddoedd gwledydd Prydain dystiolaeth y gellid ei phriodoli i waith erydol a dyddodol hen rewlifau. Un peth oedd adnabod a disgrifio tirffurfiau a dyddodion rhewlifol yr Alpau; mater arall fyddai darbwyllo hoelion wyth y byd daearegol ym Mhrydain, gwlad lle nad oedd rhewlifau yn bod, y dylent hwythau hefyd goleddu'r ddamcaniaeth rewlifol newydd. Gwyddai Agassiz ei fod yn mentro i ffau'r llewod:

> This glacier-hunt was . . . a somewhat perilous undertaking for the reputation of a young naturalist like myself, since some of the greatest names in science were arrayed against the novel glacial theory.[13]

Serch hynny, nid ofer fu ei daith. Yn wir, drwy lygaid Agassiz y gwelai ac y dehonglai daearegwyr dirluniau gwledydd Prydain wedi iddo draddodi ei ddarlith enwog ym mhencadlys y Gymdeithas Ddaearegol yn Llundain ym mis Tachwedd 1840, pryd y cyfeiriodd at yr olion rhewlifol diymwad a welsai yn yr Alban ddeufis ynghynt.[14]

Nid oedd neb yn fwy ymwybodol o gymwynas fawr Agassiz na'r daearegwr o Gymro, Tannatt William Edgeworth David (1858-1934), mab William David, rheithor Sain Ffagan:

> British geologists [meddai] having once realized the fact that great glaciers had formerly existed in Britain, followed up the trail of these old glaciers in a way which did credit to our national reputation for sport.[15]

Ac ar eu trywydd yr aeth David hefyd er mwyn ceisio ateb y cwestiwn a'i blinai ym 1881: '. . . it remains to be decided, whether there are evidences of ice action in South Wales.'[16] Megis Agassiz, cafodd yntau hefyd hyd i'r dystiolaeth y chwiliai amdani ac yn ei erthygl, 'On the Evidence of Glacial Action in South Brecknockshire and East Glamorganshire', a gyhoeddwyd yn 1883, mae'n disgrifio gwaddodion rhewlifol Cwm Rhondda a chyfeirir, hefyd, at y rhychiadau ar arwynebau'r creigiau ym mhen uchaf Rhondda Fawr a

Cwm Rhondda, rhwng Blaenrhondda a Threherbert: y tu hwnt i Fynydd
Blaenrhondda a Phen-pych (dde) y mae Craig Selsig a Tharren Saerbren

achosid, yn ôl pob tebyg, gan rewlif a lanwai'r dyffryn yn ystod Oes yr
Iâ.[17]

Er pwysiced y dystiolaeth a ddisgrifiwyd gan David, y mwyaf
trawiadol o ddigon o dirffurfiau rhewlifol Cwm Rhondda yw'r tri
pheiran dan gysgod tarenni crwm Cwm Saerbren, ger Treherbert, a'r
Graig-fawr a'r Graig-fach ym mhen uchaf Cwm-parc. Yn y pantiau
dwfn a chysgodol hyn ac mewn peirannau bas eraill, megis y rheini
dan glogwyni Mynydd Blaenrhondda a Tharren Maerdy yn nyffryn
afon Rhondda Fach, yr ymgasglai'r eira a'r iâ a fwydai'r rhewlifau a
lanwai'r naill gwm a'r llall yn ystod y Rhewlifiant Olaf, a oedd yn ei
anterth oddeutu 18,000 o flynyddoedd yn ôl. Yn ogystal â chreu'r
peirannau, unionwyd ochrau a dyfnhawyd llawr y ddau gwm gan rym
erydol yr iâ wrth i'r rhewlifau araf lifo tua'r de. Trawsnewidiwyd ffurf
y cymoedd cynrewlifol gan greu ohonynt gafnau creigiog, culach na
cham ceiliog, chwedl Thomas Evans ('Telynog': 1840-65), a'u lloriau
wedi'u gorchuddio â thrwch o waddodion rhewlifol—cleiau caregog a
haenau o raean yn bennaf—a adawyd ar ôl wedi i'r iâ ddadmer ac
encilio tua 15,000 o flynyddoedd yn ôl.[18] Yna, rhwng 11,000 a 10,000
o flynyddoedd yn ôl, oerodd yr hin drachefn ac am gyfnod o oddeutu
800 mlynedd llechai naill ai rhewlifau bychain neu ynteu feysydd eira

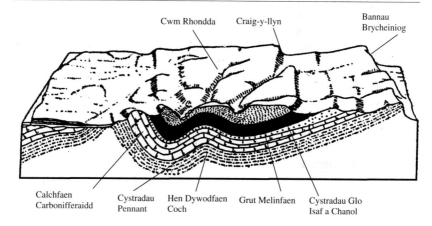

Cwm Rhondda   Craig-y-llyn   Bannau
                                      Brycheiniog

Calchfaen   Cystradau   Hen Dywodfaen   Grut Melinfaen   Cystradau Glo
Carbonifferaidd   Pennant   Coch   Isaf a Chanol

Tirwedd ac adeiledd maes glo De Cymru yng nghyffiniau Cwm Rhondda (yn seiliedig ar ddeiagram yn A.E. Trueman, *Geology and Scenery in England and Wales, 1949.*

parhaol dan gysgod trwm cefnfuriau Tarren Saerbren, y Graig-fawr a'r Graig-fach, cyn i hinsawdd tymherus y cyfnod olrewlifol amddifadu 'Alpau Morgannwg'[19] a mynyddoedd Cymru fel ei gilydd o'u gwedd wirioneddol Alpaidd.

Pa mor drawiadol bynnag oedd 'Alpau Morgannwg', nid pob teithiwr o Sais a ymwelai â Chymru tua throad y bedwaredd ganrif ar bymtheg oedd â'i fryd ar glodfori godidogrwydd golygfeydd ei rhanbarthau mynyddig. Creigiau, eu dosbarthiad daearyddol a'u trefn gronolegol, oedd pennaf diddordeb William Smith (1769-1839), peiriannydd sifil a thirfesurwr a aned yn yr un flwyddyn â Malkin, ac am iddo baratoi'r map daearegol cyntaf o Loegr a Chymru, a gyhoeddwyd oddeutu 1801, fe'i hadwaenir fel 'Tad Daeareg Lloegr' (*sic*).[20] Ym 1815 cyhoeddwyd fersiwn manylach o'i fap arloesol ac arno amlinellodd Smith am y tro cyntaf ffiniau creigiau maes glo De Cymru (y '*Coal Measures*' a'r '*Penant paving Grindstones and Millstones*', chwedl yntau) a lleoliad y pyllau glo.[21] Yr oedd yr hyn a gyflawnwyd gan Smith yn gamp nid bychan a buan y sylweddolodd Charles Lyell, awdur y campwaith syniadol *Principles of Geology* (1830-33), y byddai ei fap yn

. . . lasting monument of original talent and extraordinary perseverance; for he had explored the whole country on foot without the guidance of previous observers, or the aid of fellow-labourers, and had succeeded in throwing into natural divisions the whole complicated series of British rocks.[22]

Agorwyd pennod bwysig arall yn hanes yr ymchwil i ddaeareg y ddwy wlad gydag ymddangosiad *Outlines of the geology of England and Wales* (1822), cyfrol a luniwyd gan William Daniel Conybeare (1787-1857) mewn cydweithrediad â William Phillips.[23] 'Roedd Conybeare, a fu'n rheithor Sili (1822-35) ac yn ddeon Llandaf (1845-57), yn gryn arbenigwr ar ddaeareg maes glo De Cymru ac yn ei lyfr ceir am y tro cyntaf ddisgrifiad cryno a chywir o natur, dilyniant, dosbarthiad ac osgo'r gwahanol greigiau sy'n brigo rhwng godreon deheuol Bannau Brycheiniog a Bro Morgannwg, sef '*Old Red Sandstone*' (Hen Dywodfaen Coch), sylfaen y basn hirgrwn y mae'r creigiau Carbonifferaidd yn gorwedd ynddo; '*Carboniferous Limestone*' (Calchfaen Carbonifferaidd); '*Millstone Grit*' (Grut Melinfaen); '*Coal Measures*' (y Cystradau Glo Canol ac Isaf), ac yna '*Pennant and Upper-Coals*' (y Cystradau Glo Uchaf neu'r Cystradau Pennant), sef y cystradau glo ieuengaf a'r ieuengaf o'r holl greigiau Carbonifferaidd a ffurfiwyd rhwng 363 a 290 o filiynau o flynyddoedd yn ôl. Yn ogystal, ym 1836 cyhoeddodd Conybeare drawstoriad o'r maes glo o'r gogledd i'r de a bortreadai anghymesuredd plyg y basn a phresenoldeb anticlin Pontypridd-Maesteg, y plyg ar i fyny sy'n cymhlethu adeiledd y cystradau glo ym Morgannwg.[24]

Yr oedd cyfraniad Conybeare yn hynod werthfawr. Eto i gyd nid oedd nemor ddim manylion ar gael am ddaeareg Cwm Rhondda nac unrhyw ran neilltuol arall o'r maes glo cyn sefydlu'r Arolwg Daearegol ym 1835, dan arweiniad Henry Thomas De la Beche (1796-1855). Yn wir, ar 16 Tachwedd 1837, ysgrifennodd y Cyrnol T. F. Colby, Cyfarwyddwr Arolwg Trigonometrigol Prydain Fawr, yr awdurdod yr oedd yr Arolwg Daearegol yn gangen ohono, at De la Beche gan fynegi ei syndod ynglyn â'r prinder gwybodaeth: 'I was not aware,' meddai Colby, 'that the general geological examination of Glamorganshire was in so very backward a state as to render it expedient for you to commence there', yn hytrach nag yn sir Benfro.[25] Amcan yr Arolwg oedd darparu, er budd gwyddoniaeth a diwydiant, bortread cywir o ddaeareg y wlad drwy argraffu ar fapiau'r Arolwg Ordnans wybodaeth ddaearegol. Cwblhawyd y dasg o fapio De Cymru ar y raddfa un fodfedd i'r filltir ym 1844-5.[26] Y tri swyddog a fu'n gyfrifol am fapio de-ddwyrain y maes glo, rhanbarth a gwmpasai Gwm Rhondda, oedd De la Beche, William Edmund Logan (1798-1875) a David Hiram Williams, ond yn ôl pob tebyg neb llai na De la Beche ei hunan a droediodd y rhan helaethaf o'r ardal rhwng Blaenrhondda yn y gogledd a Llanharan yn y de, Pont-rhyd-y-fen yn y gorllewin a Phontypridd yn y dwyrain.[27]

Fodd bynnag, nid bychanu llafur caled De la Beche, y gŵr a fu'n bennaf cyfrifol am berswadio llywodraeth y dydd i sefydlu'r Arolwg Daearegol, yw dweud na fedrai un ymchwilydd gynnig dim amgenach na golwg arwynebol ar ddaeareg ardal mor fawr a garw ei thirwedd. At hynny, pethau digon prin oedd lefelau glo yn ystod cyfnod ei arolwg a phrinnach fyth oedd y pyllau y byddai'n rhaid wrthynt cyn y gellid datgelu manylion am y cystradau glo ynghudd dan lawr dyffrynnoedd megis Cwm Rhondda. Ac eithrio rhai lefelau bach a dibwys rhwng Pontypridd a chymer y ddwy afon, a gweithfeydd bychain ym mlaenau Rhondda, megis y tyllau glo ger Sgwd y Rhondda, a nodwyd ar fap dyddiedig 1833, yng nghyffiniau Dinas yn unig y câi'r gwythiennau o lo rhwym eu gweithio ar raddfa gymharol eang a hynny mewn lefelau a phyllau a oedd yn eiddo i Walter Coffin (1785-1867), arloeswr diwydiannol cyntaf y ddau gwm.[28] Rhai o wythiennau'r Cystradau Pennant a weithid: yn gyntaf, y ddwy wythïen (y Rhondda Rhif 1 a'r Rhondda Rhif 2) a frigai ar lechweddau isaf y dyffryn, y naill oddeutu 100 troedfedd uwchben y llall, ac yn ddiweddarach yr wythïen gyfoethog—y Rhondda Rhif 3—y cafwyd hyd iddi ar ddyfnder o 120 troedfedd ym mhwll Dinas Isaf, y siafft gyntaf i'w suddo dan lawr Rhondda Fawr a'r cyntaf o dri phwll a agorwyd gan Coffin yn ardal Dinas rhwng 1812 a 1845.[29]

Yn ystod y cyfnod 1812-1855 agorwyd un ar bymtheg o byllau glo rhwng Pontypridd ac Ynys-hir yn Rhondda Fach, a Dinas yn Rhondda Fawr, ond ni suddwyd yr un siafft yn ddyfnach na 300 troedfedd.[30] Er y dinoethwyd haenau uchaf y Cystradau Glo Canol rhwng Tonpentre a

Blaenrhondda gan rym erydol rhewlif Rhondda, ni chafodd yr erwau glo cyfoethog dan lawr y rhan honno o'r glyn mo'u cofnodi a'u gweithio hyd nes i ardalydd Bute roi cychwyn ar y gwaith o brofi bod modd cyrraedd y gwythiennau gwerthfawr hynny o lo rhydd (glo ager) ac ynddo gyfran uwch o garbon, a llai o amhureddau, na glo rhwym, sef y tanwydd a ddefnyddid yn bennaf ar danau agored ac ar gyfer cynhyrchu nwy a mwyndoddi metel. Dechreuwyd ar y gwaith o suddo pwll yng nghyffiniau Cwm Saerbren ym mis Medi, 1850, ac ymhen ychydig dros flwyddyn trawyd yr wythïen bedair troedfedd (Upper Four Foot) ar ddyfnder o 375 troedfedd.[31] Hon oedd 'the celebrated Four Foot Seam' y broliai cwmni Ocean Coal, Caerdydd, ei rhinweddau yn ystod y 1920au, glo nad oedd ei hafal

... for Steam Navigation and Railway purposes. It is well known in all the Markets of the world for ECONOMY IN CONSUMPTION, ITS PURITY AND DURABILITY. It is largely and in many cases exclusively used by the PRINCIPAL STEAM NAVIGATION COMPANIES at Home and Abroad. OCEAN (MERTHYR) STEAM COAL solely was used by the Cunard Company Steamers 'Mauretania' & 'Lusitania' in creating a Record for the most rapid Atlantic Passages. THE OCEAN COMPANY supply the requirements of the English Admiralty for trial trips, for the use of the Royal Yachts, and other special purposes.[32]

Er gwaetha'r llwyddiant yng Nghwm Saerbren, nid aed ati o ddifrif i gloddio glo gwythiennau dyfnion y Cystradau Glo Canol tan ganol y 1860au, pryd y cafwyd hyd i'r wythïen bedair troedfedd a'r chwe throedfedd ar ddyfnder o 690 a 759 troedfedd yng nglofa Maendy, Tonpentre, un o'r pyllau a oedd yn eiddo i David Davies (1818-90), Llandinam.[33]

Rhwng 1864 a diwedd y ganrif suddwyd pump ar hugain o byllau glo rhydd yng Nghwm Rhondda Fawr a naw yng Nghwm Rhondda Fach.[34] Esgorodd y gwaith ar doreth o wybodaeth ddaearegol newydd, manylion a bwysleisiai'r angen dybryd am arolwg daearegol newydd o'r ardal arbennig hon a maes glo De Cymru yn ei gyfanrwydd. Ym 1891 tynnodd Syr H. Hussey Vivian sylw'r Senedd at ddiffygion amlwg mapiau'r arolwg daearegol cyntaf, gan ddadlau y dylid mynd ati rhag blaen i drefnu arolwg manylach o'r maes glo yn seiliedig ar fapiau chwe modfedd i'r filltir.[35] Ac felly y bu. Mapiwyd y rhan honno o'r maes glo o amgylch Pontypridd a Maesteg rhwng 1893 a 1897, dan arolygiaeth Aubrey Strahan (1852-1928). Cyhoeddwyd map Pontypridd (rhif 248) ym 1899[36] a'r llawlyfr esboniadol ym 1903, cyfrol sy'n tanlinellu pa mor ddyledus oedd swyddogion yr Arolwg Daearegol i reolwyr y glofeydd a'r peirianwyr a'r tirfesurwyr mwyngloddio fel ei gilydd am ddatgelu gwybodaeth fanwl am y gweithfeydd tanddaearol.[37] Dyledus oedd y tirfesurwyr i swyddogion yr Arolwg Daearegol, hefyd, oherwydd yr oedd eu dadansoddiad daearegol hwythau o'r manylion a ddatgelid yn hwyluso'r gwaith o ddilyn hynt gwythiennau a oedd, ar eu gorau, yn amrywiol eu trwch ac yn ansicr eu parhad o boptu ffawtiau, un o achosion y 'problemau daearegol' bondigrybwyll na allai perchenogion y pyllau eu hosgoi.

Bu tirfesurwyr cwmnïau Powell Duffryn ac Ocean Coal ac, yn ddiweddarach, swyddogion y Bwrdd Glo Cenedlaethol, a ddaeth i fodolaeth ym mis Ionawr 1947, yr un mor barod eu cymorth pan ymgymerodd A.W. Woodland a W.B. Evans â'r trydydd arolwg o'r wlad o amgylch Pontypridd a Maesteg rhwng 1945 a 1954. Yn eu cyfrol esboniadol swmpus, a gyhoeddwyd yn 1964, ceir ymdriniaeth fanwl ar stratigraffeg, adeiledd, palaeontoleg a hanes gwaddodol Cystradau Glo'r ardal yn gyffredinol a rhanbarthau penodol megis Cwm Rhondda.[38]

Ar eu mwyaf trwchus y mae i Gystradau Glo Cwm Rhondda drwch o oddeutu 2,500-2,750 troedfedd. Haenau undonog o sialau a cherrig llaid llwydlas a du yn bennaf yw'r Cystradau Glo Isaf a Chanol, ond fe geir ynddynt hefyd haenau o dywodfaen a gwythiennau o lo rhydd, sydd o ran eu trwch yn gyfran ansylweddol iawn (tua 2% ar gyfartaledd) o gyfanswm trwch creigiau'r maes glo.[39] Yn y Cystradau Glo Isaf a Chanol y ceir nid yn unig y mwyafrif o'r gwythiennau glo ond hefyd y rhai mwyaf pwysig a thrwchus. Er enghraifft, yn siafft glofa'r Parc, a suddwyd i ddyfnder o 1,584 troedfedd, cofnodwyd 49 o wythiennau, er mai dim ond pump ohonynt—sef, yn nhrefn eu dyfnder o'r wyneb, y Ddwy Droedfedd Naw Modfedd, y Pedair Troedfedd, y Chwe Throedfedd, yr Wythïen Goch a'r Naw Troedfedd[40] —oedd yn ddigon trwchus i'w gweithio.[41] Ar wahanol adegau o'i hanes gweithid yng nglofa Lewis Merthyr, Trehafod, a suddwyd i

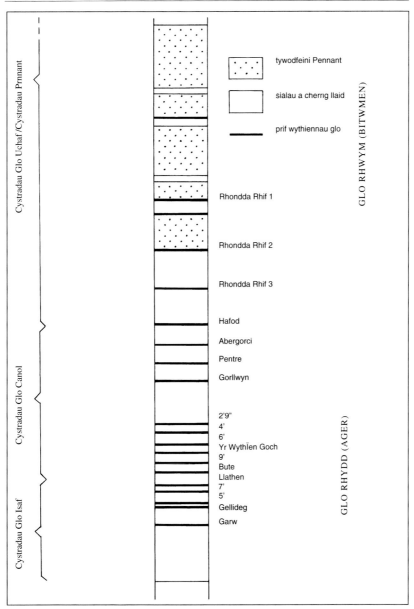

Y Cystradau Glo: y dilyniant creigiau, wedi ei symleiddio (yn seiliedig ar yr wybodaeth ar fap Pontypridd (rhif 248), dyddiedig 1975

ddyfnder o 1,425 troedfedd, gynifer â thair gwythïen ar ddeg, dwy o lo rhwym—sef, yn nhrefn eu dyfnder o'r wyneb, y Rhondda Rhif 2 a'r Rhondda Rhif 3 a berthyn i'r Cystradau Pennant—ac un ar ddeg o lo rhydd, sef yr Hafod, yr Abergorci, y Pentre, y Gorllwyn, y Ddwy Droedfedd Naw Modfedd, y Pedair Troedfedd, y Chwe Throedfedd, yr Wythïen Goch, y Naw Troedfedd, y Pum Troedfedd a'r Gelli-deg.[42] Ond hyd yn oed os ychwanegir at drwch y gwythiennau cydnabyddedig hyn yr holl wythiennau tenau diwerth a gofnodwyd yn siafft y pwll, cynrychiola'r glo, gweddillion y wern goedwigoedd trofannol a ffynnai rhwng 315 a 300 o filiynau o flynyddoedd yn ôl, lai na 5% o gyfanswm trwch y sialau a'r cerrig llaid sy'n gwahanu'r gwythiennau.

Er pwysiced yw'r sialau a'r cerrig llaid o ran eu trwch, pennaf nodwedd oes y Cystradau Glo, yn ystod y cyfnod rhwng ffurfiant gwythiennau glo hynaf a diweddaraf Cwm Rhondda, oedd sefydlogrwydd a hirhoedledd y wern goedwigoedd trofannol a orchuddiai wastadeddau arfordirol y 'Gymru' Garbonifferaidd. I greu oddeutu tair troedfedd o lo, byddai'n rhaid i drwch sylweddol o fawn, deunydd crai'r gwythiennau glo, araf ymgasglu ar lawr y gwernydd dros gyfnod o tua 7,000 o flynyddoedd, ond ni fyddai angen mwy na phum mlynedd i ffurfio tair troedfedd o siâl a charreg laid.[43] Gwaddodion afonol yw'r sialau a'r cerrig llaid ac ynddynt weddillion ffosiledig coed, planhigion a chregyn deufalf dŵr croyw, ac fe'u ffurfiwyd o dro i dro wrth i'r afonydd a ymddolennai ar draws y gwastadeddau orlifo eu glannau gan foddi'r fforestydd a chladdu'r llystyfiant toreithiog dan haenau o fwd a silt. Yna, ymhen rhai degau o flynyddoedd yn unig, ymffurfiai ar wyneb y llifwaddodion hyn haen o bridd y bwriai coed y fforest newydd eu gwreiddiau ynddo.

Yn ystod cyfnod y Cystradau Pennant, fodd bynnag, daeth y patrwm gwaddodol ailadroddus hwn i ben. O ganlyniad i newidiadau daearyddol a hinsoddegol taenai afonydd dolennog, a lifai o'r de i'r gogledd, haenau trwchus iawn o dywod am yn ail â haenau tenau o fwd ar draws y gwastadeddau arfordirol gan ddifetha i raddau helaeth, ond nid yn llwyr, gynefin y fforestydd trofannol. Y gwaddodion hyn a roes fod i'r Cystradau Pennant, dilyniant o dywodfeini trwchus, llwydlas eu lliw ond rhydlyd eu gwedd allanol, a sialau tenau. Ceir ynddynt hefyd ambell wythïen lo.[44]

Mae'r tywodfeini Pennant gwyn nid yn unig yn sail i'r llwyfandir ymdonnog, dyranedig y gellir ei olrhain ar draws holl gymoedd dyfnion maes glo De Cymru, ond maent hefyd yn ffurfio'r tarenni ysgithrog sydd mor nodweddiadol o ochrau uchaf y ddau gwm Rhondda. Fodd bynnag, er gwaethaf gwydnwch y creigiau hyn, maent yn gorwedd ar seiliau simsan cerrig llaid a sialau hyfriw, meddal y Cystradau Pennant isaf, ac arwydd amlwg o ansadrwydd y llethrau islaw brigiad y tywodfeini aml-haenog, aml-fregog yw'r hen dirlithriadau niferus y gwelir eu creithiau uwchlaw Blaen-y-cwm, er enghraifft, ac ar lechweddau dwyreiniol Cwm Rhondda Fach rhwng y Maerdy a Ferndale.[45]

Y mae stamp y tywodfeini Pennant yr un mor amlwg ar adeiladau'r cwm ag ydyw ar dirwedd y fro. Yn sgil datblygiad y diwydiant glo rhydd, bu twf poblogaeth y cwm yn syfrdanol, '. . . o 951 yn 1851 i

Glofa Lewis Merthyr/Parc Treftadaeth Rhondda: codwyd y ddau dŷ dirwyn, 'capelaidd' eu golwg, ym 1878 (chwith) a 1890 (dde).

55,000 yn 1881 ac i uchafswm o 167,000 yn 1924 . . .'[46] Yr oedd y galw am gartrefi yr un mor syfrdanol a rhwng 1881 a 1914, pryd y gweithiai 53 o byllau mawr yn y ddau gwm, codwyd 16,000 o dai.[47] Ac nid '. . . rhestr ar restr o dai unffurf . . .' yn unig a godwyd rhwng Blaen-y-cwm a Phontypridd yn y naill gwm, a'r Maerdy a'r Porth yn y llall, ond

. . . siopau, neuaddau, capeli ac eglwysi mawr, a thafarnau a chlybiau o'r un faint yn cystadlu â hwy. A'r glofeydd hwnt ac yma ar hyd y dyffryn.48

A'r deunydd a ddefnyddid bron yn ddieithriad i godi'r adeiladau amrywiol hyn oedd y tywodfeini Pennant. Yr oedd i bron pob cymuned a glofa ei chwarel ac ildiai bron pob haenen o'r tywodfaen naill ai meini adeiladu, a oedd yn gymharol hawdd i'w trin a'u naddu, neu ynteu fflagiau tenau, addas ar gyfer palmentydd y strydoedd hirion.[49] Y tair chwarel fwyaf oedd Craig-yr-hesg, ger Trehafod, a'r gweithfeydd hynny uwchlaw Llwynypia ac yng Nghwm Clydach, a'r pwysicaf o'r chwareli llai oedd y rheini ym Mhen-y-graig, Ynys-hir, Tyntyla, Pentre, Trealw a Phont-y-gwaith.[50]

Cyflenwad cyfoethog a thoreithiog o lo rhydd dan lawr y glyn; dyna, yn amlwg ddigon, a roes fod i gymdeithas lofaol Cwm Rhondda. Nid llai amlwg yw dylanwad ffurf y ddau ddyffryn rhewlifol, cul ar batrwm strydoedd pentrefi'r fro. Ond yn anad dim byd arall, y tywodfeini Pennant, y graig y naddwyd y dyffrynnoedd yn rhannol ohoni, a roes i bentrefi cadwynog y ddau gwm, a chymoedd eraill maes glo De Cymru o ran hynny, gymeriad a gwedd allanol nad yw eto wedi llwyr bylu er 'gwaetha'r newidiadau a ddaeth yn sgil cau'r pyllau y dibynnai trigolion y rhanbarth arnynt am eu cynhaliaeth. Am gyfnod o un mlynedd ar hugain glofa'r Maerdy oedd yr unig bwll a oedd yn dal i weithio, ond clensiwyd yr hoelen olaf yn arch diwydiant glo Cwm Rhondda pan gaeodd y pwll enwog hwnnw ym 1990, 113 o flynyddoedd wedi i'r llwyth cyntaf o lo rhydd gwythïen Abergorci, rhan o waddol cyfoethog y fforestydd trofannol, ymadael â'r safle am ddociau Caerdydd.[51]

NODIADAU

[1] R.T. Gunther, *Life and Letters of Edward Lhuyd*, Early Science in Oxford, XIV, Oxford University Press (Oxford, 1945), 104. Ceir y cyfeiriad mewn llythyr at John Ray, dyddiedig 1 Gorffennaf 1690. Gw. hefyd Dyfed Elis-Gruffydd, 'Edward Llwyd y Daearegydd', *Y Naturiaethwr*, 1993 (29), 10-24.

[2] R.T. Gunther, op. cit., 288, nodyn 1.

[3] ibid., 204.

[4] ibid., 337-8. Cyfeiria yn benodol at byllau a lefelau ym mhlwyf Llanelli, ger Bryn-mawr, ac ym Mhont-y-pŵl.

[5] ibid., 345.

[6] E.D. Lewis, *The Rhondda Valleys* (Llundain, 1959), 38.

[7] A. Strahan, et al., *The Geology of the South Wales Coalfield. Part IV. The country around Pontypridd and Maestêg* (Llundain, ailargraffiad 1917), 2. Dyfynnir cofnod mewn llyfr nodiadau o eiddo Henry De la Beche, dyddiedig 7 Gorffennaf 1840.

[8] B.H. Malkin, *The Scenery, Antiquities, and Biography of South Wales* (Llundain, 1804), 185.

[9] Gomer M. Roberts, *Crwydro Blaenau Morgannwg* (Llandybïe, 1962), 88.

[10] *Y Bywgraffiadur Cymreig* (Llundain, 1953), 574.

[11] B.H. Malkin, op. cit., 185.

[12] ibid., 192.

[13] Dyfynnir yn W.J. McCallien, 'The Birth of Glacial Geology', *Nature*, 1941 (147), 316.

[14] Dyfed Elis-Gruffydd, 'Darwin, Cymru a'r Ddamcaniaeth Rewlifol', *Y Naturiaethwr*, 1992 (28), 15-19.

[15] T.W. Edgeworth David, 'Evidences of Glacial Action in the neighbourhood of Cardiff', *Trans. Cardiff Nat. Soc.*, 1881 (XIII), 64.

[16] ibid., 65.

[17] ibid., 'On the Evidence of Glacial Action in South Brecknockshire and East Glamorganshire', *Quart. J. geol. Soc. Lond.*, 1883 (39), 39-53; gw. yn arbennig tud. 47 a 52-3.

[18] Am drafodaeth ar hanes rhewlifol Cwm Rhondda a'r cyffiniau, gweler A.W. Woodland a W.B. Evans, *The Geology of the South Wales Coalfield. Part IV. The country around Pontypridd and Maesteg* (Llundain, 1964), pennod IX, 'Pleistocene and Recent', 275-92, a hefyd D.Q. Bowen, 'South-east and Central South Wales', 197-277, yn C.A. Lewis (gol.), *The Glaciations of Wales* (London, 1970).

[19] B.H. Malkin, op. cit., 191.

[20] Douglas A. Bassett, *A Source-book of Geological, Geomorphological and Soil Maps for Wales and the Welsh Borders* (Caerdydd, 1967), 3-4 a 30.

[21] ibid., 4 a 31-2.

[22] Charles Lyell, *Principles of Geology* (Cyf. I; pedwerydd argraffiad) (Llundain, 1835), 102.

[23] John Challinor, *The History of British Geology* (Newton Abbot, 1971), 87-8.

[24] Trafodir arwyddocâd gwaith ymchwil Conybeare gan F.J. North, 'From the Geological Map to the Geological Survey', *Trans. Cardiff Nat. Soc.*, 1934 (65), 66-70.

[25] Dyfynnir gan F.J. North, ibid., 98.

[26] Douglas A. Bassett, op. cit., 8.

[27] A. Strahan, et al., op. cit., iii.

[28] E.D. Lewis, op. cit., 40, 44-5 a 67.

[29] ibid., 41-3.

[30] ibid., 56-7.

[31] ibid., 68-9; gw. hefyd John Davies, *Hanes Cymru* (Llundain, 1990), 388.

[32] Llewellyn J. Davies a D. Owen Davies, *South Wales Coals: Their Analyses, Chemistry and Geology* (Caerdydd, 1923), xxviii.

[33] E.D. Lewis, op. cit., 79-80.

[34] ibid., 91-3 a 103-4.

[35] F.J. North, *Coal, and the Coalfields in Wales* (Caerdydd, 1931), 170.

[36] Douglas A. Bassett, op. cit., 176.

[37] A. Strahan, et al., op. cit., gweler yn arbennig y rhagair i'r argraffiad cyntaf, iv. Cyhoeddwyd yr ailargraffiad er mwyn cynnwys manylion am '. . . the mining developments which have taken place since the publication of the First Edition in 1903 . . . but in the Rhondda Valleys there has been but little   change in mining exploration' v.

[38] A.W. Woodland a W.B. Evans, *The Geology of the South Wales Coalfield. Part IV. The country around Pontypridd and Maesteg* (Llundain, 1964). Cyhoeddwyd y mapiau newydd o'r ardal ym 1960 (Drifft) a 1963 (Solet).

[39] T.N. George, *British Regional Geology: South Wales* (Llundain, 1970), 89.

[40] Yn aml, cyfeiriai enwau'r gwythiennau at drwch y glo. Cyn i A.W. Woodland a W.B. Evans (op. cit., 32) geisio eu safoni, amrywiai enwau rhai gwythiennau o ardal i ardal ac weithiau o bwll i bwll. Afraid yw dweud i'r arfer hwn beri cryn ddryswch. Nid yn unig yr oedd i ambell wythïen fwy nag un enw, ond cyfeirid at wahanol wythiennau dan yr un enw!

[41] A.W. Woodland a W.B. Evans, op. cit., 354-5; E.D. Lewis, op. cit., 8.

[42] John Cornwell, *The Great Western and Lewis Merthyr Collieries* (Y Bont-faen, 1983), 5; A. Strahan, et al., op. cit., 147-9; E.D. Lewis, op. cit., 8.

[43] B.A. Thomas a C.J. Cleal, *The Coal Measure Forests* (Caerdydd, 1993), 7.

[44] ibid. Gw. hefyd Gilbert Kelling, 'Upper Carboniferous Sedimentation in South Wales', yn T.R. Owen (gol.), *The Upper Palaeozoic and Post-Palaeozoic Rocks of Wales* (Cardiff, 1974), 185-224.

[45] A.W. Woodland a W.B. Evans, op. cit., 278-9 a 285-6; W.C. Rouse, 'The frequency of landslides in the South Wales Coalfield', *Cambria* (15), 167-79.

[46] John Davies, op. cit., 388.

[47] David Egan (cyf. Rhiannon Ifan), *Y Gymdeithas Lofaol* (Llandysul, 1988), 78.

[48] Gomer M. Roberts, op. cit., 88.

[49] A.W. Woodland a W.B. Evans, op. cit., 296.

[50] E.D. Lewis, op. cit., 144.

[51] ibid., 98.

Pen-rhys: Mecca'r Genedl

Christine James

Pe gofynnid i'r creadur prin hwnnw, y Cymro cyffredin, ynghylch arwyddocâd yr enw Pen-rhys, mae'n bur debygol mai rhywbeth tebyg i hyn fyddai ei ateb: 'Wel, dyna lle mae'r stad tai-cyngor enwog, ynte?' A minnau'n blentyn a fagwyd yng Nghwm Rhondda yn ystod y pumdegau a'r chwedegau, yn y dyddiau cyn codi cynnyrch mwyaf nodedig polisi-tai y Cyngor lleol, prin imi glywed sôn am Ben-rhys nes i ddyfodiad y frech wen i'r cylch ym misoedd cynnar 1962—a'r panig a ddaeth yn ei sgil—dynnu fy sylw at fodolaeth Ysbyty Heintiau Peryglus yn y fan unig a llwm hwnnw yn y mynydd-dir sy'n gwahanu cymoedd Rhondda Fawr a Rhondda Fach.[1] I mi yn y cyfnod hwnnw, felly, 'roedd enw Pen-rhys yn gyfystyr â'r ysbyty a'r heintiau brawychus a drinnid ynddo.

Gwahanol oedd arwyddocâd enw Pen-rhys i'n cyn-deidiau, fodd bynnag. Mae John Leland, yr hynafiaethydd Saesneg enwog a fu'n teithio trwy Gymru a Lloegr yn y cyfnod 1534-43 er casglu gwybodaeth ar gyfer ei waith mawr ar hanes a hynafiaethau'r ddwy wlad, wedi crisialu gyda'i grynoder arferol arwyddocâd Pen-rhys i Gymry'r canol oesoedd diweddar: dyna'r lle 'wher the Pilgrimage was'.[2] Nid oedd fy nghefndir Seisnigedig a Phrotestannaidd wedi rhoi amcan imi fod Pen-rhys a'i ffynnon sanctaidd a gysegrwyd i enw'r Forwyn Fair yn gyrchfan dra phoblogaidd i bererinion mewn oes a fu, ac yn ffocws i gylch sylweddol o farddoniaeth Gymraeg. Ni wyddwn ychwaith fod arwyddocâd ysbrydol y lle, a rwygwyd oddi wrtho yn nhridegau'r unfed ganrif ar bymtheg gyda diddymu'r mynachlogydd, wedi ei adfer gan Eglwys Rufain mor ddiweddar â 1947, a bod y safle unwaith eto yn ganolbwynt defosiwn a phererindota.[3]

Pererindota ar draws y canrifoedd i Ben-rhys yr oesoedd canol diweddar a wnawn ninnau yn yr ysgrif hon. Ynddi, yn bennaf trwy archwilio'r corff pwysicaf o dystiolaeth hanesyddol am y safle sydd wedi goroesi, sef y cylch o gerddi Cymraeg Canol a gyfansoddwyd mewn perthynas â Ffynnon Fair, trafodir rhai o brif nodweddion y

'Mair o Ben-rhys'—y ddelw faen o'r Forwyn Fair a saif ar Ben-rhys heddiw

(Llun: Llyfrgell Treorci)

defodau a'r credoau a gysylltir â dyrchafu Mair ar Ben-rhys yn yr oesoedd canol, ond gan geisio gosod y cwbl hefyd o fewn cyd-destun traddodiad barddol hirhoedlog ac eang ei rychwant.[4]

*   *   *

Mae'n dra hysbys mai mawl yw hanfod y traddodiad barddol Cymraeg o'i ymddangosiad cyntaf yn y chweched ganrif ac am y fil flynyddoedd cyntaf yn ei hanes: mawl a marwnad i frenhinoedd, tywysogion ac uchelwyr er cydnabod a dathlu eu dewrder mewn brwydr, eu haelioni gartref yn y llys, gwychder eu gwybodaeth ac arucheledd eu tras. Yn hyn o beth 'roedd y bardd Cymraeg yn wir etifedd beirdd Celtaidd y cyfandir a ddisgrifiwyd gan yr awduron clasurol.[5] Cyfeiria'r awduron hynny at fodolaeth tri dosbarth dysgedig yn y gymdeithas Geltaidd gynnar, sef derwyddon, *vates* (neu broffwydi), a beirdd. Crefyddol yn ei hanfod oedd gweithgarwch y derwyddon a'r *vates* fel ei gilydd, yn ymwneud â gwahanol agweddau ar y berthynas rhwng y byd naturiol a'r byd goruwchnaturiol Celtaidd, ac y mae'n bur debyg fod swyddogaeth grefyddol i'r beirdd hwythau yn y cyfnod hwn, sef llunio molawdau ac emynau i'r duwiau paganaidd—rhai animistaidd yn aml—a addolid gan y llwythau lleol.[6]

Yn wyneb swyddogaeth grefyddol dybiedig y bardd Celtaidd, nid annisgwyl yw dod o hyd i gyfeiriadau crefyddol—Cristnogol erbyn hynny—yn y farddoniaeth Gymraeg gynharaf, er y dylid nodi i ddilysrwydd y gyfeiriadaeth honno gael ei gwestiynu.[7] Nid annisgwyl ychwaith yw canfod ymhlith y tameidiau cynharaf o Gymraeg ysgrifenedig a oroesodd enghraifft o farddoniaeth grefyddol union-gyrchol, sef molawd i Dduw,[8] sydd o bosibl yn dyst i barhad traddodiad cyfochrol ac annibynnol o ganu mawl crefyddol nad oes gennym ond arwyddion prin ohono yn y cyfnod cynnar hwn.[9] Fodd bynnag, daeth y ddeuddegfed ganrif â thro ar fyd yng Nghymru fel yng ngweddill Ewrop;[10] o'r cyfnod hwn ymlaen, ac yn fwyaf penodol o *c.* 1250 ymlaen,[11] cadwyd cyfoeth o lawysgrifau Cymraeg ac ynddynt, ymhlith amrywiaeth o bethau eraill, gorff sylweddol o farddoniaeth gan gynnwys cerddi crefyddol o wahanol fathau—eschatolegol, hyfforddiannol, edifeiriol, defosiynol, ac yn y blaen. Ac yn eu plith ceir nifer arwyddocaol o gerddi sydd yn cyfarch y Forwyn Fair.[12]

Ymddengys i gwlt y Forwyn Fair ddechrau blodeuo yn y Dwyrain Canol yn y bedwaredd ganrif. Lledodd yn gyflym ryfeddol, ac arwydd o'i bwysigrwydd fel symudiad o fewn y byd Cristnogol oedd bod materion yn ymwneud â dyrchafu Mair, gan gynnwys llunio dogmâu megis yr Ymddŵyn Difrycheulyd (y gred ei bod yn ddibechod o'i chenhedliad) a phriodoli iddi deitlau megis 'Mam Duw', wrth wraidd peth o'r ymgecru ffyrnicaf a'r gwrthdrawiadau pwysicaf yn hanes yr eglwys fore.[13] Erbyn yr wythfed ganrif daeth dyrchafu Mair yn gyffredin yn y Gorllewin. Yn ddiddorol ddigon, digwydd y cyfeiriad cyntaf at Fair yn y Gymraeg yn un o'r darnau cyntaf o Gymraeg ysgrifenedig i oroesi, sef y gerdd grefyddol y cyfeiriwyd ati uchod, a gopïwyd yn hanner cyntaf y ddegfed ganrif ond a luniwyd o bosibl mor gynnar â'r cyfnod rhwng diwedd yr wythfed ganrif a chanol y nawfed ganrif.[14] Ond er bod honno'n gorffen ac yn wir yn cyrraedd ei huchafbwynt gyda chyfeiriad at Iesu fel 'mab Mair', gan adlewyrchu felly hinsawdd ddiwinyddol yr oes, cysylltir poblogeiddio cwlt y Forwyn Fair ar raddfa eang yng Nghymru â dau ddylanwad estron diweddarach o dipyn sef, ar y naill law â dyfodiad y Normaniaid yr oedd Mair yn annwyl iawn ganddynt fel cenedl, ac ar y llaw arall â llediad urdd bwerus a dylanwadol y mynaich Sistersaidd—y mynaich gwyn fel y'u gelwid, a ddaeth i Gymru yn sgil y Normaniaid—gan ei bod yn arfer ganddynt gysegru eu tai crefydd mawrion i'w henw.[15] Yng Nghymru, rhoddwyd enw Mair ar ryw 143 o eglwysi a chapeli ac o leiaf 75 o ffynhonnau, a'r rhain ar eu hamlaf yn y rhannau hynny o'r wlad lle y bu'r dylanwadau Eingl-Normanaidd ar eu cryfaf.[16] Ar sail ystadegau amrwd nifer y cysegriadau hysbys, Mair oedd y sant mwyaf poblogaidd o bell ffordd yng Nghymru'r oesoedd canol, ymhell ar y blaen i'r 'ffefryn' cenedlaethol, ein nawddsant ei hunan, gan nad oedd ond rhyw 53 o eglwysi a 32 o ffynhonnau yn dwyn enw Dewi.[17] Adlewyrchid poblogrwydd Mair yng Nghymru, fel yn wir yng ngwledydd eraill Ewrop yn yr un cyfnod, mewn llenyddiaeth a chelfyddyd gain a hefyd mewn lliaws dirifedi o draddodiadau a choelion gwerin poblogaidd a ganolid yn arbennig ar yr eglwysi a'r ffynhonnau a gysegrwyd i'w henw.[18] Llwyddodd ei chwlt i ddylanwadu hyd yn oed ar gyfoeth geirfa'r Gymraeg ei hun, gan y gwelodd yr oesoedd canol roddi enw Mair ar amryw o flodau a llysiau'r meysydd, nes troi rhestr syml o gynnwys y caeau yn folawd i'r Forwyn.[19]

Fel y gwelwn maes o law, mae tystiolaeth gyfoes o amryw o ffynonellau, gan gynnwys y cylch o gerddi Cymraeg y cyfeiriwyd ato uchod, yn awgrymu'n gryf mai Ffynnon Fair ar Ben-rhys oedd y pwysicaf o ddigon o'r cysegriadau i Fair yng Nghymru erbyn y bymthegfed ganrif. Yn wir, cymaint oedd enwogrwydd y ffynnon

honno am wella pob math o afiechydon ac anhwylderau nes iddi ddod
yn brif ganolfan pererindota ledled de Cymru yn y cyfnod hwnnw—er
rhaid cydnabod na lwyddodd byth i ddisodli Ffynnon Wenfrewi yn
Nhreffynnon o'i safle ar frig siartiau poblogrwydd pererindota dros
Gymru gyfan.[20] Mae'r cerddi a ganwyd i Fair ar Ben-rhys, na ellir eu
dyddio'n gynharach na *c*. 1450, yn ein harwain i gredu mai yn ystod
ail hanner y bymthegfed ganrif y daeth y ffynnon arbennig hon i
anterth ei phoblogrwydd, a gallwn ddehongli brwdfrydedd y beirdd a'r
pererinion fel ei gilydd ynghylch Ffynnon Fair a'r ysgrîn (*shrine*) a
ddatblygodd wrthi ar Ben-rhys—yn union fel y gellir dehongli
poblogrwydd cyfochrog ffynhonnau ac ysgriniau eraill yng Nghymru
yn yr un cyfnod—yn ymateb uniongyrchol i'r adferiad economaidd a'r
dadeni llenyddol a chrefyddol a fwynhawyd dros Gymru gyfan yr
adeg honno, wedi hirlwm blynyddoedd Gwrthryfel Glyndŵr a'i
ganlyniadau. Perthyn y cerddi i'r 'Ganrif Fawr, 1435-1535', chwedl
Saunders Lewis,[21] canrif nodedig yn hanes llenyddiaeth Gymraeg am
ddisgleirdeb a thoreithedd ei chanu; ac yr oedd pererindota yn
fynegiant naturiol ar ddwy o nodweddion amlycaf diwygiad crefyddol
y bymthegfed ganrif, sef dyrchafu'r seintiau ac awyddfryd i ymweld â
mannau cysylltiedig â hwy.[22] Daeth pererindota'n gyffredin, ac er mai
ond y rhai mwyaf mentrus a chyfoethog a lwyddai gan amlaf i ymweld
â'r mannau a ystyrid yn brif ganolfannau Cristnogaeth, sef Jerwsalem,
Rhufain, a Santiago de Compostella yn Sbaen, gan fod cryn gostau ac
nid ychydig o beryglon ynghlwm wrth daith mor uchelgeisiol a allai
barhau am fisoedd lawer neu hyd yn oed am flynyddoedd, diau y
byddai pererindod i ganolfan leol o fewn cyrraedd a gallu cyfran uchel
o'r boblogaeth, a gwelodd amgylchiadau cymharol sefydlog a
chysurus y bymthegfed ganrif dyrru mawr i ffynhonnau ac ysgriniau
ledled y wlad.[23]

    Ond beth am y cyfnod cyn y bymthegfed ganrif? Pryd y dechreuodd
ffynnon Pen-rhys ddenu addolwyr? Pryd yn union y daethpwyd i
gysylltu'r dyfroedd hyn â'r Forwyn Fair? A luniwyd unrhyw gerddi
cysylltiedig â'r ffynnon yn y cyfnod yn union cyn y 'Ganrif Fawr', neu
hyd yn oed yn gynharach na hynny? 'Ni wyddom bellach' yw'r ateb i
bob un o'r cwestiynau hyn, ysywaeth; ond ar sail tameitiach digon
bregus o dystiolaeth, ac ar sail gwybodaeth gyffredinol am hanes

safleoedd eraill, gellid mentro awgrymu a dyfalu ynghylch hanes cynnar y ffynnon ar Ben-rhys.

O ystyried y ffynnon fel ffenomen ddaearyddol, rhaid dechrau trwy nodi nad oes yr un sgrepyn o dystiolaeth ddaearegol na hinsoddegol dros gredu i'r dyfroedd hyn sydd bellach wedi eu cysegru i enw Mair ddechrau llifo'n wyrthiol o sydyn o ochr mynydd Pen-rhys tua chanol y bymthegfed ganrif. I'r gwrthwyneb: fel ffenomen naturiol, rhaid bod y ffynnon mor hen â'r bryniau sydd o'i chwmpas. Tardd y dŵr o ochr y mynydd yn y fan hon trwy gydol y flwyddyn, beth bynnag fo'r tywydd, a diau y bu'r llif yn fwy helaeth o lawer yn y cyfnod cyn datblygu systemau rheoli dŵr ar raddfa eang a soffistigedig.[24] Ai toreithedd cyson y dyfroedd a ddenodd sylw pobl at y ffynnon hon gyntaf, tybed? Bu dyn erioed yn ymwybodol o bwysigrwydd dŵr fel ffynhonnell bywyd ac iechyd, ac mae tystiolaeth archaeoleg ac enwau lleoedd nid yn unig ym Mhrydain ond hefyd ar draws cyfandir Ewrop yn dangos fod addoli dŵr ar ffurf afonydd, nentydd, llynnoedd a ffynhonnau, ynghyd â'r duwiau neu'r ysbrydion cysylltiedig â'r ffenomenâu naturiol hyn, yn nodwedd bwysig ar grefydd baganaidd y Celtiaid, fel yr oedd yn wir mewn amryw o grefyddau cyntefig eraill.[25] Y mae'n ddigon posibl—yn wir gellid mentro dweud ei bod yn bur debygol—fod ffynnon Pen-rhys, a leolid yn uchel ar lethr goediog a diarffordd (math ar safle a fu'n hoff gan y Celtiaid yn gyffredinol, ac yn arbennig felly mewn cyd-destun crefyddol),[26] wedi chwarae rhan mewn seremonïau paganaidd ar adeg gynnar yn ei hanes. A fu llafarganu mawl i un neu fwy o dduwiau'r pantheon Celtaidd yn nodwedd ar yr addoliad hwnnw? Yn sicr, mae'r cerddi canoloesol a oroesodd, fel y cawn weld, yn cynnwys cyfeiriadau at arferion cysylltiedig â'r ffynnon y gellir yn hawdd gredu eu bod yn tarddu o'r cynfyd Celtaidd.

Ym Mhrydain, fel mewn gwledydd eraill, 'roedd cyflwyno'r grefydd Gristnogol yn ddechrau ar broses raddol a hirfaith. Nid dileu'r hen gredoau a thraddodiadau paganaidd a dinistrio'r safleoedd a gysylltid â hwy oedd y nod sylfaenol, yn gymaint â'u troi a'u haddasu a'u hailddehongli mewn cyd-destun Cristnogol—yn wir, gellid edrych ar yr hanes fel rhyw fath ar ailgylchu diwinyddol a diwylliannol.[27] Cyfrifwyd ffynhonnau a fu gynt yn ffocws addoliad paganaidd bellach yn fannau addoli Cristnogol, ac yn aml fe ddaethpwyd i'w cysylltu ag enw'r sant neu efengylydd lleol, yn union fel y gwnaethpwyd yng nghyd-destun y llannau neu'r eglwysi a sefydlwyd ar hyd a lled y wlad yn yr un cyfnod. Fodd bynnag, ffin denau iawn sydd rhwng addoli wrth ffynnon ac addoli'r ffynnon ei hunan, a throsodd a thro ar hyd y canrifoedd fe glywyd yr awdurdodau eglwysig a seciwlar fel ei gilydd yn condemnio'r arfer o addoli ffynhonnau yn ngorllewin Ewrop, a hynny mewn datganiadau sydd yn dangos pa mor hwyrfrydig oedd y bobl gyffredin i roi heibio'u hen arferion hyd yn oed ar ôl i arwyddocâd paganaidd gwreiddiol yr arferion hynny fynd i ebargofiant.[28] Cawn fod yn sicr felly fod cwlt y ffynhonnau'n fyw ac yn iach pan ddaeth y garfan gyntaf o fynaich Sistersaidd i Gymru tua chanol y ddeuddegfed ganrif.[29]

Sefydlwyd abaty Llantarnam yng nghanol coetir ryw dair milltir o Gaerllion, yn y flwyddyn 1179 y mae'n debyg, yn un o'r drydedd genhedlaeth o dai Sistersaidd i'w sefydlu yng Nghymru.[30] O'r cychwyn cyntaf bu Llantarnam yn cystadlu ag abaty Margam am grantiau o dir a waddolid i'r Sistersiaid ym Morgannwg gan arglwyddi Cymreig Meisgyn a Glyn Rhondda, ac er na wyddom bellach holl fanylion yr ymrafael rhyngddynt yn y dyddiau cynnar, yn 1203 cytunodd y ddau abaty ar ffin rhwng eu tiroedd:[31] aeth y wlad sy'n gorwedd i'r dwyrain i afon Rhondda i ran Llantarnam, ac o'r dyddiad hwnnw ymlaen bu tynged ffynnon Pen-rhys ynghlwm wrth hynt a helynt yr abaty hwnnw. Pan sefydlodd mynaich Llantarnam grêns (*grange*), sef fferm fynachaidd, ar Ben-rhys er mwyn gweithio'r tiroedd pellennig hyn a ddyfarnwyd iddynt, dewisasant safle a oedd ar y naill law yn unig a diarffordd gan weddu felly i athroniaeth gyffredinol eu hurdd,[32] ond a oedd ar y llaw arall, oherwydd y ffynnon gyfagos (ynghyd â'i hymlynwyr), yn cynnig posibiliadau incwm sylweddol. Ni wyddom bellach a gysegrasid y ffynnon i ryw Gristion o sant lleol ai peidio yn y cyfnod rhwng Cristioneiddio'r rhanbarth hon a dyfodiad y Sistersiaid i Ben-rhys, ond cawn fod yn gwbl hyderus mai tan ddylanwad y mynaich gwyn yr anrhydeddwyd ffynnon Pen-rhys ag enw Mair, ac yn yr un cyfnod hefyd y cymerwyd y camau cyntaf y mae gennym brawf archaeolegol cadarn amdanynt tuag at ymelwa'n fasnachol ar bosibiliadau'r safle, a hynny trwy godi llety, ynghyd o bosibl â rhai adeiladau eraill, at gnewyllyn adeiladau'r grêns, er gofalu am gysur ac anghenion ymwelwyr.[33] Er na fu dysg ac ysgolheictod erioed yn rhan hanfodol o ddelfryd y bywyd Sistersaidd, 'roedd y mynaich gwyn yng Nghymru yn noddwyr pwysig i lenyddiaeth Gymraeg,[34] ac nid yw'n amhosibl i'r sefydliad mynachaidd bychan hwn ar Ben-rhys fod yn dyst i gyfansoddi a datgan barddoniaeth gysylltiedig â'r safle o'i gychwyniadau cyntaf— cerddi nad oes gennym bellach unrhyw dystiolaeth lawysgrifol amdanynt ond a fyddai mewn pob ffordd arall yn rhagflaenwyr i'r cylch o gerddi o ail hanner y bymthegfed ganrif a dechrau'r unfed ganrif ar bymtheg a oroesodd yn y llawysgrifau ac sydd yn brif fynhonnell ein gwybodaeth am Ffynnon Fair ar Ben-rhys yn y cyfnod canol.

Cyn ystyried tystiolaeth y cerddi hynny, fodd bynnag, rhaid nodi rhai honiadau cyfeiliornus a chamarweiniol a wnaed ynghylch Pen-rhys a'r sefydliad mynachaidd a leolid yno. Fel cynifer o agweddau ar hanes diwylliannol Morgannwg, derbyniodd Pen-rhys ddogn go helaeth o sylw Iolo Morganwg wrth iddo ymollwng i'w awydd ysol i 'brofi' hynafiaeth a rhagoriaeth traddodiad llenyddol Morgannwg dros bob rhan arall o'r wlad. Wedi dadlennu Iolo yn arch-ffugiwr, yn bennaf trwy waith G. J. Williams yn hanner cyntaf y ganrif hon,[35] bu'n arfer—er nad gan G. J. Williams ei hun—wfftio pob un o honiadau Iolo heb roi nemor dim sylw ystyriol iddynt. Fodd bynnag, daethom bellach i sylweddoli fod hedyn o wirionedd yn gorwedd rywle wrth wraidd y rhan fwyaf o ffugiadau Iolo,[36] ac o'r herwydd fe ddâl inni o leiaf edrych ar ei osodiadau ynghylch Pen-rhys hyd yn oed os na fedrem eu derbyn yn eu crynswth.

Nid oes angen mwy na chrybwyll yma honiad Iolo i'r lle gael ei enw yn sgil anghydfod rhwng Iestyn ap Gwrgant, tywysog Morgannwg, a Rhys ap Tewdwr, tywysog Deheubarth, anghydfod a arweiniodd at dorri pen Rhys yn y fan hon. Mae'r hanesyn yn stori onomastig ddigon amrwd, a gwyddom nad oes sail hanesyddol iddi.[37] Ond rhaid cofio nad Iolo yw awdur y stori mewn gwirionedd a bod cyfeirio ati yng ngwaith bardd o Gwm Rhondda dair canrif gyfan cyn ei eni.[38] Yn hytrach na synied am honiad Iolo ynghylch tarddiad enw Pen-rhys fel un o'i ffugiadau, felly, dylid ei dderbyn fel prawf pellach o wybodaeth eang Iolo am ddraddodiadau llenyddol a hanesyddol Morgannwg.

Aeth Iolo yn ei flaen i honni fod Robert Consul, Iarll Caerloyw, wedi sefydlu mynachlog Ffransiscaidd yma rhwng 1130 a 1132, yn noddfa i enaid ei dad-cu ac er cof am y weithred erchyll a gyflawnwyd yn y fan. Unwaith eto, ni allwn dderbyn y stori yn ei chrynswth, nid lleiaf am ei bod yn gosod tŷ Ffransiscaidd ar Ben-rhys hanner canrif cyn geni Ffransis ei hun. Ond mae yma eto sawl elfen awgrymog y tâl inni eu hystyried ymhellach. A ydyw'n bosibl fod Iolo yn y stori hon yn cadw cof am sefydlu tŷ arall, nid nepell ar draws y trumiau o Ben-rhys, sef abaty byrhoedlog Pendâr yng nghyffiniau Llanwynno?[39] Tybir bod Pendâr yn 'ferch' i abaty Sistersaidd Margam, a sefydlwyd trwy nawdd Robert Consul yn 1147.[40] Ac er mai sefydliad Sistersaidd oedd grêns Pen-rhys, y mae'n bosibl fod brodyr Ffransiscaidd wedi ffoi i'r lle am nodded mewn cyfnod diweddarach o erledigaeth lem, fel y cawn weld eto.

Gan dadogi'r wybodaeth hon ar ŵr a oedd, i raddau helaeth, yn un arall o'i 'greadigaethau' ei hun, sef Antoni Powel, yr hynafiaethydd o Lwydarth ger Maesteg,[41] haerodd Iolo ymhellach i Ben-rhys ddod yn enwog a phwysig yn sgil eisteddfod a gynhaliwyd yno yn y 'fynachlog' (chwedl Iolo) dan nawdd Owain Glyndŵr yn gynnar yn y bymthegfed ganrif, pryd yr enillodd Gwilym Tew gydag awdl fawl i'r Forwyn Fair.[42] Er bod Gwilym Tew yn fardd dilys o'r bymthegfed ganrif a ganodd o leiaf ddwy awdl i Fair ar Ben-rhys, rhaid gwrthod yr hanesyn hwn. Ymgais amlwg sydd yma i 'brofi' hynafiaeth urdd y beirdd ym Morgannwg dros y drefn a gadarnhawyd yn eisteddfod enwog Caerfyrddin tua 1451, ac ni all fod yn wir. Ar wahân i broblem lleoli Glyndŵr mewn amgylchiadau lled hamddenol yn yr ardal hon yng nghyfnod ei Wrthryfel, derbynnir bellach fod Gwilym Tew yn ei flodau fel bardd yn ail hanner y bymthegfed ganrif, o bosibl *c.* 1470-80, a go brin iddo gyfoesi â Glyndŵr o gwbl.[43] A ydyw'n bosibl mai'r gronyn o wirionedd y datblygodd y perl arbennig hwn o'i gwmpas oedd traddodiad dilys o gyfansoddi a datgan cerddi dan nawdd y Sistersiaid ar Ben-rhys tua dechrau'r bymthegfed ganrif, traddodiad na oroesodd unrhyw dystiolaeth annibynnol i'w fodolaeth?

Yn olaf, mynnai Iolo fod Harri V wedi gorchymyn i'w filwyr

ddinistrio'r 'fynachlog' yn 1415 yn gosb ar y mynaich am groesawu Glyndŵr a chefnogi'r Gwrthryfel.[44] Er nad oes tystiolaeth ddogfennol i gadarnhau'r honiad hwn, ac er bod y farddoniaeth a oroesodd yn dangos yn glir i'r mynaich barhau i groesawu ymwelwyr i Ben-rhys mor ddiweddar â dechrau'r unfed ganrif ar bymtheg, mae'n ddigon posibl fod o leiaf elfen o wirionedd yn stori Iolo unwaith eto. Abad Llantarnam yn y cyfnod 1400-5 oedd John ap Hywel a fu'n frwd ei gefnogaeth i achos Glyndŵr,[45] a gwyddys i amryw o dai Sistersaidd Cymru ddioddef peth difrod, ac mewn rhai achosion ddifrod sylweddol, o'u cael eu hunain yn y canol rhwng y ddwy blaid wrthwynebus. Ymhellach, dangosodd y cloddio a wnaed ym mis Gorffennaf 1912 gan Gymdeithas Archaeolegol y Cambrian gyda chymorth Cymdeithas Naturiaethwyr Cwm Rhondda fod cyfran o'r adeiladau mynachaidd ar Ben-rhys wedi'u dymchwel i'r llawr a'u hailgodi, a hynny y mae'n bur debyg yn ystod yr oesoedd canol.[46] Nid afresymol fyddai tybio y byddai unrhyw lawysgrifau a gedwid ym Mhen-rhys, yn cynnwys o bosibl gopïau o gerddi cynharach i'r Forwyn Fair na'r rhai sydd gennym bellach, wedi'u colli neu eu difrodi yn ystod cyffro o'r fath, beth bynnag a'i hachosodd.

*   *   *

Yn atodiad i erthygl Thomas Charles-Edwards, 'Pen-rhys: y Cefndir Hanesyddol: 1179-1538', cyhoeddwyd testun chwe cherdd, yn awdlau a chywyddau, a luniwyd yn y cyfnod *c.* 1460-1535 er dyrchafu Mair ar Ben-rhys; ffurfiant gyfanswm o ryw 455 o linellau. G. J. Williams a luniodd y casgliad hwn ar gyfer yr atodiad, ac er na olygodd y cerddi trwy eu priflythrennu a'u hatalnodi, nac ychwaith gynnig nodiadau esboniadol arnynt, y casgliad hwn o chwe cherdd sydd yn rhoi'r argraff gyffredinol orau o natur a chwmpas y cylch o ganu sydd yn brif ffynhonnell ein gwybodaeth am Ffynnon Fair ynghyd â'r ysgrîn a ddatblygodd yn ei sgil ar Ben-rhys yn y cyfnod canol.[47] Mae'r cerddi hynny fel a ganlyn: cywydd o waith Llywelyn ap Hywel ab Ieuan ap Goronwy (*c.* 1460-70): 'Dwyn enaid pob dyn uniawn' [cerdd 1 yn y drafodaeth isod]; dwy awdl o waith Gwilym Tew (*c.* 1470-80): 'Ynys yw Pen-rhys yn nhrwyn y fforest' [cerdd 2], a 'Morwyn wyry, Mair

winaurudd' [cerdd 3]; cywydd gan Rhisiart ap Rhys (*c.* 1480-1520):
'Gwŷr y deml a'u geirau dig' [cerdd 4]; a dau gywydd o waith Lewys
Morgannwg (*c.* 1520-35): 'Y ferch, Wyry Fair, a choron' [cerdd 5] a
'Mae nawnef mewn un ynys' [cerdd 6]. I'r cnewyllyn hwn rhaid
bellach ychwanegu dwy gerdd arall, sef awdl o waith Ieuan ap Huw
Cae Llwyd (*fl. c.* 1470-90): 'Mair fawr nef a llawr yw'r llys—a'r
ffynnon' [cerdd 7],[48] ac—yn betrus—awdl a briodolir i Hywel
Swrdwal (*fl.* 1430-60): 'Y fun deg a fendigwyd' [cerdd 8].[49] Mae Iolo
Morganwg yn cysylltu â chylch Pen-rhys gerdd i Fair gan y noddwr o
fardd, Ieuan ap Rhydderch ab Ieuan Llwyd (*fl.* 1430-70) o
Barcrhydderch, Dyffryn Aeron: 'Mair yw'n hyder rhag perygl',[50] ond
gan mor ansicr y cyswllt, nis cyfrifir ymhlith canu Pen-rhys yng
nghyd-destun yr astudiaeth hon. Mae cylch Pen-rhys fel y goroesodd
inni felly yn cynnwys wyth gerdd a luniwyd yn y cyfnod bras *c.* 1450-
1530. Y mae'n bur debyg fod y cerddi hyn mewn gwirionedd yn
weddillion cylch a fu'n helaethach o lawer yn ei ddydd, ond nid oes
gennym bellach amcan o faint o gerddi a aeth ar goll dros y
canrifoedd.[51] Mae hefyd yn gwbl bosibl, wrth gwrs, i rai o'r cerddi
eraill i'r Forwyn Fair a oroesodd yn y llawysgrifau gael eu llunio yng
nghyd-destun ysgrîn a ffynnon Pen-rhys er nad ydynt yn enwi'r lle yn
benodol; dichon felly y bydd ymchwil pellach ym maes canu
crefyddol y cywyddwyr yn chwyddo maint cylch Pen-rhys y tu hwnt
i'r wyth gerdd sicr sydd ynddo ar hyn o bryd.[52]

Yn ogystal â'r cerddi cyfain hyn a gyflwynir i anrhydedd Mair, y
mae'n rhaid crybwyll hefyd y cerddi amrywiol hynny sydd yn
cynnwys cyfeiriadau at Ffynnon Fair a'r ysgrîn ar Ben-rhys gan eu bod
hwythau'n ffynhonnell bwysig o wybodaeth am y safle ac yn ategu ac
yn cyflawni'r darlun a gawn gan gerddi'r cylch. Mewn dosbarth ar ei
phen ei hunan—yn wir, bron nad ydyw'n haeddu cael ei hystyried yn
un o gerddi'r cylch ar gyfrif ei thestun ac amledd ei chyfeiriadaeth—y
mae awdl fawl Huw Cae Llwyd (*fl. c.* 1457-1505) i Syr Dafydd,
ceidwad ysgrîn Mair ar Ben-rhys [cerdd 9],[53] a chyfeiria'r un bardd at
Ben-rhys yn ei farwnad i Ddafydd Mathew o Radur [cerdd 10].[54] Sonia
Rhisiart ap Rhys am ysgrîn Mair ar Ben-rhys yn ei gywydd 'I Sant
Curig ac i seintiau eraill i ddeisyf iechyd i glaf' [cerdd 11],[55] ac eto yn
ei farwnad i Elsbeth Matheu (= Mathew) o Radur [cerdd 12].[56] Y

mae'n bosibl wrth gwrs fod cyfeiriadau eraill at yr ysgrîn a'r ffynnon yng ngherddi'r cyfnod—dichon fod cnwd toreithiog ohonynt— a ddaw eto i'r golwg. Ac wrth gwrs, fel yn achos y cerddi cyfain i Fair, nid yw'n amhosibl fod rhai o'r mân gyfeiriadau 'cyffredinol' at y Forwyn Fair sydd wedi goroesi mewn cerddi seciwlar a chrefyddol fel ei gilydd mewn gwirionedd yn cyfeirio at y ffynnon a'r ysgrîn a gysegrwyd iddi ar Ben-rhys er nad oes ynddynt ddim penodol sydd yn caniatáu inni eu lleoli bellach. Er enghraifft, pan ganodd Ieuan Gethin o Faglan (fl. c. 1440-80) gywydd farwnad i'w fab Siôn sy'n sôn amdano'i hun yn gweddïo ar y seintiau am fywyd ei blentyn, gan nodi iddo weddïo ar Fair, 'Gelwais ar Fair, air arab',[57] ai wrth ddyfroedd iachusol prif ysgrîn Mair yn ne Cymru y gwnaeth hynny? Nid afresymol fyddai credu mai dyna a fu. A phan ganodd Lewys Morgannwg—bardd a fu'n gwbl ymwybodol o enw da Pen-rhys fel ffynnon iacháu, fel y dengys ei ddau gywydd i'r fan—ei gywydd 'I erchi iechyd i fron Marged Siôn, Arglwyddes y Coety',[58] ai Mair ar Ben-rhys oedd yn ei feddwl wrth iddo enwi'r Forwyn ymhlith y lleng o santesau y deisyfai eu cymorth? Ac a fu Marged Siôn ei hun ar bererindod i Ben-rhys yn ei hymchwil am iachâd? Er na allwn wybod bellach, byddai cysylltu'r gerdd hon â Phen-rhys yn ddigon naturiol a rhesymol.

Afraid manylu ar fywyd a gwaith pob un o'r beirdd a gyfrannodd i gylch Pen-rhys yn y fan hon.[59] Eto i gyd y mae rhyw fannau cyswllt diddorol rhyngddynt sydd yn sicr yn berthnasol ac o bosibl yn arwyddocaol, ac a fydd yn cyfrannu at ein dealltwriaeth a'n gwerthfawrogiad o'r cylch fel corff llenyddol.

Yn gyntaf, y mae pob un o'r beirdd a gysylltir â chanu Mair ar Ben-rhys yn ddynion lleol naill ai trwy enedigaeth neu trwy 'fabwysiad'. Uchelwr o gwmwd y Meisgyn oedd Llywelyn ap Hywel, a chysylltir enwau Gwilym Tew, Rhisiart ap Rhys a Lewys Morgannwg ill tri â Thir Iarll cyfagos. Er mai â'r Drenewydd y cysylltir enw Hywel Swrdwal yn fwyaf arbennig, mae'n bosibl mai ym Mrycheiniog y gorweddai ei wreiddiau, a cherddi mawl a marwnad i noddwyr o Went a Morgannwg yw cnewyllyn helaethaf ei waith. Brodor o blwyf Llandderfel yn sir Feirionnydd oedd Huw Cae Llwyd, ond mae'n debyg iddo ymadael â'r rhan honno o Gymru tra'n bur ifanc a dod i glera i'r De gan ymgysylltu'n arbennig â theuluoedd mawrion Morgannwg a Brycheiniog, a thybir mai ym Mrycheiniog y ganed ei fab, Ieuan. Mewn ystyr real iawn, felly, gellir edrych ar ganu Pen-rhys fel canu pur leol ei ddiddordeb.

Daw hyn â ni'n ddigon naturiol at ail bwynt cyffredinol ynghylch canu Pen-rhys, sef bod y rhan fwyaf o'r cerddi a oroesodd yn gynnyrch dau deulu barddol. Mae dull y patronymig Cymreig yn gwneud y berthynas rhwng Huw Cae Llwyd a Ieuan ap Huw Cae Llwyd yn gwbl amlwg. Fodd bynnag, yn niffyg enwau yn y dull patronymig rhaid egluro yma fod Rhisiart ap Rhys, os dehonglwyd yr achau'n gywir, yn frawd iau i Gwilym Tew ac yn dad i Lewys Morgannwg;[60] dyma un o deuluoedd barddol pwysicaf Cymru yn niwedd yr oesoedd canol a'i ddiddordeb mewn materion crefyddol yn dwyn ar gof ddiddordeb cyffelyb Meilyr Brydydd a'i ddisgynyddion yng Ngwynedd y ddeuddegfed ganrif a dechrau'r drydedd ar ddeg.[61] Yr unig feirdd 'unigol' y cysylltir eu henwau â Phen-rhys yw Llywelyn ap Hywel a Hywel Swrdwal, ac fel y nodwyd eisoes,[62] canodd mab yr olaf i Fair hyd yn oed os nad oes dystiolaeth benodol dros gysylltu'r gerdd honno â Phen-rhys.

Dylid nodi hefyd i bob un o'r beirdd a enwyd mewn perthynas â chanu Pen-rhys lunio cerddi crefyddol eraill, ac yn yr ystyr hon y mae cylch Pen-rhys yn rhan o gyd-destun crefyddol ehangach.[63] Fodd bynnag, gwedd arall ar gyd-destun crefyddol y cyfansoddi sydd fwyaf perthnasol yma, sef y ffaith i amryw o feirdd Pen-rhys ymgymryd â phererindod i Rufain, a gyfrifid yn y cyfnod canol yn un o dair prif ganolfan pererindota'r byd Cristnogol.[64] Aeth Huw Cae Llwyd yng nghwmni ei fab ar bererindod i Rufain yn 1475, a chyfansoddi dwy gerdd sy'n rhestru'r creiriau a welodd â'i lygaid ei hun tra oedd yn y ddinas honno.[65] Ymgymerasai Llywelyn ap Hywel â'r un daith rywbryd rhwng 1455 a 1458, a chyfansoddodd yntau gywydd er anrhydedd eglwysi a chreiriau Rhufain gan honni iddo dderbyn tra oedd yno fendith o law'r Pab ei hun.[66] Er na wyddom bellach a aeth eraill o feirdd Pen-rhys ar bererindod i un neu fwy o brif ganolfannau pererindota'r byd Cristnogol, yn sicr mae diddordeb mewn pererindodau yn nodwedd ddigon amlwg ar eu gwaith. Er enghraifft, pererindod Syr Siôn Morgan o Dredegyr i Jerwsalem yw pwnc un o gerddi mawl Gwilym Tew,[67] a chanodd hefyd i Grog enwog Llangynwyd,[68] a oedd yn gyrchfan arall i bererindodau lleol er nad mor boblogaidd â ffynnon ac ysgrîn Mair ar Ben-rhys. Yn llawysgrif Peniarth 51 ceir copi yn llaw Gwilym Tew o gerdd o waith Gruffudd Grug sydd yn disgrifio profiad y bardd ar fordaith wrth bererindota i Santiago de Compostella.[69] Canodd Lewys Morgannwg yntau i Grog Llangynwyd[70] a hefyd i Grog Llan-faes, Aberhonddu,[71] a oedd eto'n ffocws i bererindodau lleol. Fel y byddid yn ei ddisgwyl, tyn y beirdd hyn ar eu profiadau helaethach o bererindodau yn gyffredinol yn eu cerddi i Fair ar Ben-rhys a gwnânt gymariaethau diddorol sydd weithiau ymhell o fod yn ddiduedd, fel y cawn weld eto.

Cerddi mawl yw'r cerddi i Fair ar Ben-rhys yn eu hanfod—cerddi mawl i wrthrych goruwchnaturiol yn hytrach nag un meidrol fel a geir ym molawdau'r beirdd Cymraeg i frenhinoedd ac arglwyddi daearol o gyfnod Taliesin ac Aneirin ymlaen. Mae'r gramadegau canoloesol (sef llawlyfrau'r beirdd) yn cynnwys adran sydd yn argymell 'pa ffurf y moler pob peth', ac ymhlith y cyfarwyddiadau ceir manylion penodol ynghylch pa rinweddau y dylid eu moli yn y Forwyn Fair, yn union fel y rhestrir rhinweddau cymwys i arglwydd, dyweder, neu ŵr eglwysig:

Meir a volir o'y morwyndawt, a'e gwyrdawt, a diweirdeb, a'e gleindyt, a santeidrwyd, a'e thegwch nefawl, a'e thrugared, a'e gogonyant, a'e haelder, a'e anryded, a'e buched, a'e gwarder, ac o bop peth arall enrydedus o'r y moler y Harglwyd Uab ohonaw.[72]

[Mair a folir o'i morwyndod, a'i gwyryfdod, a diweirdeb, a'i glendid, a sancteiddrwydd, a'i thegwch nefol, a'i thrugaredd, a'i gogoniant, a'i haelder, a'i hanrhydedd, a'i buchedd, a'i gwarder, ac o bob peth o'r y moler ei Harglwydd Fab ohono.]

Mae'r holl rinweddau hyn yn ddigon amlwg yng ngherddi cylch Pen-rhys: bodlonir ar nodi ychydig o enghreifftiau. Fe'i disgrifir gan Lewys Morgannwg fel 'Mair fawr wenFair, morwynfam' (cerdd 5.9), a sonia Rhisiart ap Rhys am ei phrydferthwch mewn ystrydeb a fenthiciwyd yn uniongyrchol o ganu serch y cyfnod, 'deuliw'r ôd' (4.37). Mae hi'n 'ufydd' (4.61), yn 'gyfion' (3.71), yn 'ddiwair addon'

(3.113), yn 'gannaid' (7.4) ac yn 'deg' (8.1), a disgrifia Gwilym Tew hi fel 'Mair wâr, mam y drugaredd' (3.3).

Ceir yma hefyd gyfeiriadau sy'n adlewyrchu daliadau a choelion cyffredin y werin bobl ynghylch person Mair yn y cyfnod canol, nid yn unig yng Nghymru ond hefyd ar draws y byd Cristnogol. Fe'i darlunnir fel 'Mam Duw' (5.12) ac fel 'Brenhines Nefoedd' (8.43). Rhoddir cryn bwys ar ei chydymdeimlad â phechaduriaid a'i gallu i eiriol yn effeithiol drostynt; yng ngeiriau Gwilym Tew:

> Y Forwyn hen frenhinol
> A ŵyr eiriol yr awron
> Ar i Iesu ein croyw Iesu,
>   *kyrie eleison* (3.48-51).

Gwelir yma gyfeirio at y gred bod Mair ei hun yn ddibechod o'i chenhedliad, 'diddrwg yng ngolwg angylion' (3.65), ac at y Geni Gwyrthiol:

> Un Duw a fu'n ei dewis
> I ddwyn mab iddo'i naw mis . . .
> Ymroddes Mair i weddi,
> Yn wyry'i hun, ni wrhâi hi (5.27-32).

Cyfeirir hefyd at y gred fod Mair—fel Crist ei hun, ac fel Enoc ac Elias yn yr Hen Destament—wedi esgyn i'r nefoedd yn hytrach na phydru mewn bedd:

> Wedi iddynt, y deuddeg,
> Dy roi mewn tŵm, dremyn teg,
> Angylion gwynion a gaid
> I'th ddwyn, dy gorff a'th enaid (4.55-8).

Y mae rhai o'r cerddi yn awgrymu fod gan y beirdd gryn wybodaeth am ddigwyddiadau a chymeriadau beiblaidd. Cyfeiria Gwilym Tew, er enghraifft, at gyfarchiad Mair gan yr angel, 'iaith Gabriel dawel yw'n diwyd annerch' (2.27) ac enwir Sioseb (ffurf arferol y cyfnod ar enw Joseff) fel 'priod Mair' (5.37, 4.13). Sonnir am 'gyfraith Moesen', sef Moses (3.10), a chyfeirir at Aaron (3.103), a gŵyr Gwilym Tew fod Iesu'n ddisgynnydd, trwy Fair, i Ddafydd Frenin: 'un o winwydd Duw, mab Dafydd' (3.27). Nid yn annisgwyl yng nghyd-destun canu i Fair, rhoddir sylw i ddigwyddiadau Gardd Eden gan fod hanes y Cwymp trwy Efa yn cael ei wrthbwyso mewn teipoleg beiblaidd gan hanes yr iachawdwriaeth a ddaw trwy eni Crist o Fair. Eglura Lewys Morgannwg y berthynas rhwng Efa a Mair yn fanwl:

> Baich o nef yn fab o'i chnawd,
> Hwn yw baich am hen bechawd:
> O gwnaeth Efa gnith afal
> Y meirw o dwyll, gwnaeth Mair dâl:
> Ni bu addaw byw iddyn
> Oni bai Dduw'n fab i ddyn (5.17-22),

a cheir crynodeb teg o'r holl hanes gan Gwilym Tew:

> Oen Duw i'r Wyry Fair yn dâl—am i'r wrach
> Erchi bwyta'r afal;
> Rhingyll fu'r angel yn dwyn gair dan gêl,
> Yn gyfiawn dawel rhag ofn dial (3.33-6).

Mae gan y beirdd hefyd wybodaeth am storïau a chymeriadau apocryffaidd. Y mae Llywelyn ap Hywel a Lewys Morganwg ill dau yn gwybod mai enw mam Mair, yn ôl traddodiad, oedd Anna, ac mai enw ei thad oedd Joachim; nid yw'r naill na'r llall yn cael eu henwi yn y Testament Newydd. Cyfeiria Lewys Morgannwg at y traddodiad apocryffaidd fod geni Crist wedi'i broffwydo gan Seth:

> Seth a welas etholair
> Y genid mab o gnawd Mair (5.23-4).

Hudwyd beirdd Pen-rhys, fel beirdd crefyddol eraill y cyfnod canol—nid yn unig yng Nghymru ond hefyd trwy'r byd Cristnogol—gan bosibiliadau paradocsaidd y Geni Gwyrthiol a'r berthynas rhwng Crist a Mair, ac archwilir y paradocsau hyn drosodd a thro.[73] Yr

enghraifft orau, o bosibl, ac yn sicr yr un fwyaf estynedig yw'r
llinellau canlynol o waith Lewys Morgannwg:

> Merch fronhenferch frenhinfab,
> Merch hon yw merch i'w hun mab.
> Mair fawr wenFair, morwynfam,
> Mair, Wyry Fair, yw'r orau fam.
> Mam, nawnef am un annerch,
> Mam, dyna fam Duw yn ferch.
> Mamaeth fronfaeth forwynfab,
> Merch fu'n dwyn, ferch un Duw'n fab,
> Mab, tad, ysbryd o'i gadair,
> Mab y Wyry, fab orau Fair (5.7-16).[74]

'Roedd y beirdd, fel ei hymlynwyr eraill, wedi'u llwyr hudo gan
harddwch a gallu Mair ar Ben-rhys a chanent ei mawl mewn trosiadau
telynegol o soniarus sydd hefyd yn adnabyddus yn y canu i Fair o
fannau y tu hwnt i Gymru:

> Mair berllan bêr, Mair loyw leufer,
> Mair wybr a sêr, mor bur yw sôn,
> Mair yw'n seren a'n offeren,
> Mair yw'n peren himp irion (3.54-7).

Yn yr un gerdd mae Gwilym Tew yn disgrifio Mair fel 'telyn' (ll.
59), 'llyfr eglwyswyr' a 'gloyw afon ffydd' (ll. 68) ymhlith amryw o
bethau eraill.

Yn yr holl agweddau hyn y mae cerddi Pen-rhys yn gwbl
anarbennig; adlewyrchant gredoau cyffredin yn y cyfnod, a rhoddant
fynegiant i'r credoau hynny mewn ffordd sy'n ddigon nodweddiadol
o'r canu i Fair yn yr oesoedd canol, nid yn unig yma yng Nghymru
ond hefyd mewn amryw o wledydd eraill Ewrop. Yr hyn sydd yn
gosod cerddi Pen-rhys mewn dosbarth arbennig, fodd bynnag, yw
cyfoeth y dystiolaeth sydd ynddynt am nodweddion allanol dyrchafu
Mair ar y safle hwn a oedd, fel y nodwyd eisoes, yn brif ganolbwynt ei
chwlt yng Nghymru.

Lleolid yr ysgrîn mewn llannerch neu fan agored o fewn y

coedwigoedd trwchus a orchuddiai lethrau Cwm Rhondda yn y cyfnod cyn-ddiwydiannol, ac mae'r beirdd yn hoff iawn o ddisgrifio'r fan. Meddai Gwilym Tew, 'Ynys yw Pen-rhys yn nhrwyn y fforest' (2.1), a dywed yr un bardd wrthym fod yr ysgrîn nid nepell o ben y llethr, 'ym min y rhiw' (2.21)—rhiw a ddisgrifir ganddo yn ddiweddarach yn yr un gerdd fel un 'serth' (2.48). Cadarnheir yr holl fanylion hyn gan Lywelyn ap Hywel:

> Lle da yw'r wyddfa o'r allt
> A lle Gwyry gerllaw gorallt;
> Llun y trŵn, lle enaid rhydd,
> Llannerch i bum llawenydd (1.51-4).

Fe fydd y sawl sydd wedi ymweld â Ffynnon Fair ar Ben-rhys yn adnabod y lle yn dda o'r manylion daearyddol hyn, ac eithrio wrth gwrs y sôn am goedwigoedd gan mai prin eithriadol yw'r coed yn yr ardal hon bellach y tu allan i blanigfeydd y Comisiwn Coedwigaeth, a llethrau moel sy'n nodweddu mynydd Pen-rhys heddiw. Sut bynnag, os cofir, fel y nodwyd eisoes,[75] mor hoff oedd ein cyndeidiau paganaidd o lennyrch anghysbell mewn coedwigoedd trwchus ar gyfer eu defodau a seremonïau crefyddol, yna y mae manylion y disgrifiad o'r safle yng ngwaith y beirdd o bosibl yn dechrau magu arwyddocâd pellach ac yn awgrym o'i hynafiaeth—awgrym a gadarnheir o gyfeiriadau eraill fel y gwelir eto.

'Roedd delw enwog o'r Forwyn Fair yn harddu'r safle, ac fel y gellid disgwyl mae'r presenoldeb diriaethol hwn yn ffocws i lawer iawn o sylwadau gan y beirdd. Yn ôl traddodiad, nid delw o waith dwylo dynion mohoni, ond un a ddisgynnodd yn wyrthiol o'r nefoedd ei hun; ac o gofio mor hoff oedd y dyn canoloesol o ryfeddodau o bob math, nid oes syndod i'r beirdd hwythau roddi mynegiant llawn i'r traddodiad hwnnw. Meddai Lewys Morgannwg:

> Yna y daethost, fendithfawr,
> I'r lle hwn o'r nef i'r llawr.
> Dy ddelw, bob dydd a welynt,
> Yn fyw a gad o nef gynt (6.5-8).

Mewn man arall mae'r un bardd yn rhoi mwy o fanylion am y
ffordd y daeth y ddelw i'w chartref ym Mhen-rhys: daethpwyd o hyd
iddi ym môn derwen, a gwrthsafai bob ymdrech i'w thynnu oddi yno:

> Ni wnâi angel yn nengair
> O'i ddwylaw fyth y ddelw, Fair.
> Anrhydedd pan gad, meddynt,
> Y cad gwyrth, yn y coed gynt.
> Fry o'i chuddigl, ferch addwyn,
> O fôn dâr ni fynnai'i dwyn (5.45-50).

Y mae cysylltu Mair â choed derw yn gyffredin yn y gwledydd
Celtaidd, a goroesodd mewn amryw fannau ar draws Ewrop
draddodiadau o ganfod delw o'r Forwyn dan amgylchiadau tebyg i'r
rhai a amlinellwyd gan Lewys Morgannwg.[76] A chofio'r cyswllt
traddodiadol rhwng coed derw a chrefydd y Celtiaid paganaidd, gellir
cynnig fod stori am ganfod crair Cristnogol yn y fath safle yn debygol
iawn o fod yn atgof o gristioneiddio defod gyn-Gristnogol o addoli
coeden sanctaidd, ac yn awgrym pellach o hynafiaeth grefyddol y
safle arbennig hwn.[77] Fodd bynnag, gellir cynnig esboniad arall ar
ymddangosiad gwyrthiol y ddelw yng nghyd-destun y traddodiad a
gadwyd gan Iolo Morganwg i'r safle gael ei anrheithio rywbryd yn y
cyfnod canol. Pe cuddiasid delw o'r Forwyn ym môn coeden i'w
diogelu yn wyneb bygythiad ymosodiad, a'i hangofio neu hyd yn oed
ei cholli dros dro yn sgil y fath derfysg, oni fyddai ei hailganfod yn
gallu cael ei ddehongli'n ddigwyddiad gwyrthiol gan feddwl hygoelus
ac ofergoelus dyn canoloesol? A go brin y byddai angen mwy nag
ychydig o drafferthion wrth geisio'i chyrchu o'i chuddfan—
trafferthion corfforol wrth geisio'i symud neu rwystrau ymarferol
megis olwyn yn torri ar gerbyd neu storm o fellt a tharanau ar y
diwrnod penodedig—i blannu hedyn y stori na fynnai'r Forwyn gael ei
symud oddi yno.[78]

Ond ei symud a wnaed, rywsut rywfodd, y mae'n amlwg oherwydd
dengys y cerddi fod y ddelw wedi'i gosod mewn man lle y gallai
pererinion syllu arni mewn defosiwn; mae'n debyg felly iddi gael ei
gosod yn y capel a gysegrwyd iddi ar y mynydd uwchlaw'r ffynnon ei

hun.[79] Cawn lawer o fanylion yn y cerddi am ymddangosiad allanol y ddelw: 'roedd hi'n hardd ('bun deg', 8.1), yn dal ac yn denau ('meinwr hir', 11.32), a 'chroen' ei hwyneb wedi'i liwio yn ôl safonau harddwch y cyfnod, sef yn olau ('deuliw'r ôd', 4.37) gyda bochau cochion ('winaurudd', 3.1). 'Roedd yn emog ('A'm hoedl, fy nhrem a'i hadwaen, / yw'r maen fu ar ei mynwes', 2.23-4), gwisgai goron am ei phen ('Y ferch, Wyry Fair, a choron', 5.1) ac 'roedd o leiaf rannau ohoni wedi eu goreuro ('Llun y Wyry a'i llaw'n euraid', 3.7). Ymddengys fod mantell wych wedi'i gosod o'i chwmpas ('dan wn arael', 3.90), ac yn ei breichiau cariai ddelw o'r baban Iesu ('Yn dy fraich mae'r un Duw fry', 4.44). Mewn perthynas â'r plentyn dwyfol y cawn y nodwedd fwyaf annwyl a byw o'r cwbl—'roedd y ddelw o Fair ar ystum rhoi cusan i'r bychan yn ei breichiau ('Magu Iesu am gusan', 4.22). Dim rhyfedd i Lewys Morgannwg ddweud fod y ddelw 'yn fyw' (6.8), er ei bod yn bosibl wrth gwrs fod yr ymadrodd hwn yn cyfeirio at ryw nodwedd fwy trawiadol a gwyrthiol megis traddodiad fod y ddelw yn gallu siarad, colli dagrau neu ynteu symud dan ryw amgylchiadau arbennig.[80]

Er mai hytrach yn ddi-chwaeth ydyw i gynulleidfa'r ugeinfed ganrif, rhaid ystyried a ddylid derbyn yn llythrennol y darlun a gyflwynir yng nghywydd Rhisiart ap Rhys o ddŵr y ffynnon yn llifo fel 'llaeth i redeg / o'th fronnau, doeth forwyn deg' (4.19-20).[81] Gwyddys fod y cerflun maen o'r santes Ann a osodwyd dros ei ffynnon ger Eglwys Llanfihangel y Bont-faen ym Morgannwg wedi'i llunio yn y fath fodd fel bod y dŵr sanctaidd yn llifo o'i bronnau, ac er bod delw Pen-rhys yn gynharach ac o bren nid yw'n amhosibl iddi fod ar yr un patrwm yn hyn o beth.[82] Ar y llaw arall, gall mai disgrifiad ffansïol o ddŵr y ffynnon er cyfleu ei rinwedd a'i faeth sydd yng ngeiriau Rhisiart ap Rhys gan ei fod yn cyfeirio at y dŵr fel 'gwin gwyn' o fewn ychydig linellau (4.27).

Anrhydeddwyd Mair yng nghalendr yr Eglwys â nifer o ddyddiau gŵyl: Gŵyl Puredigaeth Mair / Gŵyl Fair y Canhwyllau (2 Chwefror); Gŵyl Cyfarchiad Mair / Gŵyl Fair y Cyhydedd (25 Mawrth); Gŵyl Fair yn yr haf (2 Gorffennaf); Gŵyl Dyrchafiad Mair / Gŵyl Fair Gyntaf (15 Awst); Gŵyl Fair pan aned (8 Medi); Gŵyl Ymddŵyn Mair (8 Rhagfyr). Rhesymol fyddai disgwyl i'r

pererindodau i Ffynnon Fair ar Ben-rhys ganoli ar un neu fwy o'r
dyddiadau hyn pryd y byddai litwrgi reolaidd yr Eglwys yn tynnu
sylw manylach nag arfer at ei pherson. Ni cheir awgrym o
bwysigrwydd arbennig yr un o'r dyddiadau hyn yn y cerddi a
oroesodd fodd bynnag. Gall hyn olygu'n syml, wrth gwrs, fod Pen-
rhys mor boblogaidd fel canolfan pererindota nes ei bod, fel ambell
ganolfan gwyliau heddiw, ar agor i ymwelwyr trwy'r flwyddyn—ai
dyna arwyddocâd y llinellau canlynol o waith Gwilym Tew, tybed:

> O'm credo credaf hyd gwanwyn a haf,
> Cynhaeaf, gaeaf a thragywydd (2.63-4),

neu ynteu mynegiant syml o'i fwriad i fod yn gyson ei ymroddiad i'w
ffydd sydd yma? Bid a fo am hynny, ceir dau gyfeiriad yn y cerddi
sy'n sôn am fynd i Ben-rhys ganol haf—sef, mae'n debyg, naill ai
Alban Hefin (21 Mehefin) neu Ŵyl Ifan (24 Mehefin): sonia Huw Cae
Llwyd am y ddau atyniad mawr ar Ben-rhys yr adeg hon o'r flwyddyn,
sef ysgrîn Mair ei hun a llys Syr Dafydd, ceidwad yr ysgrîn:

> Ys da ddwy lys yr awn ar frys
> Y sy 'Mhen-rhys am hanner haf (9.33-4),

a chyfeiria Rhisiart ap Rhys yntau at ymweld â'r safle ar yr un adeg o'r
flwyddyn yn union, os iawn y dehonglwyd y llinellau:

> Mae'r amser, os pryderaf,
> Mair, yn nesáu, 'mernos haf (4.47-8).

Os cywir awgrym y llinellau hyn mai'r arfer oedd ymweld â Phen-rhys
ar yr adeg o'r flwyddyn pan yw'r haul ar ei anterth yn hemisffer y
gogledd a byd natur ar ei fwyaf toreithiog, yna byddai hyn yn ateg
pellach i'r dyb fod i'r safle wreiddiau paganaidd.[83]

Ymddengys o gyfeiriad yng ngwaith Gwilym Tew fod Pen-rhys yn
arbennig o boblogaidd gyda'r bobl gyffredin, y 'llafuriaid' (3.5), ac
mae'n bur debyg mai pobl gymharol leol fyddai'r rheini, rhai na feddai
ar y modd na'r fenter i fynd ar bererindod pellach neu fwy
uchelgeisiol. Dengys cylch cerddi Pen-rhys y bu'r beirdd hwythau

ymhlith y pererinion ac, fel y nodwyd eisoes, beirdd 'lleol' oedd pob un o'r rhai y gellir eu cysylltu bellach â'r safle hwn. Ond nid beirdd a 'llafuriaid' mo pob un o bererinion Pen-rhys. Mae'r cerddi (rhifau 10 a 12) yn tystio i ddiddordeb arbennig teulu bonheddig Matheuaid Radur yn y ffynnon a'r ysgrîn ar Ben-rhys, ac mae gwaith Lewys Morgannwg (6.59-62) yn awgrymu hefyd fod gan deulu dylanwadol Stradling o Sain Dunwyd ddiddordeb ymarferol yn y lle; mewn geiriau eraill, 'roedd boneddigion lleol hefyd i'w cyfrif ymhlith y rhai fu'n cynnig eu defosiwn i Fair ar Ben-rhys. Yr unig dystiolaeth sydd gennym o'r cerddi i ddiddordeb 'allanol' yn ffynnon ac ysgrîn Mair ar Ben-rhys yw dau gyfeiriad yng ngwaith Lewys Morgannwg. Sonia mewn un man am 'forwyr' sy'n cael eu dwyn gan Fair 'o'r môr i dir' (5.63-4), ond mae'n gwbl bosibl wrth gwrs mai cyfeiriad at y *topos* adnabyddus o Fair fel *stella maris* (seren y môr) sydd yma yn hytrach na disgrifiad penodol o gefndir galwedigaethol rhai o bererinion Pen-rhys neu natur y drafnidiaeth a ddefnyddiwyd wrth gyrraedd yno.[84] Mae'r ail gyfeiriad, ar yr olwg gyntaf o leiaf, yn fwy pendant. Yn ôl tystiolaeth Lewys Morgannwg, deuai pererinion i Ben-rhys o bob cyfeiriad:

Mae dynion yma dynnir,
Mair, o'th wyrth, hyd môr a thir (6.3-4).

Mae'r ymadrodd 'hyd môr a thir' yn gwbl amwys, wrth gwrs: er y gall olygu ar y naill law fod y safle wedi magu enwogrwydd rhyngwladol erbyn ail hanner y bymthegfed ganrif ac y deuai pererinion i Ben-rhys o'r gwledydd Celtaidd eraill a'r tu hwnt ar hyd y môr-lwybrau gorllewinol a fu mor ddylanwadol yn hanes a diwylliant Cymru a gweddill gorllewin Prydain o'r cyfnod cyn-hanesyddol ymlaen,[85] ar y llaw arall gall 'hyd môr' olygu'n syml fod rhai yn dod i Ben-rhys dros Fôr Hafren o Wlad yr Haf, neu ar hyd yr arfordir o fannau yn ne-orllewin Cymru, dyweder.

Gallwn fod ychydig yn fwy hyderus ynghylch y llwybrau a gymerai pererinion dros dir i Ben-rhys. Mae ymchwil ddiweddar gan Dr Madeleine Grey o Brifysgol Cymru, Caerdydd wedi llwyddo i adlunio un o'r hen lwybrau i Ben-rhys, un a ddirwynai ei ffordd dros y trumiau

Pererin canoloesol—cerfiad ar faen (*bas-relief*) o Eglwys Llangynwyd, Morgannwg
(14eg ganrif?)

o abaty Llantarnam heibio i adfeilion Capel Derfel (yntau'n eiddo i
abaty Llantarnam ac yn ffocws pererindodau lleol yn y cyfnod),[86] a
thrwy'r Groes-wen, Eglwysilan a Llanwynno—taith a gymerai efallai
ryw dridiau ar droed ar gyflymdra gweddol gysurus. Mae'n debyg y
bu llwybr pererinion arall i Ben-rhys o gyfeiriad y de (o Landaf?), a
diau mai yn y cyd-destun hwn y dylid deall cyswllt teulu'r Matheuaid
o Radur â Phen-rhys, ac yn enwedig y cyfeiriadau at letygarwch ym

marwnad Rhisiart ap Rhys i Elsbeth Matheu.[87] A Gwilym Tew, Rhisiart ap Rhys a Lewys Morgannwg ill tri yn dod o'r wlad sy'n gorwedd i'r de-orllewin i Ben-rhys, rhaid tybio eu bod hwythau wedi defnyddio rhyw lwybr arall, un a gychwynnodd wrth Grog enwog Eglwys Llangynwyd efallai,[88] gan fynd heibio i Eglwys Llandyfodwg a'i charreg ac arni lun cerfiedig o bererin canoloesol,[89] i'r Gilfach ac i lawr i Gwm Rhondda Fawr.

Disgrifia Gwilym Tew ei hun ar y ffordd i Ben-rhys yn ei 'un crys' (2.41)—cyfeiriad at y dillad syml a wisgid gan bererinion canoloesol, y mae'n debyg—a chariai dapr neu gannwyll a oedd mor dal ag ef ei hun ('o wryd', 2.42), yn rhodd i'r Forwyn. Cyfeiria'r beirdd eraill at fynd â chanhwyllau hir at Fair, er enghraifft meddai Hywel Swrdwal:

> Pan ganer yr offeren
> Ef eir â chŵyr at y ferch wen,
> Cŵyr ar fy llun fy hunan,
> A chŵyr yn dorch i'w roi'n dân (8.31-4),

a sonia Rhisiart ap Rhys am rodd Elsbeth Matheu o 'pwys dau gant mewn pyst o gŵyr' (12.52). Yn yr holl gyfeiriadau hyn at ganhwyllau mawr gwelir tuedd y cyfnod hwn—fel pob cyfnod am hynny—i fesur maint y defosiwn wrth faint y rhodd weladwy a diau y bu peth cystadlu ymhlith y pererinion â'i gilydd ynghylch pwy a ddaethai â'r gannwyll fwyaf.[90] Ond nid canhwyllau oedd unig rodd y pererinion i Fair ar Ben-rhys; aethant hefyd â rhoddion o aur ac arian a fu'n ffynhonnell incwm arwyddocaol i fynaich gwyn Llantarnam. Cyfeiria Gwilym Tew at 'offrwm . . . o aur ac arian' (2.31-2), a sonia Rhisiart ap Rhys am roddion Elsbeth Mathau o 'aur trwm a da' (12.54), gan ychwanegu fod y rhoddion hynny wedi sicrhau lle iddi gyda Mair yn y nefoedd:

> Ei mawr fraint gyda Mair fry
> Y mae'i henaid am hynny (12.55-6).

'Roedd pererindod i Ben-rhys yn costio'n ddigon drud i rai, mae'n amlwg, ond diau iddynt ystyried fod pob ceiniog wedi'i wario'n ddigon darbodus o ystyried y lles tragwyddol y credent a ddeuai i'w heneidiau yn sgil hynny. Gofalai rhai adael cymunrodd i ysgrîn Pen-rhys yn eu hewyllys, hyd yn oed, gyda chais iddynt gael eu claddu o fewn ei chysgod.[91] Er enghraifft, mewn ewyllys dyddiedig 11 Mehefin 1511, cymunroddodd un Thomas Cadogan ei grysbais orau i ysgrîn Mair ar Ben-rhys.[92]

Yn ogystal â'r rhoddion diriaethol hyn, âi'r beirdd hefyd â rhoddion o gerddi. Disgrifia Huw Cae Llwyd ei hun yn 'dwyn moliannau dros y Bannau' (9.31), ac meddai Lewys Morgannwg:

> Âf â cherdd i ofwy eich urddas
> A chŵyr iwch, lle harcha ras (6.57-8).

Mewn man arall cawn ddarlun mwy graffig o'r bardd hwnnw a'i roddion:

> Âf i eiriol, wyf arab,
> Fry â mawl i Fair a'i mab,
> Y'm llaw'n cae iawn mae llun cŵyr,
> Y'm llaw aswy mae llaswyr (5.67-70).

Diau fod amrywiaeth fawr o gymhellion dros fynd ar bererindod i Ben-rhys, yn union fel yr amrywiai cymhellion pererinion i Jerwsalem, Rhufain a Santiago de Compostella. I lawer, mae'n debyg nad oedd y daith i Ben-rhys lawer mwy nag antur neu ryw doriad ar undonedd bywyd o waith caled—mewn geiriau eraill, 'roedd y pererindod yn wyliau yn ystyr fodern y gair. Hawdd dychmygu mintai o bererinion felly yn cychwyn allan am Ben-rhys yn llawn sŵn a chyffro wrth iddynt feddwl am y daith o'u blaenau, yn union fel pererinion enwog Chaucer wrth iddynt ymadael â'u lletty yn Southwark a wynebu ar y daith i Gaer-gaint. Ond 'roedd tirwedd dipyn caletach o flaen pererinion Pen-rhys na'u cymheiriaid yn chwedlau Chaucer, a go brin y byddent hwy wedi llwyddo i chwedleua'n rhugl-goeth—na chanu cerddi—wrth ddringo ambell un o'r llethrau sy'n gorwedd ar y llwybrau i Ben-rhys a ddisgrifiwyd uchod. Eto i gyd, byddai anhawster y daith yn sicr o roi blas ychwanegol ar lawenydd y pererinion o gyrraedd ei phen, yn enwedig o gofio'r tebygolrwydd fod sawl un yn eu plith yn dioddef o ryw wendid corfforol neu feddyliol. A dyna nodi cymhelliad y rhan fwyaf, y mae'n siŵr, dros ymgymeryd â'r daith hon. Mae'r cerddi'n dangos yn glir pam y bu Pen-rhys mor boblogaidd gyda phererinion, sef oherwydd gallu honedig Ffynnon Fair i wella pob math o glefydau a gwendidau; credid yn wir y gallai'r dyfroedd gyflawni'r gamp eithaf hyd yn oed ac atgyfodi'r meirw! (Er, yn eironig braidd o gofio datblygiadau diweddarach ym maes gofal iechyd ar Ben-rhys, nid oes yma'r un cyfeiriad at wella'r claf o'r frech wen.) Drosodd a thro, a chyda thaerineb ymgyrch hysbysebu modern, sonia'r cerddi am alluoedd y dyfroedd rhiniol a rhinweddol hyn. Weithiau ceir gosodiadau cyffredinol, hollgynhwysfawr:

> Ym Mhen-rhys araul, mewn rhos irwydd,
> Y dianafir pob dyn afiach (2.49-50),

ond mewn mannau eraill mae'r beirdd yn ymroi i restru'n afiaethus yr holl wahanol fathau o wendidau a chlwyfau y gellid disgwyl gwellhad iddynt ar Ben-rhys:

> Rhoi clywed a dywedyd
> Y mae i fyddar a mud.
> Aet dall i gyty â hon,
> O'i phlegid caiff olygon.
> Synied ar y pum synnwyr
> A'u dwyn i ynfyd a ŵyr.
> Cad, wen y cad o Anna,
> Claf yn iach o'r clwyf yna.
> Carcharor cur a cherydd,
> Gwirion y bair hon yn rhydd (1.3-12).

Mewn man arall dywedir fod dŵr y ffynnon yn gallu gwella 'gwewyr a lludded' (4.28) a hefyd 'gwayw o'r pen' a haint y chwarennau (4.35-6). Yn wir, cymaint y gred yng ngallu'r dyfroedd i iacháu nes i Risiart ap Rhys ddatgan yn ddi-flewyn-ar-dafod fod delw Mair ar Ben-rhys mor effeithiol o wyrthiol â Mair ei hun yn y nef:

> Delw Fair nid dilafurach
> No Mair o nef am roi'n iach (4.39-40).

Mae'n ddigon clir fod y beirdd eu hunain ymhlith y rhai a aeth i Ben-rhys gan chwilio am iachâd i anhwylderau personol penodol. Tua diwedd un gerdd, rhydd Lewys Morgannwg ei gymhelliad ef ei hun dros fynd i Ben-rhys:

> Mawr yw 'maich, Mair, am iechyd,
> Mwy na baich mwya'n y byd;
> Dyn a ddaliwyd dan ddolur
> Fu'n dwyn poen wyf, yn dân pur (6.47-50),[93]

ac aeth Gwilym Tew yntau i Ben-rhys 'rhag ofn y cryd' (2.41).

Ond yn ogystal â gwella'r holl afiechydon corfforol hyn, 'roedd Ffynnon Fair yr un mor effeithiol at iacháu clwyfau ysbrydol. Eglura Llywelyn ap Hywel yn gryno y ddwy wedd ar allu iachusol Mair ar Ben-rhys:

> Dwyn enaid pob dyn uniawn
> A wna a chorff yn iach iawn (1.1-2).

Er nad yw datganiadau'r beirdd am iacháu ysbrydol wrth Ffynnon Fair ar Ben-rhys mor ddramatig â'u honiadau am wella corfforol yn y fan honno, byrdwn sylfaenol pob un o'r cerddi yw gallu Mair i waredu eneidiau dynion rhag cosbedigaeth dragwyddol a gweddi am y waredigaeth honno. Gorwedd dilysrwydd y defosiwn yn symledd eithaf y mynegiant:

> Ar Iesu rasol, ar Fair mae f'eiriol,
> Fyned yn ei rol f'enaid yn rhydd (2.71-2)

yw deisyfiad Gwilym Tew, ac mae cais Rhisiart ap Rhys yn ddigon tebyg:

> Ym marn Duw, Mair yn dy wart,
> I Ben-rhys, derbyn Rhisiart (4.41-2),

ac eto:

Mair o nef, morwyn ufydd,
Mae'n ofn yr hawl, myn fi'n rhydd.
Tro f'enaid o'm terfynad
I'r lle'r wyt ti gerllaw'r Tad (4.61-4).

Petai angen 'profi' dilysrwydd y meddwl yn y llinellau hyn o waith Rhisiart ap Rhys wrth iddo wynebu 'terfynad' bywyd, ceir y prawf hwnnw mewn gweddi a gymerodd allan o *Wassanaeth Meir* i'w defnyddio at ei les ei hun—'*pro anima Rissierd ap Rys*' (er mwyn enaid Rhisiart ap Rhys), fel y dywedir yn y llawysgrif. Ai gerbron y ddelw o'r Forwyn ar Ben-rhys y gweddïodd Rhisiart ap Rhys y geiriau hyn?

llyma weddi o Vair a elwir Salve Regina a ffwy bynag ae dyweto ni ddelir yn ddiarvot ac val hynn y dechravir Hanpych gwell veir vrenhines y drvgaredd yn bywyd an gobeith an digrifwch: hanpych gwell atad y llefwn alltvdion i veibion Eva Atad ydd ucheneidiwn drwy gwynvan ag wylofein ynglynn y dagrav hynn wrth hynny bryssia yn kynhalwraic ni treigla atam dy drugarogion lygeid a dangos ynn gwedy yr alltvdedd honn y bendigedic Jessv ffrwyth dy groth di O wareddog O drvgarog O Berffeithdec veir teilynga di vi kyssegredic veir wyry yth voli di a dyro di y mi nerth yn erbyn dy elynion Ac amddiffyn ym heneid ynghardod amen.[94]

[Llyma weddi o Fair a elwir *Salve Regina*, a phwy bynnag a'i dyweto ni ddelir yn ddiarfod, ac fel hyn y dechreuir:
Henffych well! Fair, Frenhines y Drugaredd, ein bywyd, a'n gobaith a'n digrifwch:
Henffych well! atat y llefwn, alltudion i feibion Efa; atat ydd ocheneidiwn drwy gwynfan ac wylofain ynglŷn y dagrau hyn;
Wrth hynny, brysia, ein Cynhalwraig ni; treigla atom dy drugarogion lygaid, a dangos in gwedi yr alltudedd hon y bendigedig Iesu, ffrwyth dy groth di;
O! waredog, O! drugarog, O! berffeithdeg Fair;
Teilynga di fi, cysegredig Fair Wyry, i'th foli di a dyro di i mi nerth yn erbyn dy elynion, ac amddiffyn i'm henaid yng nghardod, Amen.]

Gweddïa Lewys Morgannwg gyda chryn daerineb ar Fair i eiriol dros ei enaid ef:

Mair, am un air i'm enaid,
Mair werthfawr, air wrth fy rhaid (5.81-2),

ond fe'i gwelwn hefyd yn cyflwyno i ofal Mair un 'Syr Edward' sef, y
mae'n debyg, Syr Edward Stradling o Sain Dunwyd a fu'n noddwr
iddo:

Mair, i'th ras mwy yr hawg
Mi a erchais un marchawg:
Oes hir a gras, Syr Gai'r ward,
Iesu, roed i Syr Edward (6.59-63).

Nid oedd yn anghyffredin yn yr oesoedd canol i berson ymgymryd â
phererindod ar ran noddwr na allai neu na fynnai ymgymryd â'r daith
ei hunan,[95] ac nid yw'n amhosibl fod enghraifft neu o leiaf rhyw
gysgod o'r arfer hwnnw yn y fan hon.

Mae'r cerddi yn hawlio rhyw boblogrwydd eithriadol i'r safle a
chawn yr argraff fod y bobl yn tyrru yno am iachâd fel yr ânt heddiw i
Lourdes, dyweder. Sonia Gwilym Tew am 'lu 'Mhen-rhys' (3.6), ond
anodd bellach fyddai cael amcan o faint y llu hwnnw.[96] 'Roedd
poblogrwydd yr ysgrîn ar Ben-rhys yn seiliedig yn y pen draw wrth
gwrs ar nifer y gwyrthiau rhyfeddol a gyflawnid yno, a mynega Lewys
Morgannwg eu lluosgrwydd trwy ddefnyddio *topos* cyffredin mewn
llenyddiaeth grefyddol, a honni nad oedd modd gosod rhif arnynt:

Mawr yw rhif mewn ysgrifen,
Mwy rhif dy wyrthau, Mair wen (6.9-10).[97]

Nid oes gennym unrhyw brawf wyddonol fod yr un wyrth wedi'i
chyflawni ar Ben-rhys, ond rhaid tybio fod y bobl o leiaf yn credu i
bethau rhyfeddol ddigwydd yno neu ynteu ni fyddai diben mewn
cyrchu'r lle.[98] Wedi'r cwbl, 'roedd gobaith gwyrth yn llawer gwell nag
anobaith llwyr. Mewn cymdeithas a fygythid yn feunyddiol gan
afiechydon o bob math, mewn cyfnod pryd yr oedd llawfeddygaeth yn
debycach i waith cigydd na chrefft gwniadyddes ac mewn oes a
gyfrifai ddyn yn hen pe cyrhaeddai'n agos at ei ddeugain, yr oedd
marwolaeth yn gymydog cyfarwydd i bawb a barn Duw yn

ddigwyddiad dychrynllyd o real ac agos. Dim syndod felly fod
cymaint o fynd ar bererindota i safle a oedd mor lluosog ac
amlweddog ei honiadau iacháu a gwaredu. Mewn ambell fan mae'r
cerddi hyn wedi llwyddo i ddal ar ein cyfer wewyr meddyliau a
gweddïau'r pererin canoloesol gerbron delw'r Forwyn:

> Ofn ni ddêl gwedi'r elwyf,
> Ofni dros f'enaid yr wyf,
> Ofni gweled fy ngelyn
> Ymhen tafl am enaid dyn.
> Ofni dybryd fyned obri,
> Ofn y frawd gan fy Nuw fry.
> Mi archaf i'w bum archoll,
> Mair, arched air, eirchiad oll,
> Mair, am un air i'm enaid,
> Mair werthfawr, air wrth fy rhaid (5.73-82).

Mae'r disgrifiad byw a geir yn y llinellau hyn o'r 'gelyn', sef Satan
a'i lu, yn ceisio effeithio ar dynged tragwyddol dyn trwy wasgu ar un
o'r ddwy badell ar dafol Duw wrth iddo Ef bwyso enaid yn Nydd y
Farn yn dwyn i gof y lluniau dychrynllyd o Ddiwedd y Byd a'r Farn
Fawr a oedd mor gyffredin ar waliau eglwysi'r oesoedd canol.[99] Credid
yn gyffredin yn y cyfnod hwnnw fod gweddïau Mair yn gallu
gwrthweithio ystryw y diafol yn hyn o beth, a darluniwyd hi yn aml
â'i llaw ar drawst y dafol neu yn gosod ei phaderau yn y badell arall er
gwrthbwyso dylanwad y diafol.[100] Ni wyddom bellach ble y gwelsai
Lewys Morgannwg lun felly, ond y mae'n ddiddorol sylwi fod dau
arall o feirdd Pen-rhys yn cyfeirio at yr un motiff, sef Gwilym Tew
(2.33-4) a Llywelyn ap Hywel mewn cerdd nad yw'n rhan o gylch
Pen-rhys.[101] A welodd y tri bardd yr un llun mewn eglwys rywle ar hyd
y daith i Ben-rhys, neu a ydyw'n bosibl fod wal y capel ar y safle
wedi'i harddu â llun o'r fath?

Beth a ddigwyddai i'r pererinion wedi cyrraedd Pen-rhys? Byddai'r
rhan fwyaf, mae'n debyg, yn cyrraedd erbyn yr hwyr, yn barod ar
gyfer gweithgareddau'r diwrnod canlynol. Os gallwn dderbyn
tystiolaeth Hywel Swrdwal, treuliwyd y dydd wedyn yn dilyn
gwasanaethau'r diwrnod mynachaidd, o'r Plygain cynnar i'r Cwmplin

hwyrol (8.48-52). Cyfeiria Gwilym Tew yntau at ddathlu'r offeren
(2.2), a sonia hefyd am ymprydio a chyffesu pechodau, sef
gweithredoedd o ymbaratoad ar gyfer yr iachâd neu'r fendith a
geisid:

A'r dail ar y dŵr, famaeth emprwr, fy maith ympryd
Wrth lân gyffes, galw am hanes, gael 'y mhennyd (2.29-30).

Rywbryd yn ystod y dydd byddai'r pererinion yn ymweld â'r
ffynnon ei hun a dyna, mae'n debyg, arwyddocâd sylw Rhisiart ap
Rhys fod iacháu yn digwydd erbyn 'yr ail nos' (4.32). Yn dyst i'r
gwyrthiau o iacháu a gyflawnwyd, gadawai'r cloff eu baglau yn y
fan a'r lle (6.43-4), ac felly hefyd y meirw wisgoedd y bedd:

Llawer dyn lle'r wyd unair,
O farw âi'n fyw yn dy fron, Fair.
Fe ddaw atoch yn llawen
Y marw â'i wisg iwch, Mair wen (6.31-4).

Gwyddom ei bod yn arfer mewn cyfnodau diweddarach
offrymu pin i ddŵr ffynnon Pen-rhys, a'r offrymwr yn gweld o'r
ffordd y newidiai'r pin ei liw yn y dŵr a fyddai ei gais yn
llwyddiannus ai peidio.[102] Arfer paganaidd sydd yma yn y bôn, a'i
wreiddiau yn yr arfer o ddod â rhodd i blesio duw y ffynnon, ac er
nad oes sôn am yr arfer hwn yn y cerddi, y mae'n ddigon posibl y
bu taflu pin neu rywbeth tebyg i'r dŵr yn rhan o'r gweithgareddau
arferol ar bwys y ffynnon yn y cyfnod canol. Ai olion rhyw
ddefod baganaidd gyffelyb sydd yng nghyfeiriad Gwilym Tew at y
'dail ar y dŵr' (2.29)?

Gellir dehongli cerddi cylch Pen-rhys, yn union fel y gwnaeth
H. Elvet Lewis ar ddechrau'r ganrif hon,[103] yn dystiolaeth i
gydymdeimlad y beirdd â'r ffydd Babyddol a feddiannai'r wlad
hon yn y cyfnod hwnnw, a'u hymateb digwestiwn o gadarnhaol i'r
arferion a'r ffurfwasanaeth a gysylltid â'r ffydd honno. Mae'r
cerddi hyn yn gynnyrch dilys y meddylfryd Pabyddol, ac yn
dystiolaeth ddiddorol a gwerthfawr i'r meddylfryd hwnnw gan
ddosbarth o leygwyr huawdl o lafar. Ond rhaid peidio â cholli
golwg ar y ffaith fod beirdd yr oesoedd canol yn dibynnu ar eu

canu am eu bywoliaeth ac o dan eu defosiwn—dilys, bid sicr—gorweddai elfen fasnachol. Dengys y *Valor Ecclesiasticus,* sef cyfrifiad eglwysig a gynhaliwyd yn 1535, fod y rhoddion i ysgrîn Pen-rhys werth dros £6 y flwyddyn i abaty Llantarnam[104]—swm pur sylweddol yn y cyfnod hwnnw, yn arbennig yng nghyd-destun abaty a gyfrifid yn un tlawd trwy gydol ei hanes.[105] 'Roedd yr incwm hwn i'w briodoli'n bennaf i waith y beirdd a fu'r un mor effeithiol ag unrhyw asiantaeth hysbysebu fodern wrth dynnu sylw at brif atyniadau'r lle a'i flaenoriaeth dros ei holl gystadleuwyr. Datganiad syml o ragoriaeth sydd gan Gwilym Tew:

> Y penna roed enw Pen-rhys
> Ym mhob llys ac ym mhob llwyn (2.3-4),

ond mae'r pererin profiadol Huw Cae Llwyd, a fu ei hun yn Rhufain, yn mentro gwneud cymhariaeth benodol â chyrchfannau eraill:

> Bedd Iesu'n caru, cywrain—eu tegwch
> Tŷ Iago a Rhufain.
> Bond oedd i ni gan riain
> Ben-rhys fal pob un o'r rhain? (9.13-16).

Canai'r beirdd nid yn unig o wirfodd calon eu defosiwn personol, ond hefyd am ei fod yn talu iddynt wneud hynny. Cofier mor awyddus oedd Huw Cae Llwyd i gyrraedd llys Syr Dafydd, ceidwad yr ysgrîn (9.33-4); cyfeiria Gwilym Tew yntau at haelioni ceidwad yr ysgrîn wrth rannu gwin i'w westeion gan ddefnyddio un o hoff *topoi* y Cynfeirdd a'r Gogynfeirdd, a gallwn gymryd yn ganiataol fod y bardd yn gyfarwydd â derbyn ei ran o'r lletygarwch hwnnw:

> I Fair y harchaf gadw sy'i Ddofydd
> A'i deml a'i einioes, wlad Maelienydd,
> I wella'i allu ar win a'i rannu,
> Ac o'i fath ni bu, ac fyth ni bydd (2.73-6).[106]

Os cywir yr awgrym diwethaf hwn fod cerddi Pen-rhys i ryw raddau o leiaf yn gynnyrch gweithgarwch masnachol ar ran y beirdd,

rhesymol fyddai disgwyl gweld tro-pedol cyflym yn eu plith ar
ddiwedd yr oesoedd canol wrth i newidiadau yn yr hinsawdd
grefyddol olygu fod ymosod chwyrn o du'r awdurdodau ar y delwau
a'r geriach a gyfrifid mor annwyl gan y bobl gynt. Ac yn wir ceir
enghraifft glir o hynny yng ngwaith Lewys Morgannwg. Mewn
cyferbyniad llwyr â'r ddau gywydd gwych a ganodd i Ffynnon Fair a'i
hysgrîn ar Ben-rhys, canodd y bardd hwn fawl Harri VIII am beri
diddymu'r mynachlogydd gan gymeradwyo'n frwd y weithred o
gasglu ynghyd ddelwau o Fair a'r seintiau eraill i'w llosgi yn
Llundain:

> Amheuwyr Duw ffydd mawr y diffoddaist,
> Y gnawd ac a llawr gwn y diwellaist,
> Anghredwyr Iesu tân a gyneuaist,
> Y mêr a'i holl esgyrn meirw y llosgaist.
> Ddoe esgob Rhufain o ddysg y profaist,
> Y sy y'th deyrnas o'i waith a dernaist,
> Yn dallu'i elyn, ei dwyll a welaist,
> Am aur dy ynys yma y ordeiniaist,
> Y sêl a'i gyfraith, hyn a ddiffeithaist.
> Yn iach mwy hynny, yn wych ymwahenaist!
> Ffalswyr crefyddwyr a'u côr a faeddaist,
> Am dwyll a phechod i'r llawr y dodaist
> Y tra a'u balchedd, da y diweddaist,
> Drwy weddi deilwng, drwy Dduw dielaist.[187]

Er nad oes dim annisgwyl ar y naill law mewn gweld pencerdd
Morgannwg yn gweithredu fel 'bardd y brenin' ac yn canu'n ffurfiol
i'r brenin nerthol a chwyldroadol hwn o dras Gymreig, mae ei
frwdfrydedd ym mater ymosodiad y brenin ar yr Hen Ffydd yn codi
cwestiwn ynghylch dilysrwydd emosiynol ac ysbrydol ei ganu i Fair.
Ai rhyw Sioni-bob-ochr oedd Lewys Morgannwg, yn newid ei got yn
ôl cyfeiriad y gwynt, neu a oes modd dehongli'r newid sylfaenol a
thrawiadol hwn yn ei agwedd yn nhermau caredicach tröedigaeth
ddilys i Gristnogaeth Brotestannaidd? Rhaid cyfaddef na welais
unrhyw dystiolaeth yn ei gerddi i awgrymu mai'r diwethaf yw'r
dehongliad cywir.

Yn eironig ddigon, gyda gwawr y Diwygiad Protestannaidd a'r trefniadau a wnaed i ddinistrio ysgriniau a delwau'r seintiau ledled y deyrnas, cawn dystiolaeth gwbl ddiamwys i led a dyfnder enwogrwydd Pen-rhys erbyn ail chwarter yr unfed ganrif ar bymtheg. Mewn llythyr dyddiedig 13 Mehefin 1538, tynnodd Hugh Latimer, Esgob Caerwrangon, sylw Thomas Cromwell at y ddelw enwog o Fair a safai yn ei Gadeirlan, gan ei chyplysu'n benodol â delwau eraill yn rhai o ysgriniau pwysicaf Cymru a Lloegr:

> ... She hath been the devil's instrument to bring many, I fear, to eternal fire; now she herself, with her old sister of Walsingham, her young sister of Ipswich, with their other two sisters of Dongcaster and Penryesse, would make a jolly muster in Smithfield. They would not be all day in burning.[108]

Mewn llythyr dyddiedig 16 Awst 1538, gorchmynnodd Thomas Cromwell dynnu delw Mair o'i hysgrîn ar Ben-rhys, a hynny 'as secretly as might be' am yr ofnid gwrthwynebiad lleol ffyrnig i'r fath weithred. Ar 26 Medi'r un flwyddyn, tynnwyd 'the image and her apparel' o'i safle yn ôl cyfarwyddiadau Cromwell, a'i hanfon i Lundain.[109]

> The images of our ladie of Walsingham and Ipswich were brought up to London, with all the jewels that hung about them, and divers other images both in England and Wales, whereunto any common pilgrimage was used, for avoiding of Idolatrie; all which were brent (*sic*) at Chelsey by Thomas Cromwell, privie seale.[110]

Dichon nad oes odid dim sydd yn crisialu'n fwy effeithiol y newid yn amgylchiadau'r ddelw o Fair a fu gynt ar Ben-rhys na cherdd hir a luniwyd gan William Gray, un o weision Cromwell, yn sgil y llosgi. Cyferbynner ag awyrgylch defosiynol ac urddasol cerddi'r beirdd Cymraeg rigwm dychanus y Sais:

> Ronnyng hyther and thyther,
> We cannot tell whither
> In offryng candels and pence

To stones and stockes,
And to olde rotten blockes,
    That came we know not from whense;

To Walsyngham a gaddyng,
To Cantorbury a maddyng,
    As men distraught of mynde;
With fewe clothes on our backes,
But an image of waxe
    For the lame and for the blynde;

To Hampton, to Ipswyche,
To Harforth, to Shordyche,
    With many mo places of pryce,
As to our Lady of Worcester,
And the swete Rode of Chester,
    With the blessed Lady of Penryce.[111]

Yr hyn sydd yn gwneud y dychan yn fwy miniog wrth gwrs yw'r
ffaith y cynhwysir yma lawer iawn o'r elfennau a gysylltwn yn
benodol â'r cerddi mawl i Fair ar Ben-rhys: ymddangosiad goruwch-
naturiol y ddelw, enwi'r ysgrîn gan anwylo enw'r ddelw a gyrchid,
dillad prin y pererinion, eu hoffrwm o ganhwyllau gwêr, y gwendidau
y ceisiwyd iachâd iddynt.

Er gwaethaf ymdrechion gweision Cromwell ac er rheibio'i thrysor
pennaf, ymddengys na lwyddwyd i lwyr ddileu'r defosiwn a
nodweddasai ysgrîn Mair ar Ben-rhys. Os gellid dinistrio'r ddelw, nid
oedd modd sychu'r ffynnon. Credir i'r bywyd mynachaidd barhau yng
Nghymru wedi diddymu'r mynachlogydd, ac i'r mynaich ffoi i
ddiogelwch y coedwigoedd a'r mynyddoedd pellennig. Er gwaethaf
disgrifiad John Leland o Ben-rhys fel y fan 'wher the Pilgrimage
was',[112] awgrymwyd i grêns diarffordd Pen-rhys ddod yn gyrchfan i
fynaich ffoadur de Cymru, gan gynnwys brodyr Ffransiscaidd o
Gaerdydd, a bod côr cyflawn o fynaich ar y safle tua 1550.[113]
Honnwyd ymhellach i'r capel gael ei ailaddurno yn y cyfnod wedi
diddymu'r mynachlogydd ac i bererinion barhau i gyrchu'r lle mor
ddiweddar â 1602.[114] Bid a fo am hynny, gwyddom y parheid i

ddefnyddio'r ffynnon ymhell wedi dyddiau Thomas Cromwell; nid yn hawdd y mae pobl yn rhoi heibio'u hen arferion, ac ymddengys fod cwlt y ffynhonnau—pa arlliw crefyddol bynnag a roddir arno— ymhlith y mwyaf gwydn o arferion y ddynoliaeth. Er na wyddys am unrhyw enghreifftiau o ganu i Fair ar Ben-rhys ymhlith y canu rhydd a gysylltir mewn ffordd mor arbennig â Morgannwg yn y cyfnod modern cynnar,[115] parhawyd i ymweld â'r ffynnon ar hyd y canrifoedd oddi ar y Diwygiad Protestannaidd. Yn y ganrif ddiwethaf defnyddiai ffermwyr yr ardal ddŵr y ffynnon wrth wneud menyn ym misoedd yr haf,[116] a gwyddys y parhawyd i'w defnyddio fel ffynnon iacháu tan y ganrif ddiwethaf, os nad ar ôl hynny.[117] Ac ai rhyw fath o gof gwerin am allu honedig y safle i wella pob math o anhwylderau a ysbrydolodd y penderfyniad yn 1908 i godi Ysbyty Heintiau ar Ben-rhys, o fewn tafliad carreg i'r hen adeiladau mynachaidd a Ffynnon Fair?

Mae Ffynnon Fair ar Ben-rhys yn parhau yn rhan o fywyd llenyddol ac ysbrydol Cymru. Bu'n ysbrydoliaeth i o leiaf ddau fardd lleol yn y ganrif hon, sef J. Gwyn Griffiths a Rhydwen Williams[118]—dau o feirdd Cylch Cadwgan enwog. Yn 1912 sefydlwyd eglwys Babyddol a

Ffynnon Fair cyn ei hadnewyddu: yn y cefndir gwelir ffermydd Pantsteddfa a Thyntyle.

Cerflun 'Mair o Ben-rhys' a ddadorchuddiwyd gan y Gwir Barchedig Michael McGrath, Archesgob Caerdydd, 2 Gorffennaf 1953. Saif yn y fan lle y tybir y bu allor y capel Sistersaidd yn yr oesoedd canol, ac yn y cefndir gwelir gweddillion waliau'r capel hwnnw

(Llun: Llyfrgell Treorci)

gysegrwyd i 'Our Lady of Pen-rhys' ryw bedair milltir o safle'r ysgrîn ganoloesol, yn Ferndale yng Ngwm Rhondda Fach. Yn 1947 adferwyd statws Ffynnon Fair yn swyddogol gan yr Eglwys Babyddol yn brif ysgrîn y Forwyn Fair yng Nghymru a sefydlu pererindod blynyddol i'r fan, ac ar 2 Gorffennaf 1953 dadorchuddiwyd cerflun maen newydd o'r Forwyn Fair, ar y fan y tybir y bu allor y capel Sistersaidd yn yr oesoedd canol.[119] Er i'r Eglwys Babyddol symud y ganhwyllbren wedyn, a dyfarnu ysgrîn Mair yn Aberteifi yn brif ganolfan dyrchafu Mair yng Nghymru bellach, y mae'n dra phriodol fod eglwys eciwmenaidd Llanfair, Pen-rhys wedi ei phrofi ei hun mewn blynyddoedd diweddar yn ffynhonnell iachâd i anhwylderau ysbrydol a chymdeithasol dybryd y gymuned sydd o'i chwmpas. Heddiw nid yw Ffynnon Fair ar Ben-rhys ond cysgod trist ac unig o le a chwaraeodd ran mor ganolog o ddylanwadol ym mywydau cynifer o bobl yn niwedd yr oesoedd canol; ac eto, yn yr unigedd rhyfedd hwnnw rhwng prysurdeb gwaelod y cwm a'r stad tai a godwyd ar safle adeiladau a thiroedd mynaich Pen-rhys, nid anodd dychmygu'r minteioedd o bererinion canoloesol yn dringo'r llethrau serth, yn ofidus ac yn orfoleddus wrth iddynt dynnu at ddiwedd ac uchafbwynt eu taith at Fair:

> Mae'r cwm yn galw yn salw ei sain
> Ond erys islais addfwyn
> Lle dyrchid gynt folawdau cain
> Yn firi gwiw i'r Forwyn.[120]

NODIADAU

[1] Am hanes yr haint yng Nghwm Rhondda, gw. adroddiadau'r *Rhondda Leader* rhwng 20 Ionawr a 31 Mawrth 1962; cf. Glyn Penrhyn Jones, *Newyn a Haint yng Nghymru* (Caernarfon, 1962), 43-4.

[2] Lucy Toulmin Smith (gol.), *The Itinerary in Wales of John Leland* (Llundain, 1906), 16. Gw. hefyd Meic Stephens (gol.), *Cydymaith i Lenyddiaeth Cymru* (Caerdydd, 1986), 295; *The Oxford Companion to English Literature*, s.n.; *The Dictionary of National Biography*, s.n.

[3] Francis Jones, *The Holy Wells of Wales* (Caerdydd, 1954), 60.

[4] Yr ymdriniaeth orau â chanu Mair ar Ben-rhys a'i gefndir hanesyddol a gyhoeddwyd hyd yma yw erthygl Thomas Charles-Edwards, 'Penrhys: y Cefndir Hanesyddol: 1179-1538', *Efrydiau Catholig*, cyf. 5 (1951), 24-45. Trwyddi y deuthum gyntaf i wybod am hanes Pen-rhys yn yr oesoedd canol, ac er na fynnwn arddel holl bwysleisiau'r erthygl honno carwn gydnabod fy nyled iddi fel ysbrydoliaeth gychwynnol i'r drafodaeth bresennol. Rwyf hefyd yn ddiolchgar i'r Tad John FitzGerald am ddarllen fersiwn drafft o'r ysgrif hon.

[5] Gw. J. J. Tierney, 'The Celtic Ethnography of Posidonius', *Proceedings of the Royal Irish Academy*, cyf. 60 (1959-60), Adran C, 189-275; J. E. Caerwyn Williams, *Y Bardd Celtaidd*, Darlith Hallstatt 1991 (Machynlleth, 1991).

[6] Am drafodaeth ar nodweddion crefydd baganaidd y Celtiaid ym Mhrydain, gw. Anne Ross, *Pagan Celtic Britain* (Llundain, 1967), a cf. Myles Dillon & Nora K. Chadwick, *The Celtic Realms* (Llundain, 1967), 13-15, 134-58.

[7] Gw., er enghraifft, D. Simon Evans, 'Aneirin—Bardd Cristnogol?', yn J. E. Caerwyn Williams (gol.), *Ysgrifau Beirniadol*, cyf. 10 (Dinbych, 1977), 35-44.

[8] Golygwyd a chyfieithwyd y gerdd hon gan Ifor Williams, 'Naw Englyn y Juvencus', *Bwletin y Bwrdd Gwybodau Celtaidd,* cyf. 6 (1931-33), 205-24, ailgyhoeddwyd yn Rachel Bromwich (gol.), *The Beginnings of Welsh Poetry* (Caerdydd, 1972), 100-21. Gw. hefyd Marged Haycock (gol.), *Blodeugerdd Barddas o Ganu Crefyddol Cynnar* (Cyhoeddiadau Barddas, 1994), 3-16.

[9] Gw. Marged Haycock, *Blodeugerdd Barddas o Ganu Crefyddol Cynnar,* xiv-xix, am grynodeb hwylus o'r maes.

[10] R. R. Davies, *Conquest, Coexistence and Change: Wales 1063-1415* (Rhydychen, 1987), 111-210.

[11] Daniel Huws, 'Llyfrau Cymraeg 1250-1400', *Cylchgrawn Llyfrgell Genedlaethol Cymru,* cyf. 28:1 (Haf 1993), 1-21.

[12] D. Simon Evans, *Medieval Religious Literature,* Writers of Wales (Caerdydd, 1986); J. E. Caerwyn Williams, *Canu Crefyddol y Gogynfeirdd,* Darlith Goffa Henry Lewis (Abertawe, 1976); Henry Lewis, *Hen Gerddi Crefyddol* (Caerdydd, 1931); Marged Haycock, *Blodeugerdd Barddas o Ganu Crefyddol Cynnar.*

[13] G. Hartwell Jones, *Celtic Britain and the Pilgrim Movement* (Llundain, 1912), 329 *et seq.* Am drafodaeth ar y credoau ynghylch Mair o safbwynt Eglwys Rufain, gw. *The New Catholic Encyclopedia,* cyf. 9 (1967), 223-7, 347-69; am safbwynt Protestannaidd diwygiedig, gw. *The International Standard Bible Encyclopedia,* cyf. 3 (1986), 269-73.

[14] Gw. nodyn 8, a cf. Jenny Rowland, *Early Welsh Saga Poetry: A Study and Edition of the Englynion* (Caergrawnt, 1990), 389.

[15] Ar ddatblygiad cwlt y Forwyn Fair yng Nghymru'r oesoedd canol, gw. Glanmor Williams, *The Welsh Church from Conquest to Reformation* (Caerdydd, 1962), 479-85; R. R. Davies, *Conquest, Coexistence and Change,* 207-8; Marged Haycock, *Blodeugerdd Barddas o Ganu Crefyddol Cynnar,* 113-17.

[16] Glanmor Williams, *Welsh Church,* 479; Francis Jones, *Holy Wells,* 33, 45-7, [220].

[17] Francis Jones, *Holy Wells,* 32, 42, [220]; D. Simon Evans, *The Welsh Life of Saint David* (Caerdydd, 1988), xiii-xiv.

[18] Gw. nodyn 15.

[19] Gw. O. M. Edwards, *Wales* (Llundain, 1901), 264; *idem,* 'Addoli Mair', *Y Llenor,* cyf. 9 (1897), 47; Gwenllian Awbery, *Blodau'r Maes a'r Ardd ar Lafar Gwlad* (Llanrwst, 1995), 8, *passim.* Arwydd gweledol o barhad dylanwad y cwlt hwn i'r cyfnod diweddar (ond mewn gwisg Brotestannaidd bellach) yw'r paneli efydd yn dangos detholiad o ddeuddeg o'r blodau sy'n dwyn ei henw a osodwyd yn *reredos* Capel Mair yn Eglwys Gadeiriol Llandaf yn 1965; gw. Eryl Thomas, *The Pictorial History of Llandaff Cathedral* (Llundain, 1966), 16; *Eglwys Gadeiriol Llandaf: Arweiniad Byr* (d.d.), [15].

[20] Francis Jones, *Holy Wells,* 49-50, *passim;* Glanmor Williams, *Welsh Church,* 352-3, 366, *passim.*

[21] Saunders Lewis, *Braslun o Hanes Llenyddiaeth Gymraeg* (Caerdydd, 1932), 115-33.

[22] Glanmor Williams, *Welsh Church,* 247-68; *idem,* 'Poets and Pilgrims in Fifteenth- and Sixteenth-Century Wales', *Trafodion Anrhydeddus Gymdeithas y Cymmrodorion* (1991), 69-98.

[23] G. Hartwell Jones, *Celtic Britain and the Pilgrim Movement,* 299 *et seq.;* Glanmor Williams, 'Poets and Pilgrims'; *idem, Welsh Church,* 265-6, *passim.*

[24] Cf. Jonathan Rees ('Nathan Wyn'), 'Mynydd Penrhys', *Y Geninen,* cyf. 15 (1897), 222.

[25] Anne Ross, *Pagan Celtic Britain,* 20-33; Myles Dillon & Nora K. Chadwick, *Celtic Realms,* 14, 137.

[26] Anne Ross, *Pagan Celtic Britain,* 33-8; Myles Dillon & Nora K. Chadwick, *Celtic Realms,* 137-8.

[27] Gwelir y polisi sylfaenol—er o gyfnod diweddar yn y broses—yn llythyr enwog y Pab Gregory at Mellitus, a ddyfynnir gan Bede; gw. B. Colgrave & R. A. B. Mynors (gol.), *Bede's Ecclesiastical History of the English People* (Rhydychen, 1969), lib. 1, c. 30.

[28] Francis Jones, *Holy Wells,* 22-3, ynghyd â'r ffynonellau a nodir yno.

[29] Am hanes y Sistersiaid yng Nghymru, gw. David H. Williams, *The Welsh Cistercians* (Ynys Bŷr, 1984); F. G. Cowley, *The Monastic Order in South Wales, 1066-1349* (Caerdydd, 1977). Elwais yn fawr trwy sgwrsio â'r Dr David H. Williams, a hoffwn ddiolch iddo am fy nghyfeirio at sawl trywydd diddorol.

[30] Ar hanes abaty Llantarnam, gw. David H. Williams, 'Llantarnam Abbey', *The Monmouth-shire Antiquary,* cyf. 2 (1967), 131-48; idem, *The Welsh Cistercians, passim;* F. G. Cowley, *Monastic Order, passim.*

[31] G. T. Clark, *Cartae et Alia Munimenta quae ad Dominium de Glamorgancia Pertinent,* cyf. 2 (ail argraff., Caerdydd, 1910), 289-90; David H. Williams, 'Llantarnam Abbey', 133, 137; F. G. Cowley, *Monastic Order,* 27; John Ward *et al.,* 'Our Lady of Penrhys', *Archaeologia Cambrensis* (chweched gyfres), cyf. 14 (1914), 390.

[32] Gosodwyd cyfansoddiad a rheolau urdd y Sistersiaid yn y *Carta Caritatis* (Siarter Cariad) a luniwyd dan abadaeth y Sais Stephen Harding yn y fynachlog a fu'n grud i'r urdd sef Cîteaux ym Mwrgwyn yn 1119. Yn eu bywydau beunyddiol 'roedd y mynaich i ddilyn Rheol Benedict, ond cafwyd hefyd bwyslais newydd ar lymdra: dylai eu tai fod yn bell o drefedigaethau, 'roedd eu heglwysi i fod yn ddiaddurn, ac 'roedd rheolau ynglŷn ag ymborth a distawrwydd. Gw. Justin McCann (gol. a chyf.), *The Rule of St Benedict* (Llundain, 1952), a cf. R. A. Donkin, *The Cistercians* (Toronto, 1978), 15-16; David H. Williams, *The Welsh Cistercians,* cyf. 1, 14.

[33] John Ward *et al.,* 'Our Lady of Penrhys', 361 *et seq.* Cymunedau gwaith oedd y tai Sistersaidd yn eu hanfod, a'r grêns yn rhan hanfodol o'r economi. 'Roedd cynnig lletygarwch i deithwyr yn arfer ar bob grêns, a byddai llety i ymwelwyr yn nodwedd gyffredin o'r herwydd. Am fywyd a threfniadaeth grêns Sistersaidd, gw. David H. Williams, *The Welsh Cistercians,* cyf. 2, 227-42; R. A. Donkin, *The Cistercians,* 51-67. Datblygasai'r grêns ar Ben-rhys i'r fath raddau erbyn i John Leland ymweld â'r safle *c.* 1538 nes iddo ddisgrifio'r lle fel 'village'; gw. Lucy Toulmin Smith, *Itinerary in Wales of John Leland,* 16. Go brin fod angen inni dybio fod cymuned seciwlar, y tu hwnt i'r adeiladau mynachaidd, wedi datblygu ar Ben-rhys yn y cyfnod hwn, fodd bynnag; cf. John Ward *et al,* 'Our Lady of Pen-rhys', 361.

[34] David H. Williams, *The Welsh Cistercians,* cyf. 1, 159-63, 173-5; F. G. Cowley, *Monastic Order,* 139-64.

[35] G. J. Williams, *Iolo Morganwg a Chywyddau'r Ychwanegiad* (Llundain, 1926); idem, *Traddodiad Llenyddol Morgannwg* (Caerdydd, 1948); idem, *Iolo Morganwg* (Caerdydd, 1956).

[36] Cf. y berthynas rhwng yr Hopcyn ap Tomas a greodd Iolo a Hopcyn ap Tomas hanes; gw. fy ysgrif, '"Llwyr Wybodau, Llên a Llyfrau": Hopcyn ap Tomas a'r Traddodiad Llenyddol Cymraeg', yn H. T. Edwards (gol.), *Cwm Tawe* (Llandysul, 1993), 4-44.

[37] John Edward Lloyd, *A History of Wales,* cyf. 2 (Llundain, 1911), 402.

[38] G. J. Williams, *Traddodiad Llenyddol Morgannwg,* 189.

[39] Hoffwn ddiolch i Dr Madeleine Grey am yr awgrym hwn.

[40] David H. Williams, *The Cistercians in Wales,* cyf. 1, 4-7; F. G. Cowley, *Monastic Order,* 22-4.

[41] Gw. *Y Bywgraffiadur Cymreig hyd 1940,* s.n.; G. J. Williams, *Traddodiad Llenyddol Morgannwg,* 214-18.

[42] Edward Williams ('Iolo Morganwg'), *Cyfrinach Beirdd Ynys Prydain* (Abertawe, 1829), 213, 218; cf. llawysgrifau LlGC 13,100, 346; LlGC 13,105, 76, 121; BL. Add. MS.15,003, 86.

[43] Gw. Anne Elizabeth Jones, 'Gwilym Tew: Astudiaeth destunol a chymharol o'i Lawysgrif, Peniarth 51. . .', (PhD Prifysgol Cymru [Bangor], 1980), 7-8, 40.

[44] Gw. nodyn 42.

[45] David H. Williams, *The Welsh Cistercians*, cyf. 1, 69-70, ynghyd â'r ffynonellau a nodir yno; J. E. Lloyd, *Owen Glendower* (Rhydychen, 1931), 104.

[46] John Ward *et al.*, 'Our Lady of Penrhys', 361 *et seq.*

[47] Anghyflawn a hytrach yn ddryslyd yw testun G. Hartwell Jones o'r cerddi hyn yn *Celtic Britain and the Pilgrim Movement*, 338-42, 558-61, ac felly hefyd gyfieithiadau Ifano Jones ac G. Hartwell Jones yn John Ward *et al.*, 'Our Lady of Penrhys', 395-405.

[48] Leslie Harries (gol.), *Gwaith Huw Cae Llwyd ac Eraill* (Caerdydd, 1953), 112-13.

[49] Gw. Catrin T. Beynon Davies, 'Y Cerddi i'r Tai Crefydd fel Ffynhonnell Hanesyddol', *Cylchgrawn Llyfrgell Genedlaethol Cymru*, cyf. 18 (1973-74), 366. Fodd bynnag, rhaid nodi nad oes yr un cyfeiriad penodol at Ben-rhys yn y cywydd hwn, ac ymddegys mai camddehongli'r hyn a geir yn G. Hartwell Jones, *Celtic Britain and the Pilgrim Movement*, 561, a arweiniodd awdures yr erthygl i'w gysylltu â Phen-rhys. Digwydd y nodyn 'Pan aeth at Fair ai ffynon ym Mhen Rhys am Iachad o'r cryd a'r mwyth' yng nghyfrol Hartwell Jones yn goloffon i awdl Gwilym Tew, ac *nid* yn rhagymadrodd i gerdd Hywel Swrdwal sydd yn dilyn ymlaen o gerdd Gwilym Tew yn y gyfrol honno. Codwyd y nodyn hwnnw i *Celtic Britain and the Pilgrim Movement* o ddiwedd copi o awdl Gwilym Tew yn llaw Iolo Morganwg yn llawysgrif LlGC 13,105, 82, lle nas dilynir gan y cywydd 'Y fun deg a fendigwyd'.

Er nad yw Pen-rhys yn cael ei grybwyll yn benodol yng ngherdd Hywel Swrdwal, mae ei chyfeiriadaeth yn awgrymu y gall yn wir mai'r ffynnon a'r ysgrîn yn y fan honno oedd cyddestun ei llunio. Dylid nodi fod y cywydd hwn yn cael ei briodoli yn y llawysgrifau i amryw o feirdd, ond mentrir derbyn yma mai gwaith dilys Hywel Swrdwal ydyw; gw. *Mynegai i Farddoniaeth y Llawysgrifau*, s.n.

[50] Taliesin Williams [ab Iolo] (gol.), *Iolo Manuscripts* (Llanymddyfri, 1848), 310-12, cf. 692-3, a cf. y copi o'r gerdd a gedwir yn llawysgrif LlGC 13,068, 18, lle yr ychwanegodd llaw arall 'i Vair o Benn Rys' ar ei diwedd, f.19v. Noda H. Elvet Lewis, 'Welsh Catholic Poetry of the Fifteenth Century', *Trafodion Anrhydeddus Gymdeithas y Cymmrodorion* (1912), 27, nad oes unrhyw gyfeiriadaeth leol yn y gerdd ac na ellir ei chysylltu'n benodol ag unrhyw ddelw hysbys o'r Forwyn.

[51] Anodd credu, er enghraifft, na chanodd bardd 'cyntaf' Cwm Rhondda, sef Ieuan Rudd, i ffynnon ac ysgrîn Mair ar Ben-rhys, yn enwedig o gofio iddo yntau ganu yn ail hanner y bymthegfed ganrif ac mai themâu dwys a chrefyddol sydd i ddwy o'r tair cerdd o'i waith sydd wedi goroesi: gw. Menna Davies, 'Traddodiad Llenyddol y Rhondda' (PhD Prifysgol Cymru [Aberystwyth], 1981), 4.

[52] Er enghraifft, os cywir y priodolir cerdd Hywel Swrdwal i gylch Pen-rhys, a ydyw'n bosibl mai'r ysgrîn arbennig hon oedd ym meddwl ei fab Ieuan ap Hywel pan luniodd ef ei gerdd Saesneg gynganeddol enwog i'r Forwyn, 'O michti ladi', er y gwyddys ei fod yn Rhydychen adeg y cyfansoddi; gw. E. J. Dobson, 'The Hymn to the Virgin', *Trafodion Anrhydeddus Gymdeithas y Cymmrodorion* (1954), 70-124; Raymond Garlick, *An Introduction to Anglo-Welsh Literature* (Caerdydd, 1972), 16-20; Raymond Garlick & Roland Mathias (gol.), *Anglo-Welsh Poetry, 1480-1980* (Pen-y-bont ar Ogwr, 1984), 45-8.

[53] Leslie Harries, *Gwaith Huw Cae Llwyd*, 37-9.

[54] *ibid.*, 47-9.

[55] J. M. Williams & Eurys Rowlands (gol.), *Gwaith Rhys Brydydd a Rhisiart ap Rhys* (Caerdydd, 1976), 17-19.

[56] *ibid.*, 50-2.

[57] Gw. Nest Scourfield, 'Gwaith Ieuan Gethin ab Ieuan ap Lleision, Llywelyn ap Hywel ab Ieuan ap Gronw, Ieuan Du'r Bilwg, Ieuan Rudd a Llywelyn Goch y Dant' (MPhil Prifysgol Cymru [Abertawe], 1992), 6-7; Dafydd Johnston (gol.), *Galar y Beirdd* (Caerdydd, 1993), 72-4.

[58] E. J. Saunders, 'Gweithiau Lewys Morgannwg' (MA Prifysgol Cymru [Bangor], 1922), 356-62.

[59] Am wybodaeth gyffredinol ar bob un gellir troi at *Y Bywgraffiadur Cymreig hyd 1940*, s.n.; *Cydymaith i Lenyddiaeth Cymru*, s.n.; G. J. Williams, *Traddodiad Llenyddol Morgannwg*, *passim*. Ar feirdd unigol, gw. Nest Scourfield, 'Gwaith Ieuan Gethin, Llywelyn ap Hywel ab Ieuan ap Gronw . . .'; Anne E. Jones, 'Gwilym Tew: Astudiaeth destunol a chymharol'; J. M. Williams & Eurys Rowlands, *Gwaith Rhys Brydydd a Rhisiart ap Rhys*; E. J. Saunders, 'Gweithiau Lewys Morgannwg'; Leslie Harries, *Gwaith Huw Cae Llwyd;* Eurys Rowlands, 'Un o gerddi Hywel Swrdwal', yn J. E. Caerwyn Williams (gol.), *Ysgrifau Beirniadol*, cyf. 6 (Dinych, 1971), 87-97.

[60] Rhaid cydnabod, fodd bynnag, fod peth amwysedd yn yr achau yn y fan hon ac y mae'n bosibl mai nai i Gwilym Tew oedd Rhisiart ap Rhys; gw. G. J. Williams, *Traddodiad Llenyddol Morgannwg*, 40-4.

[61] Gw. J. E. Caerwyn Williams & P. I. Lynch (gol.), *Gwaith Meilyr Brydydd a'i Ddisgynyddion* (Caerdydd, 1994), ynghyd â'm hadolygiad ar y gyfrol honno, 'Dechrau Canu, Dechrau Cyfnod', *Barn,* 390/91 (Gorffennaf/Awst 1995), 74-5.

[62] Gw. nodyn 52.

[63] Am fanylion, gw. *Mynegai i Farddoniaeth y Llawysgrifau*, s.n.

[64] Y ddwy arall, fel y nodwyd eisoes, oedd Jerwsalem a Santiago de Compostella yn Sbaen. Am ddatblygiad poblogrwydd y canolfannau hyn gyda phererinion, gw. G. Hartwell Jones, *Celtic Britain and the Pilgrim Movement*, *passim*; Enid Roberts, *A'u Bryd ar Ynys Enlli* (Tal-y-bont, 1993).

[65] Leslie Harries, *Gwaith Huw Cae Llwyd*, 83-7.

[66] Nest Scourfield, 'Gwaith Ieuan Gethin, Llywelyn ap Hywel ab Ieuan ap Gronw . . .', xxiii-xxiv, 44-6.

[67] Anne E. Jones, 'Gwilym Tew: Astudiaeth destunol a chymharol', 25-6, 476-7.

[68] *ibid.*, 462-3.

[69] *ibid.*, 76-7, 169-71.

[70] E. J. Saunders, *Gweithiau Lewys Morgannwg*, 102-8.

[71] *ibid.*, 94-100.

[72] G. J. Williams & E. J. Jones (gol.), *Gramadegau'r Penceirddiaid* (Caerdydd, 1934), 15.

[73] Am drafodaeth ar y *topos* hwn mewn cyd-destun ehangach, gw. Andrew Breeze, 'The Virgin Mary, Daughter of her Son', *Études Celtiques*, cyf. 27 (1990), 267-83.

[74] Mae *topos* 'y Drindod yng nghroth Mair' yn gyffredin yn llenyddiaeth a chelfyddyd gain Ewrop yn yr oesoedd canol; gw. Andrew Breeze, 'Two Bardic Themes: the Trinity in the Virgin's Womb, and the Rain of Folly', *Celtica*, cyf. 22 (1991), 1-15. Gellir ychwanegu llau. 13-16 o'r gerdd bresennol at yr enghreifftiau Cymraeg a nodir gan Dr Breeze.

[75] Gw. nodyn 26.

[76] G. Hartwell Jones, *Celtic Britain and the Pilgrim Movement*, 339; Francis Jones, *Holy Wells*, 19, ynghyd â'r ffynonellau a nodir yno. Mewn un man yn unig yn y cerddi a oroesodd i Fair ar Ben-rhys, cysylltir Mair ag onnen: 'Onnen Wyry dan wn arael' (3.90).

[77] Cf. Francis Jones, *Holy Wells*, 18-19.

[78] 'The country folks believed that eight oxen could not have drawn it from its place', meddai

Walter de Gray Birch am ddelw Mair ar Ben-rhys, *A History of Neath Abbey* (Castell-nedd, 1902), 198. Ceir enghreifftiau eraill o ddelwau na fynnai gael eu symud. Yr enwocaf yng Nghymru yw'r ddelw o Fair a ganfuwyd, yn ôl traddodiad, ger aber Teifi gyda'r baban Iesu ar ei gluniau a channwyll ynghŷn yn ei llaw; gw. Francis Jones, *Holy Wells*, 46.

[79] Go brin fod angen dehongli'r honiad na fynnai'r ddelw gael ei symud mor gwbl lythrennol ag a wnaeth S. M. Harris, *Y Wyry Wen o Benrhys*, Welsh Saints and Shrines, No. 1 (1950), [3]: 'The original chapel would seem, therefore, to have been built to enshrine the trunk of the oak tree in which the image was situated.'

[80] Cf. yr enwog 'Ddelw Fyw' yn yr Wyddgrug y credir ei bod yn symud trwy gyfrwng ryw ddyfais fecanyddol; gw. Glanmor Williams, *Welsh Church*, 491; G. Hartwell Jones, *Celtic Britain and the Pilgrim Movement*, 313-16.

[81] Mae'r cyswllt rhwng dŵr ffynnon sanctaidd a llaeth yn un a wneir yn lled gyffredin, ac awgrymwyd fod hyn o bosibl yn adlewyrchu hen gredoau paganaidd a gysylltid â'r ffynhonnau mewn cyfnodau cynnar; gw. Francis Jones, *Holy Wells*, 36-7.

[82] Francis Jones, *Holy Wells*, 49, 180. Am ddarlun o Ffynnon Ann, gw. 'Adroddiad Cyfarfod y Bont-faen, Awst 13-17, 1888', *Archaeologia Cambrensis* (pumed gyfres), cyf. 5 (1888), 409. Byddai derbyn geiriau Rhisiart ap Rhys yn llythrennol yn golygu wrth gwrs fod y ddelw ynghlwm wrth y ffynnon yn hytrach na wedi'i lleoli yn y capel mynachaidd.

[83] G. Hartwell Jones, *Celtic Britain and the Pilgrim Movement*, 390-1; ond cf. Francis Jones, *Holy Wells*, 88-9.

[84] Cf. yr emyn Lladin adnabyddus o'r wythfed ganrif, 'Ave Maris Stella', a gyfieithwyd i'r Gymraeg yn rhan o'r *Officium Parvum Beatae Mariae Virginis*; gw. Brynley F. Roberts (gol.), *Gwassanaeth Meir* (Caerdydd, 1961), 34, 116-17

[85] Gw. E. G. Bowen, *Saints, Seaways and Settlements in the Celtic Lands* (Caerdydd, 1969). Cf. sylw Glanmor Williams, 'T. C. Edwards, in his useful article in *Efrydiau Catholig*, v. 24-29, hardly makes enough allowance for the fact that it attracted many people from outside Wales', *Welsh Church*, 491.

[86] David H. Williams, 'Llantarnam Abbey', 135.

[87] Er enghraifft, dywedir fod ei pharlwr 'fel ostri' (12.49-50). Arwydd pellach o gefnogaeth Matheuaid Radur i ysgrîn Fair ar Ben-rhys yw'r ffaith fod cyfeirio at roi rhoddion i'r safle (yn y gobaith o sicrhau iachawdwriaeth) yn y cywydd hwn (llau. 51-6) a hefyd yn awdl farwnad Huw Cae Llwyd i Ddafydd Mathew (10.1-4).

[88] Cofier i Lewys Morgannwg a Gwilym Tew ill dau ganu i Grog Llangynwyd; gw. uchod, nodiadau 68, 70.

[89] Gweler y llun ar dudalen 49. Ymddengys fod y pererin hwn wedi teithio'n bell gan ei fod yn arddangos bathodynnau a gysylltir â thair prif ganolfan Cristnogaeth yn y cyfnod canol, sef croesau yn arwydd iddo fod wrth fedd Crist yn Jerwsalem, allweddi yn arwydd iddo fod yn Rhufain (a fu ddwywaith yn y ddau le?) a chragen gylchog (*scallop*) yn arwydd iddo ymweld â Santiago de Compostella. Mae ganddo ysgrepan pererin i gario'i ychydig angenrheidiau, ac mae'r tri thasel ar yr ysgrepan yn awgrymu nad gŵr tlawd mohono.Yn ei law dde mae ganddo ffon i'w gynorthwyo ar hyd ffyrdd garw a pheryglus, ond nid oes sicrwydd ynghylch beth sydd yn ei law chwith. Un awgrym yw y bu dail palmwydd yn wreiddiol ar ben y ffon sy'n gorwedd ar draws ei ysgwydd chwith, yn arwydd pellach iddo fod yng ngwlad yr Iesu, ond mae'n bosibl mai tapr neu gannwyll gwêr sydd ganddo, yn rhodd i'w gyrchfan nesaf. Mae ei wisg yn syml, yn arwydd o'i ostyngeiddrwydd, ond yr un pryd yn ymarferol ar gyfer teithio. A fu'r llun hwn ym meddwl Gwilym Tew wrth iddo'i ddarlunio hun yn ei gerddi yn pererindota i ysgrîn Mair ar Ben-rhys? Gw. Mrs Thomas Allen, 'List of Effigies in South Wales', *Archaeologia Cambrensis*

(pumed gyfres), cyf. 10 (1893), 250; J. W. Rodgers, 'The Stone Cross Slabs of South Wales and Monmouthshire', *Transactions of the Cardiff Naturalists' Society,* cyf. 44 (1911), 61; Enid Roberts, *A'u Bryd ar Ynys Enlli,* 46.

[90] Diddorol yw sylwi fel y bu canhwyllau'n ffocws cystadleuaeth grefyddol yn yr union ardal hon ymhen canrifoedd eto, a hynny yng nghyd-destun gwasanaeth y plygain. Y plygain oedd un o'r ychydig wyliau eglwysig traddodiadol a gadwyd gan y capeli anghydffurfiol mewn llawer man yn ne Cymru yn y ganrif ddiwethaf. Yr arfer oedd goleuo'r capel â chynifer â thri chant o ganhwyllau, a addurnid yn arbennig â ffriliau papur lliwgar gan y gwragedd ar gyfer yr achlysur, a bu cryn gystadlu ynghylch pwy fyddai wedi gwneud y gannwyll fwyaf addurnedig; gw. Trefor M. Owen, *Welsh Folk Customs* (Caerdydd, 1959), 32-3. Cf. adroddiad Glanffrwd o achlysur o'r fath yn Llanwynno cyfagos: William Thomas ('Glanffrwd'), *Llanwynno* (Caerdydd, 1949), 58-9.

[91] Gw. Glanmor Williams, *Welsh Church,* 483, ynghyd â'r ffynonellau a nodir yno.

[92] S. M. Harris, *Y Wyry Wen o Ben-rhys,* [4].

[93] Aeth Lewys Morgannwg hefyd i Grog Llan-faes i geisio iachâd 'o afiach haint'; gw. E. J. Saunders, *Gweithiau Lewys Morgannwg,* 94-100 (ll. 62). Ai ceisio gwaredigaeth rhag yr un aflwydd a wnaeth yn y ddwy gerdd, tybed? A ble—os o gwbl—y cafodd waredigaeth?

[94] Llawysgrif Peniarth 55, 50. Cf. Brynley F. Roberts, *Gwassanaeth Meir,* 40; idem, 'Gweddïo yn Gymraeg', *Y Cylchgrawn Catholig,* rhifyn 2 (1994), 15.

[95] G. Hartwell Jones, *Celtic Britain and the Pilgrim Movement,* 15.

[96] Cf. honiad Ellis Pryce (nad oedd yn sylwebydd diduedd) fod rhyw 500-600 o addolwyr wrth ysgrîn Derfel Gadarn yn Llandderfel ger y Bala y diwrnod y bu ef yno ar ran Thomas Cromwell; gw. Glanmor Williams, *Welsh Church,* 495.

[97] Am drafodaeth ar '*topos* yr anhraethadwy' yng nghyd-destun canu i'r Forwyn Fair, gw. Andrew Breeze, 'Bepai'r ddaear yn bapir', *Bwletin y Bwrdd Gwybodau Celtaidd,* cyf. 30 (1983), 274-7.

[98] Tystir i effaith lesol dŵr Ffynnon Fair yn y ganrif ddiwethaf, gw. Lemuel J. Hopkin James, *Hen Gwndidau* (Bangor, 1910), xvii.

[99] Cf. Glanmor Williams, *Welsh Church,* 447-8. Gorchuddiwyd lluniau o'r fath gan haenau o wyngalch dan ddylanwad y Lolardiaid a'r Diwygwyr Protestannaidd yn yr unfed ganrif ar bymtheg, ond cawsant eu llwyr ddinistrio'n aml mewn cyfnod diweddarach dan gochl 'gwelliannau i'r adeilad'. Gw. hefyd nodyn 100.

[100] Glanmor Williams, *Welsh Church,* 483; Andrew Breeze, 'The Virgin's Rosary and St Michael's Scales', *Studia Celtica,* cyf. 24/25 (1989/90), 91-8, sydd yn cynnwys catalog diddorol o enghreifftiau hysbys o luniau o'r fath yn eglwysi canoloesol Lloegr.

[101] Gw. Nest Scourfield, 'Gwaith Ieuan Gethin, Llywelyn ap Hywel ab Ieuan ap Gronw . . .', 67-8 (llau. 39-56).

[102] Francis Jones, *Holy Wells,* 93-4.

[103] H. Elvet Lewis, 'Welsh Catholic Poetry of the Fifteenth Century', 25 *et seq.*

[104] David H. Williams, 'Llantarnam Abbey', 144. 'Roedd incwm y grêns a'r ysgrîn ynghyd yn cyfrif am bumed ran holl incwm Llantarnam yn 1535.

[105] *ibid.,* 141.

[106] Ar y *topos* hwn, gw. T. J. Morgan, 'Dadansoddir'r Gogynfeirdd (i)', *Bwletin y Bwrdd Gwybodau Celtaidd,* cyf. 13 (1950), 169-74.

[107] 'Awdl Foliant i Harri'r Wythfed', llau.19-32; gw. E. J. Saunders, 'Gweithiau Lewys Morgannwg', 206-8.

[108] *Letters and Papers, Foreign and Domestic, of the Reign of Henry VIII,* cyf. 13, i, 437.

[109] *ibid.,* cyf. 13, ii, 134.

[110] John Stowe, *The Annales or Generall Chronicle of England* (argraff. Howe; Llundain, 1615), 574; dyfynnwyd yn G. Hartwell Jones, *Celtic Britain and the Pilgrim Movement*, 343.

[111] Dyfynnwyd yn James Gairdner, *Lollardy and the Reformation in England*, cyf. 2 (Llundain, 1908), 171-4.

[112] Fy italeiddio. Gw nodyn 2.

[113] Gw. D. & A. Mathew, 'The Survival of the Dissolved Monasteries in Wales', *Dublin Review*, cyf. 184 (1929), 70-81. (Hoffwn ddiolch i'r Dr David H.Williams am y cyfeiriad hwn.) Ysywaeth, ni chefnogir honiadau diddorol yr erthygl hon â chyfeiriadau penodol a dilys.

[114] *ibid.*, 75.

[115] Cf. yr enghreifftiau o ganu gwasael i Fair a oroesodd o ardaloedd eraill yng Nghymru ac a drafodir gan Rhiannon Ifans, *Sêrs a Rybana* (Llandysul, 1983), 150-88.

[116] John Ward *et al.*, 'Our Lady of Penrhys', 378. A chofio'r parch a roddid i wartheg gan y Celtiaid paganaidd, a oes yma eto, tybed, ryw gysgod o arfer o gysylltid â'r ffynnon hon o'r cyfnod cyn-Gristnogol? Cf. Francis Jones, *Holy Wells*, 6. Cofier tystiolaeth y cerddi mai ganol haf y cyrchid Pen-rhys yn yr oesoedd canol.

[117] Lemuel J. Hopkin James, *Hen Gwndidau*, xvii.

[118] J. Gwyn Griffiths, 'Ffynnon Fair, Penrhys', *Yr Efengyl Dywyll a Cherddi Eraill* (Aberystwyth, 1944), 20; Rhydwen Williams, 'Ffynhonnau', yn *Cyfansoddiadau a Beirniadaethau Eisteddfod Genedlaethol Cymru, Abertawe a'r Cylch* (1964), 54-61.

[119] Gw. adroddiad y *Western Mail*, 3 Gorffennaf 1953, 5.

[120] J. Gwyn Griffiths, 'Ffynnon Fair, Penrhys'.

Hynt y Gymraeg yng Nghwm Rhondda

Ceri W. Lewis

Diau mai'r syniad sy'n dod yn syth i feddyliau llawer iawn o bobl, yn
Gymry ac yn Saeson fel ei gilydd, pan sonnir am iaith lafar Cwm
Rhondda[1] yw mai rhan arbennig o Sir Forgannwg ydyw'r Cwm
hwnnw lle y mae'r iaith Gymraeg wedi *hen* ddiflannu, mai prin iawn
o'r herwydd ydyw'r olion Cymraeg sy'n aros yno erbyn hyn, a chan
fod yr ardal wedi'i Seisnigeiddio mor drylwyr a thros gyfnod mor hir,
mai digon llwgr ac isel eu safon ydyw'r ychydig weddillion
bondigrybwyll hynny. Deuir ar draws y syniad hwn yn gyffredin iawn,
a chawn weithiau fod hyd yn oed gwŷr academaidd digon blaenllaw a
deallus yn ei arddel.

Ond er mor gyffredin ydyw'r syniad hwnnw, rhaid pwysleisio'n
gryf iawn mai ardal drwyadl Gymraeg ei hiaith ydoedd Cwm
Rhondda—neu Lyn Rhondda, fel y'i gelwid gynt—am ganrifoedd
lawer, oblegid nid tan ddiwedd y ganrif ddiwethaf a dechrau'r ganrif
hon y dechreuodd y Saesneg ddisodli *o ddifrif* y Gymraeg fel iaith
lafar feunyddiol y trigolion brodorol. Yn hanner cyntaf y bedwaredd
ganrif ar bymtheg, cyn i'r Cwm gael ei drawsnewid, mewn dull mor
ysgubol ac mewn cyfnod cymharol fyr, gan y datblygiadau rhyfeddol
hynny yn y diwydiant glo a ddigwyddodd yno—ei drawsnewid o fod
yn rhanbarth gwledig, bugeiliol, coediog a chymharol ddiarffordd i fod
yn gasgliad eithaf sylweddol o drefi glofaol, poblog ac anghyffredin o
brysur—yr oedd Cwm Rhondda, megis yr oedd y cymoedd eraill a
geid yn y Blaenau ym mharthau gogleddol Sir Forgannwg, yn drwyadl
Gymraeg ei iaith a'i ddiwylliant, a'r diwylliant cynhenid hwnnw, i bob
golwg, yn un pur gyfoethog. Nodwyd weithiau y ffaith bwysig mai
ardal drwyadl Gymraeg ydoedd yng nghyfrolau a llawlyfrau daear-
yddol a sgrifennwyd gan deithwyr o Saeson a oedd wedi ymweled â
Rhondda Fawr yn gymharol gynnar yn y bedwaredd ganrif ar
bymtheg. Mae'n hollol amlwg, er enghraifft, o ddarllen gwaith yr
hynafiaethydd diddorol hwnnw, Benjamin Heath Malkin (1769-1842),[2]
fod prydferthwch hudolus Cwm Rhondda—nodwedd drawiadol arall a

enynnodd lawer iawn o edmygedd—wedi gwneud argraff ddofn, fythgofiadwy arno:

The descent down a long hill brings the traveller to a little brook, abounding with fish, which joins the Rhondda Fawr a little way to the eastward; and at a very short distance from the brook, after descending another hill, you cross a bridge over that river, which has disappeared since its junction with the Rhondda Fach: but from this place the sound of it is never lost, though frequently the sight, till you arrive close by its source at the top of the parish, distant about ten miles. Here, however, it ceases to be the leading feature of the prospect. It fertilizes the valley with its pure transparent stream, rolling over loose stones, but is no longer encumbered, yet ennobled, by massy projections or stately and aspiring cliffs. Hereabouts, and for some miles to come, there is a degree of luxuriance in the valley, infinitely beyond what my entrance on this district led me to expect. The contrast of the meadows, rich and verdant, with mountains the most wild and romantic, surrounding them on every side, is in the highest degree picturesque.

Mae'n amlwg fod poblogaeth plwyf Ystradyfodwg yn eithriadol o

Ar y ffordd rhwng Llandaf a Phontypridd. Dyfrliw gan J. C. Ibbetson, 1792

denau yr adeg honno, oblegid yn ddiweddarach yn ei ddisgrifiad
diddorol o'r plwyf aeth Malkin rhagddo i ddweud:

> I had met with but one person of whom I could ask a question since my
> entrance into the parish; and then only through the medium of my
> attendant, whose services as an interpreter were not be be disregarded.[3]

Mae'r cymal byr olaf hwnnw yn un diddorol a dadlennol cyn belled ag
y mae a fynnom ag iaith lafar y rhanbarth yn ei ddydd.

Ychydig flynyddoedd yn ddiweddarach, mewn gwaith a luniodd ar
brif afonydd Cymru ac a gyhoeddwyd yn ddwy ran yn Llundain yn y
flwyddyn 1813, ysgrifennodd y teithiwr o Sais llygatgraff hwnnw,
John George Wood, y sylw canlynol:

> the Rondda Vawr and the Rondda Vechan . . . take their origin in the
> wildest region of Glamorganshire, where the English language is scarce
> ever heard; and a person ignorant of the dialect of the natives would find it
> very difficult to make his wants known to them, however readily they
> might be attended to.[4]

Ac nid llyfrau gan deithwyr o Saeson a oedd wedi ymweled â rhannau
o Gwm Rhondda a phlwyf Ystradyfodwg yn gynnar yn y bedwaredd
ganrif ar bymtheg ydyw'r unig dystiolaeth sydd gennym i'r perwyl
hwn. Yr oedd sylwedydd mor wybodus â Walter Davies ('Gwallter
Mechain', 1761-1849),[5] yr offeiriad, bardd, hynafiaethydd a beirniad
llenyddol a aned ym mhlwyf Llanfechain, Sir Drefaldwyn, yn hollol
bendant ei farn mai Ystradyfodwg yn Sir Forgannwg a Thrawsfynydd
yn Sir Feirionnydd oedd y dwy ardal gadarnaf eu Cymraeg trwy
Gymru benbaladr yn ei ddydd, oblegid yn 1828, wrth adolygu gwaith
a oedd wedi ei gyhoeddi yn Rhydychen y flwyddyn honno o dan y
teitl *Llythyraeth y Testament Newydd*, fe ysgrifennodd:

> Dymunaf i'm cynllun fod yn un safadwy tra byddo y Gymraeg yn
> llafaredig yn Nhrawsfynydd ym Meirion ac yn Ystradyfodwg ym
> Morgannwg.[6]

Yn hanner cyntaf y bedwaredd ganrif ar bymtheg, felly, ardal gadarn iawn ei Chymraeg oedd Cwm Rhondda. Trwy gydol y cyfnod hwnnw ac ar hyd y canrifoedd blaenorol, cyn i ddyfodiad y diwydiant glo beri'r fath gyfnewidiadau ysgubol ym mywyd economaidd a chymdeithasol y Cwm, siaradai'r brodorion lleol dafodiaith Gymraeg arbennig, a elwid yn gyffredin yn 'dafodiaith Gwŷr y Gloran',[7] tafodiaith ac ynddi eirfa anghyffredin o gyfoethog ac a gynhwysai lawer iawn o briod-ddulliau trawiadol ac ymadroddion lliwgar. Un o nodweddion mwyaf diddorol y dafodiaith oedd bod ynddi lawer o hen ffurfiau ac o ddywediadau anghyffredin na allai hyd yn oed rhai Cymry Cymraeg, nad oeddynt yn gyfarwydd iawn â'r iaith lafar leol, yn hawdd eu deall, fel y tystiodd John George Wood ac amryw awduron eraill o bryd i'w gilydd. At hynny, o gofio fod Rhondda Fawr a Rhondda Fach yn ffurfio un o'r rhannau pwysicaf o Flaenau Morgannwg, y mae'n bwysig cofio fod y boblogaeth leol yn perthyn yn hanesyddol i sir a allai'n deg honni fod ganddi un o'r traddodiadau llenyddol cyfoethocaf—onid, yn wir, y cyfoethocaf oll—ac, yn sicr, un o'r traddodiadau llenyddol mwyaf amryliw a diddorol yng Nghymru gyfan.[8] Mae'n amlwg fod bywyd barddol digon grymus a bywiog wedi bod yng Nglyn Rhondda er cyfnod pur gynnar. Y bardd cyntaf o'r rhanbarth y gwyddom amdano ydyw Ieuan Rudd (*fl. c.* 1470); cadwyd dau gywydd o'i waith yn y llawysgrifau, y naill i neithior Syr Rhys ap Tomas a Sioned, merch Tomas Mathau o Radur, a'r llall i'r paderau main crisial. Cyfeirir ato mewn cywydd a ganodd Llywelyn Goch y Dant tua 1470 yn gwahodd Hywel ap Dafydd ab Ieuan ap Rhys i ymweled â Thir Iarll a'r cyffiniau, cywydd sy'n ei ddisgrifio fel gŵr 'o Lyn Rhoddne wlad'. Dengys y cywydd a ganodd i'r paderau main crisial fod ganddo gryn ddawn i ddyfalu, ac y mae'n deg casglu, felly, fod traddodiad barddol hir a chyfoethog y tu ôl i'w awen.[9] A pharhaodd y traddodiad hwnnw, er nad mewn dull mor llewyrchus ymhob cyfnod, rhaid cyfaddef, ar hyd y maith ganrifoedd. Dylid cofio mai ei gysylltiadau cynnar a pharhaol â'r frawdoliaeth alluog honno o feirdd, 'gramadegyddion', ac eisteddfodwyr a oedd yn byw mewn rhai rhannau o'r Blaenau (gan gynnwys Cwm Rhondda) yn ail hanner y ddeunawfed ganrif ac a oedd wedi llwyddo i feistroli rhyw gymaint o'r hen ddysg farddol sy'n cyfrif, i raddau, am ddysg enfawr Iolo

Morganwg (1747-1826) a'r afael gadarn a oedd ganddo ar y traddodiad barddol a'r hen ddysg benceirddïaidd.[10]

Rhoddodd William Thomas ('Glanffrwd', 1843-90), yr offeiriad a'r awdur a aned yn Ynys-y-bŵl ac a dreuliodd beth amser fel ysgolfeistr yn Llwynypia yn ogystal ag yn ei ardal enedigol ei hun, ddarlun swynol odiaeth inni o'r hyn a alwodd 'yr Hen Amser, yr Hen Bobl, a'r Hen Droion' ym mhlwyf cyfagos Llanwynno a'r cyffiniau. Cyflwynodd inni ddarlun byw iawn o fywyd amryfath ac amryliw un o blwyfi mawr Morgannwg pan oedd y bywyd brodorol a geid yno yn un trwyadl Gymraeg a Chymreig. Taflwyd goleuni clir a thra chynnes ganddo ar ddiwydrwydd, diddanwch a difyrrwch cymdeithas, disgrifiodd gymeriadau, arferion a chwaraeon, cyfeiriodd at ofer-goelion ac enghreifftiau lleol o lên gwerin, a rhoddodd gipolwg inni ar ddechreuadau diwydiant yn y plwyf hwnnw.[11] Ys gwir mai am Lanwynno yr ysgrifennodd Glanffrwd, ond nid annhebyg, yn ddiau, ydoedd bywyd beunyddiol Ystradyfodwg, y plwyf cyfagos, a dylai'r

Glanffrwd

Iolo Morganwg

sawl a gais wybod mwy am fywyd y plwyf yn y cyfnod y cyfeirir ato yma roi cryn sylw i waith Glanffrwd.

Ac un o nodweddion amlycaf bywyd diwylliannol Cwm Rhondda oedd cyfansoddi penillion ar y mesurau rhydd. Diau mai un o gynhyrchion mwyaf nodedig beirdd y canu rhydd yn y rhanbarth oedd y mesur a elwir *triban* neu *driban Morgannwg*, ffurf ar y mesur a elwid yn *englyn unodl cyrch* yng ngramadegau'r hen benceirddiaid. Mewn rhestr o rai o brif arferion Morgannwg a geir yn un o'i lawysgrifau cyfeiriodd Iolo Morganwg yn benodol at 'Canu Tribanau gyda'r Crwth neu'r delyn'.[12] Ar achlysur arall fe eglurodd yn un o'i lythyrau: 'Crwth a Thriban alludes to an old practice in this County [sef Morgannwg], that of singing pennillion ar fesur Triban Morganwg.'[13] Y mae'r term ynddo'i hun yn tystio'n eglur i boblogrwydd mawr y mesur hwn ymhlith beirdd Sir Forgannwg a'r amrywiol rannau ohoni. Yn wir, yn ôl Glanffrwd, bu cyfnod yn hanes barddoniaeth y sir—ac yn arbennig yn hanes barddoniaeth yn y Blaenau—y gellir yn briodol ei alw'n 'Gyfnod y Tribannau'. Meddai Glanffrwd:

> Mesur dewisedig a phoblogaidd Morgannwg yw Mesur Triban. Mesur naturiol, prydferth, llithrig, a barddonol ydyw, ac yn ddiau nid

ymddangosodd gwell beirdd ym Morgannwg na Beirdd y Tribannau. O ddyddiau Siams Twrbil hyd amser Siams o Gefntylchau, yr oedd yn arferiad canu eu teimladau, hanes eu digwyddiadau, helyntion personol a chymdeithasol mewn tribannau. Yr oedd y mesur yn un priodol i deimladau a chwaeth y bobl. Yr oeddynt yn ei ddeall ac yn ei deimlo. Yr oedd iddynt hwy yn fwy na chelf-fesur barddonol—yr oedd yn fesur anianawd a greddf, ac felly ymddangosai yn y mesur hwn mor naturiol ag anadl, eu dymuniadau, neu eu disgrifiadau o arferion gwlad yn gystal â defodau cymdeithas.[14]

Ymhlith y tribanwyr amlycaf a ganai yng Nghwm Rhondda neu yn rhai o'r plwyfi cyfagos yn ystod hanner cyntaf y bedwaredd ganrif ar bymtheg gellir nodi Twm Hywel Llywelyn, y saer a hanoedd o Flaen-y-cwm, Evan Llywelyn, Dafydd Rhywglyn, Llywelyn Morgan ('Llywelyn Bili Siôn'), Harri Rheinallt a Wil Cadwgan o Ystrad-yfodwg, James Morgan ('Siams Cefan Tylcha') o Donyrefail, a Job Morgan y Teiliwr ac Iantws Hendre Rhys o Lanwynno. Ar ôl gorffen llafur trwm y dydd, ceisid lleddfu ar undonedd llwyd y nosweithiau gaeafol hir, didrydan, di-nwy, diradio a dideledu trwy ganu'r tribannau poblogaidd—weithiau i gyfeiliant y crwth neu'r delyn,—trwy gyfansoddi tribannau'n fyrfyfyr a chynnal rhyw fath o gystadleuaeth yn hynny o beth, neu trwy ymgynnull o gwmpas y tân a gwrando ar rywun neu'i gilydd a oedd yn fedrus yn y grefft yn adrodd rhai o'r amryfal chwedlau a oedd ganddo yn ei *répertoire* helaeth. 'Un o brif ogoniannau llenyddiaeth boblogaidd cenedl y Cymry' oedd barn y diweddar Athro G. J. Williams am dribannau Morgannwg,[15] ac fe'u cyfansoddid ar liaws o bynciau—bro, gwŷr a'u gwaith, merched, serch, natur, anifeiliaid, bwyd, diod, baco, snisin, chwaraeon a difyrrwch, hanesion diddan a digri, troeon trwstan, profiad a gwirionedd, henaint, salwch, angau, a llu o bynciau amrywiol eraill. Fel y gwelsom, byddai elfen o gystadlu weithiau yn y cyfansoddi hwn, a thribannwr yn ateb tribannwr. Dyma Ifan Moses yn canu triban i'w gyfaill, Twm Hywel Llywelyn, a fu'n byw am flynyddoedd yn 'Nhŷ Gibbwn' ger Stesion Treorci:

> Tomos Llywelyn answm,
> Rho glwad beth yw'r rheswm

Dy fod yn treulo dyddia'th o's
Yng nghornel clos Tŷ Gibbwn?

A Tomos Hywel Llywelyn yn ateb:

Dyma yw fy rheswm
Am aros yn Nhŷ Gibbwn,
Wa'th fod fy mishtir a'i holl hil
Mor serchus y Sul a'r Satwn.[16]

Cawn gipolwg weithiau ar dlodi'r byd a oedd ohoni:

Mi welais Siôn Llewelyn
Yn rhannu un sgadenyn
Rhwng teulu hynod lwm o naw
Er cadw draw y newyn.[17]

Bryd arall, telir teyrnged i ferched y rhanbarth:

Dywedir ers peth oesa
Taw buwch o'r Fro yw'r ora,
Ond cyn bodloni'r cyflawn serch
Rhaid yw cael merch o'r Blaena.[18]

Ond gwyddai'r tribanwyr lleol hefyd sut i chwerthin am ben poblogaeth y Cwm:

Rhai tyn yw Gwŷr y Gloran,
Am gramw'th ac am dishan,
Gan fyw yn fras fel gwŷr y Fro
Beth bynnag fo eu hangan.[19]

Mae dychymyg byw ambell dribannwr yn ogleisiol:

Yng ngwaelod Cwm y Rhondda
Mae pwll sy'n un o'r dyfna
Lle clywir gaffers, dyna'r gwir,
Yn rheci gwŷr Ostrelia.[20]

Ac, yn debyg i lawer iawn o feirdd eraill Cymru ar hyd yr oesoedd, ceir elfen aflednais weithiau yn hiwmor chwareus y tribanwyr:

> Daeth ysbryd drwg Siân Owen
> Yn ôl i Gwm y Gloren
> I boeni Wil am weithred slei
> Dan ffedog ei gyffoden.[21]

Y pwynt y dylid ei bwysleisio—a'i bwysleisio'n gryf iawn—yw mai rhanbarth trwyadl Gymraeg ei iaith a'i ddiwylliant oedd Cwm Rhondda (neu Lyn Rhondda) ar hyd y maith ganrifoedd, fod yno gynt fywyd barddol llewyrchus ar y mesurau caeth a rhydd fel ei gilydd, a bod yno draddodiad diwylliannol *Cymraeg* a *Chymreig*, a hwnnw'n draddodiad amryliw a chyfoethog, am amser maith. Ac felly y bu, yn ôl pob tystiolaeth, drwy gryn ran o'r bedwaredd ganrif ar bymtheg.

Ond tua chanol y ganrif honno dechreuwyd gweld cyfnewidiadau ysgubol a phwysig ym mywyd economaidd a chymdeithasol Cwm Rhondda, cyfnewidiadau a fyddai'n cael effaith andwyol ar y Gymraeg yno erbyn troad y ganrif. A rhaid cofio fod yr un cyfnod wedi gweld gostyngiad sylweddol a thrist trwy Gymru gyfan yn nifer y rhai a siaradai'r Gymraeg. Adlewyrchir y gostyngiad hwnnw ymhob cyfrifiad a gynhaliwyd yn ystod y can mlynedd, yn fwy neu lai, sydd wedi mynd heibio—o 54.4% yn 1891 i 49.9% yn 1901, 43.5% yn 1911, 37.1% yn 1921, 36.8% yn 1931, 28.9% yn 1951, 26.0% yn 1961, 20.8% yn 1971, 18.9% yn 1981, a 18.7% yn 1991. Ond sylwer na fu'r gostyngiad hwn, er ei drised, yn un cwbl gyson, oblegid ar ôl gostyngiad sylweddol iawn rhwng 1891 a 1921—o 54.4% i 37.1%—ni welwyd newid mawr yn ystod y deng mlynedd canlynol, ac er bod cryn ostyngiad wedi digwydd rhwng 1931 a 1951, os gellir yn ddiogel ddibynnu ar y ffigurau a gyhoeddwyd yn y cyfrifiadau swyddogol, arafodd pethau yn ystod y deng mlynedd a aeth heibio rhwng 1951 (28.9%) a 1961 (26.0%). Ac o'r rhai a gofnodwyd fel Cymry Cymraeg yn y ddau gyfrifiad a gynhaliwyd yn 1971 a 1981, yr oedd bron pob un yn gallu siarad Saesneg hefyd. Diau nad yw'n rhyfedd o gwbl fod y gostyngiad yn nifer y Cymry Cymraeg uniaith wedi bod yn fwy o lawer na'r gostyngiad yn nifer y Cymry dwyieithog—o 15.1% yn

1901, i 8.5% yn 1911, 6.3% yn 1921, 4.0% yn 1931, 1.7% yn 1951, 1.0% yn 1961, 1.3% yn 1971, a 0.8% yn 1981. Mae'n wir na ellir dibynnu'n llwyr ar yr ystadegau a gynhwysir yn y cyfrifiadau iaith swyddogol hyn a gyhoeddir gan y Llywodraeth, oblegid da y gwyddys fod rhai Cymry Cymraeg yn gwrthod, am amrywiol resymau, â chofnodi'r ffaith eu bod yn gallu siarad yr iaith yn bur rugl, ac ni chofnodir y ffaith fod miloedd o Gymry Cymraeg yn byw y tu allan i Gymru—yn Lloegr, Iwerddon, yr Alban, America, Canada, Patagonia, ar y Cyfandir, ac yn y blaen. Serch hynny, y mae'r darlun, at ei gilydd, yn un trist dros ben, ac un o'r agweddau mwyaf difrifol ar y sefyllfa ydyw'r gostyngiad mawr a fu yn nifer y Cymry Cymraeg uniaith, 'the hard core who made it necessary for immigrants to learn Welsh', ys dywedodd un awdurdod, oblegid arweiniodd hynny'n gyffredinol ac yn anorfod at ddirywiad cyson mewn idiom, cystrawen a geirfa, ffaith bwysig a anwybyddir yn aml iawn gan y rheini sy'n cefnogi'n frwd bolisi dwyieithrwydd yr Adran Addysg a ddiffiniwyd ganddi yn 1953 yn yr adroddiad ar y lle y dylid ei roi i'r Gymraeg a'r Saesneg ym meysydd llafur yr ysgolion, *The Place of Welsh and English in the Schools of Wales*. Ond er y gall y ffigurau a gynhwysir yng nghyfrifiadau iaith swyddogol y Llywodraeth fod braidd yn gamarweiniol ar brydiau, ni ellir amau am eiliad nad yw'r ystadegau (neu'r canrannau) a ddyfynnwyd uchod yn adlewyrchu'n weddol gywir, at ei gilydd, duedd gyffredinol y gellir olrhain ei dechreuad yn ôl i tua chanol y bedwaredd ganrif ar bymtheg ac a barhaodd yn gyson, heb unrhyw ataliad arwyddocaol, trwy gydol y ganrif hon.[22] Yn erbyn y cefndir cenedlaethol hwn y mae'n rhaid gosod y gostyngiad trist a chyson a fu yn nifer y rhai sydd bellach yn siarad Cymraeg yng Nghwm Rhondda, proses a oedd yn annatodol glwm wrth y mewnlifiad sylweddol iawn o bobl o wahanol rannau o Loegr i'r Cwm a ddigwyddodd fel canlyniad i'r datblygiadau diwydiannol rhyfeddol a fu yno yn ystod ail hanner y bedwaredd ganrif ar bymtheg.

Arweiniodd y datblygiadau diwydiannol cymharol gyflym hynny ym Morgannwg, nid yn unig i gynnydd sylweddol ym *maint* y boblogaeth, eithr hefyd i newid trawiadol yn *nosbarthiad* (neu *leoliad*) y boblogaeth honno yn y sir. Cyn i Forgannwg brofi'n llawn holl effeithiau'r Chwyldro Diwydiannol, yr oedd y rhan fwyaf o ddigon o'r boblogaeth frodorol yn tueddu i fyw, fel y gellid disgwyl, yn y mannau arbennig hynny lle yr oedd y tir a'r hinsawdd fel ei gilydd yn ffafriol i amrywiol weithgareddau amaethyddol, ac felly yr oedd gwastatiroedd ac arfordiroedd Bro Morgannwg a Bro Gŵyr yn llawer mwy poblog na'r Blaenau mynyddig ym mharthau gogleddol y sir, a oedd yn bendant lai deniadol o'r safbwynt economaidd.[23] Yn ôl y cyfrifiad cyntaf a gynhaliwyd yn 1801, tra oedd tua 50 o bobl, ar gyfartaledd, yn byw ar bob milltir sgwâr o'r plwyfi a leolid yng ngwastatiroedd deheuol y Fro, ceid llai na 25 o bobl ar gyfer pob milltir sgwâr dros rannau helaeth o'r tiroedd mynyddig ym mharthau gogleddol y sir. Mae maintioli'r plwyfi eu hunain yn adlewyrchu'n glir y dosbarthiad poblogaeth hwn, oblegid yn ucheldiroedd y Blaenau y ceid y plwyfi mwyaf neu ehangaf. Ac un o'r ehangaf o'r rhain, yn ddiau, oedd Ystradyfodwg, a gynhwysai 24,515 o aceri yn y flwyddyn 1801.

Fel yr eglurwyd uchod, arweiniodd y datblygiadau diwydiannol mawr a ddigwyddodd ym Morgannwg yn ail hanner y bedwaredd ganrif ar bymtheg at newid sylweddol iawn yn nosbarthiad y boblogaeth yno, gyda niferoedd mawr yn byw mewn rhai ardaloedd. Un o'r rhain oedd Cwm Rhondda, rhanbarth y bu ei ddatblygiad diwydiannol rhwng 1871 a 1914 yn hollol syfrdanol. At hynny, yn sgil y datblygiad diwydiannol hwnnw bu cynnydd sylweddol iawn ym maint poblogaeth y sir gyfan yn ystod y bedwaredd ganrif ar bymtheg. Yn ôl y cyfrifiad cyntaf a gynhaliwyd yn 1801, yr oedd 70,879 o bobl yn byw ym Morgannwg y flwyddyn honno, sef un person ar gyfer pob saith acer o dir. Ond, ganrif yn ddiweddarach, yn y flwyddyn 1901, yr oedd poblogaeth y sir wedi cynyddu i 859,931, sef un person ar gyfer pob dau draean acer.

Mae'n gwbl amhosibl, ysywaeth, ddadansoddi'n fanwl gywir rif poblogaeth Cwm Rhondda yn hanner cyntaf y bedwaredd ganrif ar bymtheg, oblegid hyd at y flwyddyn 1871 cynhwysid pob cyfrifiad swyddogol a oedd yn ymwneud â'r rhan arbennig honno o'r sir yn yr ystadegau a baratowyd ar gyfer tri phlwyf, sef Ystradyfodwg, Llanwynno, a Llantrisaint. Ac y mae'r methiant cyson i wahaniaethu'n glir rhwng yr amrywiol ffigurau ac ystadegau yr oedd a wnelent â'r tri phlwyf hyn yn golygu nad oes fodd olrhain y camau cynnar yn nhwf poblogaeth y Cwm. Cymhlethir y sefyllfa ymhellach gan y ffaith na chynhwysir yn y cyfrifiadau cynnar y manylion priodol sydd yn ein galluogi i wahanu'r ardaloedd hynny a ychwanegwyd mewn cyfnod diweddarach at blwyf Ystradyfodwg i ffurfio'r hyn y daethpwyd i'w alw'n 'Fwrdeistref Rhondda'. Felly, i lawr hyd y flwyddyn 1871, oherwydd natur gymysg, ddryslyd a thra chymhleth y dystiolaeth ystadegol sydd wedi goroesi, ni ellir siarad ond yn y dull mwyaf cyffredinol am y ffigurau sydd ar gael ar gyfer plwyf Ystradyfodwg cyfan. Serch hynny, cynhwyswyd llawer iawn o'r rhanbarth a elwir bellach yn Gwm Rhondda yn y plwyf sylweddol hwn, a ymestynnai i gyfeiriad y gogledd o Ffrwd Amos (Pen-y-graig) a Phont y Cymer (y Porth) i blwyf Penderyn yn Sir Frycheiniog. Ond yn 1877 crewyd yn swyddogol y rhan honno o blwyf Ystradyfodwg a orweddai ar ochr ddeheuol y ffordd a redai o'r Garn Fach i Fwlch-y-lladron yn Awdurdod Iechyd Trefol Ystradyfodwg, ac yn 1879 ychwanegwyd at yr Awdurdod newydd hwn ran o Undeb Pontypridd, fel y'i gelwid, a ddisgrifiwyd yn y ddogfen swyddogol fel 'portions of the parishes of Llantrisa[i]nt and Llanwynno'. Mae'r rhanbarth ehangach hwn yn cyddaro, yn fwy neu lai, â therfynau daearyddol yr hyn y daethpwyd i'w alw'n swyddogol yn 'Ddosbarth Cofrestru Cwm Rhondda', a dyma'r uned a fabwysiadwyd ar gyfer y gwahanol gyfrifiadau o 1881 ymlaen. Yn y cyfrifiad a gynhaliwyd y flwyddyn honno, hynny yw, yn 1881, cynhwyswyd amcangyfrif gan y Cofrestrydd Cyffredinol o rif y boblogaeth a geid yn 1871 yn y rhanbarth ehangach y soniwyd amdano, ac felly o'r flwyddyn honno ymlaen gellir cynnig dadansoddiad gweddol fanwl o'r twf a ddigwyddodd ym mhoblogaeth Cwm Rhondda.

Dengys y ffigurau swyddogol y tu hwnt i unrhyw amheuaeth fod plwyf Ystradyfodwg, at ei gilydd, yn un gwledig, amaethyddol, bugeiliol a phur ddiarffordd trwy gydol hanner cyntaf y bedwaredd ganrif ar bymtheg. Rhif poblogaeth y plwyf ar ei hyd yn 1801 oedd 542, a methwyd â dyblu'r rhif hwnnw yn ystod yr hanner can mlynedd dilynol, oblegid hyd yn oed yn 1851 nid oedd rhif y boblogaeth wedi tyfu ond i 951. Fel y sylwodd Benjamin Heath Malkin yn 1803, yr oedd poblogaeth y plwyf yn 'thinly scattered, as well as miserably poor'.[24] Ond yn ystod y deng mlynedd a aeth heibio rhwng 1851 a

1861 gwelwyd dechreuadau'r twf sylweddol iawn hwnnw ym mhoblogaeth Ystradyfodwg a oedd, cyn belled ag y mae a fynnom â dyfodol y Gymraeg yn y rhan arbennig hon o Sir Forgannwg, yn un o ganlyniadau pwysicaf a mwyaf trychinebus y datblygiadau diwydiannol syfrdanol a fu yno yn ail hanner y bedwaredd ganrif ar bymtheg. Erbyn 1861, fel canlyniad i agor y pyllau glo ym mharthau uchaf ac yng nghanolbarth Rhondda Fawr, yr oedd y boblogaeth wedi tyfu'n bur sydyn i 3,035.[25] Ac yn ystod y deng mlynedd canlynol, o 1861 hyd 1871, cyfnod tra phrysur pan agorwyd ugain o byllau glo newydd yn y Cwm a phan ddatblygwyd Rheilffordd Dyffryn Taf, tyfodd poblogaeth y Cwm yn eithriadol gyflym i 16,914. Ond yn ystod y deugain mlynedd a aeth heibio rhwng 1871 a 1911 y bu'r cynnydd cyflymaf oll, fel y mae'r tabl canlynol yn eglur ddangos:

TABL I
POBLOGAETH CWM RHONDDA, 1871-1911[26]

Blwyddyn	Personau		Cyfanswm
	Gwrywod	Benywod	
1871			23,950
1881	30,877	24,755	55,632
1891	50,174	38,177	88,351
1901	62,315	51,420	113,735
1911	83,209	69,572	152,781

Sylwer fod poblogaeth Cwm Rhondda wedi mwy na dyblu rhwng 1871 a 1881, y cyfnod pan gyrhaeddodd mewnfudo i'r rhanbarth ei anterth. A pharhaodd y boblogaeth i dyfu'n gyson ddiatal rhwng 1881 a 1891, nes iddi gyrraedd 113,735 erbyn dechrau'r ugeinfed ganrif. Ac eithrio Morgannwg, dengys dadansoddiad gofalus o'r amrywiol gyfrifiadau mai mewn tair yn unig o holl siroedd Cymru, sef Sir Gaerfyrddin, Sir Ddinbych, a Sir Gaernarfon, y ceid poblogaeth mor sylweddol â honno a drigai yng Nghwm Rhondda.

Felly, er mor anodd ydyw datrys y cymhlethdod sydd yn yr ystadegau swyddogol mewn ambell ran o'r bedwaredd ganrif ar bymtheg, y mae'n hollol amlwg mai Cwm Rhondda, erbyn ei diwedd, ydoedd prif gyrchfan y mewnlifiad sylweddol o bobl i Forgannwg yr adeg honno, mewnlifiad a barhaodd, heb unrhyw ataliad o wir bwys, hyd y flwyddyn 1911. Yn wir, yn ystod y deng mlynedd a aeth heibio rhwng 1901 a 1911, ni bu tyfiant tebyg ym mhoblogaeth unrhyw ran arall o Gymru. Er nad oedd cyfradd y twf a fu yng Nghymru a Lloegr *gyda'i gilydd* yn y cyfnod y cyfeiriwyd ato ond 10.9%, y gyfradd gyfatebol yng Nghwm Rhondda yn yr un cyfnod oedd 34.3%, gwahaniaeth trawiadol, yn ddiau.

Eithr nid digon, wrth asesu'r dylanwad andwyol a gafodd y ddiwydiannaeth newydd sylweddol a ddaeth i'r ardal ar iaith lafar y cymunedau lleol, ydyw canolbwyntio'n llwyr ar y cynnydd mawr iawn a fu yn y boblogaeth yno. Mae'n bwysig cofio hefyd fod niferoedd mawr o bobl wedi ymdyrru i rai trefi arbennig. Yn y flwyddyn 1911, a barnu wrth ffigurau'r cyfrifiadau swyddogol, yr oedd 152,781 o bersonau'n byw ar 23,886 o aceri, sef 4,480, ar gyfartaledd, ar gyfer pob milltir sgwâr o dir. Ac yn ôl y ffigurau a gyflwynodd Dr J.D. Jenkins, swyddog meddygol iechyd cyhoeddus Dosbarth Trefol Cwm Rhondda, mewn rhai rhannau o'r rhanbarth yr oedd dros 6,000 o bobl yn byw ar bob milltir sgwâr o dir, a thrwy'r Cwm ar ei hyd yr oedd bob amser, erbyn dechrau'r ugeinfed ganrif, dros 20,000 o bobl ar gyfer pob milltir sgwâr o dir yr adeiladwyd arno. Nid anodd deall y rheswm sylfaenol am y crynhoad trwm hwn o bobl mewn rhai ardaloedd neu drefi. Fel y sylwodd Dr J.D. Jenkins yn yr Adroddiad swyddogol a gyhoeddwyd yn 1914, 'the area actually built upon is comparatively small, for the most suitable and convenient building ground is situated in more or less close proximity to the river'. Dengys y tabl canlynol (gweler trosodd), a baratowyd gan Dr J.D. Jenkins ar gyfer y Comisiwn Ymchwil a benodwyd yn 1917 i geisio penderfynu beth oedd achosion yr aflonyddwch diwydiannol a geid yn y rhanbarth, pa mor fawr oedd y boblogaeth mewn rhai rhannau o'r Cwm.[27]

Fel canlyniad i'r crynhoad eithriadol drwm hwn o boblogaeth mewn rhai rhannau cymharol gyfyng o'r Cwm, bu cyfathrach gymdeithasol glòs a thyn rhwng y Cymry Cymraeg a'r mewnfudwyr, hwythau'n Saeson uniaith yn bennaf, ffactor dra phwysig a gafodd, yn y pen draw, ddylanwad andwyol iawn ar ddyfodol y Gymraeg fel prif iaith lafar y rhanbarth.

Cwm Rhondda

TABL 2

Ardal	Poblogaeth	Cyfanswm yr aceri	Nifer o aceri ar gyfer pob person	Nifer y bobl ar gyfer pob milltir sgwâr	Nifer yr aceri yr adeiladwyd arnynt	Nifer o aceri ar gyfer pob person	Nifer y bobl ar bob milltir sgwâr o dir yr adeiladwyd arno
Rhondda Fach, Ynys-hir, Tylorstown, Ferndale, a'r Maerdy	45,971	5,852	·13	5,056	1,125	·024	26,240
Pentre, Tonpentre, Gelli ac Ystrad	25,207	3,210	·13	5,056	635	·025	25,600
Llwynypia, Clydach Vale, Tonypandy a Threalaw	31,847	3,194	·10	6,400	875	·027	23,296
Y Porth, Y Cymer, a Hafod	18,000	1,899	·10	6,080	500	·028	23,040
Treherbert, Treorci a Chwm-parc	33,938	8,466	·25	2,560	1,030	·031	20,480
Dosbarth Trefol Cwm Rhondda	166,873	23,871	·14	4,480	4,500	·027	23,680

Mae'n amlwg fod y chwyddiant sylweddol a ddigwyddodd ym mhoblogaeth y Cwm i'w briodoli, yn anad dim byd arall, i fewnfudo ar raddfa bur eang. Ond yr oedd effaith ieithyddol y mewnfudo yn amrywio, a chamarweiniol iawn fyddai tybio fod yr effaith honno'n un gyson ddrwg. Yn ystod hanner cyntaf y bedwaredd ganrif ar bymtheg, pan gyfyngid y mwyngloddio i gwmpas cymharol fychan, nid oedd y mewnfudo'n sylweddol iawn, ac o ardaloedd Cymraeg eu hiaith y daeth y rhan fwyaf o ddigon o'r newydd-ddyfodiaid. Ond yn ystod y deng mlynedd a aeth heibio rhwng 1861 a 1871 bu twf sylweddol iawn yn y mewnfudo, a pharhaodd hynny heb unrhyw leihad o bwys yn ystod y degawdau dilynol. A gellir yn hwylus rannu'r mewnfudo sylweddol hwn i'r Cwm yn ddau brif gyfnod. Yn ystod chwedegau a saithdegau'r ganrif ddiwethaf, daeth y rhan fwyaf o'r mewnfudwyr naill ai o rannau eraill o Sir Forgannwg ei hun neu, ynteu, o Siroedd Mynwy, Caerfyrddin, Penfro, ac Aberteifi. Ond rhwng tua 1880 a 1900, pan grewyd mwy o gyfleusterau teithio cymharol rad, heidiodd mewnfudwyr i'r Cwm o rannau eraill o Brydain. Heb unrhyw amheuaeth, fe welwyd yn y cyfnod hwnnw ddechrau'r broses o droi'r Cwm o fod yn rhanbarth a oedd, at ei gilydd, yn un Cymraeg ei iaith i fod yn un lle y siaredid yr iaith Saesneg ar raddfa bur eang.

Ennill cyflogau uwch oedd yr atyniad mawr i'r mewnfudwyr niferus a ddaeth o amrywiol siroedd Cymru a Lloegr fel ei gilydd o chwedegau'r bedwaredd ganrif ar bymtheg ymlaen. Cododd maint y glo a gynhyrchwyd ym mhlwyf Ystradyfodwg o 423,782 o dunelli yn 1864 i 1,940,566 o dunelli yn 1873,[28] ac yn ystod y cyfnod hwnnw o naw mlynedd bu codiad sylweddol yn y cyflogau a delid i'r glowyr yn y Cwm. Amcangyfrifwyd gan rai haneswyr economaidd fod y cyflogau hynny rhwng 15% a 25% yn uwch na'r rhai a delid mewn nifer o ardaloedd glofaol eraill, megis Merthyr Tudful a Dowlais, er enghraifft.[29] Nid gorchwyl anodd, felly, ydoedd i berchnogion y pyllau glo yng Nghwm Rhondda yn gynnar yn y 1870au sicrhau fod ganddynt ddigonedd o weithwyr at eu gwasanaeth. Gweision fferm o Siroedd Mynwy, Caerfyrddin, Penfro, ac Aberteifi, a enillai gyflogau isel iawn, oedd y rhan fwyaf o ddigon o'r mewnfudwyr hyn, a chafwyd yn eu plith hefyd rai a oedd eisoes wedi cael peth profiad o weithio yn y diwydiant glo mewn rhannau eraill o Sir Forgannwg. At hynny, yn ddiweddar yn y 1860au daeth cryn nifer o weithwyr o Sir Drefaldwyn gyda'u teuluoedd i'r Cwm i ganlyn David Davies (1818-90),[30] Llandinam, ac ymsefydlu yn Nhonpentre, Treorci a Chwm-parc. Mae'n amlwg y gallai'r newydd-ddyfodiaid hyn o Landinam, Caersŵs a Llanidloes—ac yn eu plith rai a oedd, i bob pwrpas ymarferol, yn Gymry Cymraeg uniaith—atgyfnerthu'r iaith frodorol yn yr ardaloedd hynny lle yr aethant i fyw.

Ni bu unrhyw leihad o wir bwys yng nghyfradd y mewnfudo rhwng 1871 a 1881, nac ychwaith yn ystod y degawd canlynol, rhwng 1881 a 1891. Mae'n wir y bu adegau o drai a llanw yn hyn o beth, a hynny am fod y prisoedd a delid am lo mewn marchnadoedd tramor—ac, o ganlyniad, y cyflogau a delid i'r glowyr—wedi amrywio cryn dipyn yn ystod y cyfnod hwnnw. Serch hynny, o edrych ar yr ugain mlynedd a aeth heibio rhwng 1871 a 1891, yn fras, mae'n amlwg na fu unrhyw leihad arwyddocaol yn y mewnfudo. A'r ffactor sylfaenol bwysig, cyn belled ag y mae a fynnom â hynt y Gymraeg yn y Cwm, yw nad o rannau eraill o Sir Forgannwg nac o'r siroedd cyfagos yng Nghymru y daeth y mewnfudwyr hyn. O ddadansoddi'n ofalus y manylion a gynhwysir yng nghyfrifiad swyddogol 1891, gellir casglu fod cryn nifer o'r rhai a oedd yn byw yn y Cwm erbyn y dyddiad hwnnw wedi eu geni yn Lloegr, yn enwedig yn siroedd y de-orllewin, sef Gwlad-yr-haf, Sir Gaerloyw, Sir Ddyfnaint, Cernyw, a Swydd Dorset. Ac er y bu peth trai ar y mewnfudo rhwng 1892 a 1897, a hynny oherwydd y slwmp difrifol yn y fasnach lo yn ystod y cyfnod hwnnw, parhaodd y mewnfudwyr hyn o siroedd de-orllewin Lloegr i heidio i'r Cwm, heb unrhyw ataliad o bwys, tan yn gynnar yn y 1920au. Yn wir, parodd y mewnlifo hwn, gan ei rymused, gryn anfodlonrwydd ymhlith y trigolion brodorol Cymraeg eu hiaith, a bu'r anfodlonrwydd hwnnw yn thema nifer o dribannau a gyfansoddwyd gan rai o feirdd y rhanbarth. Dyma un enghraifft nodweddiadol:

> Dylifa bechgyn ffolion
> I'r cwm o hyd yn gyson,
> O Wlad yr Haf hwy ddônt yn scryd
> Fel ynfyd haid o ladron.[31]

Yn wir, yr oedd y casineb lleol a ddangosid i'r newydd-ddyfodiaid hyn mor gryf nes i un gynhadledd o lowyr o dde Cymru gofnodi protest ffurfiol gref yn erbyn yr arfer, a oedd, yn eu tyb hwy, yn un dra annerbyniol, o gyflogi mewnfudwyr o Loegr fel glowyr, er nad oedd ganddynt odid ddim profiad cyn dod i'r Cwm o weithio yn y diwydiant glo.[32]

Rhoddodd y galw cynyddol am lo ager Cwm Rhondda, fel canlyniad i'r rhyfel yn erbyn y Bweriaid yn Ne Affrica, hwb sylweddol pellach i'r mewnfudo i'r Cwm yn nwy flynedd gyntaf y ganrif hon. O'r mewnfudwyr hynny a ddaeth i'r ardal o rannau eraill o Gymru, daeth y rhan fwyaf o Sir Fôn a Sir Gaernarfon, rhanbarthau a oedd ar y pryd yn wynebu cyfnod o ddirwasgiad economaidd llym, ond siroedd, cofier, lle yr oedd yr iaith Gymraeg a'i diwylliant yn gadarn ddiysgog. Ond parhaodd llif cyson o weision fferm i ddod i'r Cwm o orllewin a de-orllewin Lloegr yn ystod deng mlynedd cyntaf y ganrif hon a'r atyniad o hyd, fel y gellid yn rhesymol ddisgwyl, oedd y posibilrwydd o ennill cyflogau uwch, oblegid fel y sylwodd un economegydd academaidd, '[the ordinary labourer] is not likely to concern himself very much about varying rates offered for degrees of skill or probable housing conditions; the mere prospect of handling more money is in itself sufficiently alluring'.[33] Ond daeth rhai o'r mewnfudwyr o wledydd a oedd llawer ymhellach i ffwrdd. Er enghraifft, daeth nifer o Albanwyr i'r Cwm yn y 1860au pan agorodd Archibald Hood byllau Cwmni Glo Morgannwg yn Llwynypia.[34] A thua'r un adeg ymsefydlodd nifer o Wyddelod yn y Cwm, er na fuont erioed yn niferus iawn: 929 oedd eu rhif yn 1911. Diau fod y ffaith iddynt gael eu gyrru allan trwy rym o Dreherbert yn 1857 yn ystod y terfysg neu'r reiat ddifrifol a barhaodd yno am dridiau cyfan y flwyddyn honno— reiat a achoswyd gan wrthdeimladau hiliol yn llawn cymaint â chan gwynion economaidd—wedi bod yn ddylanwad mawr i atal rhagor o Wyddelod rhag dyfod i rannau eraill o'r Cwm ar raddfa sylweddol yn ystod y blynyddoedd dilynol.[35] Ni ddylid anghofio fod nifer fechan o werthwyr amrywiol fathau o felysfwydydd a nifer o berchnogion tai bwyta wedi dyfod o'r Eidal, a rhoddwyd yr enw 'Brachi/Brachis' arnynt oll gan y trigolion lleol; daeth nifer fechan iawn o Tsieineaid i gadw golchdai; ac, yn olaf, daeth ychydig iawn o bobl liw eu croen o

Eidalwr yn gwerthu hufen iâ
yng Nghwm-parc, 1924.
(Cyril Batstone, 1974: *Old Rhondda
in photographs*, Stewart Williams)

ardaloedd dociau Caerdydd a'r Barri, er mai anaml iawn yr arhosodd y rhai olaf hyn yn hir yn y Cwm. Serch hynny, pa mor fychan bynnag ydoedd rhif y mewnfudwyr olaf hyn, yn Wyddelod, Eidalwyr, Tsieineaid a phobl liw eu croen, ychwanegodd pob haen ohonynt at yr elfen 'gosmopolitanaidd' honno a oedd yn eglur nodweddu bywyd cymdeithasol Cwm Rhondda yn yr ugeinfed ganrif. A pharhaodd mewnfudo i'r Cwm hyd y flwyddyn 1924, er bod cryn ostyngiad yn y llif erbyn hynny. Yn ystod blynyddoedd y dirwasgiad llym a ddisgynnodd wedi hynny ar lawer rhan o Brydain Fawr, yn dechrau gyda Streic Gyffredinol 1926 ac yn parhau'n ddidostur hyd y 1930au, aeth llawer iawn o'r trigolion lleol i fyw y tu allan i ffiniau'r Cwm, er mwyn sicrhau gwaith o ryw fath—i rannau eraill o Gymru, i wahanol fannau yn Lloegr, ac i wledydd tramor—ac arweiniodd hynny, yn naturiol, at ostyngiad mawr ym mhoblogaeth y rhanbarth. Yn 1911, fel y gwelsom, 152,781 oedd rhif y boblogaeth, y rhif uchaf i'w gofnodi'n swyddogol; ond erbyn cyfrifiad 1981 yr oedd y rhif wedi gostwng i 78,349, gostyngiad o 74,432, bron hanner y boblogaeth a geid yn y Cwm yn 1911. Ymhlith y bobl niferus hynny a oedd wedi ymadael â'r ardal ceid llawer o Gymry Cymraeg da, Cymry a siaradai eu mamiaith yn rhwydd ac yn rhugl, a pharodd hynny, yn anorfod, i'r

Gymraeg ddirywio'n gyson yn y Cwm, yn sicr cyn belled ag y mae a fynnom â nifer y rhai a'i siaradai'n feunyddiol.

Mewnfudo ac allfudo, felly, mewn dau gyfnod gwahanol a than amgylchiadau economaidd tra gwahanol i'w gilydd, a'r ddwy broses yn gadael eu hôl yn annileadwy ar gyflwr cyffredinol yr iaith ac ar nifer y rhai a'i siaradai. Ond, er gwaethaf y mewnlifiad sylweddol o Saeson a ddaeth ar amrywiol adegau i'r Cwm, rhaid pwysleisio'n gryf iawn fod y Gymraeg wedi parhau i fod yn brif iaith bywyd cymdeithasol y rhanbarth am gryn amser yn ei gyfnod diwydiannol. Rhaid cofio fod llawer o'r rheini a arloesodd ddatblygiad diwydiannol y Cwm yn y 1860au a'r 1870au yn Gymry cywir a phybyr, gwŷr a siaradai eu mamiaith yn rhugl ac a gymerai ddiddordeb deallus yn y diwylliant Cymraeg brodorol. Ceid rhai yn eu plith, megis David Davis a Lewis Davis, Ferndale, Thomas Joseph, Blaen-y-cwm, a David Davies ac Edward Davies o Gwmni'r *Ocean*, a gyfrannodd yn gyson ac yn uniongyrchol i ddatblygiad bywyd Cymraeg y cymunedau glofaol lleol. Da y disgrifiwyd Lewis Davis, Ferndale, fel 'a true patriot, a Welshman to the core; he knew and admired the language and was well acquainted with its literature, its theology and poetry, its music and preachers'.[36] Nid oedd y diddordeb a gymerai Edward Davies yn y diwylliant Cymraeg brodorol fymryn yn llai. Yn gynnar yn y 1870au, efe oedd llywydd Cymdeithas y Cymmrodorion yn Nhreorci, a llywydd y Temlwyr Da yn ogystal, ac fe'i gwahoddid yn fynych i gadeirio'r eisteddfodau lleol. Trwy gydol y cyfnod hynod brysur a bywiog hwn, y Gymraeg, heb yr un gronyn o amheuaeth, ydoedd iaith y cartref a'r capel, y strydoedd, y siopau a'r meysydd chwarae. Hi hefyd ydoedd prif iaith y pyllau glo, ac felly deuai mewnfudwyr o wahanol rannau o Loegr i sylweddoli'n fuan iawn ei bod hi'n bwysig iddynt gael rhyw grap ar yr iaith, er mor fylchog ac amherffaith oedd eu gwybodaeth ohoni mewn rhai achosion, os oeddynt am gydweithio'n effeithlon ddidrafferth â'u cyd-lowyr o Gymry, llawer ohonynt yn Gymry Cymraeg uniaith i bob pwrpas ymarferol. Yn wir, mynegodd mwy nag un sylwedydd cyfoes y farn mai pyllau glo'r Cwm, lle y llwyddodd cynifer o Saeson a oedd, i ddechrau, yn wŷr cwbl uniaith, i ddysgu rhyw gymaint o Gymraeg, ydoedd rhai o'r 'ysgolion' iaith gorau y gellid dyfod o hyd iddynt trwy'r holl Dywysogaeth yr adeg honno. Ffaith arwyddocaol arall sy'n dangos pa mor gyffredin y defnyddid y Gymraeg yn y pyllau glo yw fod y rheolau, y cytundebau a'r contractau cynnar a fu rhwng y gweithwyr a pherchnogion y pyllau wedi eu hysgrifennu'n ddwyieithog—hynny yw, yn Gymraeg yn ogystal ag yn Saesneg—ac mor ddiweddar â'r flwyddyn 1914 cynhwysid crynodeb Cymraeg yng nghofnodion Dosbarth Rhondda Rhif 1 o Ffederasiwn Glowyr De Cymru.[37] A phan fu'r Cwm, ar ôl 1880, yn gyrchfan i lawer iawn o bobl a ddaeth, fel y gwelsom, o orllewin a de-orllewin Lloegr, ni throes y fantol ieithyddol yn llethol drwm yn erbyn y Gymraeg, oblegid gyda'r newydd-ddyfodiaid Saesneg hyn daeth hefyd filoedd lawer o Gymry Cymraeg twymgalon o ardaloedd amaethyddol dirwasgedig gorllewin Cymru. Bu'r rhai olaf hyn, yn ddiau, yn gyfrwng tra phwysig i atgyfnerthu'r Cymry Cymraeg hynny a oedd eisoes yn byw yn y Cwm, ac nid anodd felly ydoedd i'r trigolion brodorol dderbyn y mewnfudwyr o Loegr heb i'r Saeson hynny beri unrhyw newid ysgubol yn iaith nac yn niwylliant cynhenid y Cwm. Ac felly, mor ddiweddar â throad y ganrif, y Gymraeg o hyd ydoedd prif iaith y cartref a'r capel, y gweithfeydd a'r meysydd chwarae, yn ogystal â sawl agwedd arall ar fywyd cymdeithasol y Cwm, ffaith a bwysleisiwyd yn gryf iawn yn Adroddiad Comisiwn Tir Cymru yn 1896:

> It might have been expected that in the Rhondda Valley, which is practically entirely given up to the coal industry, a cosmopolitan population might have been found. That is not the case; speaking broadly, the characteristics of Welsh life, its Nonconformist development, the habitual use of the Welsh language, and the prevalence of a Welsh type of character, are as marked as in the rural districts of Wales. [38]

Ond yn ystod deng mlynedd cyntaf yr ugeinfed ganrif deuai'n amlycach o flwyddyn i flwyddyn fod y Gymraeg yn cael ei disodli gan y Saesneg fel prif iaith y rhanbarth. Daeth y newid ieithyddol hwn yn fwy eglur ymhob cyfrifiad swyddogol a gynhaliwyd o 1901 ymlaen. Ni chynhwyswyd unrhyw ystadegau iaith ar gyfer Cwm Rhondda yng nghyfrifiad 1891, ond y mae'r manylion sydd ar gael ar gyfer

Pontypridd a'r cyffiniau, gan gynnwys ardal Trehafod-Pontypridd, yn dangos yn gwbl bendant fod y Gymraeg eisoes wedi encilio ar raddfa bur fawr yn yr ardal a orweddai am y ffin â Chwm Rhondda, oblegid allan o 146,812 o bobl, cyfanswm yr holl boblogaeth, yr oedd ychydig dros 50,000, sef mwy na thraean o'r holl bobl a oedd yn byw yno yr adeg honno, yn siarad Saesneg yn unig. Cofnodwyd fod 46,487 yn ddwyieithog, tra nad oedd ond 40,507 yn Gymry Cymraeg uniaith. O 1901 ymlaen, y mae'r ystadegau am safle'r Gymraeg yn y Cwm yn fanwl ac, ar yr un pryd, yn dorcalonnus, ac o gymharu'r ffigurau sydd yng nghyfrifiad 1901 â'r rhai a geir yn yr un a gynhaliwyd yn 1911, y mae'n amlwg fod y Cwm yn dechrau cael ei foddi yn ystod y degawd hwnnw gan lif grymus iawn o Seisnigrwydd:

TABL 3

Rhif y boblogaeth 2 flwydd oed neu'n hŷn		Yn siarad Saesneg yn unig		Yn siarad Cymraeg yn unig		Yn siarad Saesneg a Chymraeg		Heb ymateb	
1901	1911	1901	1911	1901	1911	1901	1911	1901	1911
103,740	139,335	36,754	60,056	11,841	6,100	54,906	70,696	174	2,335

Un nodwedd drawiadol a thrist yn y ffigurau hyn ydyw'r gostyngiad yn nifer y Cymry Cymraeg uniaith, o 11,841 yn 1901 i 6,100 yn 1911, gostyngiad o bron hanner, sylwer. Ar y llaw arall, yr oedd nifer y rhai a siaradai Saesneg yn unig bron wedi dyblu, o 36,754 yn 1901 i 60,056 yn 1911. Ond diau mai'r ffaith dristaf oll a mwyaf poenus yn yr holl ffigurau ydyw hon: tra honnai 70,696 yn 1911 eu bod yn gallu siarad Cymraeg a Saesneg, yr oedd cymhareb (*ratio*) uchaf y rhai a siaradai Saesneg yn unig i'w chael ymhlith y rhai ifancaf, sef y rhai a oedd yn 25 mlwydd oed neu'n iau. Dangosir hyn yn hollol glir gan Dabl 4; (gw. t. 95).

Nid adfresymol casglu fod y rhan fwyaf o'r Cymry Cymraeg uniaith a oedd wedi symud i Gwm Rhondda i fyw yn ystod y 1860au a'r 1870au wedi marw erbyn y flwyddyn 1911 ac, fel y sylwodd un hanesydd wrth drafod arwyddocâd yr ystadegau hyn, 'for one family in every four in which the parents spoke Welsh, the children were being brought up in ignorance of it. The sequence was already becoming painfully clear: parents usually Welsh, children mainly English, next generation entirely English'.[39]

Un rheswm pwysig arall am enciliad y Gymraeg yno yn yr ugeinfed ganrif ydyw'r polisi gwrth-Gymraeg a ddilynid gan addysgwyr yn y Cwm, fel mewn llawer rhan arall o'r Dywysogaeth, am lawer iawn o flynyddoedd. Saesneg oedd yr unig gyfrwng hyfforddi swyddogol yn yr amrywiol ysgolion—yr ysgolion Glofaol, yr ysgolion Cenedlaethol a Phrydeinig (neu Frytanaidd), a'r ysgolion a weinyddid gan yr amrywiol Fyrddau Addysg. O ddadansoddi'n fanwl ofalus lyfrau lòg yr ysgolion hyn, gellir casglu mai llenyddiaeth a chaneuon Saesneg a ddysgid i'r disgyblion ac mai tra eithriadol oedd cael gwersi Cymraeg. Ac er mwyn gwahardd siarad Saesneg gan y disgyblion, gwnaed defnydd cyson gan rai ysgolfeistri a phrifathrawon yn y cyfnod hwnnw o'r hyn y daethpwyd i'w alw'n 'Welsh Not', sef darn o bren (neu weithiau garden fawr drwchus) a'r llythrennau W. N. wedi'u torri arno. Fe'i crogid o gwmpas gwddf plentyn a ddaliwyd yn siarad Cymraeg yn yr ysgol hyd nes y gallai yntau ei drosglwyddo i blentyn arall. Byddai'r athro yn cosbi'n llym y plentyn a oedd yn gwisgo'r 'Welsh Not' ar ddiwedd y dydd. Gwnaethpwyd defnydd pur helaeth ohono ar ôl cyhoeddi'r Llyfrau Gleision yn 1847, cyhoeddiad a gafodd ddylanwad trawmatig enfawr ar lawer o Gymry.[40] Ni allai llawer o'r plant a drinnid fel hyn siarad ond y nesaf peth i ddim Saesneg, ac felly yr unig ddewis a oedd ganddynt oedd siarad Cymraeg â'u cyd-ddisgyblion a chael eu cosbi'n llym am wneud hynny neu, ynteu, gadw'n annaturiol o dawedog trwy'r dydd gwyn. Mae'n peri braw i rywun feddwl am yr effaith seicolegol ofnadwy a greai hynny mewn llawer o blant sensitif a deallus, a'r cymhlethdodau a'r atalnwydau o rwystredigaeth a ddatblygai yn sgil hynny.[41]

Ni roddwyd ychwaith yn y cyfnod hwnnw odid ddim sylw i'r etifeddiaeth Gymreig yn y maes llafur swyddogol. Ychydig iawn o wersi, er enghraifft, a roddid ar hanes Cymru, pwnc a anwybyddid yn llwyr mewn llawer o ysgolion. Mae'n anodd meddwl am ffordd well o beri i'r Cymry, gan gynnwys y rhai di-Gymraeg, ymglywed â'u Cymreictod na rhoi cyfle iddynt i wybod am rai o'r prif agweddau ar hanes eu gwlad ar hyd y maith ganrifoedd. Mae gwlad heb hanes, yn

TABL 4

Nifer y bobl, yn 3 blwydd oed neu'n hŷn, a siaradai Saesneg yn unig, neu Gymraeg yn unig, neu Saesneg a Chymraeg fel ei gilydd yng Nghwm Rhondda, 1911

| | Rhif y Boblgaeth | | Yn siarad Saesneg yn unig | | Yn siarad Cymraeg yn unig | | Yn siarad Saesneg a Chymraeg | | Heb ymateb, Pennaeth y Teulu wedi ei gofnodi fel un a oedd yn siarad: | | | | | |
| | | | | | | | | | Yn siarad Saesneg yn unig | | Yn siarad Cymraeg yn unig | | Yn siarad Saesneg a Chymraeg | |
	G	B	G	B	G	B	G	B	G	B	G	B	G	B
Pob oedran	83,209	69,572												
Dan 3 blwydd oed	6,785	6,761												
3 a than 5	3,941	4,011	2,052	2,093	179	172	1,299	1,389	148	136	19	17	225	195
5 a than 10	9,291	9,382	4,752	4,712	239	226	4,005	4,181	120	104	21	20	144	130
10 a than 15	7,846	7,708	3,727	3,515	162	151	3,788	3,917	82	58	16	8	157	44
15 a than 25	16,104	12,579	7,664	5,353	365	270	7,925	6,813	50	28	3	7	33	30
25 a than 45	27,178	19,524	11,675	7,719	1,036	797	14,327	10,809	8	6	2	—	8	10
45 a than 65	10,444	7,801	3,493	2,356	963	882	5,934	4,504	—	—	—	—	—	1
65 neu'n hŷn	1,620	1,806	495	450	243	415	876	929	—	—	—	—	—	—
Cyfanswm y bobl a oedd yn 3 blwydd oed neu'n hŷn	76,424	62,811	33,858	26,198	3,187	2,913	38,154	32,542	408	332	61	52	567	410

enwedig un sydd mewn dygn berygl o golli ei hiaith yn llwyr ac sydd yn brin o'r sefydliadau cyhoeddus dylanwadol hynny sy'n gymorth amhrisiadwy i gynnal hunaniaeth a phrif nodweddion gwahaniaethol cenhedloedd eraill, yn wynebu difodiant fel cenedl. Rhaid i bob Cymro, os ydyw am ymglywed â'i genedligrwydd, wybod am hanes ei wlad: ei hanes yw ei gof. Pan fydd yn ymwybodol o'i hanes, ni bydd mwyach yn amau mai Cymro ydyw. Mae'r Saeson sydd mewn awdurdod yn sylweddoli hyn yn hollol glir. Sylwer, er enghraifft, ar eiriau y Gwir Anrhydeddus Kenneth Clarke, A.S., Canghellor y Trysorlys bellach, pan oedd yn Ysgrifennydd Gwladol dros Addysg, ac yntau, cofier, yn un o gefnogwyr mwyaf brwd yr ideoleg wleidyddol Dorïaidd:

> We can leave chemistry to the chemists and geography to the geographers; but history is national property and the decisions to be taken on the history curriculum will be intimately connected with our national self-image, sense of heritage and purpose. By empathy we should mean pride, our sense of ownership of the past.[42]

Yn ôl y datganiad hwn, felly, nid diben hanes fel pwnc ydyw astudio a cheisio dehongli'r gorffennol er ei fwyn ei hun—*Historia Gratia Historiae*; yn hytrach, ei brif bwrpas yw creu, meithrin a diogelu'r cymeriad cenedlaethol. Nid rhyfedd, felly, o gofio gyn lleied o sylw a roddid, nid yn unig i'r iaith frodorol ei hun, eithr hefyd i hanes Cymru ac i'r etifeddiaeth genedlaethol yn gyffredinol, yn ysgolion Cwm Rhondda—ac mewn llawer iawn o ysgolion eraill ar hyd a lled Cymru, o ran hynny—fod yr ymdeimlad â'u Cymreictod wedi gwanhau ymhlith llawer o drigolion y Cwm yn y cyfnod hwnnw.

Nid ar yr athrawon a'r ysgolfeistri cyfoes yn unig—nac yn bennaf—yr oedd y bai am na roddid, fel rheol, ddim amser i ddysgu'r Gymraeg yn eu hysgolion. Y prif reswm am y sefyllfa alaethus honno oedd y polisi addysg swyddogol a fynnai mai'r Saesneg a ddylai fod yn unig gyfrwng hyfforddi, hyd yn oed pan na siaradai'r disgyblion unrhyw iaith ond y Gymraeg, polisi a fynnai hefyd y dylid gosod y pwyslais bob amser ar draddodiadau ieithyddol, llenyddol, diwylliannol a hanesyddol Lloegr. Dyma'r cyfnod imperialaidd mawr yn hanes

Lloegr, a gorlifai syniadau imperialaidd i sawl cylch ar fywyd, gan gynnwys y byd addysg. Mae ysbryd Mr Kenneth Clarke a'i debyg wedi bod yn symud trwy'r holl gyfundrefn addysg Seisnig ers cenedlaethau.

Nac anghofier ychwaith fod cymhellion gwleidyddol a chymdeithasol cyfrwys y tu ôl i'r polisi swyddogol y cyfeiriwyd ato uchod. Fel y dywedodd y Parchedig H.W. Bellairs, A.E.M., yn yr adroddiad a gyflwynodd yn 1845 ar ardal y Gorllewin:

> It is to be hoped that a higher principle than that of fear will induce those who are able to forward the work of education. . . . But at any rate it may be borne in mind that an ill-educated, undisciplined population, such as exists among the mines of South Wales, is one that may be found very dangerous in the neighbourhood in which it dwells, and that a band of efficient schoolmasters is kept up at a much less expense than a body of police or soldiery.[43]

Mynnai llawer o wŷr dylanwadol y cyfnod, yn wleidyddion, yn weinyddwyr ac yn addysgwyr, fod perthynas dra phwysig rhwng addysg a thorcyfraith a bod felly bwrpas cymdeithasol a gwleidyddol i addysg elfennol ac uwchradd. Yn dilyn y terfysgoedd a fu ym Merthyr Tudful a'r cythrwfl a achoswyd gan y Siartwyr yn yr ardaloedd diwydiannol yn y 1830au, yn ogystal â therfysgoedd Rebecca yng nghefn-gwlad Cymru yn niwedd y 1830au ac yn y 1840au, penderfynodd y weinyddiaeth imperialaidd Seisnig y byddai sefydlu rhwydwaith o ysgolion elfennol yn gyfrwng pwysig, nid yn unig i ddiwyllio, ond hefyd—ac yn bwysicach lawer—i ddisgyblu a thawelu'r dosbarth gweithiol aflonydd. Nac anghofier ychwaith fod dechrau'r bedwaredd ganrif ar bymtheg yn gyfnod o aflonyddwch ac o wrthdaro cymdeithasol, ac un o brif ofnau Llywodraeth y dydd oedd y byddai'r dosbarth gweithiol, a oedd wedi cynyddu'n sylweddol yn ystod y trigain mlynedd a aeth heibio rhwng 1780 a 1840, yn dechrau ymystwyrian ac yn troi, o'r diwedd, i wrthryfela. Ychwanegwyd at eu hofnau hunllefol yn hynny o beth gan y chwyldroadau a fu ar y Cyfandir—yn Ffrainc, yr Almaen, Awstria a Gwlad Belg—yn hanner cyntaf y bedwaredd ganrif ar bymtheg. Nid rhyfedd, felly, o gofio am y cefndir hwn, fod cryn sylw wedi ei roi i bwrpas cymdeithasol a gwleidyddol addysg elfennol yng Nghymru a Lloegr fel ei gilydd yn y cyfnod hwn. Ys gwir fod dwy farn sylfaenol wahanol yn bod ar y brif effaith a gâi'r addysg honno. Dadleuid gan rai y byddai darparu addysg elfennol ar raddfa lawer ehangach yn debyg o ysgogi'r dosbarth gweithiol i ymladd yn galetach dros eu hawliau a cheisio codi eu safon byw. Ond mynnai eraill fod addysgu plant y dosbarth gweithiol yn gyfrwng pwysig i ddisgyblu'r gymdeithas, a dyna'r farn a orfu.[44]

Rhwystr enfawr oedd y Gymraeg i gyflawni hynny o orchwyl. Mae'n arwyddocaol iawn, er enghraifft, fod H.S. Tremenheere, un o Arolygwyr ei Mawrhydi, yn ei adroddiad cyntaf, 'An Inquiry into the State of Elementary Education in the Mining Districts of South Wales', yn 1840 wedi dadlau mai ychydig iawn o Saesneg a ddysgid i'r plant yn yr ardaloedd hynny lle y cefnogid yn gryf fudiad y Siartwyr.[45] Gelyniaethus, at ei gilydd, ydoedd agwedd Arolygwyr ei Mawrhydi at y Gymraeg. Cofier mai un o'r 'trefedigaethau mewnol' ydoedd Cymru yng ngolwg y Llywodraeth a'i gweision ufudd, ac yr oedd y wladwriaeth imperialaidd Seisnig yn dilyn yr un polisi o Seisnigeiddio bwriadol yng Nghymru ag a ddilynid ganddi yn y gwledydd Celtaidd eraill. Yn sail i'r polisi hwn, fel y gwelsom, yr oedd y gred drahaus yn rhagoriaeth ac yng ngoruchafiaeth yr iaith Saesneg a'r diwylliant Seisnig, a dangoswyd yr un dirmyg at yr ieithoedd brodorol a siaredid yn y gwledydd Celtaidd ag a ddangosodd Macaulay at hen ieithoedd clasurol yr India.[46] Canys un o drefedigaethau Lloegr oedd Cymru hithau, un o'r mân 'drefedigaethau mewnol'.

Nid rhyfedd, ac yntau'n derbyn yn ddigwestiwn farn bendant y Parchedig H.W. Bellairs, A.E.M., a ddyfynnwyd uchod, i Mr William Williams, brodor o Lanpumpsaint ac Aelod Seneddol dros etholaeth Coventry er 1835, gynnig yn ffurfiol yn Nhŷ'r Cyffredin ym mis Mawrth 1846:

That an humble address be presented to Her Majesty that She will be graciously pleased to direct an Inquiry to be made into the state of education in the Principality of Wales, especially into the means afforded to the labouring classes of acquiring a knowledge of the English language.[47]

Da y gwyddys fod y Comisiwn Ymchwil a ffurfiwyd yn 1846 fel ymateb i'r cynnig ffurfiol hwn yn Nhŷ'r Cyffredin wedi dod i'r casgliad mai'r iaith Gymraeg ydoedd ffynhonnell llawer o'r diffygion—moesol, cymdeithasol ac economaidd—a nodweddai, ym marn y tri dirprwywr a oedd yn aelodau o'r Comisiwn, fywyd Cymru yr adeg honno, un o achosion sylfaenol ei hanfoesoldeb, ei hanwybodaeth affwysol, a'i hymlyniad ysbrydol anffodus wrth Anghydffurfiaeth.[48] Fel y dywedwyd yn un man yn Adroddiad swyddogol y tri dirprwywr a gyhoeddwyd yn 1847, 'The Welsh language is a vast drawback to Wales and a manifold barrier to the moral progress and commercial prosperity of the people. It is not easy to overestimate its evil effects.' Ymhellach: '[It] bars the access of improving knowledge to their minds.'[49] Yr iaith, ym marn un o'r dirprwywyr, a oedd yn gyfrifol am y ffaith fod y rhan fwyaf o ddigon o'r Cymry yn bendant isradd i'r Saeson 'in every branch of practical knowledge and skill'.[50] Ac mewn un maes yn arbennig, sef gweinyddu'r gyfraith, 'the evil of the Welsh language is obviously and fearfully great. . . . It distorts the truth, favours fraud and abets perjury'.[51] Yr oedd awduron yr Adroddiad yn gwbl argyhoeddedig na cheid yng Nghymru ddim oll i gynorthwyo ac i hyrwyddo buddiannau'r trigolion brodorol: ni cheid gweithiau Cymraeg gwerth sôn amdanynt ar hanes, daearyddiaeth, cemeg, naturiaetheg, y gwyddorau, na'r celfyddydau cain.[52] Ac am lenyddiaeth: 'There is no Welsh literature worthy of the name.'[53] Y feddyginiaeth amlwg, fe ddadleuid, ydoedd darparu rhagor o ysgolion yn y Dywysogaeth lle y byddai'r Saesneg yn cael ei dysgu'n drylwyr ac yn effeithiol, a'r Gymraeg, o ganlyniad, yn cael ei llwyr ddileu:

> They are desired by the people and no reasonable doubt is entertained that a sound secular and religious education would raise their physical condition and eventually remove their moral debasement.[54]

Mae'n amlwg nad oedd fawr obaith i'r Cymry tlawd, di-fraint, tra

REPORTS

OF THE

COMMISSIONERS OF INQUIRY INTO THE STATE OF EDUCATION

IN

W A L E S,

APPOINTED BY THE COMMITTEE OF COUNCIL ON EDUCATION,

In pursuance of Proceedings in the House of Commons, on the Motion of Mr. Williams, of March 10, 1846, for an Address to the Queen, praying Her Majesty to direct an Inquiry to be made into the State of Education in the Principality of Wales, and especially into the means afforded to the Labouring Classes of acquiring a Knowledge of the English Language.

IN THREE PARTS.

PART I.

CARMARTHEN, GLAMORGAN, AND PEMBROKE.

Presented to both Houses of Parliament by Command of Her Majesty.

LONDON:

PRINTED BY WILLIAM CLOWES AND SONS STAMFORD STREET,
FOR HER MAJESTY'S STATIONER OFFICE.

1847.

Wyneb-ddalen Rhan I Llyfrau Gleision 1847

anwybodus a phechadurus, druain, byth fynd i'r nefoedd, ym marn y
gwŷr hyn, nes iddynt feistroli'r Saesneg ac anghofio'u mamiaith yn
llwyr! Byddai ymgyrraedd o'r diwedd â'r nod ieithyddol hon yn dra
dymunol hefyd o'r safbwynt politicaidd, fel y pwysleisiodd y Sais
diwylliedig a thra hirben hwnnw, Matthew Arnold, yn ei *General
Report on Elementary Schools* am y flwyddyn 1852:

> Whatever encouragement individuals may think it desirable to give to
> the preservation of the Welsh language on grounds of philological or
> antiquarian interest, it must always be the desire of a Government to
> render its dominions, as far as possible, homogeneous, and to break down
> barriers to the freest intercourse between the different parts of them.
> Sooner or later, the difference of language between Wales and England
> will probably be effaced, as has happened with the difference of language
> between Cornwall and the rest of England; as is now happening with the
> difference of language between Brittany and the rest of France; and they
> are not the true friends of the Welsh people, who, from a romantic interest
> in their manners and traditions, would impede an event which is socially
> and *politically* so desirable for them.[55]

Dyma'r athroniaeth addysg a dderbynnid yn ddigwestiwn gan lawer o
athrawon, athrawesau, prifathrawon a gweinyddwyr dylanwadol yn ail
hanner y bedwaredd ganrif ar bymtheg a dechrau'r ugeinfed. Rhaid
oedd aros tan y flwyddyn 1890 cyn i'r Gymraeg gael ei chydnabod yn
swyddogol fel pwnc i'w ddysgu yn nosbarthiadau ysgolion Cymru, a
hynny mewn troednodyn yn Atodlen (neu Sgedwl) I a II y Cod
Rheolau a luniwyd y flwyddyn honno, [56] a bu raid aros tan 1893 cyn i'r
pwnc gael ei ddysgu yn ysgolion Cwm Rhondda. Bedair blynedd yn
ddiweddarach, yn 1897, gorchmynnodd Bwrdd Ysgolion Ystrad-
yfodwg '[that] Welsh be taught in all Infants' Schools . . . and . . . in
the first and second standards in other Departments'.[57] Penderfynodd y
Bwrdd hefyd yr adeg honno benodi arbenigwr yn y pwnc i ddysgu'r
Gymraeg i'w ddarpar-athrawon.[58] Yn gynnar yn yr ugeinfed ganrif,
penderfynwyd y dylid rhoi gwersi yn y Gymraeg i bob disgybl yn
ysgolion y Cwm, ac, o gofio am y Seisnigo cyflym ac eang sydd wedi
digwydd yn y cyfamser, y mae'r farn ganlynol, a fynegwyd gan un o

Arolygwyr ei Fawrhydi a oedd yn ymweld yn swyddogol ag ysgolion y Cwm, yn un fachog drist:

> If the Rhondda schools in the earlier years of colliery developments had been organized on this Welsh basis, the process of assimilation or absorption of the new elements would not have presented much difficulty.[59]

Hyd yn oed os bernir fod y farn honno yn un sydd braidd yn rhy ewfforig, ni ellir amau am eiliad na fu gan y gyfundrefn addysg Saesneg a thrwyadl Seisnig a orfodwyd ar Gymru gan Loegr imperialaidd, cyfundrefn a anwybyddodd yn fwriadol dros lawer iawn o flynyddoedd amryw agweddau pwysig ar draddodiadau cenedlaethol Cymru, gryn gyfrifoldeb am enciliad y Gymraeg yng Nghwm Rhondda, fel mewn rhannau eraill o'r wlad.

Yn ystod yr ugeinfed ganrif y mae cyfuniad o ddylanwadau amrywiol a grymus iawn wedi atgyfnerthu a chyflymu'r broses o Seisnigeiddio'r Cwm. Dyna'r cyffro, y cythrwfl, a'r chwalfa gymdeith-asol enfawr a achoswyd gan ddau Ryfel Byd; miloedd lawer o bobl, ac yn eu plith lawer iawn o Gymry Cymraeg da a chadarn, yn symud o'r ardal yn ystod cyfnodau o ddirwasgiad economaidd llym; mewnfudiad gwirfoddol a gorfodol Saeson uniaith i'r Cwm yn ystod yr Ail Ryfel Byd; a'r twf sylweddol yn y cyfryngau hysbysebu a chyfathrebu a hyrwyddodd, yn anorfod, ledaeniad dylanwadau diwylliannol newydd o Loegr. Ffactor bwysig arall yn hynny o beth oedd datblygu cyfleusterau trafnidiaeth newydd a gwella'n sylweddol yr hen rai. Fel y sylwodd un hanesydd wrth asesu'r sefyllfa drwy Gymru gyfan a chan adleisio'r farn a fynegwyd yn y Llyfrau Gleision:

> . . . English, borne on the flood of immigration and economic expansion, was already penetrating Wales. It was seeping up the main roads. It would flow still faster along the coming railways. The end, it seemed, could not be long delayed. Already, ran one sanguine sentence [sef yn y Llyfrau Gleision], English was 'in process of becoming the mother-tongue of the country'.[60]

Rhaid inni gofio hefyd am y dirywiad amlwg a fu ym mywyd

crefyddol cyhoeddus y cymunedau lleol, dirywiad a gafodd ddylanwad andwyol ar ddysgu'r Gymraeg i bobl ifainc yn yr ysgolion Sul; cysylltiadau clòs beunyddiol â llawer o gyd-weithwyr Saesneg uniaith, nid yn unig yn ystod oriau gwaith, ond hefyd yn ystod oriau hamdden; amrywiol bwyllgorau undebau llafur a chyfarfodydd lodj a gynhelid yn llwyr yn Saesneg; dyfodiad diwydiannau newydd i'r ardal a'r rheini dan reolaeth cwmnïoedd Seisnig na chymerent, yn aml iawn, unrhyw ddiddordeb o gwbl yng nghyflwr a dyfodol yr iaith frodorol nac ym mhriod nodweddion y bywyd cymdeithasol brodorol a oedd wedi ffynnu gynt am flynyddoedd lawer; dylanwad tra grymus y gwasanaethau radio a theledu Saesneg, sy'n treiddio beunydd, beunos i bob aelwyd, heb anghofio ychwaith am ddylanwad mawr y sinema o'r 1930au ymlaen; cyflenwadau digonol a chymharol rad o bapurau newyddion, cylchgronau a llyfrau cloriau-papur Saesneg; a diffyg statws cyfreithiol a dilysrwydd cyfartal i'r iaith dros gyfnod maith—y mae'r holl ddylanwadau hyn wedi cyflymu a dwysáu, rhyngddynt, y broses drist o Seisnigeiddio y gellir canfod ei dechreuadau bygythiol yn hollol glir yn ystadegau'r cyfrifiad a gyhoeddwyd yn 1911.[61] Nac anghofier ychwaith am yr agwedd lugoer neu, yn wir, ar brydiau, yr agwedd bendant elyniaethus at yr iaith a gymerwyd gan nifer o rieni Cymraeg drwy Gymru gyfan—ac nid yng Nghwm Rhondda yn unig, rhaid pwysleisio—rhieni a gredai nad oedd unrhyw werth economaidd i'r Gymraeg, mai diraddiol ydoedd ei siarad hi, ac mai trwy siarad a meistroli Saesneg y gallai eu plant ddringo'n gymdeithasol ac yn economaidd yn y byd cyfalafol, cystadleuol a oedd ohoni. Fel y dywedwyd am y Cymro uniaith yn un man yn y Llyfrau Gleision:

> His social sphere becomes one of complete isolation from all influences save such as arise within his own order. . . . He is left to live in an underworld of his own, and the march of society goes by so completely over his head that he is never heard of except when the strange phenomenon of a Revival or a Rebecca or Chartist outbreak calls attention [to the peculiar character of his life].[62]

Rhaid wynebu'r ffaith drist fod nifer o rieni Cymraeg ymhob rhan o Gymru wedi coleddu'r farn honno ac wedi codi eu plant *yn fwriadol* yn Gymry di-Gymraeg: 'Welsh does not matter' oedd eu cri.

Er hynny, nid yw'r sefyllfa, cyn belled ag y mae a fynnom â dyfodol y Gymraeg, yn un drwyadl dywyll ac anobeithiol. Yn ystod y blynyddoedd diweddar, y mae nifer o addysgwyr blaenllaw wedi herio'r farn nad oes berthynas arbennig iawn rhwng diwylliant cynhenid Cymru a'r iaith frodorol, neu ei bod hi'n bosibl i blant cwbl ddi-Gymraeg gyfranogi'n llawn ac yn ffrwythlon o draddodiadau diwylliannol a hanesyddol y genedl.[63] Cydnabyddir bellach, ar raddfa ehangach nag erioed o'r blaen, mai ychydig iawn o briod deithi'r diwylliant brodorol a fyddai'n para'n hir petai'r iaith Gymraeg yn diflannu'n llwyr. Erbyn hyn y mae mwy a mwy o rieni—a'r rheini'n aml, ond nid yn ddieithriad, bid sicr, yn perthyn i'r dosbarth canol proffesiynol—wedi dod i sylweddoli gwerth a phwysigrwydd y Gymraeg; cymerir mwy a mwy o ddiddordeb gan athrawon mewn dulliau a thechnegau newydd o'i dysgu i bobl o wahanol oedrannau; ac, yn dilyn cyhoeddi *Y Gymraeg mewn Addysg a Bywyd* yn 1927, trwy gyfrwng sawl arolwg swyddogol, trwy gyfrwng cyrsiau arbennig a ddarparwyd ganddi ar gyfer athrawon, trwy baratoi llyfrynnau, pamffledi a chylchgronau, a hefyd trwy gyfrwng gweithiau dwyieithog sy'n ymdrin â meysydd ac egwyddorion sylfaenol, y mae Adran Gymreig y Weinyddiaeth Addysg wedi llwyddo i wneud rhyw gymaint, er mor fach ydyw, at ei gilydd, i ennyn diddordeb yn iaith a diwylliant Cymru. Ar 10 Mawrth 1942, ac yntau ar y pryd yn Llywydd y Bwrdd Addysg, ymwelodd y gwleidydd Torïaidd enwog hwnnw, Y Gwir Anrhydeddus R.A. Butler, A.S., ag Ysgol Ramadeg Abergele a chondemniodd yn glir, nid yn unig ar ei ran ei hun, eithr hefyd ar ran y Llywodraeth arbennig yr oedd yntau'n aelod mor flaenllaw ohoni, argymhellion obsciwrantaidd y Llyfrau Gleision ar le'r Gymraeg yng nghyfundrefn addysg Cymru:

> I wish today, a hundred years later, on my own behalf and on behalf of the Government, to dissociate myself from that view, and indeed to work in the opposite direction.[64]

Dri mis yn ddiweddarach, ar 16 Mehefin 1942, ailadroddodd y feirniadaeth hon, heb flewyn ar ei dafod, yn Nhŷ'r Cyffredin:

I regard as obscurantist the attitude of the Commission of Inquiry exactly 100 years ago which went to Wales and took the view that to keep alive a knowledge of this beautiful tongue was tantamount to crippling Welsh initiative and penalising Welsh endeavour. I wish now, a hundred years later, to make amends for that attitude.[65]

Dyma eiriau y dylid eu gosod ar bob mur yn Nhŷ'r Cyfredin, Tŷ'r Arglwyddi, a'r Swyddfa Gymreig!

Ac nid mewn cylchoedd swyddogol yn unig y canfyddir y newid agwedd yma. Ac eithrio mewn rhai cylchoedd tra rhagfarnllyd ac yng ngolwg rhai unigolion cwbl adweithiol, nid *patois* dirmygedig mo'r Gymraeg bellach, fel yr oedd llawer o bobl eithaf dylanwadol yn y bedwaredd ganrif ar bymtheg yn tueddu i edrych arni. Mae'r cyfraniadau eithriadol ddisglair a wnaed yn y ganrif hon gan amryw ysgolheigion Celtaidd hynod o alluog mewn gwahanol wledydd i astudiaeth wyddonol, fanwl o'r iaith ac o'r llenyddiaeth gyfoethog sydd wedi ei chyfansoddi ynddi, llenyddiaeth sy'n destun edmygedd i ysgolheigion o bedwar ban y byd, wedi llwyddo, nid yn unig i ailennyn diddordeb yn y Gymraeg, eithr hefyd i blannu'n aml iawn ryw ymdeimlad o falchder ym meddyliau ac yng nghalonnau'r rhai sy'n gallu ei siarad a'i darllen. Nid ystyrir hi bellach yn iaith y werin dlawd, annysgedig, ac fe'i derbynnir hi fel iaith—neu fel ail iaith, yn ôl yr achos—nifer o'r bobl broffesiynol a fu dan addysg mewn gwahanol golegau a phrifysgolion ac sy'n perthyn i haenau diwylliedig y gymdeithas frodorol. Ac ni ddylid ar unrhyw gyfrif anwybyddu'r ymdrechion clodwiw a wnaed gan Urdd Gobaith Cymru i gadw'r iaith yn fyw ac i ennyn (neu ailennyn) diddordeb bechgyn a merched cymharol ifanc yn y diwylliant brodorol. [66]

Yn erbyn y cefndir hwn a'r newid yma yn yr hinsawdd feddyliol y dylid gosod yr ymdrechion a wnaed gan Awdurdodau Addysg Cwm Rhondda a Morgannwg fel ei gilydd i ddysgu'r Gymraeg yn yr ysgolion. Yn wir, canmolwyd Awdurdod Addysg Cwm Rhondda gan Arolygwyr ei Fawrhydi mewn adroddiad a baratowyd ganddynt yn 1938 am y gwaith arloesol pwysig a gyflawnodd yn y cyswllt hwn ac am gymryd yr hyn a elwid yn '[considerable] practical interest in the place and teaching of Welsh in its schools for about 40 years'.[67] Rhaid cofio hefyd fod nifer o unigolion deallus wedi cymryd agwedd oleuedig at y Gymraeg a'i gofynion arbennig. Un o'r rheini oedd David James ('Defynnog', 1865-1928), ysgolfeistr o Dreherbert, a fu'n gefnogwr brwd i'r iaith yn ei ddydd. Bu'n ysgrifennydd Cymdeithas yr Iaith Gymraeg am bum mlynedd ar hugain, ac efe a sefydlodd yr Ysgol Haf Gymraeg a gyfarfu am y tro cyntaf yn Aberystwyth yn 1903. Fe'i symbylwyd gan ei awydd angerddol i ledaenu gwybodaeth o'r iaith ymhlith y rhai cymharol ifanc i ysgrifennu *The Rhondda Scheme for Teaching Welsh* (Cardiff, 1910), yn ogystal â nifer o werslyfrau ysgol ar y pwnc. Ond diau mai'r cynigion mwyaf diddorol i hyrwyddo'r gorchwyl o ddysgu'r Gymraeg oedd y rheini a gyflwynwyd yn 1921 gan Mr R.R. Williams, a oedd ar y pryd yn Is-Gyfarwyddwr Addysg Cwm Rhondda. Yn ôl y cynigion hynny, yr oedd rhai ysgolion i'w trin fel sefydliadau dwyieithog, lle y bwriedid gwneud gwaith hyfforddi o natur arbrofol. Ac yn 1926 penderfynodd Awdurdod Addysg y Cwm yn hollol unfrydol y dylai'r holl adrannau uwch gael eu cyfundrefnu ar hyd yr un llinellau, y dylai'r Gymraeg fod yn gyfrwng hyfforddi yn ysgolion y babanod, y dylai'r iaith gael ei dysgu ymhob ysgol uwchradd, ac y dylai'r Gymraeg gael ei defnydio, bob tro yr oedd hynny'n ymarferol bosibl, yn gyfrwng mynegiant wrth ddysgu pynciau eraill hefyd. Lluniwyd dau gynllun yr adeg honno, un ar gyfer yr ysgolion hynny lle yr oedd y Gymraeg yn anwadadwy gryf, ac un ar gyfer y sefydliadau hynny a oedd wedi eu Seisnigeiddio'n drwm.

David James (Defynnog)

Paratowyd hefyd gynllun a anelai at drin y Gymraeg yn gydradd â'r Saesneg yn yr arholiadau a gynhelid i benderfynu pwy a gâi eu derbyn i'r ysgolion uwchradd lleol.[68] Dyma, o gofio am y cyfnod pan gafodd ei lunio, gynllun eithaf goleuedig, ond, yn anffodus, bu raid rhoi'r gorau iddo yn weddol gynnar yn y 1930au dan bwysau'r dirwasgiad economaidd llym a barlysodd gynifer o agweddau amrywiol ar fywyd y Cwm yn y cyfnod hwnnw. Nid rhyfedd, felly, fod yr ystadegau a gasglwyd gan Gangen Cwm Rhondda o Undeb Cenedlaethol Cymru ac a gynhwyswyd yn y Memorandwm a gyhoeddwyd yn Nhreorci yn 1943 yn dangos yn glir fod cryn ddirywiad wedi digwydd rhwng 1930 a blwyddyn cyhoeddi'r Memorandwm yn yr arfer o ddysgu ac o ddefnyddio'r iaith yn ysgolion y Cwm.[69]

Efallai mai'r llygedyn disgleiriaf o obaith i'r iaith ar hyn o bryd—o leiaf, cyn belled ag y mae a fynnom â'r byd addysg—ydyw llwyddiant nodedig Mudiad yr Ysgolion Cymraeg, a ddechreuodd gyda sefydlu Ysgol Gymraeg yr Urdd, Lluest, yn Aberystwyth yn 1939, ac a ledodd ar ôl 1945 i ysgolion mwy nag un Awdurdod Addysg lleol.[70] Dyma fudiad sy'n rhannol ddyledus i weledigaeth ac ymroddiad un o wŷr diwylliedig Morgannwg, sef Mr D.T. Jenkins, prifathro ysgol elfennol Sain Nicolas yn ei ddydd,[71] a thrwy gyfrwng y mudiad pwysig hwn sefydlwyd amryw ysgolion cynradd yn ogystal â rhai uwchradd i gyfrannu addysg trwy gyfrwng y Gymraeg mewn ardaloedd lle y mae'r Saesneg yn brif iaith lafar. Mae'r brwdfrydedd a ddangoswyd gan lawer iawn o'r rhai a fu'n ddisgyblion yn yr ysgolion Cymraeg hyn, gan yr athrawon, yr athrawesau a'r prifathrawon ymroddgar a wasanaethodd ynddynt, a chan y cymdeithasau rhieni hynod ddiwyd a fu ac sydd yn gysylltiedig â hwy, gwŷr a gwragedd sydd wedi gwneud eu gorau glas i hybu a hyrwyddo'u hamrywiol weithgareddau, wedi creu rhyw gymaint o obaith y gellir, yn raddol, atal y dirywiad mawr a fu yn hanner cyntaf yr ugeinfed ganrif yn nifer y rhai sy'n siarad y Gymraeg ac y gellir, efallai, mewn ambell fan hyd yn oed droi'n ôl y llifeiriant Saesneg grymus a orlifodd gynifer o ardaloedd lle y bu'r Gymraeg gynt yn gymharol gryf.[72] Nid yw Awdurdod Addysg Cwm Rhondda wedi llwyr anwybyddu'r cyfraniad tra phwysig y gall yr ysgolion Cymraeg ei wneud i gadw a diogelu'r iaith, oblegid yn 1950 sefydlwyd dwy ysgol gynradd o'r fath yn yr ardal, un yn Ynys-wen (yn Rhondda Fawr) a'r llall ym Mhont-y-gwaith (yn Rhondda Fach), a symudwyd yn ddiweddarach i Lwyncelyn, y Porth. Mae'r mudiad wedi mynd o nerth i nerth, oblegid erbyn hyn ceir pum ysgol Gymraeg gynradd yn y Cwm—yn Ynys-wen, Bodringallt, Bronllwyn, a Llwyncelyn (yn Rhondda Fawr), a Llyn y Forwyn, Ferndale (yn Rhondda Fach). Ac, yn ychwanegol at y pump hyn, ceir hefyd bellach ysgol Gyfun Gymraeg y Cymer, ger y Porth (yn Rhondda Fawr), a agorwyd ym mis Medi 1988. O fewn y Cwm, felly, bu cynnydd sylweddol yn nifer y plant sy'n cael addysg trwy gyfrwng y Gymraeg. Cymerwn ddwy ysgol yn unig fel enghreifftiau. Pan agorwyd Ysgol Gymraeg Ynys-wen ym mis Mehefin 1950, derbyniwyd 38 o ddisgyblion iddi; erbyn mis Medi 1978, yr oedd 275 yno. Pan agorwyd Ysgol Gymraeg Bodringallt ym mis Medi 1979, yr oedd 200 o ddisgyblion yno; erbyn mis Ionor 1991, yr oedd eu nifer wedi cynyddu i 270. Bellach, y mae 1,000 o ddisgyblion i gyd yn yr ysgolion Cymraeg cynradd a leolir mewn gwahanol fannau yn Rhondda Fawr a Rhondda Fach.[73] Mae'r athrawon, yr athrawesau a'r prifathrawon sydd wedi llafurio mor egnïol ac mor gydwybodol yn yr ysgolion hyn wedi gwneud llawer, weithiau yn wyneb yr anawsterau a'r rhwystrau mwyaf difrifol, i adfywio'r iaith yn y Cwm ac i ennyn diddordeb y to ifanc yng Nghymru a'i phethau.

Serch hynny, y mae'r sefyllfa, at ei gilydd, er gwaethaf y cynnydd a fu o'r flwyddyn 1950 ymlaen, yn un drist, ac y mae'r ystadegau a seiliwyd ar bob cyfrifiad swyddogol a gynhaliwyd o 1911 ymlaen yn dangos yn hollol glir nad oes gennym unrhyw reswm dros dybio ei bod hi bellach yn haul ar fryn cyn belled ag y mae a fynnom â nifer y siaradwyr Cymraeg. Yn ôl cyfrifiad 1981, 9.4% yn unig o bobl y Cwm a oedd yn ddwyieithog, er mai 50.8% oedd y ganran gyfatebol yn 1911, gostyngiad sylweddol iawn o 41.4%. Bu'r gostyngiad yn bur gyson yn ystod yr ugain mlynedd a aeth heibio rhwng 1911 a 1931, ond fe aeth yn ei flaen yn frawychus o gyflym yn ystod yr hanner can mlynedd rhwng 1931 a 1981, o 45.4% (1931), 29.0% (1951), 23.7% (1961), 12.5% (1971), i 9.4% (1981), fel y nodwyd, a 8.2% yn 1991.[74]

Neu, ynteu, sylwer ar y Tabl canlynol sy'n dadansoddi lle'r Gymraeg yn ysgolion y Cwm yn y flwyddyn 1951. Seiliwyd y ffigurau a gynhwysir yn y Tabl ar yr atebion a roddwyd i holiadur swyddogol a ddosbarthwyd gan Gangen Cymru o'r Cyngor Ymgyng-

Diwrnod agor Ysgol Gymraeg Ynys-wen

horol Canolog (*Central Advisory Council*), mewn cydweithrediad â Chyd-Bwyllgor Addysg Cymru, i ysgolion Cwm Rhondda yn 1951, a cheir ynddo ddadansoddiad ystadegol clir o le'r Gymraeg a'r Saesneg yn ysgolion yr ardal yn ystod y flwyddyn a nodwyd. Mae'r cyfarwyddyd i Ofyniad 2 yn yr holiadur yn diffinio'r gwahanol gategorïau fel a ganlyn:

A: Plant nad oes ganddynt unrhyw wybodaeth o'r Gymraeg.

B: Plant sy'n gallu deall, ond sy'n methu â siarad, y Gymraeg.

C: Plant sy'n gallu deall gwersi a roddir trwy gyfrwng y Gymraeg mewn pynciau megis hanes, daearyddiaeth neu fyd natur, ond sy'n methu â chynnal hyd yn oed sgwrs elfennol yn y Gymraeg.

CH: Plant sy'n gallu eu mynegi eu hunain yn weddol rugl ('*with a fair degree of fluency*') yn y Gymraeg

TABL 5

Safle'r Gymraeg a'r Saesneg yn Ysgolion Cwm Rhondda, 1951[75]

	Y Gymraeg yn iaith gyntaf					Y Saesneg yn iaith gyntaf					Cyfanswm Llawn
	A	B	C	CH	Cyf-answm	A	B	C	CH	Cyf-answm	
5 - 6	1	1	2	16	20	1,134	275	—	2	1,411	1,431
6 - 7	—	—	—	13	13	1,410	262	1	3	1,676	1,689
7 - 8	1	—	1	14	16	1,129	435	3	12	1,579	1,595
8 - 9	—	—	1	10	11	470	451	8	11	940	951
9 - 10	—	—	—	3	3	870	604	8	23	1,505	1,508
10 - 11	—	—	—	7	7	895	678	12	11	1,596	1,603
Cyfanswm 5 - 11	2	1	4	63	70	5,908	2,705	32	62	8,707	8,777
11 - 12	—	2	5	14	21	1,162	763	27	45	1,997	2,018
12 - 13	—	8	8	14	30	347	549	39	36	971	1,001
13 - 14	—	4	11	14	29	863	544	65	39	1,511	1,540
14 - 15	—	2	3	11	16	745	498	53	74	1,370	1,386
Cyfanswm 11 - 15	—	16	27	53	96	3,117	2,354	184	194	5,849	5,945
15 - 16	—	1	1	6	8	339	217	68	42	666	674
16 - 17	—	—	—	11	11	107	72	37	23	239	250
17 - 18	—	—	—	11	11	67	50	21	15	153	164
Cyfanswm 15 - 18	—	1	1	28	30	513	339	126	80	1,058	1,088
Cyfanswm Llawn	2	18	32	144	196	9,538	5,398	342	336	15,614	15,810

TABL 6

Y Gymraeg yng Nghwm Rhondda yn ôl Cyfrifiad 1981

Yn siarad Cymraeg	Pawb a oedd yn 3 blwydd oed neu'n hŷn	OEDRAN Y TRIGOLION					
		3 - 4	5 - 15	16 - 24	25 - 44	45 - 64	65 neu'n hŷn
Cyfanswm y boblogaeth	78,349	1,696	12,808	10,826	19,601	20,200	13,218
Cyfanswm y rhai a siaradai Gymraeg	7,369	152	981	459	757	1,764	3,256
Yn gallu siarad Cymraeg ond nid Saesneg	502	5	53	39	34	127	244
Yn gallu siarad Cymraeg a Saesneg, yn gallu darllen ac ysgrifennu Cymraeg	3,892	61	752	263	408	863	1,545
Yn gallu siarad Cymraeg a Saesneg, eraill	2,975	86	176	157	315	774	1,467
Yn methu â siarad Cymraeg	70,980	1,544	11,827	10,367	18,844	18,436	9,962

Yn ystod y ddwy flynedd ar hugain a aeth heibio rhwng 1928 a 1950 disgynnodd canran y disgyblion Cymraeg a fynychai ysgolion y Cwm o 15% i 3%. Ond y mae agor yr ysgolion cynradd Cymraeg yn ogystal â'r Ysgol Gyfun Gymraeg yn y Cymer wedi gwneud gwahaniaeth pwysig. Dengys y cyfrifiad a gynhaliwyd yn 1981 (gweler Tabl 6) nad yw'r sefyllfa, er ei thristed, yn un gwbl anobeithiol, oblegid allan o 78,349 o bobl a oedd yn byw yn y Cwm y flwyddyn honno, yr oedd 7,369, neu 9.4% o'r holl boblogaeth, fel y gwelsom, yn gallu siarad Cymraeg o hyd, a hynny, cofier, er gwaethaf yr holl bwysau a fu ar yr iaith dros gyfnod maith a'r peryglon newydd lu a fu'n bygwth ei heinioes yn y ganrif hon.

Dylid cymharu'r ffigurau a geir yng Nghyfrifiad 1981 (Tabl 6) â'r rhai a geir yng Nghyfrifiad 1991 (Tabl 7). Afraid ymhelaethu yma ar y ddwy gyfres hyn, gan fod y ffigurau'n siarad yn glir drostynt eu hunain ac yn dangos fod nifer y rhai yn y Cwm sy'n siarad Cymraeg wedi gostwng o 7,369 yn 1981 i 6,123 yn 1991.

Ceir nifer o nodweddion seinyddol a morffolegol yn iaith lafar y Cwm sy'n sicr o ennyn diddordeb y tafodieithegydd, am fod rhai ohonynt, y mae'n debyg, er gwaethaf y cymysgu a fu yn y boblogaeth yno ar hyd y blynyddoedd, yn hen iawn. Yn sicr, gellir olrhain rhai ffurfiau sy'n digwydd yn gyson yn iaith lafar y trigolion Cymraeg brodorol yn ôl i'r Cyfnod Canol, a diau eu bod yn hŷn na hynny hyd yn oed. Sylwer, er enghraifft, ar y ffurfiau tafodieithol *ganto* (Cymraeg Canol *gantaw*, ffurf 3ydd unigol wrywaidd yr arddodiad *gan 'with, by'*); *genti*, y ffurf fenywaidd gyfatebol; *gantyn*, 3ydd person lluosog yr un arddodiad, fel yn 'gantyn nhw' (cf. Cymraeg Canol *gantunt*);[76] *ymdeni*, ffurf 3ydd unigol fenywaidd yr arddodiad *am 'about'* (cf. Cymraeg Canol *ymdeni*);[77] *r(h)ynto, r(h)ynti, r(h)yntyn* ('ryntyn nhw a'u cawl'), ffurfiau 3ydd unigol gwrywaidd a benywaidd a 3ydd lluosog yr arddodiad *rhwng 'between'* (cf. Cymraeg Canol *y-ryngtaw, y-ryngti, y-ryngtunt*), a chlywir *r(h)ynt* yn aml iawn fel ffurf yr arddodiad ei hun ('r(h)ynt popeth ma'n anodd byw y dyddie hyn');[78] a chlywir *r(h)og* yn fynych fel amrywiad ar yr arddodiad *rhag* mewn rhai ymadroddion ('r(h)og dy gwilydd di!').[79] Neu sylwer ar y defnydd cyson a wneir o hyd o *-ws* (sy'n amrywiad ar *-wys*) fel terfyniad y 3ydd unigol gorffennol mewn ffurfiau berfol megis *gwelws 'saw'*,

TABL 7

Y Gymraeg yng Nghwm Rhondda yn ôl Cyfrifiad 1991

Trigolion: Oedran	YR HOLL BOBLOGAETH		Yn siarad Cymraeg		Yn darllen Cymraeg		Yn ysgrifennu Cymraeg		Yn siarad ac yn darllen Cymraeg		Yn siarad, yn darllen ac yn ysgrifennu Cymraeg		Naill ai yn siarad neu'n darllen neu'n ysgrifennu Cymraeg	
	Gwr.	Ben.	Gwr.	Ben.	Gwr.	Ben.	Gwr.	Ben.	Gwr.	Ben.	Gwr.	Ben.	Gwr.	Ben.
a	b	c	ch	d	dd	e	f	ff	g	ng	h	i	1	11
Pob oedran	37,874	40,470	2,478	3,645	2,565	3,909	1,821	2,705	1,889	2,855	1,622	2,407	3,185	4,725
0 - 2	1,685	1,574												
3 - 4	1,095	1,058	131	109	63	43	57	33	62	40	55	29	133	112
5 - 10	3,231	3,026	417	458	374	400	360	383	345	371	333	361	453	491
11 - 15	2,343	2,176	326	391	383	464	365	432	297	364	294	357	426	502
16 - 17	1,029	982	96	128	99	147	89	128	84	120	78	115	113	156
18 - 19	1,120	1,040	89	86	86	87	78	71	77	71	75	66	99	102
20 - 24	2,754	2,777	142	163	148	176	122	149	125	146	113	140	165	193
25 - 29	2,863	2,872	69	120	77	117	51	90	51	92	46	82	97	145
30 - 34	2,589	2,557	71	118	76	130	42	91	52	90	40	82	96	158
35 - 39	2,344	2,340	71	123	87	142	52	100	56	100	48	88	102	165
40 - 44	2,669	2,604	88	122	115	160	56	87	66	98	51	78	137	186
45 - 49	2,334	2,209	73	98	99	162	38	82	49	80	33	65	123	180
50 - 54	2,161	2,116	71	73	103	118	47	50	57	54	40	43	117	137
55 - 59	2,169	2,196	67	106	103	160	43	72	47	77	37	59	123	192
60 - 64	2,046	2,227	127	153	143	203	73	106	89	110	65	84	181	246
65 - 69	2,134	2,513	164	254	187	314	106	164	115	197	90	142	237	371
70 - 74	1,515	2,243	174	305	173	320	90	189	118	224	81	163	231	404
75 - 79	990	1,831	141	305	123	318	68	180	93	229	63	171	171	394
80 - 84	528	1,222	98	285	79	242	53	160	65	211	49	152	112	317
85 neu'n hŷn	275	907	63	248	47	206	31	138	41	181	31	130	69	274
16 mlwydd oed neu'n hŷn	29,520	32,636	1,604	2,687	1,745	3,002	1,039	1,857	1,185	2,080	940	1,660	2,173	3,620
Heb fod mewn preswylfa	104	366	19	73	10	47	10	36	8	38	8	29	21	82
Wedi eu geni yng Nghymru	35,494	38,013	2,407	3,527	2,487	3,787	1,760	2,611	1,836	2,758	1,571	2,319	3,089	4,582

darllenws 'read', *pechws* 'sinned', etc., yn lle'r ffurfiau *gwelodd, darllenodd, pechodd,* ac yn y blaen, a geir yn yr iaith lenyddol safonol. Da y gwyddys mai *-wys/-ws* oedd y terfyniad mwyaf cyffredin yn y 3ydd unigol gorffennol sigmatig mewn Cymraeg Canol.[80] Dyma hen ffurfiad, a darddodd, y mae'n debyg, o ferfau a'u bôn yn *-ē- +* y forffem *-s- +* y terfyniad personol cynradd *-ti* yn y 3ydd person unigol, lle y digwyddodd cyfnewidiad seinegol arbennig (*-s-ti* > *-s(s) -*) a ledodd wedyn i'r ffurfiau berfol eraill yn y gorffennol yn *-s-.*[81] Erys un ffurfiad gorffennol arbennig yn iaith lafar y Cwm sy'n mynd yn ôl i gyfnod Cymraeg Canol, o leiaf, onid, yn wir, i gyfnod cynharach na hynny hyd yn oed. Y mae'r ffurfiau *etho* 'euthum', *detho* 'deuthum' a *gwnetho* 'gwneuthum' a glywir o bryd i'w gilydd yn iaith lafar trigolion y Cwm yn tarddu o hen ffurfiadau sy'n cynnwys y 3ydd unigol gorffennol yn *-t-* fel bôn + presennol mynegol y ferf *bod*:

$$aethwyf > aethwy> ethoe > etho$$

Cymharer, yn yr un modd, y ffurfiau *detho* 'deuthum' a *gwnetho* 'gwneuthum'. Yr un ydyw tarddiad yr ail berson unigol gorffennol, sef

$$aethwyt > ethoet > ethot\ \text{'aethost'}$$

Unwaith eto, cymharer y ffurfiau *dethot* 'daethost' a *gwnethot* 'gwnaethost'. Trwy gydweddiad â'r rhain cafwyd *ceso* 'cefais' (wrth ochr *ces,* ffurf gywasgedig ar *cefais*) ac, yn yr ail berson unigol gorffennol, *cesot* 'cefaist'. Yn y ffurfiau hyn sylwer fod gwahanol ffurfiau amser presennol mynegol y ferf *bod* wedi eu hychwanegu at ffurf 3ydd unigol y gorffennol yn *-t-* fel bôn, hynny yw, ceir, e.e.

1af unigol gorffennol
    aeth + *wyf* > Cymraeg Canol *athwyf, ethwyf*
    doeth + *wyf* > Cymraeg Canol *dothwyf, dodwyf*

2ail unigol gorffennol
    aeth + *wyt* > Cymraeg Canol *athwyt*
    doeth + *wyt* > Cymraeg Canol *dothwyt, dodwyt*

3ydd unigol gorffennol
    aeth + *yw* > Cymraeg Canol *ethyw, edyw*
    doeth + *yw* > Cymraeg Canol *doethyw, dothyw, dodyw, dedyw*

Ceir cyfres weddol lawn o'r ffurfiadau arbennig hyn yn amser gorffennol y berfau *mynet, dyuot,* a *gwneithur, gwneuthur* mewn Cymraeg Canol, sy'n dangos fod y ffurfiau a glywir ar lafar yng Nhwm Rhondda ac y cyfeiriwyd atynt uchod yn rhai hen.[82]

Digwydd calediad yn fynych, e.e. *gopeth* (am *gobaith*), *cretu* (am *credu*), *coti* (am *codi*), neu *clascu* (gyda thrawsosodiad, am *casglu*). A gŵyr pawb sut y mae *â* (*a*-hir) ac *ae* mewn geiriau unsill yn yr iaith ysgrifenedig safonol yn troi'n *æ* fain yn iaith lafar trigolion brodorol y Cwm. Felly, er enghraifft, clywir *cæth, tæd, llæth, træd,* am *cath, tad, llaeth, traed,* etc.; a chlywir y sain hon hefyd mewn berfenwau sy'n diweddu yn -*áu* yn yr iaith ysgrifenedig, er enghraifft, *caniatæ* am *caniatáu* neu *glanæ* am *glanhau.* Erys llawer o hen ffurfiau yn yr eirfa, a chlywir yn feunyddiol ar y strydoedd lu o hen ymadroddion hynod ddiddorol, megis, er enghraifft, yr ymadroddion sy'n cynnwys y ffurf *acha* (< *ar uchaf*), fel yn 'Fe ddaw acha dydd Satwrn fynycha' neu *acha wew, acha slant* 'ar osgo, yn wyrgam, *askew'*; neu'r ymadrodd *fi ginta'* '*to be sure, most certainly'*, megis 'Odich chi'n cretu y daw e'?' 'Daw, fi ginta' '.

Diau nad oes raid pwysleisio fod goslef y Cymry Cymraeg brodorol i'w chlywed yn eglur ddigon ar lafar Saesneg trigolion y Cwm, gan gynnwys hyd yn oed y rhai cwbl ddi-Gymraeg. At hynny, y mae'r iaith lafar Gymraeg leol wedi gadael ei hôl yn annileadwy ar y math o Saesneg a siaredir gan lawer iawn o'r trigolion brodorol, boed y rheini'n Gymry Cymraeg neu beidio. Nid yw hyn yn peri dim syndod i ieithyddion, oblegid clywir datblygiadau pur debyg ym mhatrymau iaith lafar llawer o gymunedau eraill, y tu mewn ac y tu allan i Gymru. Da y gwyddys, er enghraifft, fod modd clywed llawer o gystrawennau ac o briod-ddulliau Gwyddeleg yn Saesneg llafar trigolion De a Gogledd Iwerddon fel ei gilydd. Sylwer, er enghraifft, ar y gystrawen Wyddeleg honno lle y ceir y ffurf *tréis* 'wedi, *after'* o flaen y berfenw: *tá sé tréis teacht abhaile,* '*he is after coming home'*, sy'n cyfateb yn idiomatig i'r defnydd a wneir o'r ffurf *just* gydag amser perffaith y ferf mewn Saesneg safonol: '*he has just come home'*.[83] Clywir y gystrawen hon yn fynych iawn yn Saesneg llafar y Gwyddelod: '*she is after telling me'* = '*she has just told me'*, neu '*they are after coming here'* = '*they have just come here'*.

Mewn ffordd bur debyg cawn fod llawer o idiomau ac o ymadroddion sy'n digwydd yn berffaith naturiol yng Nghymraeg llafar y trigolion lleol yn cael eu hadleisio'n fynych yn y Saesneg a glywir ar wefusau pobl y Cwm, heb iddynt sylweddoli hynny, wrth gwrs. Dyma ychydig enghreifftiau o blith ugeiniau lawer y gellir eu dyfynnu:

Saesneg	**Cymraeg**
We'll go *to rise* [h.y., buy] the tickets.	Awn ni i *godi*'r tocynnau.
I *lost* [h.y., missed] the bus last night.	*Collais* y bws neithiwr.
She has an awful cold *on her.*	Mae annwyd ofnadwy *arni.*
Drink this down *on its head* now.	Yfwch hwn i lawr *ar ei ben* 'nawr.
Go with [h.y., take] this to the shop.	*Ewch â* hyn i'r siop.
He came over *at me* [h.y., to me] without warning.	Daeth ymlaen *ataf* heb rybudd.
I'll be ready *'gainst* the time you'll call here.	Byddaf yn barod *erbyn* i chi alw yma.
He had *the* toothache *on him* yesterday.	'Ro'dd *y* ddanno'dd *arno* ddo'.
Don't *keep* a noise!	Peidiwch â *chadw* swn!
I don't know what's *on him* [h.y., what is troubling him] today.	'Wn i ddim beth sy'n bod *arno* heddi.
I'm going to the shop *over* [h.y. on behalf of] my brother.	'Rwy'n mynd i'r siop *dros* fy mrawd.

He was beginning to come into his *cymal* [h.y., to come into his stride, to strike form].

'Ro'dd e'n dechre dod i'w *gymal.*

I *went* [h.y., became] quite sick.

Euthum yn bur glaf. (Cymharer y Gernyweg: *galsof pur claf,* yn llythrennol,'I have *gone* (= become) very sick'.

Nid yw'r ffaith fod llu o 'Gymraegebau' neu o idiomau ac ymadroddion 'Cymreigaidd' tebyg i'r rhain yn digwydd mor fynych yn y Saesneg a glywir ar wefusau cynifer o drigolion y Cwm, gan gynnwys, cofier, hyd yn oed y rhai cwbl ddi-Gymraeg a aned ac a faged yno, yn rhywbeth y dylwn ryfeddu ato pan gofiwn na ddisodlwyd y Gymraeg fel prif iaith lafar yr ardal tan flynyddoedd olaf y bedwaredd ganrif ar bymtheg a dechrau'r ugeinfed. Am gannoedd o flynyddoedd, trwyddi hi yn unig y gallai ein cyndeidiau Cymraeg hanfodol uniaith fynegi eu meddyliau dyfnaf ar bob agwedd ar fywyd yn ogystal â'u teimladau dwysaf a mwyaf angerddol o flynyddoedd cynnar eu plentyndod a'u llencyndod heulog hyd ddyddiau olaf eu henaint blin. Hi oedd eu hunig gyfrwng mynegiant wrth weithio, chwarae, addoli, caru, cyfeillachu, neu fagu eu plant—a thrwyddi hi yn unig y gallent fynegi eu meddyliau a'u dymuniadau olaf wrth farw ac ymadael am byth â'r byd hwn a'i lawenydd a'i wae, ei gysur a'i gystudd. Fel y sylwodd Thomas Carlyle (1795-1881) yn y gyfrol ryfedd ond hynod ddifyr honno, *Sartor Resartus*: 'Language is called the garment of thought: however, it should rather be, language is the flesh-garment, the body of thought.' Byddai'n golled anaele, felly, petai'r Gymraeg yn diflannu'n llwyr ac am byth o fywyd beunyddiol y Cwm, oblegid y mae meddyliau a phrofiadau dyfnaf, cyfoethocaf a mwyaf angerddol dynion a gwragedd aneirif a fu'n byw yno, ar amrywiol adegau, dros gannoedd o flynyddoedd wedi eu dal a'u crisialu mewn dull unigryw yn yr iaith. 'I am always sorry', meddai Samuel Johnson (1709-84), 'when any language is lost, because languages are the pedigree of nations.' Diau fod hynny'n wir hefyd am gymunedau lleol, tebyg i'r rhai a geir—ac a geid am flynyddoedd maith—yn Rhondda Fawr a Rhondda Fach, cymunedau a ddioddefodd yn y gorffennol gyfnodau anodd dros ben o ddirwasgiad economaidd llym ac o wrthdaro diwydiannol cythryblus, ond a lwyddodd, serch hynny, trwy hir a gwrol ymdrech a dyfal gyd-dynnu, i wella'n raddol safon faterol eu bywyd beunyddiol, i ymfwrw o bryd i'w gilyd i amrywiol weithgareddau diwylliannol, a hyd yn oed i roi weithiau, yn hollol fel y gwnaeth cymunedau glofaol eraill yn ne Cymru, arweiniad clir a phwysig mewn ambell faes i Brydain Fawr achlân.

ATODIAD
TARDDIAD YR ENW LLE *RHONDDA*

Gwnaethpwyd sawl cynnig o bryd i'w gilydd i olrhain tarddiad yr enw lle *Rhondda*, ac y mae rhai o'r cynigion hynny naill ai'n amlwg ffansïol neu'n wirioneddol ddigri.[84] Yr eglurhad gorau a mwyaf rhesymol, yn ddiau, ydyw'r un a roddwyd gan Syr Ifor Williams. [85]

Yr enw ar y Cwm mewn cofnodion swyddogol cynnar oedd *Glyn Rhondda*. Digwydd nifer o amrywiadau ar yr enw hwnnw. Yn y cylchgrawn academaidd, *Revue Celtique*, X (1889), 325, cyfeiriodd Max Nettlau at y ffurfiau *Glynrondde, Glynroddney* a *Glynrotheni* fel amrywiadau cynnar ar *Glyn Rhondda*, a'r bardd cyntaf o'r ardal hon y ceir sôn amdano ydyw Ieuan Rudd (*fl. c.* 1470) 'o *Lyn Rhoddne* wlad', fel y gwelsom uchod.[86] Yn ei waith enwog, *Celtic Remains*, dyfynnodd Lewis Morris (Llywelyn Ddu o Fôn, 1701-65) linell o gynghanedd gan Lywelyn Goch y Dant (*fl. c.* 1470), un o feirdd proffesiynol Morgannwg yn ei ddydd; y llinell a ddyfynnwyd oedd 'Rhyd *ynglynn Rhodni* yngwlad',[87] sy'n tystio'n eglur i'r ffurf *Glyn Rhodni*. O ddarllen yn fanwl ofalus y dogfennau a argraffwyd yn *Cardiff Records,* deuir ar draws yr amrywiadau canlynol ar yr enw:

Rhoddeni Mawr	(1203)	*Glynroddney*	(1348)
Rotheni	(1213)	*Glenrotheney*	(1440)
Glyn Rhoddni	(1268)	*Glynrothnei*	(1567)
Glenrotheney	(1314)	*Glynrhoddeney*	(1591)
Glynroddne	(1314)	*Glynronthey*	(1666)[88]

Yn ôl Egerton Phillimore, gellir yn hwylus rannu'r amrywiadau hyn yn ddau brif ddosbarth, sef (1) *Rhoddni*, a (2) *Rhoddneu, Rhoddnei*, neu *Rhoddne*. [89] O'r ail ddosbarth y tarddodd yr enw *Rhondda*, enw ar yr afon sy'n llifo drwy'r Cwm.

Awgrymodd Syr Ifor Williams mai'r elfen gyntaf yn yr enw ydyw *rhawdd*, a darddodd o'r hen wreiddyn Celteg *-*rād*- 'speak, recite', fel yn y ffurfiau Cymraeg *adrawdd, adrodd* ac *ymadrawdd, ymadrodd*, a Hen Wyddeleg ·*rád* 'speech', ·*rádi* 'speaks'.[90] Yr awgrym yw fod yr afon, wrth iddi lifo drwy'r Cwm, yn gwneud sŵn fel petai'n siarad yn uchel. Cymharer yn y cyswllt hwn yr ymadrodd Saesneg enwog '*a babbling brook*', neu *Llafar* sy'n enw ar afon, ger Bethesda, yng ngogledd Cymru ac a ddatblygodd o'r ffurf hŷn *Labara*. Erys yr enw olaf o hyd ar y Cyfandir yn y ffurf *Laber*, enw dwy afon sy'n llifo i afon Donaw, sydd ei hun yn enw Celtaidd. Cymharer ymhellach y ffurf *Brefi*, fel enw afon yng Ngheredigion, afon sy'n codi ym Mlaen Brefi i'r deau-orllewin o Lyn Berwyn ac yn llifo trwy Lyn Berwyn heibio i Landdewibrefi, i afon Teifi ychydig bellter i'r gorllewin. Mae'n dra thebyg y dylid cysylltu'r bôn *Bref*- yn yr enw hwn â'r enw *bref* 'rhoch, rhu, cri buwch neu ddafad', berfenw *brefu* 'gwneud sŵn (gan fuwch neu ddafad, etc.), rhuo, *to bleat, to low, to roar*', o'r gwreiddyn Indo-Ewropeg *bhrem- 'swnian, mwmian, sïo', a welir yn y Lladin *fremo* 'brefaf, rhuaf'. Awgrymir i'r afon gael yr enw hwn am ei bod yn afon wyllt, ruadwy.[91]

Yr ail elfen yn y ffurf gyfansawdd *Rhondda* ydyw *gnou*, yn ddiweddarach *gneu*, sydd wedi tarddu o hen wreiddyn Indo-Ewropeg yn golygu 'esgor ar, *to beget, to give birth*'; [92] cymharer yr ail elfen yn yr enw personol *Gwyddneu*, yn ddiweddarach *Gwyddno*. O gyfuno'r ddwy elfen *Rhawdd* a *gneu* cafwyd y ffurf *Rhoddneu*. Yn y sillaf olaf ddiacen troes y ddeusain -*eu* (-*au*) yn -*e* neu -*a* yn yr iaith lafar; cymharer, er enghraifft, y ffurfiau llafar *tade, tada* am y ffurf *tadau* 'fathers' a geir yn yr iaith lenyddol safonol, neu *gore, gora* am y ffurf lenyddol *gorau* 'best', gradd eithaf yr ansoddair *da*. Fel canlyniad i'r datblygiad hwn troes *Rhoddneu* yn *Rhoddne, Rhoddna*. Yna digwyddodd y cyfnewidiad seinegol a elwir yn drawsosodiad (*metathesis*), lle y mae seiniau neu gytseiniaid yn newid eu safle mewn gair. Dyma gyfnewidiad seinegol sy'n digwydd yn achlysurol

mewn lliaws o ieithoedd. Cymharer, er enghraifft, y ffurf Ladin
miraculum yn rhoi'r Sbaeneg *milagro* 'gwyrth', neu'r Hen Saesneg
wæps yn datblygu i'r ffurf *wasp* mewn Saesneg Diweddar. Neu sylwer
ymhellach sut y mae pobl de Cymru wedi troi'r ffurf *casglu* yn *clasgu*
ar lafar ac yn *clascu* (gyda chalediad) mewn rhai tafodieithoedd, neu
sut y mae'r ffurf lafar *wthnos* (< *wythnos*) wedi troi'n *wsnoth* ar lafar
yng ngogledd Cymru. Ceir nifer o enghreifftiau o'r cyfuniad cytseiniol
ddn yn cael ei drawsosod yn *ndd* yn nhafodieithoedd de Cymru, gan
gynnwys iaith lafar Cwm Rhondda. Cymerwn, er enghraifft, y ffurf
gwadnau, ffurf luosog yr enw *gwadn* (*gwaddan* mewn tafodiaith) 'y
rhan isaf o'r troed neu'r esgid, *sole*'. Troes *gwadnau* ar lafar yn
gwaddnau ac yn *gwandde*, gydag *-au* yn y sillaf olaf ddiacen yn troi'n
-e, fel y nodwyd uchod. Clywir y ffurf olaf yn aml iawn ar lafar yng
Nghwm Rhondda ac ystyr arbennig iddi, sef 'darnau o ddefnydd ar lun
gwadnau a roir y tu mewn i esgidiau, etc., er mwyn cynhesrwydd neu
er mwyn i'r esgidiau ffitio'n well neu'n esmwythach'. Ceir enghraifft
ragorol yn y ffurf luosog *gwandde* o'r seiniau *ddn* yn ffurf wreiddiol y
gair yn newid eu safle, gan roi *ndd*. Ffurfiau eraill sy'n dangos yr un
math o drawsosodiad cytseiniol ydyw *cadno* 'llwynog, *fox*' > *caddno*
> *canddo*, lluosog *cenddi*, a *Hodni* > *Honddu*. Digwyddodd yr un peth
yn hollol yn y ffurf *Rhoddna* (a oedd wedi datblygu, fel y gwelsom, o
Rhoddneu), ac felly trwy drawsosodiad troes *Rhoddna* yn *Rhondda*.
Ategir yr esboniad hwn gan yr amrywiol ffurfiau ar yr enw sy'n
digwydd mewn dogfennau cynnar.

NODIADAU

[1]Am esboniad ar darddiad yr enw *Rhondda*, gweler yr Atodiad i'r bennod hon.

[2]Gw. *Y Bywgraffiadur Cymreig hyd 1940*, gol. J.E. Lloyd, R.T. Jenkins a W.Ll. Davies
(Llundain: Anrhydeddus Gymdeithas y Cymmrodorion, 1953), *s.n.*, t. 574.

[3]B.H. Malkin, *The Scenery, Antiquities and Biography of South Wales from Materials collected
during two excursions in the year 1803* (ail argraffiad, 2 gyfrol, London, 1807), I, 287-8.

[4]J.G. Wood, *The Principal Rivers of Wales* (2 ran, London, 1813), I, 62.

[5]Gw. *Y Bywgraffiadur Cymreig, s.n.*, tt.145-6; *Gwaith y Parch. Walter Davies, A.C. (Gwallter
Mechain)*, gol. D. Silvan Evans (3 cyfrol, Caerfyrddin a Llundain, 1866-8); Bedwyr Lewis Jones,
'*Yr Hen Bersoniaid Llengar*' (Penarth: Gwasg yr Eglwys yng Nghymru, 1963), *passim*; Glenda

Carr, *William Owen Pughe* (Caerdydd, 1983), *passim*; J.T. Owen, 'Gwallter Mechain: ei Hanes, ei Waith a'i Safonau Beirniadol' (Traethawd M.A. Prifysgol Cymru, 1928).

[6]*Y Gwyliedydd*, 1828; fe'i dyfynnir gan y Dr E.D. Lewis yn ei gyfrol *The Rhondda Valleys* (London, 1959). Ond noder yn ofalus y geiriad amrywiol yn D. Silvan Evans (gol.), op. cit., II, 544.

[7]Mae'r enw benywaidd *cloren* yn golygu 'cynffon, llosgwrn, bôn cynffon', ac fe'i defnyddir hefyd yn ffigurol am rywbeth sy'n debyg i gynffon; cf. Gwyddeleg Canol *cail* 'gwaywffon', o'r gwreiddyn Indo-Ewropeg *kel- 'gwaywffon, saeth'.Y mae sawl cynnig wedi ei wneud i egluro tarddiad yr ymadrodd 'Gwŷr y Gloran'. Diau mai'r esboniad gorau yw fod brodorion gwreiddiol Cwm Rhondda wedi cael eu galw'n 'Wŷr y Gloran' am fod Glyn Rhondda yn cael ei ystyried gynt fel 'cloren' ddaearyddol Morgannwg. Gw. *Geiriadur Prifysgol Cymru*, Cyfrol I (Caerdydd, 1950-67), t. 507, *s.v. cloren*. Cofier hefyd fod Glyn Rhondda yn rhan o blwyf Ystradyfodwg, a phan restrid y plwyfi yn nhrefn yr wyddor deuai Ystradyfodwg tua diwedd neu 'gynffon' neu 'gloren' y rhestr. Ond diau mai'r esboniad cyntaf a nodwyd ydyw'r un gorau.

[8]Gw. G.J.Williams, *Traddodiad Llenyddol Morgannwg* (Caerdydd, 1948); C.W. Lewis, 'The Literary Tradition of Morgannwg down to the Middle of the Sixteenth Century', *The Glamorgan County History, Volume III: The Middle Ages*, gol. T.B. Pugh (Cardiff, 1971), pennod X, tt. 449-554 a 657-79; idem, 'The Literary History of Glamorgan from 1550 to 1770', *The Glamorgan County History, Volume IV: Early Modern Glamorgan,* gol. Glanmor Williams (Cardiff, 1974), pennod X, tt. 535-639 a 687-97.

[9]Gw. G.J. Williams, op. cit., tt. 36, 38-9, 189; C.W. Lewis, 'The Literary Tradition of Morgannwg down to the Middle of the Sixteenth Century', tt. 503-5.

[10]G.J.Williams, *Iolo Morganwg—Y Gyfrol Gyntaf* (Caerdydd, 1956); idem, *Iolo Morganwg* (Annual Lecture of the B.B.C. in Wales, Cardiff, 1963); C.W. Lewis, *Iolo Morganwg* (Caernarfon, 1995).

[11]Cyhoeddodd Glanffrwd gyfres hynod ddiddorol o erthyglau yn *Tarian y Gweithiwr* a gasglwyd yn gyfrol hwylus, *Plwyf Llanwyno, yr Hen Amser, yr Hen Bobl, a'r Hen Droion* (Pontypridd, 1888). Ymddangosodd ail argraffiad yn 1913, ac yn 1949 cyhoeddodd Gwasg Prifysgol Cymru, Caerdydd, argraffiad diwygedig, *Llanwynno*, wedi ei olygu gan yr Athro Henry Lewis. Gw. hefyd R.T. Jenkins, 'Bardd a'i Gefndir', *Trafodion Anrhydeddus Gymdeithas y Cymmrodorion* (1946-7), 97-149.

[12]Llyfrgell Genedlaethol Cymru, Llsgr. 13146A (Llsgr. Llanover C 59), t. 209.

[13]LlGC., Llsgr. 13221E, t. 119.

[14]*Llanwynno*, gol. Henry Lewis, t. 171.

[15]G.J. Williams, *Iolo Morganwg—Y Gyfrol Gyntaf*, t. 59

[16]Gw. *Tribannau Morgannwg*, gol. Tegwyn Jones (Llandysul, 1976), t. 51, rhif 60.

[17]Ibid., t. 67, rhif 122.

[18]Ibid., t. 100, rhif 249.

[19]Ibid., t. 73., rhif 146.

[20]Ibid., t. 54, rhif 74.

[21]Ibid., t. 57, rhif 82.

[22]Gw. y ffigurau a'r ystadegau am nifer y siaradwyr Cymraeg a gyhoeddwyd yn y cyfrifiadau swyddogol rhwng 1901 a 1991.

[23]Am ymdriniaeth â'r rhaniad hwn, gw. *The Glamorgan County History, Volume III: The Middle Ages*, gol. T.B. Pugh, tt. 453-4, a'r cyfeiriadau a roddir yno.

[24]B.H. Malkin, op. cit., I, 289; 'the district', meddai Malkin ymhellach, 'appears to be deserted of human habitation', ibid., I, 288-9. Gw. hefyd Moelwyn I. Williams, 'The Economic and

Social History of Glamorgan, 1660-1760', *The Glamorgan County History, Volume IV: Early Modern Glamorgan*, gol. Glanmor Williams, tt. 311-73 (yma t. 323). Fel y sylwodd yr Athro Glanmor Williams, 'As late as 1833 the Rhondda valleys were still luxuriously wooded, and tradition had it that a squirrel might make his way from the top of the valley to the sea without ever once needing to descend to the ground'; ibid., t. 6.

[25]Gw. E.D. Lewis, op. cit., tt. 229-30.

[26]Codwyd y ffigurau hyn o gyfrifiadau swyddogol 1881, 1891, 1901 a 1911.

[27]Paratowyd y tabl hwn gan Dr J.D. Jenkins ar gyfer comisiwn ymchwil arbennig, sef 'Commission of Inquiry into Industrial Unrest, 1917, No. 7 Division'; gw. t. 14 o'r Adroddiad swyddogol, 1917.

[28]Seiliwyd y ffigurau hyn ar y manylion a baratowyd gan Mr Idris Williams, Goruchwyliwr Cynorthwyol, am faint o lo a gynhyrchwyd ym mhlwyf Ystradyfodwg rhwng 1864 a 1873; gw. E.D. Lewis, op. cit., tt. 234-5, a n.1 ar d. 235.

[29]A. Dalziel, *The Colliers' Strike of 1871* (Cardiff, 1872), t. 16; David Williams, *A History of Modern Wales* (London, 1950), t. 239.

[30]Gw. Ivor Thomas, *Top Sawyer: A Biography of David Davies of Llandinam* (London, 1938); *Y Bywgraffiadur Cymreig*, tt. 105-6, *s.n.*

[31]*Tribannau Morgannwg*, t. 40, rhif 9. Clywais y triban hwn yn cael ei adrodd gan fy mam-gu, Mrs Catherine Williams, a fu farw yn 80 mlwydd oed ym mis Medi 1940 ac a ddaethai gyda'i rhieni o Ddowlais i fyw yng Nghwm Rhondda pan nad oedd ond tua 4 blwydd oed. Yn Nhreorci, yng Nghwm Rhondda, y treuliodd weddill ei hoes.

[32]Gw. J.R. Raynes, *Coal and its Conflicts* (London, 1928), t. 34; E.D. Lewis, op. cit., t. 237.

[33]Brinley Thomas, 'The Migration of Labour into the Glamorganshire Coalfield, 1861-1911', *Economica*, X (1930), t. 201.

[34]Gw. E.D. Lewis, op. cit., tt. 237-8.

[35]LlGC., Llsgr. 4387D; gw. hefyd y *Cardiff and Merthyr Guardian*, 12 Medi 1857.

[36]David Young, *Bywyd Lewis Davis, Ferndale* (Ferndale, 1888), t. 129.

[37]Gw. E.D. Lewis, op. cit., t. 241.

[38]*The Report of the Welsh Land Commission* (London, 1896), t. 176.

[39]E.D. Lewis, op. cit., t. 242.

[40]*Education in Wales: Addysg yng Nghymru 1847-1947* (London: H.M.S.O., 1948), tt. 17 a 40-1.Yn ei lyfr *Clych Atgof: Penodau yn Hanes fy Addysg* (1906; argraffiad newydd, Wrecsam, 1933), t. 17 yml., rhoddodd Owen M. Edwards ddisgrifiad diddorol o'r profiad a gafodd ef o'r arfer wrthun hon pan oedd yn ddisgybl yn ysgol Llanuwchllyn, Meirionnydd, yn y 1860au. Clywais fy mam-gu, Mrs Catherine Williams, ac amryw o'r hen drigolion brodorol eraill yn adrodd llawer hanesyn diddorol, pan oeddwn yn blentyn, am y defnydd ffiaidd a wnaed o'r 'Welsh Not' yn yr ysgolion hynny yng Nghwm Rhondda lle y buont gynt yn ddisgyblion.

[41]Gw. sylwadau O.M. Edwards, op. cit., t. 17 yml., ac E.G. Millward, 'Yr Hen Gyfundrefn Felltigedig', *Barn* (Ebrill/Mai, 1980), 93-5, a'r cyfeiriadau pellach a roddir yno. Gw. ymhellach Syr Henry Jones, *Old Memories* (London, 1923), t. 32, am brofiadau'r awdur pan oedd yn ddisgybl yn Llangernyw yn 1864.

[42]Dyfynnir hyn gan yr Athro R.R. Davies yn ei erthygl 'Dyfodol Ein Gorffennol', *Y Traethodydd*, CXLVIII, Rhif 622 (Ionor 1992), 5-11 (yma t. 9).

[43]*Brad y Llyfrau Gleision*, gol. Prys Morgan (Llandysul, 1991), t. 59.

[44]Gw. J.M. Goldstrom, *The Social Content of Education 1808-1870* (Shannon, 1972); D.G. Paz, *The Politics of Working-Class Education in Britain, 1830-50* (Manchester, 1980).

[45]*Minutes of the Committee of Council on Education (1839-40)* (London, 1840), tt. 155-71.

[46]Michael Hechter, *Internal Colonialism: The Celtic Fringe in British National Development, 1536-1966* (London, 1975); D. Tecwyn Lloyd, *Drych o Genedl* (Abertawe, 1987); G. Williams a C. Roberts, 'Language and Social Structure in Welsh Education', *World Yearbook of Education: Education of Minorities* (London, 1981).

[47]*Hansard*, Tŷ'r Cyffredin, LXXXIV, col. 1860 (10 Mawrth 1846). Am ymdriniaeth â'r gŵr hwn, gw. Daniel Evans, *The Life and Work of William Williams, M.P. for Coventry 1835-1847, M.P. for Lambeth 1850-1865* (Llandysul, [1940]).

[48]Gw. *Reports of the Commissioners of Enquiry into the State of Education in Wales* (3 cyfrol, London, 1847). Cyhoeddwyd y tri adroddiad mewn un gyfrol, eithr heb gynnwys yr amrywiol atodiadau, yn 1848. Ar yr adwaith a fu yng Nghymru i'r adroddiadau hyn, y daethpwyd i'w galw'n 'Frad y Llyfrau Gleision', gw. David Williams, op. cit., tt. 254-6, 273-4; *Education in Wales: Addysg yng Nghymru, 1847-1947*, t. 12; R.J. Derfel, *Brad y Llyfrau Gleision* (Ruthin, 1854); Evan Jones ('Ieuan Gwynedd'), *A Vindication of the Educational and Moral Conditions of Wales* (Llandovery, 1848); Sir Thomas Phillips, *Wales: The Language, Social Condition, Moral Character, and Religious Opinions of the People, considered in their Relation to Education* (London, 1849); E.I. Williams, 'Thomas Stephens and Carnhuanawc on the "Blue-Books" of 1847', *Bulletin of the Board of Celtic Studies*, IX (1937-9), 271-4; T.H. Lewis, 'Addysg Grefyddol yng Nghymru yn ôl y Llyfrau Gleision', *Y Cofiadur* (1954), gyda llyfryddiaeth fanwl; R. Coupland, *Welsh and Scottish Nationalism: a Study* (London, 1954), tt. 185-95; *Brad y Llyfrau Gleision*, gol. Prys Morgan, a'r cyfeiriadau gwerthfawr a geir ar ddiwedd yr amrywiol benodau. Ceir gwybodaeth bwysig hefyd yn y mynegai sydd yn *Y Traethodydd* (1880) am erthyglau gan Hugh Owen, 1847, Kilsby Jones, 1849, Ieuan Gwynedd, 1850, ac yn y blaen, erthyglau sy'n adlewyrchu'n hollol glir ymateb amrywiol eu hawduron i bolisi swyddogol y wladwriaeth ar addysg.

[49]*Reports of the Commissioners of Enquiry . . .* (1847), II, 66; R. Coupland, op. cit., t. 188.

[50]*Reports*, III, 61; Coupland, op. cit., t. 188.

[51]*Reports*, II, 66; Coupland, op. cit., t. 189.

[52]*Reports*, III, 330-1; Coupland, op. cit., t. 189.

[53]*Reports*, II, 66; Coupland, op.cit., t. 189.

[54]Gw. *Education in Wales: Addysg yng Nghymru, 1847-1947*, t. 12.

[55]Matthew Arnold, *Reports on Elementary Schools, 1852-1882* (argraffiad newydd, London, 1908), t. 11; myfi biau'r italeiddio. Meddai Matthew Arnold ymhellach yn ei waith enwog, *The Study of Celtic Literature* (London, 1867): 'The sooner the Welsh language disappears as an instrument of the practical political and social life of Wales, the better for England, the better for Wales itself.'

Parthed agwedd elyniaethus llawer o Arolygwyr ei Mawrhydi yn y cyfnod hwn at yr iaith Gymraeg ac at y syniad o'i dysgu fel pwnc yn ysgolion Cymru, gw. W. Gareth Evans, 'The "Bilingual Difficulty": H.M.I. and the Welsh Language in the Victorian Age', *Cylchgrawn Hanes Cymru*, 16 (1992-3), 494-513; idem, '"Gelyn yr Iaith Gymraeg" [:] Y Parchedig Shadrach Pryce, A.E.M., a Meddylfryd yr Arolygiaeth yn Oes Fictoria', *Y Traethodydd*, CXLIX, Rhif 631 (Ebrill 1994), 73-81; idem, 'John Rhŷs a Byd Arolygwyr Ei Mawrhydi yng Nghymru Oes Victoria', *Llên Cymru*, XVIII (1994-5), 340-58 (yn enwedig tt. 347-9). Ond gweler hefyd sylwadau'r un awdur yn ei erthygl, 'O.M. Edwards's Enlightened Precursors—H.M.I. and the Welsh Language in the late Victorian Age', *Planet*, 99 (1993), 69-77.

[56]*The Place of Welsh and English in the Schools of Wales.* (Report of the Central Advisory Council for Education (Wales) (London: H.M.S.O., 1953), t. 14, paragraff 58.

[57]Llyfrgell Ganolog Cwm Rhondda, R. (370): Adroddiad a gyflwynwyd ar gyfer cyfarfod

arbennig o Bwyllgor Rheolwyr yr Ysgolion, Pentre, ar 14 Medi 1925. Cyfeirir yn y rhagymadrodd i'r Adroddiad hwn at y penderfyniad a gymerodd y Bwrdd Ysgolion ym mis Mai 1897.

[58]*The Place of Welsh and English in the Schools of Wales*, t. 15, paragraff 62. Mae'n ddiddorol gweld fod dros hanner y darpar-athrawon a gyflogid gan Fwrdd Ysgolion Cwm Rhondda wedi penderfynu, pan roddwyd y dewis iddynt, astudio Cymraeg yn hytrach na Ffrangeg; loc. cit.

[59]Ibid., t. 17, paragraff 75.

[60]R. Coupland, op. cit., t. 190; *Reports*, I, 7.

[61]Gw. Ceri W. Lewis, 'The Welsh Language' yn *The Cardiff Region,* gol. J.F. Rees (Cardiff, 1960), pennod X, tt.146-70 (yma t. 168); E.D. Lewis, op. cit., t. 244.

[62]*Reports*, I, 3; R. Coupland, op. cit., t. 188.

[63]Gw. *The Place of Welsh and English in the Schools of Wales*, tt. 49-59.

[64]Dyfynnir ei eiriau yn *Education in Wales: Addysg yng Nghymru 1847-1947*, t. 24 (gyda chyfieithiad Cymraeg ar d. 48)

[65]Ibid., t. 25 (gyda chyfieithiad Cymraeg ar d. 48); *Hansard*, Tŷ'r Cyffredin, 1946, CCCLXXX, col.1411; R. Coupland, op. cit., t. 195 a throednodyn *b*.

[66]Gw. *Urdd Gobaith Cymru*, gol. R.E. Griffith (3 cyfrol, Aberystwyth, 1971-3).

[67]Gw. *Report on the Teaching and Use of Welsh in the Elementary Schools of the Rhondda Education Authority* (Report of H.M. Inspectors W490/58, July 1938).

[68](i) Llyfrgell Ganolog Cwm Rhondda, R (370): *R.U.D.C. Scheme for the Teaching of Welsh in the Rhondda* (1926); (ii) Llyfrgell Ganolog Cwm Rhondda, R (370): *R.U.D.C. Education Committee: Report by R.R. Williams, Deputy Director of Education on the teaching of Welsh in bilingual schools* (1925); (iii) Llyfrgell Ganolog Cwm Rhondda, R (400): O.J. Owen, '*Welsh for the English: English for the Welsh*' (1925).

[69]Llyfrgell Ganolog Cwm Rhondda, R (375): *Memorandum on the Use and the Teaching of Welsh in the Schools of the Rhondda submitted to the R.U.D.C. Education Committee by the Rhondda Branch of Undeb Cenedlaethol Cymru* (Treorchy, 1943).

[70]Gw. *The Place of Welsh and English in the Schools of Wales*, t. 35.

[71]Gw. G.J. Williams, 'The Welsh Literary Tradition of the Vale', *Glamorgan Historian*, III, gol. Stewart Williams (Cowbridge, 1966), tt. 13-32 (yma t. 32).

[72]*The Place of Welsh and English in the Schools of Wales*, tt. 33-4, paragraffau 154-8; *The Council for Wales and Monmouthshire: Report on the Welsh Language Today* (London: H.M.S.O., 1963; ail argraffiad, 1969), t. 9, paragraff 16.

[73]Dymunaf ddiolch i Mr Meirion Lewis, cyn-brifathro Ysgol Gymraeg Ynys-wen, Treorci, am gadarnhau cywirdeb y ffigurau hyn. Gw. ymhellach Meirion Lewis a Gronw ab Islwyn (goln.), '*Mae'r Ffynhonnau'n Fyw': Deugain Mlynedd Cyntaf Ysgol Gymraeg Ynys-wen* (Treorci, 1990), t. 25.

[74]Nodir y canrannau hyn yn yr amrywiol gyfrifiadau swyddogol. Gw. hefyd J. Aitchison a H. Carter, *The Welsh Language 1961-1981. An Interpretative Atlas* (Cardiff, 1985).

[75]Ceir y tabl hwn yn E.D. Lewis, op. cit., t. 246. Eithr cymharer y ffigurau hyn yn ofalus â'r rhai a geir yn *The Place of Welsh and English in the Schools of Wales*, Atodiad II, t. 102. Parthed y diffiniad o gategorïau A, B, C, CH, gw. ibid., t. 36, n. 1.

[76]Gw. D. Simon Evans, *Gramadeg Cymraeg Canol* (ail argraffiad, Caerdydd, 1960), t. 38, adran 57 (*c*); idem, *A Grammar of Middle Welsh* (Dublin Institute for Advanced Studies, 1964), t. 60, adran 63 (*c*). O hyn ymlaen, defnyddir y byrfoddau *GCC* a *GMW* wrth gyfeirio at y ddwy gyfrol hyn.

[77]*GCC*, t. 38, adran 57 (*a*); *GMW*, t. 58, adran 63 (*a*).

[78]*GCC*, t. 38, adran 57 (*b*); *GMW*, t. 59, adran 63 (*b*).

[79]*GMW*, t. 59, adran 63 (*b*).

[80]*GCC*, tt. 82-3, adran 128 (1); *GMW*, t. 123, adran 133 (*a*) (4).

[81]Calvert Watkins, *Indo-European Origins of the Celtic Verb. I. The Sigmatic Aorist* (Dublin Institute for Advanced Studies, 1962), yn enwedig tt. 174-80.

[82]*GCC*, tt. 87-9, adrannau 136-8; *GMW*, tt. 130-6, adrannau 141-3.

[83]Gw. David Greene, *The Irish Language* (Dublin, 1966), t. 49.

[84]Ymhlith yr amrywiol gynigion a wnaed o bryd i'w gilydd i egluro tarddiad yr enw *Rhondda* ac enwau lleol eraill yn yr ardal, gellir nodi Thomas Jones, 'Rhondda Place-Names', *Rhondda Leader* (2 Ionor 1909—11 Rhagfyr 1909); idem, 'Yr Enw Lle "Penrhys (Rhondda)" ', *Y Darian* (25 Mawrth 1926); idem (dan y ffugenw 'Cadwgan o'r Fforch'), 'Treorci ac Abergorci', *South Wales News* (28 Gorffennaf 1928); idem, 'Rhamant y Rhondda', *Y Geninen* (Ebrill 1917); idem, 'The History and Meaning of Glamorgan Place-Names', traethawd buddugol yn Eisteddfod Genedlaethol Cymru, y Barri, 1920; Jonathan Rees ('Nathan Wyn'), 'Tarddiad ac Arwyddocâd Enwau Lleoedd Plwyf Ystradyfodwg (Morgannwg)', *Rhondda Leader* (3 Chwefror—24 Mawrth 1900); D. Lleufer Thomas, 'A List of Place-Names in Glamorgan', Llawysgrifau Sefydliad Brenhinol De Cymru, Abertawe; Henry Harris, 'Enwau Lleoedd Cymoedd Rhondda o Bontypridd i'r Maerdy a Blaenrhondda, eu Hanes a'u Hystyron', traethawd buddugol yn Eisteddfod Genedlaethol Cymru, Treorci, 1928; R. J. Thomas, *The Brychan Dynasty in East Glamorgan* (Cardiff, 1936).

[85]Ifor Williams, *Enwau Lleoedd* (Lerpwl, 1945), tt. 41-2.

[86]Gw. y cyfeiriadau yn n. 9 uchod.

[87]Lewis Morris, *Celtic Remains*, gol. D. Silvan Evans (London, 1878), t. 372.

[88]Gw. *Cardiff Records: Materials for a History of the County Borough*, gol. J.H. Matthews (6 chyfrol, Cardiff, 1898-1911), *passim*; E.D. Lewis, op. cit., t. 277.

[89]George Owen, *The Description of Penbrokshire*, gol. Henry Owen (4 cyfrol, Cymmrodorion Record Series, No. 1, London, 1892-1936), III, 304.

[90]R. Thurneysen, *A Grammar of Old Irish* (Dublin, 1946), tt. 338, 419, 446.

[91]R.J. Thomas, *Enwau Afonydd a Nentydd Cymru* (Caerdydd, 1938), tt. 129-30; Ifor Williams, op. cit., tt. 36, 42.

[92]Ar y gweiddyn Indo-Ewropeg hwn a'i ffurfiau amrywiol, gw. W. Stokes, *Urkeltischer Sprachschatz* (Göttingen, 1894), t. 110 yml.; *Revue Celtique*, VIII (1887), 180-1; X (1889), 166 yml.; XIX (1898), 229-32; A. Holder, *Alt-celtischer Sprachschatz* (3 cyfrol, Leipzig, 1891-1913), I, 2029; John Morris-Jones, *A Welsh Grammar [:] Historical and Comparative* (Oxford, 1913), t. 108; A Walde a J. Pokorny, *Vergleichendes Wörterbuch der indogermanischen Sprachen* (3 cyfrol, Berlin a Leipzig, 1928-32), I, 576 yml.; J. Pokorny, *Indogermanisches etymologisches Wörterbuch*, Band I (Bern, 1949-59), t. 373 yml.; A. Walde, *Lateinisches etymologisches Wörterbuch*, 3., neubearbeitete Aufl. v. J.B. Hofmann (3 cyfrol, Heidelberg, 1938-56), I, 597 yml.; *Ogam. Tradition celtique*, VI (1954), 305 yml.; K.H. Schmidt, 'Die Komposition in gallischen Personennamen', *Zeitschrift für celtische Philologie*, XXVI (1957), 33-301 (yma t. 216 yml.); D. Ellis Evans, *Gaulish Personal Names* (Oxford, 1967), tt. 203-10, a'r cyfeiriadau pellach a roddir yno.

Y Gymraeg yn Nhreorci yn 1891

John Davies

Disgrifiwyd y Rhondda fel y stryd hiraf yng Nghymru. A dyna'n
union ydyw, oherwydd 'does yng Nghymru yr un daith arall debyg i
honno o Flaen-cwm i Drehafod—dwy filltir ar bymtheg o dramwyo
rhwng rhesi di-dor o dai. Un o strydoedd y stryd hir a drafodir yma.
Dumfries Street yw honno, y stribyn o dai sy'n asgwrn cefn Treorci ac
sy'n ymestyn o Nant Orchwy i Nant Tyle Du.

Codwyd Dumfries Street ar dir ffermydd Tyle Du a Glyncoli.
'Roeddynt yn rhan o ystad Castell Caerdydd, tiriogaeth a ymestynnai
dros 22,000 o erwau Morgannwg ac 8,000 o erwau plwyf
Ystradyfodwg. Ar wahân i waelodion y dref—a leolwyd ar gaeau
Tynybedw, eiddo Crawshay Bailey—ar dir ystad Castell Caerdydd y
codwyd y cwbl o strydoedd Treorci, ffaith a amlygir yn eu henwau.
Stuart, Bute, Dumfries, Cardiff, Windsor, Herbert, Senghennydd,
Luton, Howard, Colum, Ninian a Clark—dyna enwau tipyn dros
hanner strydoedd y dref. Perchennog ystad Castell Caerdydd oedd
John Crichton Stuart (1847-1900), trydydd ardalydd Bute, wythfed
iarll Dumfries a thrydydd Barwn Cardiff. Etifeddodd yr ystad oddi
wrth deuluoedd Windsor a Herbert. Un o arglwyddiaethau'r ystad
oedd Senghennydd, a bu teulu'r ardalydd yn perchen ar blasty Luton
Hoo. Howard oedd cyfenw ei wraig, Colum a Ninian oedd enwau dau
o'i feibion a Clark oedd enw ei asiant.

Heblaw am un capel, stryd o dai teras unffurf yw Dumfries Street,
gyda thair ystafell y tu ôl i'w gilydd lawr llawr a thair ystafell lan
llofft. Ceir y cyfeiriad cynharaf at y stryd yn 1874, pan restra
rhentrolau ystad Bute brydleseion a gytunasai i dalu £1.10s. y flwyddyn
am brydles 99 mlynedd ar ddarn o dir 15 troedfedd wrth 50. Yn eu
plith yr oedd fy hen dad-cu, Henry Davies, a symudasai i'r Rhondda o
Ddowlais, er mai Talyllychau yn Sir Gaerfyrddin oedd man ei eni.
Erbyn 1881 yr oedd 112 o dai yn y stryd. Cartrefent 693 o bobl, bron
degfed rhan o'r 7,610 a drigai yn Nhreorci yn y flwyddyn honno. Bu
rhagor o adeiladu yn y nawdegau; pan gwblhawyd y stryd yr oedd

ynddi 199 o dai i'w cyfrif ymhlith yr 28,000 o anheddau a godwyd yn y Rhondda rhwng 1860 a 1914.

Ni fu unrhyw adeiladu yn Dumfries Street yn y 1880au. Serch hynny, fe fu cryn fynd a dod ymhlith ei thrigolion. Yn 1891, ni ellid olrhain yn ei thai dim ond 40 y cant o'r bobl a drigai ynddynt ddegawd ynghynt. Erbyn 1891, yr oedd y 112 o dai yn y stryd yn cartrefu 704 o bobl. Ym mis Ebrill y flwyddyn honno cynhaliwyd cyfrifiad, ac er 1 Ionawr 1992 y mae holl fanylion y cyfrifiad hwnnw ar gael i'w dadansoddi. Fel yn y cyfrifiad a gynhaliwyd yn 1881, rhestra cyfrifiad 1891 gyfeiriad, enw, oedran, swydd a man geni pob trigolyn. Ond yn 1891 ceir colofn ychwanegol sy'n nodi'r gallu i siarad Cymraeg a Saesneg. Ym mhob cyfrifiad o 1891 hyd 1981 cafwyd cwestiwn ynglŷn â'r ieithoedd hynny—rhoddwyd y gorau i'r cwestiwn ynglŷn â'r Saesneg yn 1991. Felly, o ddegawd i ddegawd, rhyddheir corff o wybodaeth, ysblennydd yn ei fanylder, yn ymwneud â chyflwr ieithyddol Cymru. Gall y sawl sy'n ceisio dehongli'r dystiolaeth ieithyddol a gynigir gan y cyfrifiad deimlo ei fod yn cael ei lethu gan ormodedd o ddeunydd. Ond, o ganolbwyntio ar un stryd, y mae modd mynd y tu hwnt i'r ystadegau moel a chael cipolwg ar unigolion a theuluoedd.

Treorci ar droad y ganrif
(Simon Eckley ac Emrys Jenkins, 1994: *Rhondda,* Chalford)

Ddechrau mis Ebrill 1891 anfonwyd holiadur i bob penteulu, a'i ddyletswydd ef oedd ei lanw trwy roi manylion ynglŷn â chrynswth y bobl a oedd dan ei nenfwd ar noson 5-6 Ebrill. Trosglwyddwyd cynnwys y ffurflenni i'r rhestrau a baratowyd gan swyddogion y cyfrifiad, a'r rhestrau hynny a ryddhawyd i'r cyhoedd ar 1 Ionawr 1992. Ceir ynddynt bedair colofn ar ddeg, a'r golofn olaf sy'n ymwneud ag iaith. Ynddi, ysgrifennwyd 'Welsh' gogyfer ag enwau'r rheini a ddatganodd eu bod yn medru'r Gymraeg, 'English' gogyfer ag enwau'r rheini a ddatganodd eu bod yn medru'r Saesneg, a 'Both' gogyfer ag enwau'r rheini a ddatganodd eu bod yn medru'r Gymraeg a'r Saesneg.

Ni cheir gwybodaeth ynglŷn â gallu ieithyddol 16 o'r 704 a drigai yn Dumfries Street. Plant o dan ddwy flwydd oed oedd 14 ohonynt, ac o'r ddau arall yr oedd y naill yn ynfytyn a'r llall yn fud a byddar. O'r 688 a oedd yn weddill, datganodd 67.5 y cant eu bod yn uniaith Gymraeg, 14.1 y cant eu bod yn uniaith Saesneg a 18.4 y cant eu bod yn medru'r ddwy iaith. Felly 'roedd gan 85.9 y cant o drigolion Dumfries Street wybodaeth o'r Gymraeg a 32.5 y cant ohonynt wybodaeth o'r Saesneg. Ysywaeth, ni chyhoeddwyd ffigurau ynglŷn â chyflwr ieithyddol y Rhondda yn ei gyfanrwydd yn 1891, ac o ganlyniad ni ellir dweud a oedd Dumfries Street yn y flwyddyn honno yn nodweddiadol ai peidio o'r fro gyfan. Fel y dengys y tabl isod, 'roedd y stryd gryn dipyn yn Gymreiciach na chrynswth Morgannwg a chrynswth Cymru hefyd; yn wir 'roedd ei phatrwm ieithyddol yn hynod debyg i batrwm Sir Gaernarfon.

Canrannau:	Uniaith Gymraeg	Uniaith Saesneg	Dwyieithog
Dumfries Street	67.5	14.1	18.4
Morgannwg	21.9	50.8	27.3
Cymru	30.3	45.6	24.1
Sir Gaernarfon	65.7	10.7	23.6

Taflwyd amheuaeth ar luosogrwydd y bobl uniaith Gymraeg a gofnodwyd gan Gyfrifiad 1891. Credir bod ffurf y cwestiwn yn golygu bod y gair 'Welsh' wedi'i ysgrifennu gogyfer ag enwau nifer o bobl a chanddynt wybodaeth o'r Saesneg, ond a oedd yn fwy cysurus yn y

Gymraeg. Diwygiwyd y cwestiwn yn 1901; yn y flwyddyn honno cofnodwyd bod canran yr uniaith Gymraeg yng Nghymru wedi gostwng mewn deng mlynedd o 30.3 i 15.1; ym Merthyr Tudful, fe ostyngodd o 32.1 i 7.3.

Mae'r dystiolaeth o Dumfries Street yn awgrymu bod yr elfen uniaith, Saesneg yn ogystal â Chymraeg, wedi'i gorgyfrif yn 1891, oherwydd mae'n anodd credu peth o'r dystiolaeth a gofnodwyd yn y cyfrifiad. Yn rhif 51, er enghraifft, trigai dau deulu, y naill yn uniaith Gymraeg a'r llall yn uniaith Saesneg. A oes disgwyl i ni dderbyn eu bod wedi ymdopi heb yr un gair yn gyffredin rhyngddynt? Rhyfeddach fyth oedd y sefyllfa yn rhif 73, lle 'roedd Thomas Daniel yn uniaith Saesneg ac Olwen ei wraig yn uniaith Gymraeg. Ceir yn union yr un sefyllfa gydag Albert Potter a'i wraig Sarah yn rhif 78. 'Roedd dau frawd i Albert Potter yn lletya yn rhif 41, hwythau hefyd yn uniaith Saesneg. Yn 1894, priododd William Potter ag Ann Davies, o rif 68, merch uniaith Gymraeg Henry Davies, gynt o Ddowlais a Thalyllychau. 'Roedd William ac Ann yn rhieni i'm mam ac yn dad-cu a mam-gu i mi. 'Rwy'n tybio eu bod yn medru cynnal sgwrs.

Efallai bod yr enghreifftiau hyn o restrau'r cyfrifiad yn ein rhybuddio rhag peidio bod yn rhy gaeth wrth feddwl am allu ieithyddol. Tri chategori—uniaith Gymraeg, dwyieithog ac uniaith Saesneg—a gynigir gan lunwyr y cyfrifiad, ond ar yr ymylon rhwng unieithedd a dwyieithedd dichon bod llu o gyflyrau. Sonia Gwyn A.Williams am Ddowlais ei blentyndod, yntau'n ddi-Gymraeg ond â'r gallu i ymgomio'n hir gyda'i fam-gu ddi-Saesneg. Crybwylla Dan Isaac Davies bwll yn Nhreherbert lle cyflwynodd 353 o lowyr Cymraeg o leiaf elfennau o'u hiaith i'r 120 o lowyr Saesneg a lafuriai yn eu plith.

O dderbyn bod tipyn o Saesneg gan gyfran, o leiaf, o'r rheini y cofnodwyd eu bod yn uniaith Gymraeg, rhaid amau bod 67.5 y cant o drigolion Dumfries Street yn gwbl ddi-Saesneg yn 1891. Ar y llaw arall, o dderbyn bod tipyn o Gymraeg gan gyfran o leiaf o'r rheini y cofnodwyd eu bod yn uniaith Saesneg, rhaid cydnabod nad yw y ffigur o 85.9 y cant yn gwneud llawn gyfiawnder â chryfder y Gymraeg yn y stryd. Ond, o fodloni ar y ffigur o 85.9 y cant, mae hynny'n golygu nad oes yng Nghymru heddiw ond chwech o wardiau (allan o 850) sy'n Gymreiciach o ran iaith nag ydoedd Dumfries Street, Treorci, yn 1891.

Tarddle trigolion y stryd sy'n egluro cryfder yr iaith yno.

Mannau geni yn 1891	Trigolion Dumfries Street	Trigolion crynswth y Rhondda
Morgannwg	55.55%	55.45%
Gweddill Cymru	36.0%	28.63%
Lloegr	7.6%	13.72%
Gwledydd eraill	0.85%	2.2%
	100 %	100 %

Dengys y ffigurau fod Dumfries Street wedi denu llai o ymfudwyr o'r tu allan i Gymru nag a wnaeth y Rhondda gyfan. Dichon y ceir yma awgrym fod y patrwm ymfudo i rannau uchaf cwm Rhondda Fawr (ac, o bosib, cwm Rhondda Fach) yn wahanol i'r hyn ydoedd yng ngwaelodion plwyf Ystradyfodwg. O'r ymfudwyr i Dumfries Street o'r tu hwnt i ffiniau Morgannwg, brodorion o sir Gaerfyrddin a Cheredigion oedd y mwyafrif llethol. Yn 1891 cynrychiolent 20 y cant o drigolion y stryd, o gymharu ag 11 y cant yng nghrynswth y Rhondda.

'Roedd pob un o'r ymfudwyr o'r ddwy sir honno yn siarad Cymraeg. Ond denai Treorci hefyd ymfudwyr niferus o siroedd Cymreig llai Cymraeg, yn arbennig o Fynwy, Penfro a Brycheiniog. Dadlena'r dystiolaeth o Dreorci batrwm diddorol iawn. Yn 1891, dim ond 15.3 y cant o drigolion sir Fynwy a oedd â gwybodaeth o'r Gymraeg, ond, o frodorion y sir a drigai yn Dumfries Street, 'roedd 80 y cant yn medru'r iaith. Canrannau cyfatebol sir Benfro oedd 31.9 ac 86 a rhai Brycheiniog yn 37.7 a 92. Ceir tystiolaeth i'r un cyfeiriad ym mhatrwm yr ymfudo i Dumfries Street o'r rhannau hynny o Forgannwg y tu allan i ffiniau'r Rhondda. Deilliai 45 y cant o'r ymfudwyr o Ferthyr Tudful ac 21 y cant o Gwm Cynon, a dim ond 2 y cant o Gaerdydd. Dichon mai'r hyn a welir yma yw ymfudo detholiadol, ffenomen nid annhebyg i hwnnw a sicrhaodd fod Rhosllannerchrugog yn Gymreiciach nag eraill o bentrefi glofaol sir Ddinbych.

Yr elfen unigol fwyaf ym mhoblogaeth Dumfries Street oedd y bobl a anwyd yno. Plant oedd y mwyafrif llethol ohonynt. O gofio bod cymuned Dumfries Street yn 1891 wedi bod mewn bodolaeth am lai nag ugain mlynedd, ceir gwell argraff o darddleoedd eu haelodau wrth edrych ar fan geni'r oedolion, yn fwyaf arbennig, efallai, yr oedolion gwrywaidd hynny a ddynodir yn y cyfrifiad fel 'heads of household'. Yr oedd 124 ohonynt, a phrawf o newydd-deb cymunedau'r Rhondda yw'r ffaith mai dim ond dau (John George, 30 mlwydd oed, yn rhif 73 a Thomas Bailes, 26 mlwydd oed, yn rhif 101) a oedd yn enedigol o'r cwm. Ganwyd 31.44 y cant yng ngweddill Morgannwg, gyda dros eu hanner yn hannu naill ai o Ferthyr neu o Gwm Cynon. 'Roedd 8.06 y cant wedi'u geni y tu draw i ffiniau Cymru—yn Lloegr yn ddieithriad; 'doedd yn eu plith yr un Albanwr na Gwyddel na thramorwr. Y garfan fwyaf o lawer oedd brodorion siroedd gweddill Cymru; cynrychiolent 60.5 y cant o'r 'heads of households' gwrywaidd, gyda 74.6 y cant ohonynt yn enedigol o dair sir de-orllewin Cymru. Dyna'r patrwm ymhlith y gwŷr priod, ond ymhlith eu gwragedd 'roedd y cysylltiad â'r siroedd hynny hyd yn oed yn gryfach. A derbyn bod hynafiaid cyfran sylweddol o'r ymfudwyr i Ferthyr a Chwm Cynon hefyd yn hannu o'r siroedd gorllewinol, gellir hawlio mai pobl â'u gwreiddiau teuluol yn ne-orllewin Cymru oedd o leiaf dau o bob tri o drigolion Dumfries Street yn 1891.

Tueddai teuluoedd a hannai o'r un fro ymgartrefu mewn tai cyfagos. Drws nesaf i'm hen dad-cu trigai ei frawd, Thomas Davies. Ceid clwstwr o Gardis mewn ambell fan a chriw o frodorion o sir Benfro mewn man arall. 'Roedd patrwm o'r fath yn arbennig o amlwg ymhlith yr ymfudwyr o Loegr. O'r pum teulu yn Dumfries Street a hannai o Wlad yr Haf neu Ddyfnaint, trigai pedwar rhwng rhifau 104 a 110. Cymhlethwyd y sefyllfa gan y llu o letywyr. Cynrychiolent 35 y cant o drigolion Dumfries Street, a gwŷr ifanc dibriod oeddynt bron i gyd. Gan amlaf hannent o'r un fro â deiliad y tŷ. Yn rhif 53, er enghraifft, 'roedd gan Mary Thomas, gwraig weddw a aned yn Llanddeusant, sir Gaerfyrddin, bedwar o letywyr o'r plwyf hwnnw a'i gyffiniau. Ni cheid yn Dumfries Street yr un lletywr Cymraeg yn lletya gyda theulu Saesneg, ond 'roedd nifer sylweddol o wŷr ifanc o Loegr yn lletya gyda theuluoedd Cymraeg. Yn rhif 94, trigai David

Davies o Gaerfyrddin a'i wraig Elizabeth o Sanclêr; rhannent y tŷ gyda'u dau blentyn a dau letywr. 'Roedd y Dafisiaid ac un o'r lletywyr yn uniaith Gymraeg; Henry Dolphyn o Essex oedd y lletywr arall a nodir ei fod ef yn ddwyieithog. A barnu oddi wrth y sefyllfa yn Dumfries Street, 'roedd y system letya, un o brif nodweddion y gymdeithas lofaol ar ddiwedd y ganrif ddiwethaf, yn cadarnhau Cymreictod lletywyr Cymraeg ac yn foddion i gymathu'n ieithyddol ymfudwyr o Loegr.

A mwyafrif llethol y gwŷr a'u gwragedd yn siarad Cymraeg, gellid disgwyl y byddent yn trosglwyddo'r iaith i'r genhedlaeth nesaf. Ac felly yr oedd hi. Ni cheid yn Dumfries Street yn 1891 yr un esiampl o ddau riant yn medru'r Gymraeg a'u plant heb fod â gwybodaeth ohoni. Ym mwyafrif y tai, trigai rhieni uniaith Gymraeg a phlant uniaith Gymraeg. Rhif 20, er enghraifft, oedd cartref John James, brodor o Langynwyd (63 oed), ei wraig Elizabeth, brodor o Langyfelach (61), a'u plant John (36), Hannah (24), Elizabeth (21) a James (19). Cofnodir bod y chwech yn uniaith Gymraeg. Pan oedd y rhieni'n ddwyieithog, 'roedd y plant, o leiaf y rhai hŷn, yn tueddu hefyd i fod yn ddwyieithog. Yn rhif 12 trigai'r teulu Jones, y ddau riant yn ddwyieithog, tair merch (15, 13 ac 11), eto'n ddwyieithog, a merch a dau fab (7, 5 a 3) uniaith Gymraeg.

Yn y cartrefi lle 'roedd y ddau riant yn ddi-Gymraeg, 'does yr un enghraifft o blant a chanddynt wybodaeth o'r iaith. Pan oedd un rhiant yn medru'r Gymraeg a'r llall heb ei medru, ceid amrywiol batrymau. Yn rhif 38, trigai George Lingard, gŵr uniaith Saesneg o Lincolnshire, a'i wraig Ann, dynes ddwyieithog o Flaenau Gwent, ynghyd â'u pedwar mab dwyieithog. Yn rhif 41, y wraig ac nid y gŵr oedd yn uniaith Saesneg, ac nid oedd un o'r tri phlentyn â gwybodaeth o'r Gymraeg. Bodolai sefyllfa union debyg yn rhif 105. Yn rhif 96, hefyd, ceid gŵr dwyieithog a gwraig uniaith Saesneg, ond yno 'roedd gan dri o'r meibion (23, 21 a 19 mlwydd oed) wybodaeth o'r Gymraeg; fodd bynnag, 'roedd y mab ieuengaf (7) yn uniaith Saesneg.

Dyma'r math o ddeunydd y mae modd ei gribo allan o'r rhestrau a baratowyd gan lunwyr Cyfrifiad 1891. Y mae'r deunydd yn cynnig darlun statig o sefyllfa'r Gymraeg a'r Saesneg ar un diwrnod ychydig dros ganrif yn ôl. I gael y darlun dynamig, darlun a fyddai'n caniatáu

damcaniaethu ynglŷn â hynt ieithyddol Treorci, y mae angen tyst-
iolaeth dros gyfnod. Pan ryddheir manylion Cyfrifiad 1901, bydd
modd dweud rhywbeth synhwyrol ynglŷn â beth ddigwyddodd i'r
Gymraeg yn Dumfries Street yn nawdegau'r ganrif ddiwethaf. Felly,
os byw ac iach, bwriadaf ddychwelyd at y pwnc ym mis Ionawr, 2002.

Yn y cyfamser, mae gan haneswyr lu mawr o bethau i'w cloddio o
restrau Cyfrifiad 1891. Wrth baratoi hyn o lith, cefais fy nhemtio
droeon i fynd ar ôl pynciau megis y cydbwysedd rhwng y rhywiau,
siâp oedran y boblogaeth, maint teuluoedd, oedran priodi, cyflogaeth
ymhlith dynion a menywod a chyraeddiadau addysgol bechgyn a
merched—pynciau sydd i gyd yn berthnasol i hynt yr iaith. Ond digon
nawr yw dweud fod fy mam-gu, Ann Davies, o Ddowlais a
Thalyllychau, yn rhan o'r broses o ddod â'r Gymraeg i Dumfries
Street, a bod fy nhad-cu, William Potter, o Landinam a Malvern, yn
rhan o'r broses o ddod â'r Saesneg yno. Ac yr wyf fi yn etifedd i'r
ddau ohonynt.

Thomas Williams (Brynfab, 1848-1927)

Dafydd Morse

Pan ofynnwyd i Mabonwyson, bardd eilradd iawn a alltudiwyd gan Glic y Bont am iddo eu disgrifio'n anffafriol, dyma a ddywedodd am Brynfab—'"mae yn ciatw tamaid o fferm y gallwn i ei chuddio a'm het."' Cyfeirio at fferm Brynfab uwch Dyffryn Taf a wnaeth Mabonwyson, sef Hendre-Prosser. Yn wir, soniodd Glanffrwd amdano yn ei lyfr, *Llanwynno,* fel hyn:

> Perchen awen gref iawn, ac athrylith a gallu meddyliol cryf ydyw ef. Pe na buasai da a defaid yn y byd, buasai ef yn fath o Hiraethog ar y blaen ym mardd-wyddor ei wlad. Er y da a'r defaid, a thrafferthion amaethyddol, y mae yn lled bell ar ei daith i wlad y sêr.[1]

Ganwyd Brynfab i fyd ffermio, ar fferm o'r enw Fforch Aman, yng Nghwmaman, ger Aberdâr. 'Does dim cofnod o'r teulu yn preswylio yno yng Nghyfrifiad 1851, a chawn yr hanes cynharaf amdanynt yn byw yn ffermdy Fforch Orci, uwchben Treorci. 'Roedd y Rhondda yn ddyffryn amaethyddol bryd hynny, a dyma sail y 'ffugchwedl' a wnaeth fwyaf i daenu enwogrwydd Brynfab, sef *Pan Oedd Rhondda'n Bur* a gyhoeddwyd ym 1912. Yn sicr, dyma lle y cafodd afael ar rai o gymeriadau lliwgar yr hanes, megis Wil Oliver y gof a Mari ei wraig.

Bu'n byw yn Nhreorci tan ei fod yn bump ar hugain oed, ac yn yr ardal hon y cafodd ychydig o addysg ffurfiol. Pan oedd yn fachgen ifanc yn y Rhondda, treuliodd Brynfab lawer o'i amser yn meithrin ei sgiliau barddol. Soniodd mewn erthygl yn *Y Geninen* fod cynysgolfeistres iddo wedi dweud wrtho mai bardd fyddai ef. Yn wir, dywed mai barddoniaeth oedd yr unig beth a ddysgodd yn iawn: 'Nid oedd llawer o lun ar ysgolora pan oeddwn i yn dechreu dangos yr arwyddion hyny i'r hen ysgolfeistres. Un ysgolfeistr wedi ei lunio wrth ddeddf a mesur, fu i mi erioed: rhai wedi methu gwneud eu bywioliaeth wrth bob crefft arall oedd y lleill.'[2] Ei ysbrydoliaeth, yn gynnar, oedd Ceiriog, a dysgai ddarnau o'i farddoniaeth ar gyfer cyfarfodydd adrodd. 'Roedd Ceiriog, yn ôl Brynfab, yn canu'n 'llithrig, yn naturiol, ac yn eglur'. Yn bwysicach na phob dim arall, fodd bynnag, '. . . yr oedd bob amser yn gofalu cyffwrdd y galon mewn rhyw fan neu gilydd; ac os medr bardd gyffwrdd y galon, ni waeth yn y byd beth ddywed y beirniaid amdano.'[3] Parhaodd ei gariad at y symlrwydd a'r teimladrwydd hwn trwy gydol ei fywyd, a phrofir hyn wrth ddarllen ei sylwadau bachog ar ymdrechion y beirdd yn *Tarian y Gweithiwr*. Gwrthwynebai unrhyw newid i'r hen ffordd o gyfansoddi'r delyneg.

Serch ei gariad at y delyneg, medrai Brynfab farddoni ar y mesurau caeth yn ogystal. Bu'n cystadlu'n frwd mewn eisteddfodau lleol a chenedlaethol, ac enillodd sawl cadair. Gellir darllen nifer helaeth o'i gerddi yn *Y Geninen*, ac enillodd, ymhlith eraill, gadeiriau Eisteddfod y Pentre, 1874, ar 'Drylliad y Polarist'; Eisteddfod Bethesda, 1878, ar 'Y Gwron'; Pontypridd, 1881, ar 'Y Cynhauaf'; Eisteddfod Cymmrodorion Caerdydd, 1886, ar 'Llawenydd', ac Eisteddfod Aberaman ym 1919 ar 'Y Mynyddoedd'.

'Roedd y testunau y cyfansoddodd arnynt yn rhai cyffredinol iawn yn ail hanner y ganrif ddiwethaf oherwydd mai testunau eisteddfodol

Y Garreg Siglo uwch Pontypridd: llwyfan i Glic y Bont

(Patricia Aithie)

oeddynt, ac ymddangosodd ei waith mewn amryw o gylchgronau a phapurau newydd, yn ogystal â'r *Geninen*. Cyfansoddodd ar destunau crefyddol, megis 'Abraham yn offrymu Isaac', a rhai moesol, megis 'Cydwybod Dawel' ac 'Eiddigedd'. Ceir ganddo gerddi gwladgarol yn ogystal, megis 'Gwladgarwch' a 'Gŵyl Dewi Sant', a daw ei englyn enwocaf o'i awdl, 'Gwlad y Bryniau':

> O wlad fach! cofleidiaf hi; —angoraf
>   Long fy nghariad wrthi:
>   Boed i foroedd byd ferwi,
>   Nefoedd o'i mewn fydd i mi.[4]

Un o'i brif feysydd oedd marwnadau, a cheir hanes doniol amdano un tro wrth gystadlu mewn eisteddfod a gynhaliwyd ym Melin Ifan Ddu yn y 1870au.[5] Cynigiwyd yn y rhaglen wobrwyon o bum gini, tair gini, a dwy gini am farwnadau i dri pherson gwahanol. Anfonodd Brynfab am nodweddion y person cyntaf, ac wedi eu cael aeth ati i lunio marwnad iddo. Wedi gorffen y dasg honno, aeth ati i ofyn am nodweddion yr ail wrthrych ac yn y man 'roedd wedi gorffen ei ail farwnad. Aeth amser yn brin arno i ysgrifennu'r drydedd farwnad, ac felly aeth ati, 'llwyr ei gyfer', i lunio'r farwnad heb wybod beth oedd nodweddion y trydydd person.

Daeth dydd yr Eisteddfod, ac fe gychwynnodd o Dreorci i fynd i 'faes y gyflafan', fel yr hoffai Brynfab ddweud. Wrth gamu i'r babell, gwelai Glanffrwd yn esgyn i'r llwyfan i gasglu'r pum gini. Arhosodd i weld pwy gâi'r ail a'r drydedd wobr. Yn y man, cafodd ei enwi'n fuddugol yn y gystadleuaeth tair gini, ac ymhen hir a hwyr cipiodd y ddwy gini yn y gystadleuaeth olaf. Camodd Brynfab yn sionc i'r llwyfan i gasglu'r wobr, ond cyn iddo fedru gadael y babell, gafaelod y beirniad ynddo gerfydd ei fraich, a'i dywys i'r naill ochr.

'"Bryn," meddai'r beirniad, "ti yw'r gorau o ddigon, ac nid wyf yn gwneud cam a neb; ond edrych, gofyn i ysgrifennydd yr eisteddfod am y copi o'th farwnad a dos i ryw gongl i ysgrifennu'r tudalen olaf o'r newydd."

'"Pam, beth sy'n bod?" gofynnodd Brynfab.

'"Wel," meddai'r beirniad, "yr wyt yn y penillion olaf yna yn disgrifio'r wraig a'r plentyn yn galaru ar ôl y gŵr."

'"Wel, otw bid siwr," oedd ymateb Brynfab.

'"Ond dwyt ti ddim yn deall," meddai'r beirniad, "hen lanc oedd ef!"'

Yn ôl ap Nathan, 'roedd gan Brynfab un farwnad fawr y medrai ei haddasu yn ôl y gofyn waeth pwy oedd yr ymadawedig! Mewn sylw bach ar ddiwedd yr erthygl, dywed ap Nathan: 'Teg ydyw dweud bod llu o feirdd Cymru, heblaw Brynfab, wedi byw yn fras ar y tir llwm hwn.' Mae'n siŵr y byddai Brynfab wedi ystyried y tir yn un ffrwythlon yn ogystal. Dyma englyn a ysgrifennodd i'r bardd ap Ionawr a oedd yn 'signalman' ar y Great Western Railway:

> Gwyliwr, arwyddwr heddwch—oedd yn nhaith
> Dydd a nos gweithgarwch:
> "Arwydd" i lawr ddaw o'i lwch,
> A goleu diogelwch.[6]

Fel amaethwr, 'roedd cysylltiad cryf rhwng barddoniaeth Brynfab a'r tir a'r hen ffordd o fyw. A dweud y gwir, cyfansoddai ei gerddi mewn llyfr nodiadau bychan, ei nodiadau amaethyddol ar y naill dudalen a'i farddoniaeth ar y llall. Gwelir yr agwedd ramantaidd hon yn ei ryddiaith yn ogystal â'i farddoniaeth. Anaml iawn yw'r cyfeiriadau cadarnhaol at ddiwydiant ac eithriad yw'r englyn hwn ar 'Masnach':

> A'i hiesin chwyl Masnach yw—cain olwyn
> Cynhaliaeth dynolryw:
> I wledydd eu hoedl ydyw,
> A dyry fôr yn dref fyw.[7]

'Roedd Brynfab, y rhan fwyaf o'r amser, yn dal ar bob cyfle i fawrygu'r bywyd gwledig. Dyma ddyfyniad o'i gerdd, 'Y Bwthyn dan Gesail y Bryn':

> Fwthyn unig! nytha'n uchel
>   O dan gysgod clyd y bryn;
> Salmau iechyd gana'r awel
>   Wrth fyn'd heibio'i dalcen gwyn;

Natur yn ei bri gwyryfol
　Sy'n cofleidio'r bwthyn tlws;
Ni châ rhodres celfyddydol
　Ro'i ei droed ar drothwy'r drws.[8]

Medr y sawl a fyn ddarllen *Pan Oedd Rhondda'n Bur* weld ei agwedd fel amaethwr at ddiwydiant yn ei gerdd, 'Cwm Rhondda'. Gellir ei gymharu â'i gyfoeswr, Glanffrwd, a ddywedodd yn *Llanwynno*: 'Ow! fy hen Lanwynno, goddiweddwyd dithau o'r diwedd gan draed y gelyn! Sathrwyd ar gysegredigrwydd dy gaeau prydferth, gyrrwyd dy adar perorus ar encil, gweryrodd y march tanllyd, ac ysgrechodd fel mil o foch ar dy lanerchau heirdd! Mor deg, mor dawel, mor bur, mor ddistaw, mor annwyl oeddit cyn i'r anturiaethwyr durio dy fynwes.'[9] Mae agwedd Brynfab yr un mor chwyrn at y datblygiadau hyn ugain mlynedd ar ôl i Glanffrwd ysgrifennu amdanynt. Dechreua'i gerdd yn dawel, wrth iddo edrych yn ôl ar yr hyn a fu:

Ramantus Gwm y Rhondda,
　Pwy sy'n ei gofio gynt?
Pa le mae'r ddawn ddesgrifia
　Ei wyllt wyryfol hynt?
Pan nad oedd dim ond natur
　Yn gwenu ar ei wedd —
Pan nad oedd dim ond anian
　Yn canu ac yn cwynfan,
I dori ar ei hedd.

Mae'r gerdd yn gorffen yn hiraethus:

Mae cyfoeth mawr ei fynwes
　Yn duo'i wyneb glan,
A nerth ei galon gynes
　Yn myn'd yn ddefnydd tan;
Ni ddaw o'i feusydd heddyw
　Gan 'Hogyn Gyru'r Wedd',
Twrf masnach sydd yn deffro
　Y clogwyn fu'n breuddwydio
Yn ei naturiol hedd.

Mynyddoedd dan eu creithiau
A welir uwch ei ben,
A duwch ei ddyfnderau
Yn fryniau yn y nen;
Mae pylor wedi chwalu
Ei greigiau megys gro,
A gwelir ei glogwyni
Yn dduon ei talceni
Dan wawd y 'talcen' glo.[10]

O Hendre-Prosser (yn wahanol i Glanffrwd, a fu'n byw yn Llanrwst, ymhell o Bontypridd), medrai Brynfab weld effaith diwydiant ar y wlad o'i gwmpas yn eglur. O gwmpas Mynydd Eglwysilan, twriai nifer o weithfeydd i'r bryniau ac arllwysai mwg diwydiant i'r awyr o gwmpas yr ardal: Gweithfeydd Dur y Fforest a Dyffryn Taf, Gwaith Cadwyni Trecelyn a Glofa'r Darren Ddu. Medrai weld y rheilffordd yn ymestyn lawr trwy fwlch Tongwynlais ac i fyny am y Rhondda Fawr. Serch hynny, nid oedd ei ddarlun o ddiwydiant yn hollol ddu. Yn ddiweddglo i'w erthygl, 'Hunangofiant Afon Rhondda' (a wobrwywyd yn Eisteddfod Bodringallt ym 1925), gallai Brynfab ysgrifennu: 'Daeth fy ngwely yn llawn ysbwriel, nes yr wyf, ers llawer o flynyddoedd a'm wyneb agos cyfuwch a'm ceulannau. Ond er y cwbl, er yr holl gam a wnaed a mi yn ddiweddar, mae yn hyfrydwch gennyf feddwl fod miloedd o bobl wedi cael eu bywioliaeth a'u diddanwch wrth fy nud a'm cambarchu. Yr wyf yn foddlon dioddef er mwyn i'r miloedd gael bywyd, iechyd a mwynhad.'[11]

Mae'n debyg i un digwyddiad ysgwyd tipyn ar ramantiaeth Brynfab, a'r Rhyfel Mawr oedd hwnnw. Yn *Y Geninen* ym 1919, cyhoeddwyd cerdd o'i eiddo, 'Pwy Anghofia?', ar yr un dudalen â'r cerddi, 'Heddwch' gan T.M.; 'Y Submarine' gan Sioronwy; 'Sonned-Picquet' gan R. Williams Parry, a'r 'Suddlong' gan Glyn Myfyr. Ym 1894, cyhoeddwyd englyn gan Brynfab ar 'Y Rhyfelfarch', englyn yn mawrygu brwydro a rhyfel, ond gwelwn yn 'Pwy Anghofia?' agwedd newydd at ryfela. Dyna'r cwestiwn sy'n dechrau pob pennill:

Pwy anghofia y blynyddoedd
Pan oedd Ewrob heb ei chân,—

Pan ysgubwyd y teyrnasoedd
Dros y tir a thros y moroedd,
O flaen storm o fellt a than.

Pwy anghofia'r llynnoedd dagrau?
Pwy anghofia'r diluw gwaed?—
Pawb yn byw'n nglyn cysgod Angau
Ddydd a nos, ac ar ein llwybrau
Ddim ond beddau dan ein traed.[12]

Yn ogystal â bod yn fardd adnabyddus, 'roedd erthyglau a beirniadaethau Brynfab yn lled enwog yn ystod ei oes. Soniwyd eisoes ei fod yn gweithio fel golygydd barddoniaeth yr wythnosolyn, *Tarian y Gweithiwr,* ac mae'r ffaith i'r papur barhau tan 1934 yn dangos y brwdfrydedd dros y Gymraeg yng nghymoedd y De o 1880 ymlaen. 'Roedd ei feirniadaethau yn codi arswyd ac yn ennyn edmygedd ymysg y beirdd a gyfansoddai ddarnau ar gyfer y papur. Dywedodd Cennech amdano: 'Daeth ei enw i'm calon pan oeddwn yn grwt ysgol . . . Darllenai'i nodiadau wythnosol fel rhamant, gwledd i'r galon ifanc oedd mynd dros y golofn honno bob dydd Mercher.'[13] Oherwydd ei sylwadau, magodd Brynfab gnwd o feirdd ifanc, brwdfrydig yng nghymoedd y De.

Cyfeiriwyd eisoes at ei ymlyniad wrth yr hen ffordd o ganu. Yn *Y Geninen* ym 1914 ceir cyfres o erthyglau ganddo ar 'Perthynas Dysgeidiaeth Ddiweddar a Barddoniaeth Delynegol Cymru'. Nodwyd fel yr oedd yn mawrygu canu Ceiriog a Mynyddog, am eu bod yn eglur ac yn naturiol. Darllenwn am y modd y seiliai ei farddoniaeth gynnar ar ddulliau canu Ceiriog. 'Roedd yr hen feirdd a'r werin bobl yn deall ei gilydd yn iawn, gan fod y beirdd hyn yn lladmeryddion teimladau a dyheadau y bobl. O dipyn i beth, aeth eu celfyddyd hwy yn ddibris a daeth, chwedl Brynfab, 'y ddysgeidiaeth ddiweddar' yn ffasiwn. Deil fod safonau Saesneg wedi'u gorfodi ar y delyneg, ac mae ei ymateb i'r Seisnigeiddio hyn yn ffyrnig:

Yr ydym wedi arfer rhedeg gormod ar ol y Sais i lawer cyfeiriad, ac ni fuom ar ein henill bob amser wrth wneud hynny. Gwell genyf ddilyn Ceiriog a'i naturioldeb, ei symlder, a'i eglurder, na mynd i gwrcydu wrth draed *Palgrave* a'i drâs, gan anwybyddu naturioldeb a myn'd ar fy mhen i dywyllwch y gallaf ei deimlo. Os oes gan y Sais reol ar ei *Lyric*, gwnaed a fynno ohoni: ond peidier a cheisio gwthio ei athrawiaeth i lawr gyddfau telynegwyr Cymru. Mae cantorion Cymru wedi gwneud cawl o'u canu corawl wrth wrando ar y Saeson a gyflogir i feirniadu yn ein gwyl genedlaethol. Mygasant yr ysbryd Cymreig wrth gyfyngu eu gyddfau i feinder ceg y Sais; a hyny yn eu gwlad eu hunain, y llyfriaid gwirion!'[14]

Yn Eisteddfod Genedlaethol Caernarfon, 1906, cipiwyd y wobr am gyfres o delynegion gan Eifion Wyn. Derbyniodd Brynfab ei drechu yn ostyngedig, ond wedi darllen y feirniadaeth sylweddolodd fod un o'r beirniaid wedi ei drwytho yn yr 'hen ffordd', a'r ddau arall yn y 'ddysgeidiaeth ddiweddar'. 'Doedd dim modd cael cysondeb yn y beirniadu o'r herwydd.

Ymhellach ymlaen yn yr un gyfres, mae Brynfab yn mynd ati i edrych yn feirniadol ar y to ifanc o feirdd yng Nghymru, a'r modd 'roeddent yn telynegu. Edrychodd, chwedl yntau, ar y rhai a oedd y 'tu allan i'r gagendor'. Y cyntaf i syrthio dan ei lach oedd T. Gwynn Jones. Nid bardd i'r bobl oedd hwn, ond ysgolhaig: 'Nid yw o gymaint gwahaniaeth ganddo pa un a ddeallir ei ergydion gan y darllenydd cyffredin: at rai eraill yr hoffa ef awchlymu ei gyllell.'[15] Ceisiodd Brynfab brofi fod yr ysgolor Cymraeg yn amlycach na'r bardd yng ngherddi T. Gwynn Jones. Rhaid sylwi ei fod wastad yn cyfeirio at ysgolheictod T. Gwynn Jones ac yn canmol cyn ei feirniadu. Barnai fod 'y bardd weithiau yn myn'd yn dwrch daear arnom . . .' wrth iddo chwilio a phalu am hen eiriau a chyfansoddi geiriau newydd. Mae'n galw'r darllenwyr cyffredin yn 'ddioddefwyr' y ddysgeidiaeth newydd wrth i feirdd megis T. Gwynn Jones geisio torri tir newydd. Mae'n cyfeirio'n ffafriol at dincian cynganeddol a phertrwydd ei ganu, ond damniol yw'r feirniadaeth yn y pen draw. Wedi dyfynnu pennill o 'Merch y Bugail'—

> . . . Mae'th ddeurudd cyn wridoced
> A'r rhosyn cocha 'rioed,
> A'th galon cyn lidioced
> A'r Hydref yn y coed.

—dywed: 'Nid yw ryfedd yn y byd fod merch y bugail "lidioced", a'i geiriau can "gased", os adroddodd y bardd ei delyneg iddi. Pa ferch fuasai yn ei deall, heb son am ei mwynhau?'[16]

Un arall i wynebu beirniadaeth lem Brynfab yw W.J. Gruffydd. Dechreua'r erthygl yn eithaf cadarnhaol. Mae Brynfab yn esbonio ei fod wedi darllen nifer o delynegion W.J. Gruffydd a'i fod 'wedi cael cryn fwynhad gyda'r rhai y medrwn eu deall.' Teimlwn, o dan arwyneb yr agoriad cyfeillgar, fod yna danchwa yn llechu, ac yn wir y mae. Mae'n seilio ei erthygl ar dair telyneg, sef 'Gorffwys', 'Mair' a 'Teirgwaith. Wrth drafod y gerdd 'Mair', nid yw Brynfab yn gweld dim ond bardd o'i go' sy'n cynnig cario beichiau'r ferch sy'n trist-chwerthin ac yn wylo am ei chariad cyntaf. Yn wyneb dryswch rhai o'r llinellau yn y penillion, 'roedd Brynfab yn barod i redeg i Gaerdydd petai rhywun yno'n medru cynnig esboniad arnynt! Dyma a ddywed am y pennill olaf:

> . . . Tragwyddol storm o ddagrau
> Yw croeso nefoedd hon;
> Mae'r hydref ar ei gruddiau,
> A'r gaeaf yn ei bron.

Gallaf ddamcanu beth a feddylir yn y ddwy linell olaf; ond am y "dragwyddol storm", give it up'.[17]

Câi Brynfab ei ddigalonni'n llwyr wrth ddarllen y math hwn o waith— 'roedd yn creu gagendor rhwng y darllenwr cyffredin a'r bardd, yn mawrygu ysgolheictod ar draul mwynhad y werin bobl. Nid adloniant i'r mwyafrif oedd barddoniaeth mwyach, ond diddordeb i'r lleiafrif. Ar ddiwedd yr erthygl mae'n diolch ei fod yn dod i derfyn ei fywyd, a gobeithia y bydd ei wyrion a'i or-wyrion yn medru mwynhau cynnyrch y 'ddysgeidiaeth ddiweddar' na chynigiai ddim iddo ef ar ddechrau'r ugeinfed ganrif.

Ceir amryw o erthyglau eraill ganddo. Yn *Y Geninen*, 1919, rhannodd rai o'i 'Adgofion Eisteddfodol' â'r darllenwyr.[18] 'Roedd yn ffigur adnabyddus ar feysydd eisteddfodau ar draws Cymru benbaladr, ac mae'r erthyglau hyn yn ffynhonnell werthfawr wrth inni lunio portread o fywyd diwylliannol Cymru yn ystod ail hanner y ganrif ddiwethaf. Soniodd yn ei erthygl gyntaf am griw ohonynt yn mynd i Eisteddfod Genedlaethol Penbedw ym 1878. Fe'u disgrifiodd, yn llu o dalentau cerddorol a barddol, yn lletya yn nhŷ y 'Cymro Gwyllt' (William Edwards) o Aberdâr, yn Union Street, Lerpwl. Er gwaetha'r asbri yn y tŷ gyda'r nos, deddfai'r perchen pryd yr oedd pob un i fod i fynd i'r gwely—nid maes carafannau'r dyddiau hyn oedd y tŷ hwnnw! Deddf arall oedd nad oedd neb i ysmygu yn yr ystafelloedd gwely ond llwyddai nifer ohonynt —'doedd ysmygu ddim mor amhoblogaidd bryd hynny—i ddianc lawr staer i gael mwgyn. 'Roedd y 'Cymro Gwyllt' yn ddeddfwr llym, fodd bynnag, a defnyddiai chwistrell ddŵr i amharu ar bleser y pibwyr!

Mae Brynfab yn sôn yn ei drydedd erthygl am ddigwyddiadau doniol. Digwyddodd un mewn eisteddfod yn y Pentre, Rhondda. 'Roedd Eos Rhondda—a oedd wedi colli un goes ac yn gorfod bodloni ar un goes iach ac un goes bren—yn beirniadu, a phan aeth i'r llwyfan, llwyddodd i roi ei goes bren drwy ystyllod y llwyfan, gan gwympo'n bendramwnwgl i'r llawr! Digwyddodd yr helynt arall yn Eisteddfod Genedlaethol Pontypridd, 1893. 'Roedd Gwilym Cowlyd yn anghytuno â'i ddau gyd-feirniad, Dyfed a Phedrog, ynglŷn â phwy oedd yn teilyngu'r Gadair, a mynnai ddatgan ei farn a'i anghytundeb o'r llwyfan. Ceisiodd sawl swyddog ei atal rhag gwneud, ond methwyd. Wrth gamu i'r llwyfan, llwyddodd y Barnwr Gwilym Williams i afael yn ei war a bygwth y gyfraith arno. Ymdawelodd Gwilym Cowlyd ar unwaith a dihangodd o'r babell i gael ei ddalu gan y trysorydd, a daliodd y trên cyntaf yn ôl i Lanrwst. Cafwyd cryn hwyl oherwydd hyn, a lluniodd Watcyn Wyn englyn i goffáu'r digwyddiad:

> Cowlyd ni wnai encilio—o'i bwlpud,
>> Heb help i'w symudo;
> Ond dwrn barn gauwyd arno
> Pan aeth grym Gwilym o'i go'.[19]

Cyfeiriodd, hefyd, at y ddwy streic a fu yn Eisteddfod Genedlaethol Caerdydd,1899. Digwyddodd y gyntaf pan wrthododd pwyllgor yr Eisteddfod hawl i aelodau'r Orsedd gael 'tocyn rhydd'. Digwyddodd yr ail ar ddiwrnod y Coroni, a'r tro hwn achos y streic oedd y bardd coronog ei hun. Wedi darllen y feirniadaeth ar y pryddestau ar 'Y Diddanydd Arall' chwythwyd y Cyrn Gwlad a galwyd ar y bardd buddugol, sef Gwylfa, i ddod i'r llwyfan. Ni chododd neb, a bu'n rhaid coroni 'dyn gwellt', chwedl Brynfab. Drannoeth, cyrhaeddodd Gwylfa y babell, â'i wynt yn ei ddwrn, gan hawlio ail seremoni. Dyna, yn ôl Brynfab, oedd yr unig dro iddo weld Watcyn Wyn yn colli ei dymer. 'Roedd Gwylfa wedi cyrraedd yr Eisteddfod ddiwrnod cyn y Coroni, ond sibrydodd rhywun yn ei glust ei fod wedi methu â chael y goron, a baglodd hi cyn clywed y feirniadaeth. Wedi darllen y papur newydd, fodd bynnag, sylweddolodd mai ef oedd y buddugwr, a dychwelodd, ddiwrnod yn hwyr, i hawlio ei wobr. Crynhodd yr Orsedd i gyd o gwmpas Watcyn Wyn, a bu'n rhaid i Gwylfa, druan, adael y llwyfan gyda'i goron mewn 'bandbox', yn lle ar ei ben. Diddorol, heddiw, fyddai gweld yr Orsedd i gyd yn eistedd ar y llawr ac yn protestio!

Adwaenid Brynfab am ei ffraethineb—mae'r marwnadau a'r cofiannau iddo wedi'i farwolaeth ym 1927 yn galaru am y golled a fu i hiwmor y Cymry. Adroddir am Glic y Bont un tro yn creu cystadleuaeth, sef ysgrifennu marwnad i Mabonwyson. 'Roedd Mabonwyson, yn anffodus, yn dal ar dir y byw! 'Roedd yn fardd amhoblogaidd a sâl, a phan glywyd ei fod yn mynd ar fordaith i'r Amerig penderfynwyd gosod y dasg o lunio marwnad iddo pe byddai'r llong yn suddo ar y ffordd!

Mewn enghraifft arall, clywn amdano yn cael rhybudd coch gan swyddogion Cyngor Lleol a Phlwyf Pontypridd yn bygwth gwys os na fyddai yn talu ei drethi yn llawn o fewn pum niwrnod. Mae ymateb Brynfab, ar ffurf pedwar englyn, yn dangos yn eglur ei wrthwynebiad i'r bygythiad:

> Y swyddwyr diras waeddant—am y Dreth
> A thrwm draed fygythiant:
> Y treiswyr! ni phetrusant
> Rhoddi sen i fardd a sant!
>
> Ni fethais erioed fathu—arian pur
> Yn y pwrs i'w talu;
> Och! i fardd, diddiolch fu
> Gwyr cysglyd geir i'w casglu.

Ni chiliais er ei gochelyd,—am lawn
  40 mlynedd hefyd:
A'm lle yw'r Hendre o hyd
I mi i dreulio mywyd.

I Annwn, bawb ohonoch;—y gethern
  Fygythiol a fflamgoch!
I minnau pan y mynnoch
Poera cwn i'r papur coch.[20]

Oherwydd ei gysylltiad agos â Chwm Rhondda, mae ei erthyglau ar
yr ardal ac ar ei phobl yn creu portread byw o'r Cymreictod a'r
traddodiadau a oedd yn yr ardal. Casglai hen idiomau, diarhebion a
phenillion y cwm, ac fe'u ceir yn awr ar ffurf casgliad yn Llyfrgell
Rydd Caerdydd dan y teitl, 'Hen Arferion Cwm Rhondda'.[21] Mae
traethawd arall mewn llawysgrif yn personoli afon Rhondda Fawr
wrth iddi lifo i lawr o ben y cwm i gymeru ag Afon Taf ym
Mhontypridd.[22] Byddai unrhyw ddaearegydd, hanesydd neu gerddwr
yn falch o'r disgrifiad o'r nentydd sy'n llifo i'r cwm. Mae'n llwyddo i
gadw'n fyw yr holl enwau a ddifodwyd ac a Seisnigeiddiwyd gan
ddyfodiad y pyllau glo.

Mae erthygl arall yn olrhain dechreuad y gymdeithas honno o feirdd,
sef Clic y Bont,[23] a gwrddai yn y New Inn, ymysg lleoedd eraill.
Canolbwyntiodd Brynfab ar bum bardd ac ni chafodd gyfle i sôn am
fwy, er iddo addo gwneud. Criw direidus oedd y cwmni, ac 'roeddent
yn hoff iawn o'r ddiod feddwol:

    . . . Yfed heb ddweud gair ofer
    A gado'r siwg pan godai'r sêr.

Soniodd am Gwilym Morgannwg ac Ieuan Ddu. 'Roedd yn hael iawn
ei glod i Ioan Emlyn, am mai ef oedd y cyntaf o blith beirdd y De i
ennill Cadair yr Eisteddfod Genedlaethol. I Brynfab, 'roedd hyn yn
anos na chyrraedd Pegwn y Gogledd! Gallem ei gyffelybu heddiw i
dîm rygbi Cymru yn cyrraedd rownd derfynol Cwpan Rygbi'r Byd!

Yn Eisteddfod Treherbert ym 1878, Brynfab oedd y gorau am lunio
geiriau i gantata ar 'Plant y Tlotty'. Prif bwrpas y gwaith oedd hybu

. **Pan Oedd** .
Rhondda'n Bur.

Ffugchwedl Nodweddiadol
o Gwm Rhondda.

▷o◁

GAN

BRYNFAB.

Pris 6c.

PONTYPRIDD:
SWYDDFA'R "FREE PRESS" A "RHONDDA LEADER,"
15 TAFF STREET.

dirwestiaeth, gan bortreadu bywyd pobl yn ystod hanner cyntaf y ganrif ddiwethaf. Yn eironig ddigon, perfformiwyd y gwaith ychydig fisoedd ar ôl i Brynfab farw ym 1927, ond hwyrach mai'r gwaith hwn a'i sbardunodd i ysgrifennu *Pan Oedd Rhondda'n Bur*, ei gyfraniad amlycaf i lenyddiaeth Gymraeg a gyhoeddwyd ym 1912 gan Wasg Pugh a Rowlands, Aberdâr.[24] Is-deitl y llyfr yw 'Ffug-chwedl nodweddiadol o Gwm Rhondda'. Treuliodd Brynfab ei lencyndod, sef pumdegau a chwedegau'r ganrif ddiwethaf, yn Nhreorci, ac mae ei atgofion am y cyfnod yn hollbwysig yn strwythur y llyfr. Mae'n defnyddio'i brofiadau i ddisgrifio, mewn un bennod ar ddeg, y cymeriadau, y digwyddiadau a'r arferion yn y Rhondda gynt. Nid Rhondda y chwyldro diwydiannol ydyw, ond Rhondda cyn i'r pyllau glo drawsnewid yr ardal, a'r byd hefyd. Dyma'r cwm amaethyddol, diarffordd, Cymraeg.

Cychwynnwn y stori trwy gwrdd â'r prif gymeriad a'i wraig, sef Wil Oliver y gof, a Mari. Mae'n fore teg o Fehefin, ac 'rydym yn yr efail, man cyfarfod poblogaidd i bawb gan fod ffermwyr angen hogi pladuron, ac eraill am bedoli ceffylau. Ar wahân i ambell ddigwyddiad, nid yw'r ffugchwedl yn gadael yr efail. Er nad yw Brynfab yn sôn yn fanwl o gwbl am gyfnod y stori, deallwn yn syth mai cyfnod ydyw pan yw'r afon Rhondda o hyd yn loyw, er fod afon Cynon wedi ei phardduo gan lygredd. 'Does yna fawr o gynllun na strwythur i'r llyfr o gwbl. Cyfres o atgofion ydyw, a'r cymeriadau yn symud i mewn ac allan o'r efail, yn datgan eu barn am ryw ddigwyddiad neu'i gilydd, neu'n sôn am ryw arferiad amaethyddol neu ddiwylliannol. Cwrddwn â nifer o gymeriadau, a'r cyntaf ohonynt yw y Cyrnol Edwards o'r Tynewydd. O'r disgrifiad a gawn ohono, cawn ddarlun o noddwr i'r gymdeithas, yn cyflogi ffermwyr a gweision gwahanol ar gyfer gwaith ar y tir. Dyma'r hen fath o gymdeithas, yn barod iawn ei chymorth i bob aelod o'r gymuned.

Cwrddwn â chymeriadau tebyg i Gweni Pengelli sydd yn nôl blawd ceirch, ac yn galw ar Wil a Mari i gwyno am foesau pobl ifanc yr ardal. Achos ei chwyn yw'r ffaith fod y dynion ifanc wedi cerdded o Dreorci i Bontypridd gan dorri cwys yr holl ffordd yno. Yn ei hôl hi, byddent yn 'dwyn anystyrieth trwy ganol maes crefyddol Cwm Rhondda.' I Gweni, 'roedd yn arwydd o'r dirywiad o fewn y gymdeithas, a byddai'n well pe byddent yn mynychu cyrddau'r Mis Mawr yn y Groeswen. Anodd gwybod beth fyddai ei hymateb i'r gymdeithas heddiw. Serch hynny, dadleua Wil a Richard Abergorci mai cyfle i ymgymysgu yw y Cyrddau Mawr hyn, a'u bod yn uno teuluoedd mawrion cymoedd Rhondda a Chynon. Mewn modd, 'roedd Brynfab yn pwysleisio pa mor dda 'roedd trigolion yr ardal yn adnabod ei gilydd. Ar ôl i ddiwydiant gyrraedd yr ardal, prin fod pobl yn adnabod achau y bobl drws nesaf, heb sôn am y bobl a oedd yn byw ym mhen pellaf y cwm.

Aelod arall o'r gymdeithas yw Twmi Bodringallt, sef dyn glo yr ardal. Cwrddwn ag ef yn y bumed bennod, pan mae'n teithio'r cwm i setlo biliau blynyddol ei gwsmeriaid. Mae Wil yn gorfod talu chwe swllt ac ugain ceiniog. Nid 'diwydiant', fel y cyfryw, oedd tyllu am lo yn y dyddiau hynny. Cawn wybod mai dim ond tri o ddynion oedd yn gweithio i Twmi, sef William Tŷ Fry a John ei fab, a Mesach Lleteca yn carto y glo i'r lan. Gwaith i un neu ddau o deuluoedd oedd hwn, ond ar ddiwedd y bennod, sylwn fod y pyllau glo ar y gorwel, a Walter Coffin yn berchen ar lofa rhyw bedair milltir ymhellach lawr y cwm. 'Roedd Coffin yn gwerthu ei lo yn rhatach na Twmi, ac felly yn distrywio busnes y dyn o Fodringallt. Ceffyl a dynnai lo Twmi i'r lan, ond 'roedd y rheilffyrdd at wasanaeth Coffin. Mewn gosodiad gan Mari ar ddiwedd y bennod, mae'n codi'r cwestiwn: 'A phwy a wyr na fydd y *Tramroad* fawr hyna sydd yn dod o Lundan trwy Gaerdydd ac i fyny i Merthyr ac Aberdar yn taflu ei changhenau i lan i gymoedd y Rhondda ryw ddiwrnod. Ond ni fydd hyny yn dy ddydd di a fina, Wil.'[25]

Portreadir dau gymeriad reit ddoniol inni yn y chweched bennod, sef Hywel Tydraw a Rylont bach, gwas yr Eglwys. Dau fachgen ifanc yw'r rhain, sy'n barod iawn i geisio profi eu hunain, ac yn llawn storïau am wrhydri a deallusrwydd eraill. Mae'r ddau yn feirdd gwan ofnadwy yn ogystal, a cheir darn doniol wrth i Hywel adrodd ei englyn, 'Pen Pych', i Wil. Gwneir y darn yn fwy doniol wrth i'r darllenydd sylweddoli fod gan Hywel nam ar ei leferydd:

> Pen Pych, gwych y fan—yn dichwn
> Yn dwchyn rhwng dwy dachan:
> Fe'i gwelich gan fawch a man
> Yn egluch o Dwch Llundain.[26]

Un o 'ddigwyddiadau' y llyfr yw cyfarfod y gymdeithas elusennol ag Emwnt Jordan a Dafydd Ynyscoi. Maent yn bennaf yn trafod yr angen am ysgol o ryw fath yn yr ardal, er mwyn i'r bobl ifanc gael dysgu ychydig o Saesneg—dyma iaith 'progress', wrth gwrs. Ar y ffordd adref, mae Wil yn dweud storïau am ysbrydion yr ardal, megis ysbryd y Glwyd Goch, a Ladi Wen Twyn Coed y Rhyd. 'Digwyddiad' arall yw cyfarfod y prydyddion yn y New Inn, sef cartref Gwilym Morgannwg. Mawr fu'r disgwyl am y cyfarfod hwn, ac ymgorfforir hynny gan Hywel Tydraw a Rylont bach. Maent ar dân am fynd yno, er mwyn adrodd eu cerddi gwael. Mae'n siŵr y byddent wedi cael yr un derbyniad cellweirus ag a gafodd Mabonwyson. Mae Brynfab yn dyfynnu rhai o'r cerddi a gyfansoddwyd gan y beirdd hyn, ac mae'n dangos yn eglur y math o 'wtopia' prydyddol a oedd yn y Rhondda yn y dyddiau hynny, dyddiau y mae Brynfab yn chwennych eu gweld yn dychwelyd.

Mae'r llyfr yn gorffen yn drist, wrth i Brynfab alaru ar ôl y cymeriadau a'r cyfnod a fu: '. . . ac nid oes ond dau neu dri o honom heddyw wrthym ein hunain fel pelicanod yr anialwch yn hiraethu am y cyfnod dedwydd hwnw.'[27] O'r cychwyn, 'rydym yn ymwybodol mai ychydig iawn o ddisgrifiadau a lunnir gan Brynfab wrth ysgrifennu. Dibynna yn llwyr ar ddeialog trwy gydol y gwaith. Er ei fod yn canolbwyntio'r holl ddigwyddiadau yn yr efail (ar wahân i gwrdd y gymdeithas elusennol, ac ymweliad Mari â'r Macws i nôl llaeth enwyn), trwy ddeialog yn unig y daw y darllenydd yn ymwybodol fod cymeriad newydd wedi ymddangos, neu fod un arall wedi diflannu. Mae'n mynd yn anodd gwybod weithiau pwy sy'n siarad, a ble maent ar y pryd. Mae fel petai Brynfab yn adrodd y stori ar dafod leferydd, neu'n ysgrifennu'r llyfr ar frys. Gellid ei ddarllen fel llif o ddarluniau ac atgofion o oes a fu.

Serch hynny, defnyddir y Wenhwyseg trwy gydol y llyfr, ac mae'n ffynhonnell ddefnyddiol i unrhywun sydd â diddordeb yn y dafodiaith hon. Ceir ynddo ddywediadau digri yn aml, a rhai sy'n dangos dylanwad crefydd ar bobl y cwm. Er enghraifft, ar ôl i Gwen Pengelli ddifyrio bechgyn megis Richard Abergorci am dorri cwys o Dreorci i Bontypridd, mae Richard yn dweud ei bod yn 'rhy barod i hidlo gwybed a llyncu camelod', gan ei bod hithau wedi bod yn dipyn o gymeriad yn ei dydd. Ceir yn y llyfr gyfeiriadau at Ŵyl Lug a Gŵyl Fair Llantrisant, ac at afael bendant yr Eglwys ar drigolion yr ardal. Ceir ynddo gyfeiriadau at borthmyn a'u harferion, ym mherson Walter Edwards, Abergorci. Mae un hanesyn diddorol amdano yn torri pob pumpunt yn ddwy ar gyfer y daith yn ôl o Northampton, er mwyn twyllo unrhyw ladron ar y ffordd. 'Roedd yn cludo un hanner adref ar y daith gyntaf, ac yn casglu'r ail hanner ar ei ail daith. Gallai 'Group 4' ddysgu tipyn ganddo! Mae'r llyfr, er gwaethaf ei holl ffaeleddau fel nofel, yn gofnod diddorol a defnyddiol o oes a fu. Gallai unrhyw un sydd â diddordeb yn y ganrif ddiwethaf, boed yn ieithydd, hanesydd neu gymdeithasegydd, elwa arno fel ffynhonnell werthfawr o draddodiadau'r cyfnod.

Nid aeth gweithgarwch llenyddol Brynfab ddim yn ddi-sylw. Yng Nghapel y Tabernacl, Pontypridd, ar 7 Hydref 1918, cynhaliwyd cyngerdd tysteb iddo. Dyma ran o gyfarchiad y pwyllgor iddo:

> . . . a rhestrir chwi yn ddiwarafun ledled y Dywysogaeth fel PRIF FARDD Y CYMDEITHASAU CYMRAEG. Cenir eich clodydd fel cymydog cymwynasgar—fel gwerinwr braf—ac fel oracl hunan-ddiwylliedig,—ffraethbert a diwenwyn gyda'ch wyneb siriol . . . A phair eich athrylith loew—eich unplygrwydd dilol—a'ch gwelediad clir i Amaethwyr yr ardaloedd i ymddiried ynoch fel eu twr, eu tarian, a'u tafod. Edrychir i fyny arnoch... fel dolen gydiol rhwng yr Orsedd a'r Aradr.[28]

Ym 1925, dyfarnwyd iddo Bensiwn Sifil o £50 y flwyddyn oherwydd ei gyfraniad i lenyddiaeth Cymru, a derbyniodd ffon gerdded gan Gymdeithas Cymmrodorion Pontypridd am ei wasanaeth iddynt dros y blynyddoedd.

Yn hwyr ym 1926, symudodd Brynfab a'i ail wraig (bu farw ei wraig gyntaf, Margaret, yn Ebrill, 1892, yn 35 mlwydd oed, yn fuan ar ôl marwolaeth un o'u plant yn chwe mis oed) o Hendre-Prosser i'r Hendre Wen yn Sain Tathan. Ychydig iawn o gyfle a gafodd i fwynhau ei ymddeoliad. Bu farw yn ei gadair wrth ymyl y tân tra'n ysmygu ar 18 Ionawr 1927. Fe'i claddwyd ar 21 Ionawr ym mynwent Eglwysilan, wrth ymyl ei wraig gyntaf. Gadawodd weddw, pump o feibion a thair merch ar ei ôl. 'Roedd tipyn o alar ar ei ôl, hefyd, a dyma a ddywedodd y bardd, Hedydd, amdano yn ei farwnad a gyhoeddwyd yn y *Pontypridd Observer,* 5 Chwefror 1927:

> Rhamantus ei wely noswylio,
>   Hen fro gynefinol y tir,
> A'r mynydd y bu yn bugeilio
>   Ei braidd am flynyddoedd hir, hir;
> Ym mynwent hen Eglwysilan,
>   Naturiol oedd iddo gael bedd,
> Hyd ganiad yr utgorn,—cwyd i'r lan
>   Gyda'r dyrfa yn ifanc ei wedd.

NODIADAU

[1] William Thomas (Glanffrwd), *Llanwynno* (G.P.C., 1949). Gw. pennod 14, 'Pontypridd', 113.

[2] *Y Geninen*, XXXII (1914), 27.

[3] ibid., 27.

[4] ibid., XXVIII (1910), 65.

[5] ibid., XXXVII (1919), 85-9; *The Western Mail*, 4 December 1934.

[6] *Y Geninen*, XXX (1912), 44.

[7] Ibid., VII (1889), 58.

[8] *Y Geninen Eisteddfodol*, XV (1897), 50.

[9] William Thomas (Glanffrwd), *Llanwynno*, 13.

[10] Thomas Williams (Brynfab), *Pan Oedd Rhondda'n Bur* (Aberdar, 1912), 66-68.

[11] idem., 'Hunangofiant Afon Rhondda' (1925). Llawysgrif ynghadw yn Llyfrgell Rydd Caerdydd: C.3.737.

[12] *Y Geninen*, XXXVII (1919), 26.

[13] David J.Thomas, *Hanes Bywyd a Gwaith Cennech Davies* (Treforus, 1949), 28.

[14] *Y Geninen*, XXXII (1914), 30.

[15] ibid., 122.

[16] ibid., 122.

[17] ibid., XXXIII (1915), 68.

[18] ibid., XXXVII (1919), 85-9, 154-7, 236-8.

[19] ibid., 237.

[20] Casgliad o weithiau ynghadw yn Llyfrgell Pontypridd.

[21] 'Hen Arferion Cwm Rhondda'. Llawysgrif ynghadw yn Llyfrgell Rydd Caerdydd: C.3.738.

[22] 'Hunangofiant Cwm Rhondda'. Llawysgrif ynghadw yn Llyfrgell Rydd Caerdydd: C.3.737.

[23] *Y Geninen*, XXX (1912), 67-9.

[24] Thomas Williams (Brynfab), *Pan Oedd Rhondda'n Bur* (ail argraffiad: Pontypridd, 1931).

[25] ibid., (argraffiad cyntaf: Aberdar, 1912), 24-5.

[26] ibid., 28.

[27] ibid., 64-5.

[28] Casgliad o weithiau ynghadw yn Llyfrgell Pontypridd.

'O olwg hagrwch Cynnydd': golwg ar farddoniaeth Ben Bowen

Cennard Davies

Ardal yn prysur ddatblygu oedd blaenau Rhondda Fawr pan aned Ben Bowen yn 160 High Street, Treorci[1] ar 19 Hydref 1878. Ar wahân i ddyrnaid o frodorion, neu 'Wŷr y Gloran'[2] fel y'u gelwid, pobl ddŵad oedd y mwyafrif o'r trigolion. Rhai felly oedd rhieni Ben, Dinah a Thomas Bowen, hithau yn hanu o Fwlchnewydd ger Caerfyrddin a'i phriod o'r Pwll, Pen-bre, Dyfed. Gŵr gweddw a chanddo ddau fab o'i briodas gyntaf oedd Thomas pan briododd â Dinah a chawsant deulu mawr o naw o blant. Ben oedd y seithfed o'r rhain.[3]

Gweithiai'r tad ym Mhwll Glo Tynybedw, Treorci. Oherwydd ei wlybaniaeth arswydus, cyfeirid at y pwll hwnnw ar lafar gwlad fel 'Y Swamp'. Yno yr aeth Ben i weithio yn 12 oed gan ymuno â'i dad a'i frawd hŷn, David (Myfyr Hefin). Nid oedd Ben, yn fwy nag unrhyw grwt arall o'i oed, yn awyddus i fynd o dan ddaear. Cofia ei frawd amdano, y diwrnod cyntaf hwnnw yn y pwll glo, 'yn do'd i'r talcen glo lle gweithiai ein tad a ninau, yn llaw un o'r dryswyr tan wylo, a dweyd ei fod am fyn'd yn ôl i'r ysgol.'[4] Ond yno y bu am chwe blynedd nes iddo ddychwelyd am ysbaid fer i Ysgol y Bwrdd, Treorci a symud ymlaen, wedi hynny, i goleg.

Crwtyn yn y Rhondda, 1910
(Amgueddfa Genedlaethol Cymru)

Ddiwedd yr wythnos waith hir, gyntaf honno, ar ôl derbyn swllt yn arian poced gan ei dad, aeth y crwt yn syth i siop Davies, Bryncethin yng nghanol pentref Treorci i brynu copi o gyfrol Dafydd Morganwg, *Yr Ysgol Farddol*. 'Roedd e eisoes wedi penderfynu bod yn fardd. Cafodd ddigon o gefnogaeth ar yr aelwyd gan fod ei frawd, Dafydd, yn barddoni ac yn ymhyfrydu yn y pethe. 'Roedd hefyd dwr o feirdd lleol, gan gynnwys Nathan Wyn a Dewi Glan Rhondda a fedrai gynganeddu, ac 'roedd Thomas Williams (Brynfab), a ffermiai Fforchorci ar y pryd, yn gyfrifol am golofn farddol bwysig yn *Tarian y Gweithiwr*. Bu ef yn gefn i'r egin fardd. At Brynfab yr anfonai Ben ei gynhyrchion cynnar ond ymddengys ei fod wedi manteisio'n llawn ar gyfarwyddiadau'r *Ysgol Farddol* oherwydd tystia'r bardd hŷn na welodd 'gymaint a gwall cynghaneddol yn englynion Ben Bowen yn y cyfnod boreol hwnw',[5] er bod Ben bob amser yn mynnu nodi ei oedran, '15eg oed', o dan ei waith!

Yn ddi-os, 'roedd y capel yn ddylanwad pwysig arno. Ymaelododd y teulu ym Moriah, y Pentre—yr eglwys a fagodd lenorion adnabyddus eraill, megis J. Gwyn Griffiths, D.R. Griffiths a Rhydwen Williams mewn cyfnod diweddarach. Yn ogystal â chynnig arweiniad ysbrydol, rhoddai capeli'r cwm gyfle i bobl ifainc drwytho'u meddyliau mewn amrywiol feysydd eraill. Dyma fel y mae D.J. Davies, Treorci, llenor lleol cyfoes â Ben Bowen, yn cofnodi ei ddyled i aelodau Hermon, eglwys yr Annibynwyr, a oedd o fewn tafliad carreg i gartref Ben:

Yn gyntaf fe'm gwnaethant yn Gymro Cymreig. Cofiaf am danaf yn dysgu'r heniaith yn yr Ysgol Sul gan ddechrau'n ddigon gwylaidd gyda'r A.B.C. dan ofal amyneddgar Mrs. Davies, Myrtle Hill, a gorffen yn ddadleuwr penchwiban yn nosbarth Jenkin Thomas. Cipiais hefyd fwy nag un wobr am adrodd yng nghyfarfodydd cystadleuol Hermon trwy gymorth y diweddar Evan Thomas, a dysgais redeg Solffa yn ddiffael bron cyn fy mod yn ddeuddeg oed am fod arwyr fel Thomas Jones, John Jones a David Evans wrthi â'u holl egni wythnos ar ôl wythnos yn ein trwytho â'r gorau oedd ynddynt. Cofiaf hefyd am ddosbarth Mathematics John Minton yn ein tanio gyda'r fath frwdfrydedd nes ein gwneuthur yn ddychryn i bawb yn y gymdogaeth gyda'n problemau. Yna, wedi tyfu i faint, cefais y Parch. W.T. Gruffydd yn gyfaill parod i'm harwain i feysydd llenyddiaeth, ac wedyn, fe ddaeth y Parch. Seymour Rees i'm

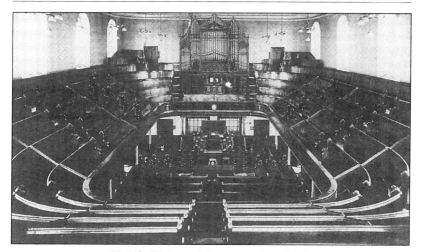

Noddfa (B) Treorci. Un o geyrydd y ffydd
(Simon Eckley ac Emrys Jenkins, 1994: *Rhondda,* Chalford)

calonogi i fwrw ar waith na feiddiwn ei ddechrau onibai am y ffydd oedd ganddo ynof.[6]

Y capeli, ynghyd â neuaddau'r gweithwyr, oedd prif gynheiliaid addysg ymhlith glowyr ifainc y cyfnod[7] ac yn ogystal â chael cyfle i feithrin eu doniau meddyliol, cawsant hefyd gyfle yn yr amrywiol gyfarfodydd i fynegi eu barn ar goedd a datblygu'n arweinwyr yn yr eglwys a'r gymdogaeth.

Ar ben hyn oll, câi'r Ben Bowen ifanc ddigon o gyfle i gystadlu ym mân eisteddfodau Cwm Rhondda cyn dechrau lledu ei esgyll. Erbyn iddo gyrraedd ei ben blwydd yn ddeunaw oed 'roedd e wedi ennill ei gadair gyntaf yn Eisteddfod Penrhiwceiber. Ar 1 Chwefror 1897, o fewn pum mis i'r achlysur nodedig hwnnw, 'roedd e'n eistedd yng nghadair Eisteddfod Aberdâr.[8] Honnid mai ef bellach oedd bardd cadeiriol ifancaf Cymru ac ymatebodd Myfyrfab, Felinfoel i'r achlysur yn yr englyn a ganlyn:

> Wel, yn wir, y blaena' 'rioed!—'e gurodd
> Gewri yn ei faboed;
> Gad'odd ar ôl ei gydoed—
> Yn ddyn aeth yn ddeunaw oed.[9]

'Y Deffroad Cenedlaethol' oedd testun cadair Aberdâr. Disgrifia Myfyrfab aberth Dafydd, brawd Ben, i'w alluogi i ysgrifennu'r gerdd ar waelod Pwll Tynybedw: 'Pan oedd ei frawd yn tori glo, yr oedd Ben yn barddoni, weithiau ar bapyr, bryd arall ar gareg lefn wedi ei darparu i'r pwrpas; ond pan ddeuai eu "tro", gadawai Ben y papyr neu y gareg, ac âi i gynorthwyo'i frawd i lanw'r tram; yna âi pob un at ei waith drachefn.'[10]

Rhagflas oedd y seremoni yn Aberdâr i'r holl sylw a oedd yn aros y glöwr ifanc. Cynhaliwyd cyfarfod yn y Pentre i ddathlu ei lwyddiant ac mae'n werth dyfynnu'r adroddiad a ymddangosodd yn *Heddyw*[11] yn ei grynswth, er mwyn blasu'r awyrgylch ac i geisio amgyffred cymaint o fri a roed ar lwyddiant eisteddfodol yn y cyfnod. Hawdd yw dychmygu'r effaith a gafodd yr holl rialtwch cyhoeddus hwn ar grwt ifanc o löwr wrth iddo dderbyn clod a sylw gwŷr pwysig ei ardal a chefnogaeth un o arweinwyr amlycaf y genedl:

Nos Sadwrn, Chwef 20, oedd y noswaith; Moriah, Pentre, oedd y lle; E.H. Davies, Y.H., oedd y cadeirydd; Percy Smith oedd chwareuydd y berdoneg; gorlawn oedd y capel; adeiladol a difyrrus oedd y canu; purol i chwaeth, dyrchafol i ysbryd oedd yr areithiau; ac ysbrydoliaeth fyw oedd y cynyrchion barddol. Yn brydlawn am 7.30 dechreuodd y cadeirydd ar ei waith. Traddododd araeth dda i agor y cwrdd trwy ddweyd mai neges y cwrdd oedd llongyfarch un o feirdd cadeiriol ieuengaf—os nad yr ieuengaf o bawb—y genedl ar eu buddugoliaeth glodfawr yn Eisteddfod Aberdâr, ac i hyn fod yn ysbrydoliaeth i ereill i ymdrechu gyda llenyddiaeth a barddoniaeth a'r ceinion wyddorau, ac yn symbyliad i fuddugoliaethau eto i Ben Bowen, y cadeirfardd ieuanc ei hunan. Mae wedi ennill dwy gadair cyn bod ond ychydig dros ddeunaw oed, ac yn dilyn ei orchwyl fel glöwr, yn gweithio yn galed o dan y ddaear bob dydd. Yn sicr, mae yn haeddu pob cefnogaeth oddiar ein llaw. Wedi hyn, cafwyd anerchiadau gan y Parchedigion W.Morris, Treorci; E.W. Davies, Ton; S.G. Bowen, Gelli; W. Charles, Treorci; a Brynfab, a Nathan Wyn, Dewi Glan Rhondda, a'r brodyr Geo. Davies a David James, Moriah. Sylwedd yr oll oedd gwerthfawrogiad o dalent, ymdrech a llwydd y bardd ieuanc, ac anogaeth iddo eto lygadu am fuddugoliaethau uwch. Bu cryn chwareu,—pwy oedd pia'r anrhydedd o'i godi a'i fagu, a'i ddarganfod? Mynnai Brynfab mai ef a'i darganfyddodd fel bardd, mai Moriah a'i magodd, ac i'r brodyr Geo. Davies a D. James gael y fraint o'i osod ar ben y ffordd i esgyn ysgol dysg. Honnai Rhosynnog yn bybyr mai un o Dreorci oedd; ond trowyd y byrddau gan Geo. Davies trwy ddweyd mai yn y Pentre yr oedd yn gweithio ac yn byw, mai dim ond cysgu yr oedd yn Nhreorci. Yr oedd y chwareugamp ddadleuol eiriol hyn yn dwy i'n cof y ddadleuaeth am gartref y bardd Homer gynt.

Wedi'r areithiau aed at y cadeirio, fel y buwyd wrthi yn Aberdâr. Yr oedd cadair Aberdâr ar y llwyfan, a hen gleddyf bwaog yn lled-orwedd yn ymyl. Daeth Brynfab i'r llwyfan i ddadgan fod ail-gadeirio i fod er boddhad mawr i'r llu cyfeillion oedd yno. Yr oedd banllefau yn diaspedain trwy yr adeilad pan ffurfiwyd cylch cyfrin y beirdd ar y llwyfan, yn cynnwys Brynfab, Nathan Wyn, Glannedd, Dewi Glan Rhondda, Briallydd, Gwernogydd, Myfyrfab, Myfyr Dyfed, Myfyr Twrch, D. Bowen, Ieuan ap Gwilym. Darllenodd Brynfab feirniadaeth Ben Davies, Ystalyfera, yn dyfarnu y wobr a'r gadair i 'Echo'. Yna gwaeddwyd am 'Echo'. Safodd yr hogyn pengoch, gwyneb-lwyd, tawel ei olwg, crotynaidd ei ymddangosiad, ar ei draed. Archwyd i Ieuan ap Gwilym a Briallydd i frysio i'w gyrchu. Wedi pererindod fer, dychwelwyd gyda'r 'boy' i'r llwyfan i ymyl y gadair dderw, a bloeddiodd Brynfab yn glochaidd,—"A oes heddwch?" ac atebodd y dorf gyda banllef,— "Heddwch! Heddwch!" a chadeiriwyd Ben Bowen yn yr adeilad lle bu'n dysgu A.B.C. Canwyd cân y cadeirio gan Miss Thomas, Treorci,— "Gwlad y Delyn." Yr oedd dadweiniad y cledd, a'r bloeddio a'r ateb, ac arddodiad dwylaw cylch cyfrin y beirdd, yn ddoniol. Yna arllwyswyd wmbredd o ddylif barddol ar ei ben, welant ddydd efallai yn y Wasg Rydd, Pontypridd. Dywedwyd llawer yn y farddoniaeth am Ben, ac wrth Ben, a Ben yn gwrando yn dawel ar y cwbl i ben. Wedi ychydig o eiriau calonogol gan y llywydd, a'r diolchiadau arferol, ymwahanwyd wedi cael cyfarfod nad anghofir yn hir. Dylid cydnabod gwasanaeth y cantorion,— B. Devonald, Harri Evans, Aneurin Edwards, Miss Davies, Miss Thomas, Miss L.H. Jones, a Percy Smith. Dywedwyd yn yr oedfa am y llythyr gafwyd oddiwrth O.M. Edwards, M.A., Rhydychen, yn dadgan ei lawenydd am lwydd y glöwr ieuanc; ac anogwyd gwŷr haelionus y Pentre i gofio am helpu os bydd eisieu yn y dyfodol i roi addysg bellach i Ben Bowen. Boed llwydd mawr i ti eto fy mrawd.

'Roedd presenoldeb gweinidogion, beirdd, cantorion a gwŷr busnes mwyaf blaengar yr ardal ar yr achlysur nodedig hwn yn ernes o'r parch a'r bri a hawliai bardd llwyddiannus ac mae'n sicr bod y llythyr a dderbyniodd oddi wrth neb llai nag O.M. Edwards yn rhoi i'r glöwr tlawd obaith na fyddai'n gweithio dan ddaear am weddill ei oes. Ar wahân i'r lofa, ychydig iawn o waith oedd ar gael i bobl ifainc a'r ddwy ddihangfa fwyaf amlwg oedd gyrfa ym myd addysg neu yn y weinidogaeth. I O.M. Edwards, wrth gwrs, 'roedd Ben yn batrwm o löwr crefyddol, diwylliedig—y math o werinwr a oedd yn glod i'w ddosbarth ac yn addurn ar werin lengar Cymru.[12] Os mai '[l]lygadu am fuddugoliaethau uwch' oedd anogaeth y gwŷr mawr lleol, llwyddiant yn yr Eisteddfod Genedlaethol fyddai'r nod o hynny ymlaen.

Os oedd yn chwilio am batrwm i'w efelychu, mae'n ddiddorol sylwi i Ben Bowen benderfynu mynd am dro i'r Babell, Sir Fynwy ddechrau Mehefin, 1897, er mwyn ymweld â bedd a chartref un o'i arwyr, Islwyn. Cafodd y fraint o sefyll yn y pulpud y pregethodd Islwyn ohono gyntaf ac eistedd yn ei gadeiriau barddol.[13] Yn anffodus, fodd bynnag, 'roedd beirdd eraill yn cael llwyddiant eisteddfodol yn nawdegau'r ganrif ddiwethaf, rhai heb fod ganddynt na dawn na gweledigaeth y bardd o'r Ynys-ddu. Er gwaethaf hynny, ni allai bardd ifanc a oedd am gyrraedd y brig fforddio eu hanwybyddu. Perthynai'r rhain i ysgol y Bardd Newydd.[14] Ymhlith y rhai a gysylltir â'r mudiad

Ben Bowen (1878-1903)
(Cyril Batstone, 1974: *Old Rhondda in photographs,* Stewart Williams)

hwn gellir rhestru Gwili, Rhys J. Hughes, Iolo Caernarfon ynghyd â'r bardd a wobrwyodd Ben Bowen yn Aberdâr, Ben Davies, Panteg. Ac yntau'n fardd ifanc a oedd yn dal i ddysgu ei grefft a datblygu ei syniadau, 'roedd hi bron yn anorfod y byddai ieithwedd, arddull ac athroniaeth y beirdd llwyddiannus hyn yn dylanwadu ar Ben Bowen gan fod ei fryd bellach ar gipio coron neu gadair y Genedlaethol. Mae tystiolaeth o'r dylanwad hwn i'w gweld yn ei gerdd lwyddiannus gyntaf, 'Y Deffroad Cenedlaethol'.[15]

Beth, felly, a apeliai at Ben Davies ym mhryddest arobryn Aberdâr? Yn y lle cyntaf, dylid dweud mai'r bryddest oedd hoff ffurf lenyddol y Bardd Newydd. Cerddi hir iawn oeddynt, fel arfer, ac o'r safbwynt hwnnw gellid dweud bod ymdrech gyntaf Ben Bowen yn siomedig o fyr gan mai 250 o linellau yn unig oedd ynddi! Mae'n ymrannu'n bedair adran: i. Nos ii. Nos a Chwsg iii. Dydd a Deffro iv. Breuddwyd a Byw.

Byddai nos, cwsg a breuddwyd yn gysyniadau wrth fodd Ben Davies a'i debyg. Wrth edrych yn ôl dros ein traddodiad barddol, dywedodd un o'r prif lefarwyr ar ran y Bardd Newydd, Rhys J. Huws: 'Credwn nad yw Barddoniaeth Cymru wedi ymgais at ddim uwch na photographio bywyd'.[16] Yn ôl y beirdd hyn, crafu'r wyneb yn unig oedd hynny oherwydd bod y gwir sylwedd o'r golwg.[17] Ceisio ymdreiddio i'r gwirionedd hwn oedd swyddogaeth y bardd a dull y Bardd Newydd o wneud hyn oedd gofyn cwestiynau di-ri. Yn ogystal, defnyddiai drosiadau megis nos, cwsg a breuddwyd yn gyson i gyfleu anallu bodau meidrol i amgyffred y realiti terfynol. I Ben Bowen:

> Y bardd yw'r llygad swynol o dlysineb
> Wel ystyr ddyfnaf y dirgelion.[18]

Er taw o ran yn unig y gallwn obeithio ei adnabod, mae'r bardd yn gallu trosglwyddo i'w gydfforddolion ryw atsain wan o'r byd tragwyddol yn yr un modd ag y gellir clywed adlais o sŵn y môr mewn cragen a gludwyd o ryw draeth pell:

> Beth ond cragen ydyw'r ddaiar
> Ar draethellau y tragwyddol?
> Yno—tonau gwyllt a beiddgar:
> Yma—atsain wan ond swynol?[19]

Yn rhan gyntaf 'Y Deffroad Cenedlaethol' mae gan Ben Bowen gyfres o ddarluniau sy'n tanlinellu ein diffygion meidrol wrth geisio amgyffred y tragwyddol:

> Mae trymder nos yn amdo ddu i'r bwthyn
> Dystawrwydd nos yn fedd i gân aderyn,
> A'i lleni'n disgyn rhyngom a'r blodeuyn:
> Ond mae ei bersawr eto ar yr awel!
> Ac yn ei gwsg mae breuddwyd melus, tawel
> Yn hudo meddwl blin y gweithiwr tua bryn
> O weddnewidiad: a thrwy niwl, O dlysed
> Yw'r sêr trwy leni'r niwl yn tremio i waered,
> I chwilio o glir ffenestri'r nef am gydmar yn y llyn!
> Ac yn y pell mor brudd, mor llon, mor dlos
> Yw'r Eos fyth sy'n 'canu yn y nos'.[20]

Mae 'amdo', 'bedd' a 'lleni' (sic) yn pwysleisio ein hanallu dynol tra bod 'persawr', 'breuddwyd', adlewyrchiad y sêr yn y llyn a nodau'r 'Eos' anweledig, yn ernes o'r realiti y ceisiwn ymgyrraedd ato.

Mae'n ddiddorol sylwi wrth fynd heibio mai at *Eos* ac nid *eos* y cyfeirir, oherwydd y cyffredinol, yn hytrach na'r unigol, oedd o ddiddordeb i'r Bardd Newydd. Haniaethiad o brofiad, yn hytrach na phrofiad uniongyrchol, a geir ganddo bob amser.[21] Ond cawn ddychwelyd at bwnc yr eos yn y man.

Yn yr ail ganiad cyfeirir at nos ysbrydol a gwleidyddol Cymru gyda'r awgrym, unwaith eto, bod rhai unigolion yn gallu cynnig inni ryw gipolwg ar y gwirionedd, ambell 'genad arall fyd', 'byd-sêr' sy'n rhychwantu dwy lefel o fodolaeth:

> Daw aml i seren i wybrenau'i hanes
> Yn genad arall fyd: beth yw Llanfaches
> Ac Erbury a Charadog hyd Vavasor
> A'u cydryw oll, ond byd-sêr nef ein goror?
> Hithau heb ddeffro i ddeffroad meddwl:
> 'Seren ddisgleiriaf Cymru'n myn'd dan gwmwl?'[22]

Mae'r arddull ryddieithol a welir yn y dyfniad hwn yn nodweddiadol o'r ysgol hon o feirdd. Un arall o briodoleddau'r Bardd Newydd a geir yma yw'r gyfeiriadaeth hunanymwybodol, fel petai'n awyddus i arddangos lled a dyfnder ei ddysg. Ni ddylem ryfeddu at hyn o gofio cymaint o bwys a roddai'r beirdd hyn ar reswm a gwybodaeth ac mai dynion hunanaddysgedig oedd llawer ohonynt. Câi dysg a meddyliau dyfnion y flaenoriaeth ar fynegiant yn eu gwaith. Cefnodd rhai ohonynt ar yr awdl gan honni bod y gynghanedd 'yn gyfrifol am y ffaith fod meddylwyr pum-raddol wedi eu codi i safle o arbenigrwydd yng Nghymru.'[23] Gwaith bardd yw treiddio trwy'r pethau gweledig at y gwirionedd sylfaenol ac ni ddylid caniatáu i ddyfeisiau addurnol megis y gynghanedd ei lesteirio rhag gwneud hynny. Meddwl a myfyrio sy'n bwysig ac ategir yr agwedd hon gan y ffaith bod cynifer o feirdd ddiwedd y ganrif wedi mabwysiadu 'Myfyr' yn rhan o'u henwau barddol, gan gynnwys brawd Ben Bowen ei hun, Myfyr Hefin.

Er bod Tafolog yn hawlio mai 'ymgais meddwl terfynol i sylweddoli'r annherfynol ydyw dychymyg',[24] ymddengys mai rheswm yw'r prif arf at wasanaeth yr ysgol hon o feirdd. Ymresymu a chwilio am wybodaeth, felly, y mae'r bardd neu, efallai, yn fwy cywir, yr athronydd sy'n digwydd bod yn defnyddio barddoniaeth yn gyfrwng mynegiant. Y syched hwn am wybodaeth yw sylfaen 'Deffroad Cenedlaethol' Ben Bowen:

> Y Deffroad sy'n cynhyrfu holl ddyfnderoedd dy fodolaeth
> Ydyw'r nerthoedd grea'r brwydro anorchfygol am wybodaeth . . .[25]

Ffug wyddor a ddaeth i fri yn y cyfnod hwn oedd ffrenoleg neu ddarllen pennau. Nid yw'n syn, felly, bod ffrenolegydd o'r enw Proffeswr J. Valant Williams, wedi teithio i Dreorci ar 8 Tachwedd 1898 yn unswydd i ddarllen pen Ben Bowen. Ar ddiwedd adroddiad manwl sy'n ddoniol o ffug-dechnegol, daw i'r casgliad 'fod Ben Bowen yn fardd ac athronydd, ond y mwyaf o'r rhai hyn oedd yr athronydd'.[26] Beth bynnag yw ein barn am wyddor darllen pennau, nid oedd ei brif gasgliad yn bell iawn o'i le, a barnu wrth bryddestau eisteddfodol y bardd. Mater arall yw penderfynu ai tueddfryd cynhenid oedd yn gyfrifol am hyn ai ffasiwn eisteddfodol y cyfnod.

Yn ei ymdrech i ddirnad yr annirnadwy a thraethu'r anhraethadwy mae tuedd gref gan y Bardd Newydd i lefaru'n aneglur. Dyma enghraifft o gymysgu delweddau yn 'Y Deffroad Cenedlaethol':

> Fyw Gymanfa! pabell ddwyfol gyfyd Ysbryd Diwygiadau
> Wrth fyn'd adref tua'r Nefoedd gyda Chymru yn ei freichiau . . .[27]

Mae'r llinellau rhyddieithol a ganlyn yn un gybolfa o ddelweddau byd natur yn gweu'n ddiberthynas trwy'i gilydd:

> Syr Hugh Owen fawr a'i gydryw sy'n gwasgaru clir oleuni!
> Ambell don o foddion addysg yma ac acw'n llamu ar hyd-ddi:
> Mae'r Brifysgol Genedlaethol eto'n dod trwy'r cyfyngderau,
> Yn ei threm beiddgarwch ieuanc yn ymsaethu drwy'r cymylau:
> Enfys-wregys o obeithion deifl am ystlys y tymhestloedd:
> Mae murmuron tonau'r eigion draw yn sibrwd yn ei chlyboedd
> Am flwydd-donau ei dyfodol tuag ati'n gwynlliw lifo,
> Ac yn cario ei gwyn-freichiau fyd-oludoedd i'w bendithio . . .[28]

Fel y gwelwyd, mae digon yn y gerdd hon i ddangos bod Ben Bowen, yn fardd deunaw oed, wedi dechrau llyncu syniadau'r Bardd Newydd. Ei nod bellach oedd cipio'r goron yn y Genedlaethol. Daeth o fewn trwch blewyn i gyflawni'r gamp honno yn Lerpwl yn 1900 â'i bryddest, 'Williams Pantycelyn', a ddaeth yn ail. Glanystwyth, Iolo Caernarfon a Ben Davies oedd yn beirniadu ac mae sylwadau'r tri gwron hyn yn ddiddorol o gofio i ba stabl y perthynent.[29] Yn ôl Iolo Caernarfon, Ben oedd 'y meddyliwr mwyaf a grymusaf hwyrach yn y gystadleuaeth hon'. Am y gerdd dywedodd, 'ynddi hi y mae mwyaf o athroniaeth farddonol, ac o farddoniaeth athronyddol o bob un' ac unig fai'r bardd oedd ei fod 'fel pe byddai ef o dan lywodraeth yr awen, ac nid yr awen o dan ei lywodraeth ef.' 'Pryddest o nodwedd athronyddol esboniadol' ydoedd i Ben Davies, ond hyd yn oed iddo fe 'a yn sych a difywyd yn fynych'.

Yn 'Y Deffroad Cenedlaethol', deffroad crefyddol ac addysgol a ddisgrifiwyd gyda'r pwyslais yn drwm ar y wedd grefyddol. Erbyn iddi gael ei hysgrifennu 'roedd mudiad gwleidyddol Cymru Fydd wedi chwythu ei blwc ar ôl y cyfarfod cythryblus hwnnw a gynhaliwyd yng

Nghasnewydd yn 1896.[30] Yn 'Williams Pantycelyn', canolbwyntir yn llwyr ar y byd ysbrydol a gwelir mawredd Pantycelyn yn ei allu i roi inni gip ar y tragwyddol, er bod 'ffenestr fechan' y dyfyniad isod unwaith eto yn awgrymu'r cyfyngiadau sydd ynghlwm wrth ein stad ddynol:

> Dangos yr ystafell olau,
> Gyda'i ffenestr fechan draw,
> Lle bu'r bardd yn agor dorau
> I feddyliau'r byd a ddaw . . .[31]

Fel yn emynau Pantycelyn, pererinion yn teithio trwy anial dir tuag at wlad sydd well i fyw ydym oll:

> Pa beth yw careg fedd ond careg filldir
> Yn dweyd fod bywyd yn myn'd rhagddo . . .[32]

Nid oes inni yma babell barhaus:

> Pererin tragwyddoldeb ydyw bywyd;
> Ei lwybr adref ydyw'r ddaiar . . .[33]

Er i Saunders Lewis weld egin rhamantiaeth yng ngwaith Williams, 'athronydd clir ei neges' ydyw i Ben Bowen[34] a rhaid dibynnu ar reswm yn hytrach na theimlad. 'Y meddwl bia'r greadigaeth.'[35] 'Does dim rhyfedd felly bod gwedd draethodol iawn ar y bryddest. Ymestyn dros 44 o dudalennau ac mae iddi fraslun manwl esboniadol ynghyd â throednodiadau yn egluro'r mynych gyfeiriadau. Ar ben hyn oll gwneir ymdrech lafurus i lusgo cynifer o ddyfyniadau o waith y Pêr Ganiedyd i fewn i'r gerdd, fel petai'r bardd am brofi i'r byd ei fod yn feistr corn ar ei bwnc:

> Am dani 'mi ddisgwyliaf ddydd a nos—
> Disgwyliaf hyfryd ddyddiau i fod gerllaw'
> A 'phryd y delo doed,' mi wn mai 'gwlad
> O gyfoeth yw yn unig dy fwynhau';
> A gwerthfawrocaf yw dy 'gariad drud'
> Nag yw 'holl berlau'r India i gyd';

O 'Ysbryd Sancteiddiolaf,' gad i mi
Gael 'profi blas maddeuant pur a hedd'
Droes Iesu'n win yng nghwpan chwerw'r ardd!
Rho wel'd 'euogrwydd fel mynyddau'r byd'
Fel meini man yn danau telyn nant,
Dan ddiluw'r gwaed 'yn ganu wrth y Groes'. . .[36]

Ar ben y diflastod hwn, ceir o dro i dro rigymu ffwrdd-â-hi sy'n amlygu elfen o ddiffyg chwaeth artistig sy'n ymylu ar fod yn ddoniol ar brydiau:

Pan dano'r borau hwnw llamai'r llawr,
Ychydig a feddyliai Harris fawr
Wrth roi y dorch i Williams Pantycelyn
Y gwaeddai Cymru byth: 'Wil bia'r emyn.'[37]

Yn ôl beirniadaeth Iolo Caernarfon, bai mwyaf y bryddest yw ei bod yn sôn '[g]ormod o lawer am daranau a mellt, am Gymru a thragwyddoldeb.'[38] Defnyddir elfennau natur a nodweddion daear-yddol gan y Bardd Newydd, fel y cawn weld, yn rhyw fath o ddolen gydiol rhwng y byd hwn a byd arall. O safbwynt Cymru, rhaid dweud mai Cymru haniaethol a geir ym marddoniaeth Ben Bowen. Yn sicr, ni chewch ynddi ddarlun o fywyd Cwm Rhondda yn nawdegau'r ganrif ddiwethaf. Nid yw'r pyllau glo newydd, amgylchiadau ac amodau gwaith truenus y glöwr, afiechyd a thlodi'r bobl a difwyno'r amgylchedd, o unrhyw bwys i'r Bardd Newydd. Sôn am y wlad yn gyffredinol y mae bob amser, yn hytrach na mannau neilltuol:

Rhaid imi garu Cymru—
Caru pob cornant a bryn —
Caru pob afon a glyn —
Caru pob gweddi anadlodd—
Caru pob ing a orchfygodd —
Rhaid imi garu Cymru.[39]

Ac eto i gyd, mae'n amlwg bod Ben Bowen wedi ystyried y gallai ddod o hyd i destunau yn ei fro ei hun. Mewn llythyr o Dde Affrica at ei frawd Dafydd, dywed:

Y mae rhai pethau ym mywyd Shoni y gellid gwneud drama weddol ohonynt.—y bachgen ieuanc yn gweithio trwy anawsterau etc; Y Danchwa; yr Eisteddfod; y Cyrddau Mawr a'r Wibdaith; mynd i ddŵr y môr ac i'r Ffynhonnau; y Parties yn mynd i ganu o flaen y Frenhines. Ni chenais ddim digrif hyd yn hyn, er nad oes brinder o hynny ynof gan y gallaf yn eithaf rhwydd fynd dros ben llestri. Pa beth a ddywedit pe rhoiswn gynnig ar ddarlunio bywyd Shoni?[40]

Mae e'n codi'r un pwnc eto mewn llythyr at ei chwaer Ann a'i phriod:

Os oes dosbarth o ddynion yn anwylach imi na phob dosbarth arall—y colliers am dani. Collier oedd nhad. Colliers ydych chwithau, fy mrodyr. Colliers Cwm Rhondda a fu fy nghymwynaswyr pennaf. Collier a fum fy hun, un adeg. Ni chenais ddim iddynt eto oddigerth 'Can y Streic'! Paham?[41]

Gresyn na ddilynodd y llwybr hwn a darlunio'r gymdeithas liwgar, byrlymus yr oedd yn aelod ohoni. Fodd bynnag, wrth gyfeirio at Gwm Rhondda, ymddengys ei fod am anwybyddu'r hyn oedd yn digwydd o'i gwmpas a chanolbwyntio ar yr agweddau hynny o'r gymdeithas gynddiwydiannol a oedd wedi goroesi, yn union fel y gwnaeth ei fentor llenyddol, Brynfab, yn ei 'ffugchwedl', *Pan Oedd Rhondda'n Bur*.[42] Yn hyn o beth, ymdebygai i feirdd rhamantaidd Lloegr a'u diddordeb yn yr Afallon na ddifwynwyd gan ddiwydiant, a hawdd y gallai fod wedi amenio syniadau'r Cyn-Raphaeliaid dylanwadol, John Ruskin a William Morris, a geisiai 'alw'n ôl at geinder lliw a llun fyd a âi'n hyllach beunydd gan gynnydd diwydiant direol ac a dyfai'n fwy philistaidd ei ysbryd dan gysgod clyd rhyddfrydiaeth *laissez faire*'.[43] Wrth ddisgrifio Moel Cadwgan, y mynydd a wynebai ei gartref, cyfeddyf fod diwydiant wedi ei greithio:

> Heulwen ar dy gopa,
> Cwmwl wrth dy draed,
> Fasnach ddall fan yma
> Sugna i ffwrdd dy waed.[44]

Yn fuan, fodd bynnag, sylweddolwn nad fel nodwedd ddaearyddol y bodola'r mynydd yn ei ddychymyg ond fel esgynfa i arall fyd:

> O fy mlaen yn llygad
> I'r tragwyddol fyd,
> Lle nad oes ddadfeiliad,
> Yr wyt ti o hyd.[45]

Os mai purdeb dihalog cysefin ynysoedd a mannau tebyg a apeliai at y Rhamantwyr ac os ymhyfrydent mewn disgrifio'n graffig dirwedd y mannau hynny, nid felly Ben Bowen. Yn raddol yn ystod y gerdd hon, cyll Moel Cadwgan ei soletrwydd materol a thry yn haniaeth bur:

> Baich o genadaethau
> A meddyliau'r Nef
> Daflwyd ar ysgwyddau
> Daiar ydyw ef.[46]

Mynegodd yr un syniad mewn ysgrif Saesneg a ysgrifennodd ar gais ei ysgolfeistr tua mis Mai, 1897:

> Few see the majesty of our surrounding hills at Treorci, which have felt the narrowness of earthly sway, and with some divine force within them are in an attempt to leap towards eternity.[47]

Rhaid rhestru'r mynydd ynghyd â'r enfys, pelydrau'r haul a'r ser, yr ehedydd a'r eos yn ddelweddau a ddefnyddir gan Ben Bowen i bontio'r agendor rhwng y byd hwn a'r byd nesaf. Dyma'r ffin y mae ef, fel ei arwr Islwyn, yn ei harchwilio ac weithiau, fel yn achos Moel Cadwgan, mae'r ffin rhwng realiti a'r byd arall yn denau iawn.[48]

Enghraifft ddiddorol o hyn yw eos Glyncoli! Mewn llythyr at Fyfyrfab yn 1898, dywed fod 'Eos' yn canu yn Nhreorci. Mae'n lleoli'r aderyn yn fanwl iawn, er bod lle i amau bod y lleoliad hwnnw'n cydweddu braidd yn rhy gyfleus â'i gyfundrefn ddelweddol arferol inni dderbyn ei stori'n llythrennol:

> Wel, y mae Eos yn canu bob nos yn Nhreorci, a beth feddyliech am hyn?

Gellwch fentro fy nghredu! Bum yn ei gwrando ddwy waith a golygai hynny golli dwy noson o gwsg. Y mae'n canu yn *grand*. Y mae'n uwch i fyny yn Nhreorci na ni ar dir Glyncoli. Wrth gefn Noddfa, Capel Morris, Treorci, y mae, ond ei bod dipyn i fyny i'r mynydd. Gellir ei chlywed yn taro ambell nodyn fel eco o ben ein drws ni tua dau neu dri o'r gloch y bore, pan fyddo popeth yn dawel. Y mae gerllaw Cemetery Treorci. Y mae felly, heblaw canu yn y nos, yn canu ym mhyrth y Fynwent. Ystyria rhai *aristocrats* a choeg wybodus hyn yn *grand joke*, ond y mae gormod o'r *grand* ynddo i fod yn *joke*.[49]

Aderyn swil yw'r eos a phrin y câi ei denu i ardal lle 'roedd tri phwll glo prysur yn ogystal â lefel o fewn hanner milltir i'r fynwent! Mae'r lleoliad, fel yr awgrymwyd, yn peri inni amau bod gan y bardd ifanc gymhellion eraill ac mae'n arwyddocaol mai at 'Eos', yn hytrach nag eos, y cyfeiria yn ei lythyr. Mae'n debyg taw fel un arall o'r dolenni cydiol hynny rhwng dau fyd sydd mor bwysig i'r bardd y dylem ystyried yr aderyn hwn.[50]

Proses boenus, anodd yw ymresymu ei ffordd tuag at y gwirionedd, fel y cyfeddyf y bardd ei hun:

> Poenus yw 'Paham' athronydd
> Yn ei ymchwil am wirionedd;
> Poenus yw'r 'Pa fodd' dihysbydd
> Wêl gredoau mor ddisylwedd.[51]

Nid yw hyn, fodd bynnag, yn ei rwystro rhag dal i ofyn cwestiynau rhethregol yn null y Bardd Newydd. Priodol yn y cyswllt hwn, efallai, fyddai sylwi ar un ffaith ddiddorol. Gweinidogion a phregethwyr oedd llawer o'r Beirdd Newydd a gall yr holi ymddangosiadol ddi-bwynt yma fod yn deillio o'r ansicrwydd a gododd yn sgil tanseilio cred llawer o bobl ddiwedd y ganrif ddiwethaf gan uwchfeirniadaeth ar y Beibl, Darwiniaeth a'r gwrthdaro cyffredinol rhwng crefydd a gwyddoniaeth.[52] Hawdd y gellir dychmygu'r gwrthdaro a allai godi rhwng meddyliwr ifanc o weinidog a chynulleidfa geidwadol ei syniadau.[53] 'Roedd gofyn cwestiynau anatebadwy yn fath o gyfaddawd a'i galluogai i amddiffyn ei integriti heb golli ei swydd.

'Roedd sefyllfa Ben Bowen braidd yn wahanol. Yn y lle cyntaf, nid oedd yn weinidog ar eglwys ac yn ail, mae lle i gredu ei fod yn ymwybodol na châi fyw yn hir. 'Roedd y ddwy ffaith hyn yn ei ryddhau i leisio ei amheuon crefyddol yn agored heb ofni'r canlyniadau. Prin, fodd bynnag, y gallai fod wedi rhag-weld yr effaith a gafodd ei erthygl, 'Y Cymundeb Rhydd', a gyhoeddwyd yn rhifyn Ebrill, 1902, o'r *Geninen*.[54]

*   *   *

Ym mis Gorffennaf, 1899, pan oedd ar daith bregethu yng ngogledd Cymru gwaedodd Ben Bowen o'i ysgyfaint am y tro cyntaf.[55] Er iddo fynd i Goleg Prifysgol Caerdydd am ysbaid ar ôl hyn, bu'n rhaid iddo roi'r gorau i astudio a dychwelyd i'r Rhondda i fyw gyda'i chwaer, Mary, a'i phriod yn eu cartref yn Nhonpentre. Bregus iawn oedd ei iechyd a chyn hir daeth yn amlwg mai ei unig obaith am wellhad fyddai treulio cyfnod mewn hinsawdd gynnes. Er mwyn ei alluogi i wneud hyn agorwyd tysteb genedlaethol a chasglwyd £353. 8s. 11c. i'r 'Struggling Welsh Genius'. Ar ôl cyflwyno'r rhodd hael hon iddo mewn cyfarfod cyhoeddus hwyliodd o Southampton i Dde Affrica ar 26 Ionawr 1901.[56]

Yn Ne Affrica, felly, yr ysgrifennodd yr erthygl a achosodd gymaint o gythrwfl ledled Cymru. Carn ei dadl oedd na wyddai 'am ddim yn y Testament Newydd yn dweyd yn bendant fod bedydd yn hanfodol i aelodaeth eglwys.' Ni chredai, ychwaith, 'y dysgir Caeth Gymundeb yn un man tu fewn i gloriau y Beibl'. Tynnodd yr honiadau hyn nyth cacwn am ei ben. 'Roedd y wasg enwadol ynghyd â cholofnau papurau seciwlar yn ferw am wythnosau a diwedd yr helynt oedd i Ben Bowen gael ei ddiarddel gan ei eglwys yn y Pentre. Dengys y digwyddiad gwarthus hwn, ynghyd â ffieidd-dra'r ymosodiadau personol ar y bardd yn y wasg, gymaint o bwysau oedd ar weinidogion i droedio'n ofalus. Er bod cwestiynau rhethregol y Bardd Newydd yn ymddangos yn ddi-bwynt, gellir eu dehongli fel dull o fynegi amheuon difrifol heb orfod wynebu'r canlyniadau.

Fel arfer, wrth drafod datblygiad ein llenyddiaeth, dywedir bod gwaith y rhamantwyr Cymreig a ymddangosodd cyn y Rhyfel Mawr yn ymateb chwyrn i lawer o'r tueddiadau y buom yn eu hystyried hyd yma. Mewn cyferbyniad llwyr â'r Bardd Newydd, 'roedd eu diddordeb hwy mewn teimlad yn hytrach na rheswm. O ganlyniad, 'roedd serch a hiraeth am y gorffennol yn bynciau pwysig a dangoswyd llawer o ddiddordeb ym mywydau pobl gyffredin, yn enwedig rhai a hanai o gefndir gwledig, gwerinol.[57] Crynhodd John Morris-Jones ei wrthwynebiad i athroniaeth y Bardd Newydd mewn englyn deifiol:

> Nid naddu diwinyddiaeth,—a hollti
> Gwelltyn coeg athroniaeth,
> A hedeg uwch gwybodaeth
> O olwg gŵr, i niwl caeth.[58]

'Roedd ei bwyslais, yn amlwg, ar y diriaethol yn hytrach na'r haniaethol, ar y byd hwn yn hytrach na'r byd nesaf ac ar bobl o gig a gwaed yn hytrach nag ar haniaethau.

Wrth edrych yn ôl ar ddatblygiad barddoniaeth Gymraeg, gwelir Eisteddfod Bangor, 1902 yn drobwynt. Yno yr enillodd T. Gwynn Jones y gadair am ei awdl chwyldroadol, 'Ymadawiad Arthur'. 'Roedd yn 31 oed ar y pryd ac 'roedd Ben Bowen, a oedd wyth mlynedd yn iau nag ef, hefyd wedi anfon awdl i'r gystadleuaeth. Fe'i cyfansoddwyd yn Ne Affrica ac yn ddiddorol iawn gwelai Ben Bowen chwedl Arthur yn ddrych o'i hanes ef ei hun—'gŵr yn cefnu ar ei wlad, a'i orffennol yn fethiant, ac yn mynd dros y môr i wlad hyfryd ac iach am wellhad, a bwriad ansicr a llawn o amheuon am ddod yn ôl i ymladd eto i wneud cenedl yn deyrnas o burdeb ac yn un â'r byd mawr. Ben Bowen yw "Arthur" Bangor.'[59]

Prif nodweddion cerdd T. Gwynn Jones yw'r elfen storïol sy'n rhoi fframwaith cadarn i'r awdl; y darluniau diriaethol gwych sy'n cyferbynnu'n llwyr â haniaethedd y Bardd Newydd; coethder yr iaith a gloywder y mynegiant a'i ddarlun o Afallon fel man lle y gallai'r diwygiwr hyderus adfer ei ffydd a'i hyder.[60] Mae Bedwyr, iddo ef, yn ymgorfforiad o ysbryd cenedlaethol anniffoddadwy Cymru ac mae'n arwyddocaol bod yr awdl yn gorffen â'r llinellau heriol a gobeithiol:

> Bedwyr yn drist a distaw,
> At y drin aeth eto draw.

Yn anffodus, 'roedd Ben Bowen yn dal yn gaeth i rai o arferion drwg y Bardd Newydd, yn enwedig wrth lunio cerddi ar gyfer eisteddfodau. Nid yw drama'r stori yn apelio ato ef fel y gwnaeth at T. Gwynn Jones. Yn wir, dechreua'r awdl gyda Bedwyr yn taflu Caledfwlch i'r llyn. Disgrifiad moel, ffeithiol yn unig a geir ac nid oes ganddo ddiddordeb yn y ddrama a ragflaenodd y digwyddiad hwn fel sydd gan Gwynn Jones:

> A bron friw teifl o'r diwedd
> I'r dwfn gwelw'r gloyw gledd;
> A charn Caledfwlch a wêl
> Yn lluniaidd mewn llaw anwel . . .[61]

Yn ei ing try Arthur yn debyg iawn iawn i'r Bardd Newydd wrth iddo ofyn rhai o gwestiynau anatebadwy bywyd:

> Fywyd, a'th dorf o waeau,—ai boddhad
> Bedd yw eneidiau?
>
> Obaith y byd! beth yw byw?— Ai er dim
> Crewyd y ddynolryw?[62]

Anobaith Arthur wrth ystyried ei fod yn cyrraedd pen ei daith ddaearol yw prif nodwedd yr adran agoriadol. Dyma lle y mae rhawd y bardd ac Arthur debycaf i'w gilydd ac yma y ceir y canu mwyaf dwys a phersonol:

> O fel y carwn fyw—a dychwelyd
> A chalon dynolryw
> Yn y fron fau! ond ofer yw
> Breuddwyd mor ewybr heddyw.[63]

Yr unig gysur iddo yw gobaith y ffydd Gristnogol a chred y Bardd Newydd mai llwybr yn unig yw'r byd hwn i fyd gwell. I Ben Bowen, arwyddocâd Cristnogol sydd i'r llaw sy'n codi o'r llyn i gydio yng Nghaledfwlch:

> Mae'r llaw fyth yn brawf fod bri
> Glanach ym myd goleuni
> Yn fy aros. . .[64]

Er gwaethaf trallod Gwenhwyfar, cynigir iddi hi'r un gobaith yn ail adran yr awdl:

> A bydd hi fel lili a heulwen
> Iôr yn nhlysni'i thirion lasnen.[65]

Ond tywyll yw byd y marchogion a ddarlunnir yn y drydedd ran a'r unig gysur sydd ganddynt yw ysblander a gwychder y gorffennol—dihangfa draddodiadol y Rhamantwyr:

> Yn neddfau oer fy newydd fyd
> Hoen gwron geir yn gwywo o hyd;
> Gwell yw yr hen—yr hen yw 'nghri—
> Yn ôl—yn ôl mae 'nghalon i.[66]

Cân Myrddin sy'n cloi'r gerdd ac ynddi unwaith yn rhagor y cynigir y cysur traddodiadol i feidrolion. Lladmerydd Duw yw'r Myrddin hwn:

> Myfi yw Myrddin Min y Môr
> Wlawia i'w oes feddyliau Iôr.[67]

Iddo ef, nid bedd yw diwedd byd:

> Deil bywyd o hyd
> Ei galon i'r golau;
> A dring drwy angau
> Â'r wawr ar ei bryd;
> A'i hiraeth am forau
> Fywha ei fyd.[68]

Syr John Morris-Jones oedd un o feirniaid Eisteddfod Bangor ac yn yr un flwyddyn cyhoeddodd yr hyn y gellir ei ystyried yn faniffesto'r adfywiad barddol.[69] Yn ôl hwn, dyletswydd y bardd yw canu ar destunau diriaethol gan ymwrthod â haniaethu gwag. Dylai hefyd ymgroesi rhag ymhel â'r neilltuol ar draul y cyffredinol ond ar yr un pryd peidio ag ysgrifennu am deipiau fel 'Y Diwygiwr' a'r 'Dyngarwr'. Gellir yn hawdd ddeall pam yr apeliai 'Ymadawiad Arthur' T. Gwynn Jones at Syr John a pham na fyddai athronyddu ac ymholi parhaus Ben Bowen wrth ei fodd. Un o feirniaid llymaf y Bardd Newydd oedd R.A. Griffiths [Elphin], a gellir dweud bod ei ymosodiadau ciaidd arnynt yn *Y Geninen* mor ddoniol ag ydynt yn ddeifiol ac, yn sicr, yn llawer mwy adloniadol na'r farddoniaeth y mae yn ei thrafod. Y tu ôl i'r doniolwch, fodd bynnag, mae llawer o wirionedd, fel yn y dyfyniad hwn o'i eiddo sy'n honni bod y Bardd Newydd 'wedi syrthio yn aberth i'r ysfa wancus am wobrwyon a chlod eisteddfodol sydd yn meddianu ein beirdd ieuainc ac, yn lle cymryd amser a thrafferth i feithrin a datblygu ei alluoedd, yn ymostwng i gyfansoddi yn y dull sydd fwyaf tebyg o foddhau ei feirniaid.'[70] Mae lle cryf i amau mai dyma a ddigwyddodd yn achos Ben Bowen.

Os oedd dylanwad y Bardd Newydd yn drwm ar ganu eisteddfodol Ben Bowen, gwyddom ei fod yn ymwybodol o amgenach patrymau i'w hefelychu. Un o'r dylanwadau pwysicaf ar ramantiaeth Cymru oedd llenyddiaeth yr Almaen. Enynnodd syniadau diwinyddol y wlad honno gryn ddiddordeb tua diwedd y ganrif ddiwethaf a digwyddodd yr un peth ym maes ieitheg gymharol.[71] O ganlyniad, 'roedd diddordeb mawr yn yr iaith Almaeneg a chafwyd cyfieithiadau o weithiau Schiller a Heine gan Elfed a John Morris-Jones yn ystod y nawdegau. 'Roedd nodweddion y cyfnod rhamantaidd yn y wlad honno a welodd adfywiad cenedlaethol a chynnydd mewn hyder a gobaith, wrth fodd calon hyrwyddwyr Cymru Fydd.

Nid yw'n syn o gwbl felly bod Ben Bowen wedi mynd ati i ddysgu Almaeneg yn ystod ei arhosiad yn Ne Affrica. Yn ei farn ef, 'Am yr Ellmyneg, y mae popeth yn ddymunol. Geilw llu Goethe yn bagan; carwn i allu bod yn bagan mor nefolaidd ag yw ef yn ei delynegion.'[72] Yn ogystal, dengys ei lythyrau ei fod wedi derbyn copi o 'Caniadau' Elfed a gyhoeddwyd yn 1895. Yn ei farn ef, 'dyma'r gyfrol Gymraeg orau a welais er's tro maith.'—'High water mark barddoniaeth Gymraeg y bedwaredd ganrif-ar-bymtheg'.[73] 'Roedd Ben Bowen, felly, yn ymwybodol o'r newidiadau a oedd yn digwydd yn ein barddoniaeth a gwelir bod y rhain yn dechrau dylanwadu ar ei ganu aneisteddfodol.

Gall ymhyfrydu'n synhwyrus ym mhrydferthwch natur er ei fwyn ei hun, heb chwilio am unrhyw ystyr cudd, fel yn ei awdl fer 'Hwyrddydd Haf':

> Harddwch a wisga'r gerddi—ym mhob hud,
> Drwy siriol olud y rhos a'r lili;
> A thrymlwyth o bob ffrwythau,—mewn ffyniant,
> A wridog hongiant ar hyd y cangau . . .
>
> Islaw mor fwyn yw salmau'r afonydd,
> Tra'u miwsig yn swyno clustiau'r meusydd;
> Llynau del a lluniau y dolydd
> Ar eu bronau'n cusanu'r wybrenydd;
> A theg hud prydferth goedydd—dan y don,
> Yn hudol huno'n freuddwydiol-lonydd.[74]

Mae ganddo ambell gerdd fel 'Swyn Serch' y gallai unrhyw un o'r rhamantwyr a'i dilynodd fod wedi ei hysgrifennu:

> Gwyneb anwyl mewn gwên beunydd
> Sydd ganddi hi:
> Megys cwmwl gwyn mewn gwawrddydd
> Mae'n gwrido i mi;
> Pob modfedd sydd yn fyd o feddwl
> Ynddi i'm boddhau:
> Ond y gwaethaf peth o'r cwbwl
> Heb ei chael wyf fi! a 'nhrwbwl
> Yma o hyd yw pa le mae? [75]

Yn ogystal, ceir ganddo gerddi coffa teimladwy i aelodau agos ei deulu ac i drigolion ei fro,[76] ac ni allwn ond dyfalu beth a fyddai wedi digwydd iddo petai wedi cael byw i gyfranogi o ddylanwad beirdd yr adfywiad. Mae digon o dystiolaeth yn ei waith ei fod yn datblygu o ran arddull ac o ran techneg. Os oedd syniadau'r Bardd Newydd i'w gweld yn ei awdl, 'Ymadawiad Arthur', 'roedd ei awydd i arbrofi â'r

W. P. Thomas, Y.H., yn dadorchuddio'r gofeb ar fur y cartref lle ganed Ben Bowen
(Cyril Batstone, 1974: *Old Rhondda in photographs*, Stewart Williams)

mesurau traddodiadol yn y gerdd honno yn ernes o'r ffaith ei fod yn meddwl o ddifrif am ei grefft ac yn barod i arbrofi a newid cyfeiriad.

Er mor effro oedd Ben Bowen i'r cyfryw ddatblygiadau, dengys ei lythyrau yn glir pa mor bwysig iddo ar y pryd oedd cipio un o brif lawryfon yr Eisteddfod Genedlaethol.[77] Dyn ifanc iawn ydoedd ac mae'n naturiol i syniadau ac arddull beirdd eisteddfodol llwyddiannus ei ddydd ddylanwadu'n drwm arno. Yn briodol iawn, ceir ar ei garreg fedd ym Mynwent Treorci aralleiriad o sylwadau Iolo Caernarfon ar ei fryddest, 'Williams Pantycelyn'—'Soniai ormod am Gymru a thragwyddoldeb.' Cymru haniaethol, fel y gwelsom, a ddarlunnir yn ei gerddi. Nid y cymoedd glo diwydiannol y perthynai iddynt ond y Gymru honno na ellir ei chyfyngu i le nac amser ond sy'n gysyniad cyffredinol yn ymgorffori holl rinweddau'r genedl—delfryd i ymgyrraedd ati, Cymru Fydd. Wrth ddarllen ei farddoniaeth a'i lythyrau, bron na ddywedwn fod ei hoff bwnc arall, tragwyddoldeb, yn fwy real iddo na'i gartref tymhorol. Trwy ei holl waith yr hyn a amlygir yn gyson yw ei ffydd gadarn yn yr athroniaeth Gristnogol a'i sicrwydd diysgog, er gwaethaf afiechyd blin, nad bedd yw diwedd bywyd yr ysbryd. Y gred angerddol hon fu'n gyfrwng iddo wynebu angau yn gwbl hyderus yn ŵr ifanc, 25 oed, ac a'i symbylodd i fynegi ei deimladau personol yng nghanol ei drallod mewn modd ingol o gofiadwy:

> Ymdawelaf, mae dwylo—Duw ei Hun
> Danaf ymhob cyffro;
> Yn nwfn swyn ei fynwes O
> Caf lonydd—caf le i huno.[78]

> Os yw cur yn fy llesgau—os yw'r nos
> Oer yn hir, mae'r golau
> Yn ymyl Ior yn amlhau,—
> Iesu ŵyr be' sy orau.[79]

Bellach, ni allwn ond dyfalu sut y byddai awen Ben Bowen wedi datblygu pe cawsai fyw. Ni allwn ond gresynu ei fod, yn ôl y geiriau a welir ar y gofeb ar ei gartref, yn 'Un o'r tannau a dorrwyd yn gynnar'.

NODIADAU

[1]126 yw rhif y tŷ erbyn hyn.

[2]Un o ystyron y gair *cloren* a'i amrywiad llafar *cloran* yw 'cynffon' neu 'gwt'. Mae'n debyg i frodorion Cwm Rhondda gael y llysenw hwn am eu bod yn byw ym mhlwyf Ystradyfodwg. Mewn unrhyw restr o blwyfi a gyhoeddid yn ôl trefn yr wyddor, Ystradyfodwg a fyddai olaf neu ar ddiwedd y gwt!

[3]Am hanes y teulu, gweler *Cofiant a Barddoniaeth Ben Bowen*, gol. David Bowen [Myfyr Hefin] (Treorci, 1904), x-xiii.

[4]ibid., xcii. Cedwir orgraff wreiddiol pob dyfyniad trwy gydol y bennod.

[5]ibid., xcii.

[6]John Minton, *Hanes Eglwys Hermon Treorchy* (Treorchy, 1928), 8-9.

[7]Am folawd Ben Bowen i'r 'Llyfrgell', gweler Myfyr Hefin, *Blagur Awen Ben Bowen* (Caernarfon, 1915), 25-26.

[8]Am yr hanes, gweler, David Bowen, *Cofiant*, xviii ac Ieuan ap Gwilym, 'Ben Bowen, Treorci', *Heddyw*, 1, v (Mai, 1897), 113-114.

[9]David Bowen, op. cit., xviii.

[10]ibid., cxxxvi.

[11]Gohebydd, 'Cyfarfod Llongyfarchiadol i Ben Bowen, Y Cadeirfardd Ieuanc', *Heddyw*, 1, v (Mai, 1897), 114-115.

[12]Am restr o'r llyfrau a ddarllenodd Ben Bowen tra yn löwr, gweler *Blagur Awen Ben Bowen*, 118-20.

[13]David Bowen, op. cit., xix-xx.

[14]Am ragor o hanes Y Bardd Newydd gweler Thomas Parry, 'Y Bardd Newydd, Newydd', *Y Traethodydd*, 1939; 'Y Bardd', yn *Gwili, Cofiant a Phregethau,* gol., E.Cefni Jones, (Llandysul, 1937) a *Hanes Llenyddiaeth Gymraeg hyd 1900* (Caerdydd, 1944); Alun Llywelyn-Williams, 'Y Bardd Newydd', *Gwŷr Llên y Bedwaredd Ganrif ar Bymtheg*, gol., Dyfnallt Morgan, 268-277 ac *Ysgrifau Beirniadol III*, gol. J.E. Caerwyn Williams (Dinbych, 1967), 71-85; D. Tecwyn Lloyd, 'Y Bardd Newydd Gynt', *Safle'r Gerbydres* (Llandysul, 1970), 28-43; Ffion Mair Thomas, 'Y Bardd Newydd', *Eurgrawn*, cxxxvii, 201-7.

[15]David Bowen, op.cit., 1-8.

[16]Rhys J. Huws, 'Y Bardd Newydd', *Y Geninen,* XIV (1896), 10.

[17]'Ymgais meddwl terfynol i sylweddoli yr annherfynol ydyw dychymyg . . . ond y mae y byd yn ddyledus am lawer o'i ddarganfyddiadau o'r pell a'r dwfn i ddychymyg beiddgar rhai o'i wyddonwyr; ac y mae dwyn ambell wirionedd barddonol pell a dwfn iawn yn ddigon agos i'r lliaws allu ei fwynhau, yn dybynnu llawer ar grebwyll a dychymyg ffrwythlon y bardd.' Tafolog, 'Barddoniaeth: Ei Natur a'i Dyben', *Y Geninen*, XV (1897), 172.

[18]David Bowen, op. cit., 111

[19]ibid., 116.

[20]ibid., 1.

[21]'Yr hyn sydd ganddo yw haniaethiad a beirniadaeth o brofiad, nid profiad ei hun.', D. Tecwyn Lloyd, *Safle'r Gerbydres*, 28.

[22]David Bowen, op. cit., 2.

[23]Rhys J. Huws, *Y Geninen,* XIV (1896), 11.

[24]Tafolog, *Y Geninen,* XV (1897), 172.

[25]David Bowen, op. cit., 6.

[26]ibid., xcix.

[27]ibid., 4.

[28]ibid., 5.

[29]*Cofnodion a Chyfansoddiadau Buddugol Eisteddfod Lerpwl 1900*, gol., E. Vincent Evans, 54. Ffugenw Ben Bowen oedd 'Aft Volger'.

[30]John Davies, *Hanes Cymru* (Penguin, 1992), 448-449.

[31]David Bowen, op. cit., 106.

[32]ibid., 98.

[33]ibid., 99.

[34]ibid., 103.

[35]ibid., 114.

[36]ibid., 121.

[37]ibid., 123.

[38]E. Vincent Evans, op. cit., 54.

[39]David Bowen, op. cit., 145, 'Amor Patriae'.

[40]Myfyr Hefin, *Ben Bowen yn Neheudir Affrica* (Llanelli, 1928), 50.

[41]ibid., 60.

[42]Thomas Williams (Brynfab), *Pan Oedd Rhondda'n Bur* (Aberdar, 1912).

[43]Am drafodaeth bellach, gweler Alun Llywelyn-Williams, *Y Niwl, Y Nos a'r Ynys* (Caerdydd, 1960), 58.

[44]David Bowen, op.cit., 149, 'Moel Cadwgan'.

[45]ibid., 149.

[46]ibid., 149.

[47]ibid., x.

[48]Am drafodaeth â defnydd Islwyn o ddelweddau tebyg, gweler 'Islwyn, Bardd y Ffin', *Beirniadaeth Lenyddol - Erthyglau Hugh Bevan*, gol., Brynley F. Roberts (Pantycelyn, 1982).

[49]Myfyr Hefin, *Ben Bowen yn Neheudir Affrica*, 180.

[50]'Even in periods of maximum numbers the Nightingale had only a tenuous foothold in Wales. It is recorded as having increased in the Vale of Glamorgan in the last decade of the 19th century with 10 localities listed and up to five pairs noted within a 3km. radius of Llanmaes near Cowbridge. The only record from the north of the county was in 1951 when one was heard in the Upper Taff Valley—perhaps significantly within 2 km. of a location called Llwyn-yr-Eos (Nightingale grove)!' Gw. Roger Lovegrove, Graham Williams, Iolo Williams, *Birds in Wales*, (T. & A.D. Poysner, London, 1994).

[51]David Bowen, op. cit., 116.

[52]Am drafodaeth fanylach, gweler Dewi Eurig Davies, *Diwinyddiaeth yng Nghymru 1927-1977* (Llandysul, 1984), 1-18.

[53]Cafodd y Parch. Tom Nefyn Williams drafferth debyg mewn cyfnod diweddarach. Ymdrinnir â'r helynt hwnnw, ibid., 22-29.

[54]Ceir yr erthygl hefyd yn David Bowen, op. cit., lix-lxiii ynghyd â thrafodaeth â'r anghydfod rhwng Ben Bowen a'i eglwys yn y Pentre, a'i enwad.

[55]ibid., xxv.

[56]ibid., xxx am adroddiad am y cyfarfod.

[57]Am ymdriniaeth lawn, gweler Alun Llywelyn-Williams, op. cit.

[58]'Cymru Fu: Cymru Fydd', John Morris-Jones, *Caniadau* (Rhydychen, 1907), 64-65.

[59]Myfyr Hefin, *Ben Bowen yn Neheudir Affrica*, 59.

[60]Alun Llywelyn-Williams, op. cit., 129.

[61]David Bowen, op. cit., 216.

[62]ibid., 217.

[63]ibid., 220.

[64]ibid., 220.

[65]ibid., 223.

[66]ibid., 224.

[67]ibid., 232.

[68]ibid., 228.

[69]'Swydd y Bardd', *Y Traethodydd*, 1902.

[70]Elphin [R.A.Griffiths], 'Y Bardd Newydd', *Y Geninen, XIV* (1896), 67-75. Ceir ymosodiad cynharach ganddo ar y Bardd Newydd yn 'Enwogion Cymru', *Y Geninen, XIII* (1895), 262-268.

[71]Am ymdriniaeth bellach, gweler Alun Llywelyn-Williams, op. cit., 25-27.

[72]Myfyr Hefin, *Ben Bowen yn Neheudir Affrica*, 32.

[73]ibid., 49.

[74]David Bowen, op. cit., 74.

[75]ibid., 75.

[76]Gweler, er enghraifft, y cerddi a ganlyn yn David Bowen, op. cit., 'Fy Nhad', 38-43; 'Maggy Lili', 69-70; 'Glowr Caredig', 43-44; 'Wrth Fedd fy Chwaer Fach', 24.

[77]Myfyr Hefin, *Ben Bowen yn Neheudir Affrica*, 34, 44-46, 57-58, 174-175.

[78]ibid., 189.

[79]ibid., 264.

Y Gân Orchfygol

Rhidian Griffiths

Os 'gwlad y mwg a'r pyllau glo' yw Rhondda, y mae hefyd yn wlad y canu. Os daeth yn enwog ar lwyfan byd yn rhinwedd y glo a gloddiwyd o'i mynyddoedd, enillodd fri hefyd ar sail ei gweithgarwch cerddorol; ac os cymuned o un fryd ('a community of one mind') a adnabu T. Alban Davies pan gyrhaeddodd yno yn 1925, a phopeth ynghlwm yn y diwydiant glo, yr oedd ymhlith pobl Rhondda unfrydedd yn eu hoffter o ganu yn ogystal.[1] Yng nghyfnod twf a datblygiad y cymunedau diwydiannol, rhwng 1860 ac 1914, profodd cerddoriaeth y fro yn ddiwylliant byw ac yn fynegiant croyw o egni cymdeithas ifanc: ac mewn cyfnod o gyni a dirwasgiad rhwng dau Ryfel Byd, daliodd yn rym i uno pobl ('unifying attraction', chwedl Emrys Pride).[2] Cafodd cerddoriaeth ei mynegi ar lawer dull a llawer modd, mewn eisteddfodau a chyngherddau, cyfarfodydd cystadleuol a dosbarthiadau sol-ffa, bandiau pres a cherddorfeydd, perfformiadau corawl a chymanfaoedd canu. Cynhyrchodd yr ardal ei dogn o leisiau unigol da: yn 1937 gallai David Williams, 'Alawydd Orchwy', raffu enwau'r 'first-class vocalists' a gofiai o'r cyfnod pan ddaethai i Dreorci dros drigain mlynedd ynghynt.[3] Ond hwyrach taw'r wedd gymdeithasol yw'r wedd fwyaf trawiadol ar hanes cerddoriaeth Rhondda. Ei chorau a wnaeth argraff yng Nghymru a thu hwnt; ei chyngherddau o oratorio a swynai'r unawdwyr o Lundain a dyrrai i ganu ynddynt; ei chymanfaoedd a wefreiddiai wrandawyr â'r cyfuniad hwnnw o bendantrwydd ac emosiwn a gyfrifwyd yn nodweddiadol o ganu'r Cymry gan awduron mor amrywiol ac annisgwyl â P.G. Wodehouse a Beverley Nichols.[4]

Nid oedd Rhondda heb gerddoriaeth yn y cyfnod bugeiliol, cynddiwydiannol. Yn ôl cofnodion plwyf Ystradyfodwg yr oedd athro canu'n cael ei gyflogi yno yn 1752.[5] Brodor o'r Pandy oedd John Henry Evans, telynor ac athro telyn ym Merthyr cyn mynd i Lundain lle bu'n amlwg yng nghyngherddau Cymreig y ddinas. Bu'n oruchwyliwr cwmni opera yn Amsterdam ac yn delynor teulu i Ardalyddes Dwn-rhefn.[6] Ond gyda'r twf yn y boblogaeth o ganol y

19eg ganrif y gosodwyd sylfeini cadarn y bywyd diwylliannol—'a vigorous, Welsh, urban, democratic social life'[7]—a oedd i nodweddu Rhondda ar anterth ei llwyddiant. Sefydlwyd cymdeithasau cyfeillgar; dechreuwyd amlhau capeli, yn ganolfannau crefydd a diwylliant; daeth mewnfudwyr o Ferthyr ac Aberdâr i ddatblygu bywyd diwylliannol yn y gymuned newydd ar sail yr hyn a gaed eisoes yn nyffrynnoedd Taf a Chynon.[8] Llwyddiannau corawl y cymoedd hynny, mae'n debyg, a dylanwad mudiad dirwest, a fu'n gyfrifol am ddechreuad traddodiad canu corawl Rhondda yn yr 1850au. Yr oedd côr cymysg i'w gael yn y cyfnod hwnnw yn y Cymer, Porth, dan arweiniad Daniel Lewis, gŵr a gollodd ei fywyd yn nhanchwa'r Cymer yn 1856.[9] Byddai'r côr hwn a'i olynwyr yn cymryd rhan yng nghylchwyliau blynyddol Undeb Cerddorol Dirwestol Gwent a Morgannwg, mudiad a sefydlwyd yn 1854 ac a barhaodd tan 1872 o leiaf. Yn y gwyliau hyn câi'r corau gyfle i berfformio'n unigol ac i gydganu. Nid gwyliau bychain mohonynt: yng ngŵyl 1862 rhifai'r naw côr rhyngddynt agos i saith gant o gantorion, a saith mlynedd yn ddiweddarach yr oedd wyth gant yn bresennol. Ymddangosodd côr y Cymer ar sawl achlysur. Yng ngŵyl 1862, a gynhaliwyd ym Merthyr, yr oedd dau gôr o'r Cymer yn bresennol; yn Nowlais yn 1867 caed côr o'r Cymer ac un o'r Porth.[10] Câi'r corau ifainc hyn y cyfle i glywed corau profiadol o ardaloedd poblog megis Dowlais, Merthyr, Rhymni a Thredegar lle'r oedd y traddodiad corawl eisoes yn gryf, ac ymhen amser byddai arweinyddion a chantorion yn symud o gymoedd yr hen ddiwydiant i fwydo egin draddodiad Rhondda.

O'r 1860au ymlaen tyfodd poblogaeth y fro yn gyflym a pheidiodd Ystradyfodwg â bod yn ardal wledig. Wrth i bentrefi ymddatblygu yn y ddau gwm dechreuwyd cynnal eisteddfodau a chyfarfodydd cystadleuol i feithrin doniau adrodd a chanu. Cychwynnwyd eisteddfod yn Nhreorci yn 1867, yn Nhreherbert ac yn Ferndale yn 1870: beth bynnag am safon y cystadlu, yr oedd cyfle i hunanfynegiant a gweithgaredd cymdeithasol.[11] Caed digon o amrywiaeth hyd yn oed mewn cyfarfod cystadleuol cyfyngedig i un Ysgol Sul, megis hwnnw a gynhaliwyd dan nawdd capel Horeb, Treherbert, nos Fercher, 25 Ionawr 1876. Amrywiai'r ddwy gystadleuaeth ar bymtheg o draethawd ac araith i unawdau, deuawd ac wythawd, y darnau'n syml a'r gwobrau heb fod yn fawr; ond yr oedd cyfarfod fel hwn yn ddrych o ddiwylliant cyfan, ac erbyn diwedd y ganrif byddai eisteddfodau'n cynnig cyfleoedd lawer i gantorion y cylch. Yn eisteddfod Treherbert, ddydd Nadolig 1892, yr oedd pedwar côr meibion a phedwar côr cymysg yn cystadlu, a hynny ar yr un diwrnod ag y cynhelid eisteddfod yn Ferndale.[12]

Yr oedd rhai o'r corau a gystadlai yn yr eisteddfodau lleol wedi ennill ar lefel genedlaethol; ond yr oedd y llwyfan lleol yn gyfle i ymarfer, ac yn gyfle i ennill arian i helpu cynnal côr. Yn Ferndale, 7 Medi 1891, clywyd gornest rhwng corau cymysg Rhondda Philharmonic ac Ynys-hir; ond yr oedd Rhondda Philharmonic o leiaf wedi cystadlu ac wedi ennill yn yr Eisteddfod Genedlaethol ymhell cyn hynny. Ffurfiwyd y côr gan D.T. Prosser, 'Eos Cynlais' (1844-1904), gŵr a ddaeth i Dreorci o Gwm Tawe, ac a drwythwyd yn nhraddodiad corawl y dyffryn hwnnw fel dirprwy arweinydd i'r enwog Ifander. Aeth 'Prosser bach' â'i gôr i gystadlu mewn Eisteddfodau Cenedlaethol yn lled gyson o 1878 (Birkenhead) hyd 1901 (Merthyr), gan ddod i'r brig ym Merthyr yn 1881 ac yn Aberhonddu yn 1889. Yn ystod yr un cyfnod yr oedd corau eraill o'r gymdogaeth i'w clywed yn y Genedlaethol, yn enwedig Côr Unedig Treherbert dan arweiniad M.O. Jones, a Chôr Cymer-Porth dan arweiniad Taliesin Hopkins.[13]

Rhoddodd yr eisteddfod gyfle i'r corau ymddatblygu, a meithrin hoffter o ganu, ond o safbwynt diwylliannol hwyrach mai mwy arwyddocaol oedd datblygiad traddodiad yr oratorio. Yn hyn o beth un o'r arloeswyr, a dylanwad pwysig ar fywyd cerddorol Rhondda mewn cyfnod ffurfiannol, oedd M.O. Jones (1842-1908). Gŵr o Landinorwig ydoedd, a ddaeth i ofalu am yr Ysgol Brydeinig yn Nhreherbert yn 1863 ac a arhosodd yno weddill ei oes. Arloesodd trwy ddysgu sol-ffa i bobl Rhondda; sefydlodd draddodiad anrhydeddus o ganu yng nghapel Carmel, Treherbert; arweiniodd gorau cymysg a chôr meibion; a chynhaliodd gyfres o gyngherddau blynyddol i godi arian at yr ysgol, cyngherddau a wnaeth lawer i ennyn diddordeb mewn cerddoriaeth yn y gymdeithas. Ef a arweiniodd, yn 1876, un o berfformiadau cyntaf Rhondda o *Messiah* Handel, a llwyfannodd sawl gwaith arall gan Handel a Mendelssohn.[14] Tua'r un cyfnod bu Griffith Rhys Jones, 'Caradog' (1834-97), arweinydd y Côr Mawr, yn arwain perfformiadau o oratorio: *Last Judgement* Spohr, i gyfeiliant cerddorfa linynnol ac organ, yn 1871 a *Creation* Haydn yn 1875. Yn Nhonypandy datganwyd *Judas Maccabaeus* gan Handel a *St. Paul* gan Mendelssohn, dan arweiniad D. Buallt Jones, yn 1878 ac 1879.[15] Gwelwyd datblygu ar yr arfer hwn yn ystod yr wythdegau a'r nawdegau, nes i gyngherddau o oratorio ddisodli eisteddfodau yn ddiwylliant y Nadolig. Erbyn dechrau'r ugeinfed ganrif yr oeddynt yn uchel wyliau. Adeg y Nadolig, 1907 perfformiodd yr Harmonic Society yn y Porth *Creation* a *Hymn of Praise* ar ddwy noson yn olynol; ddwy flynedd yn ddiweddarach yr oedd côr Noddfa, Treorci yn datgan *St. Paul* ar nos Nadolig a *Rejoice in the Lord* gan David Evans a *Messiah* y diwrnod canlynol.[16]

Canolid y gweithgarwch cerddorol hwn ar y capel, y neuadd gyngerdd orau yn y gymuned a phencadlys diwylliant yn y cyfnod cyn 1914. Ni ellir ysgaru datblygiad canu corawl a chanu cynulleidfaol, gan mai'r un oedd y cantorion a'r un yr arweinyddion. Fel 'dysgawdwr cerddorol ac arweinydd y canu cynulleidfaol' y gwahoddwyd D. Buallt Jones i Ebenezer, Tonypandy yn 1877; ac yr oedd prif arweinyddion y corau, M.O. Jones, D.T. Prosser, Tom Stephens, William Thomas a'u tebyg, hefyd yn arweinyddion y gân yng nghapeli'r cylch. Amlygiad o'r gwir ddiddordeb mewn canu cynulleidfaol oedd llwyddiant y gymanfa ganu yn Rhondda. Mor fuan ag 1869, dan gymhelliad M.O. Jones yn bennaf, cynhaliwyd cymanfa ganu i Annibynwyr Pontypridd a Rhondda yng nghapel Sardis, Pont-y-gwaith, ac wyth mlynedd yn ddiweddarach sefydlwyd Cymanfa Undebol Annibynwyr Canol Rhondda.[17] Bu Ieuan Gwyllt yn arwain cymanfa yn Nhreorci, 26 Hydref 1873, ac yn 1876 cafodd oedfa a ddaeth yn rhan o chwedloniaeth canu Rhondda pan dorrwyd allan i orfoleddu ar ganol cymanfa yng nghapel Pisgah, Pen-y-graig. Yr oedd y Bedyddwyr wedi sefydlu Undeb Canu Cynulleidfaol Ystradyfodwg yn Nhreherbert yn 1872, dan arweiniad Lewis Jones, golygydd y llyfr tonau *Llwybrau Moliant*.[18]

Dechreuadau'n unig oedd y rhain, ac nid tan yr wythdegau y dechreuodd y cymanfaoedd gael eu traed danynt a throi'n wyliau rheolaidd. Yn 1885, wrth gofnodi cynnal ail gymanfa Annibynwyr

Dosbarth Isaf Rhondda, ddydd Llun y Pasg, yr oedd *Cerddor y Cymry* yn ffyddiog am y dyfodol:

> Er fod y gymanfa, fel pobpeth arall, yn ieuanc yn y Rhondda, credwn fod iddi oes hir a bywyd llewyrchus.[19]

Gwireddwyd y broffwydoliaeth honno wrth i'r gymanfa dyfu'n un o sefydliadau mwyaf poblogaidd yr ardal, yn ganolbwynt brwdfrydedd a gweithgarwch, ac yn gyrchfan tyrfaoedd. Dengys rhaglen Undeb Canu Cynulleidfaol Bedyddwyr Ystrad Rhondda am 1898 batrwm o ymarferion bob pythefnos o fis Ionawr tan fis Mai, yna ymarfer ar nos Sadwrn a'r Sulgwyn erbyn y gymanfa ar y Llungwyn. Prawf o faint y cymanfaoedd yw'r nifer o raglenni a argreffid. Yn ôl mantolen yr un gymanfa am 1897 dosbarthwyd 1,333 o raglenni i bump eglwys. Rai blynyddoedd ynghynt, yn 1893, yr oedd Bedyddwyr Uchaf Rhondda yn rhannu 2,100 rhwng deg eglwys, a'r ysgrifennydd yn cael 394 arall. Arweiniai poblogrwydd y cyfarfodydd hyn at rannu dosbarthiadau, ond gallai cylchoedd llai fod yn lluosog o ran nifer: yn 1902 yr oedd Annibynwyr Treorci a Chwm-parc yn cynhyrchu 1,278 rhaglen i dair eglwys yn unig. Yr oedd poblogrwydd y gymanfa hefyd o fudd mawr i argraffwyr lleol, mewn oes pan fyddai pob dosbarth yn cynhyrchu ei raglen ei hun. Yr oedd R. Davies, Porth, Tom J. Davies, Treorci, Isaac Jones, Treherbert, ac Evans a Short, Tonypandy ymhlith llawer a ymsefydlodd fel argraffwyr yn y ddau gwm o'r saithdegau ymlaen ac a gynhyrchai raglenni cymanfa, a chyhoeddiadau cerddorol eraill, yn rheolaidd. Ceid elfen o gystadleuaeth rhwng dosbarthiadau yn hyd a manylder y rhaglen, a byddai'r mwyaf uchelgeisiol weithiau'n cynnwys llun o'r arweinydd. Byddai'r gymanfa hefyd yn gyfle i arholi mewn cerddoriaeth a dyfarnu tystysgrifau sol-ffa, yn ogystal â bod yn llwyfan i offerynwyr, a ffurfiai gerddorfa i gyfeilio i'r canu.

Eto, er mor loyw cyfraniad Rhondda i ganu cynulleidfaol ac i fyd y corau cymysg yn niwedd y ganrif ddiwethaf, dichon mai ym maes corau meibion yr ymddisgleiriodd yn fwyaf arbennig. Gellir olrhain gwreiddiau corau meibion i'r *Mnnerchöre* yn yr Almaen ac i'r 'Christy Minstrels' yn yr Unol Daleithiau, ond mae'n ymddangos bod diwydiannu wedi rhoi hwb arbennig i'w datblygiad yng Nghymru. Yn

Ystalyfera, yng Nghwm Tawe diwydiannol, y cododd un o'r corau meibion cynnar dan arweiniad Morgan Morgans yn y saithdegau.[20] Ac wrth i ddynion ddylifo i'r pyllau glo i geisio gwaith, caed yn Rhondda gyflawnder o feibion sengl—rhai di-briod a rhai a adawodd eu gwragedd ar eu hôl yn y wlad. Un lle amlwg iddynt ymgasglu a chadw'n gynnes oedd y dafarn; ac yn y 'Red Cow' yn Nhreorci ffurfiwyd un o gorau meibion cyntaf yr ardal yn gynnar yn yr wythdegau. Ond buan y gwelodd arweinyddion cymdeithas—gwŷr amlwg y capeli a swyddogion y glofeydd—werth côr i gynnig adloniant amgenach. Galwai dirwest ar i ddynion fyw bywydau moesol a diddiod; galwai meistri am weithwyr sobr na fyddent yn afradu'u hamser na'u cyflog yn llymeitian. Nid damwain lwyr oedd i W.P. Thomas (1861-1954), clerc yn swyddfa cwmni glo yr 'Ocean', a gododd i fod yn un o'i gyfarwyddwyr, wasanaethu fel ysgrifennydd i Gôr Meibion Treorci, oherwydd fe dalai i'r meistri glo sicrhau adloniant bucheddol i'w gweithlu.

Y Rhondda Glee Society a fu'n canu gerbron Victoria yn Windsor, 22 Chwefror 1898
(Cyril Batstone, 1974: *Old Rhondda in photographs,* Stewart Williams)

Côr meibion a ragflaenodd gôr y 'Red Cow' oedd y 'Rhondda Glee Society', a ffurfiwyd yn 1877 dan arweiniad Tom Stephens (1856-1906), gŵr o Frynaman a fagwyd yn Aberdâr ac a ddaeth i gapel Bethesda, Ton Pentre, yn arweinydd y gân.[21] Buasai'n canu alto yng Nghôr Caradog, a chariodd gydag ef i'w fro fabwysiedig gynhysgaeth gerddorol gyfoethog Cwm Cynon. Côr bychan o ddeg ar hugain oedd y côr, yn ôl ei enw yn canolbwyntio ar weithiau ysgafn, digyfeiliant, ond mewn gwirionedd yn mentro ar ddarnau sylweddol. Mor gaeth oedd disgyblaeth yr arweinydd fel na chaniateid i neb ond ef yngan gair mewn ymarfer. Talodd y ddisgyblaeth hon ar ei chanfed, oherwydd cafodd bechgyn Tom Stephens yrfa ddisglair a thra llwyddiannus. Cawsant fuddugoliaeth yn Eisteddfod Genedlaethol Caerdydd yn 1883 ac ennill clod arbennig y *Daily Telegraph*, peth prin ym mhrofiad cantorion o Gymry ar y pryd:

> I do not expect to hear better singing in London than that of these miners from the Rhondda. Power and delivery, precision and artistic freedom were conspicuous to a degree which filled strangers with amazement.[22]

Mentrodd y côr ar daith chwe mis yn yr Unol Daleithiau yn 1888-89, a chawsant ddychwelyd yno yn 1893 i gynrychioli De Cymru yng nghystadleuaeth y corau meibion yn Eisteddfod Ffair y Byd, lle y sicrhawyd buddugoliaeth dros Gôr Meibion y Penrhyn a phum côr Americanaidd, buddugoliaeth a ddathlwyd yn frwd ac yn llafar pan ddychwelsant i'w cynefin. Er na chystadlodd Tom Stephens wedyn, bu enw'r côr yn barchus fyth, ac ym mis Chwefror 1898 cafodd wahoddiad i Windsor i ganu i'r Frenhines Victoria.

Nid côr Stephens oedd y cyntaf o'r cylch i glywed gwŷs frenhinol, fodd bynnag: ychydig dros ddwy flynedd cyn hynny yr oedd eu harchgystadleuwyr wedi bod yn Windsor o'u blaen. Bu ymgiprys eisteddfodol cyson cyd-rhwng côr Tom Stephens a'r côr mwy lluosog a arweinid gan William Thomas (1851-1920), sef Côr Meibion Treorci. Gŵr o Aberpennar oedd Thomas, a fuasai fel Tom Stephens yn aelod o Gôr Caradog, ac a oedd yntau yn arwain y canu yn un o gapeli mawr Rhondda, sef Noddfa, Treorci.[23] Craidd y côr oedd y cwmni o ddeugain i hanner cant o weithwyr yr 'Ocean' a fyddai'n

William Thomas   Tom Stephens

cwrdd i ymarfer yn y 'Red Cow'; pan ofynnwyd i William Thomas
gymryd yr awenau yn 1885 bodlonodd ar yr amod fod y côr yn dod o'r
dafarn. Mowldiodd gôr llwyddiannus o fewn ychydig amser. Am eu
cyngerdd yn y Drill Hall, Pentre, 6 Rhagfyr 1888, dywedai'r *Cerddor*:

> Hyderwn y ceidw aelodau y Gymdeithas lwyddiannus hon gyda'i gilydd,
> yna gyda'u ffyddlondeb hwy, a training manwl a meistrolgar eu
> harweinydd, gellir proffwydo iddynt ddyfodol dysglaer ac anorchfygol.[24]

Anorchfygol neu beidio, bu raid i'r côr dderbyn disgyblaeth
cystadleuaeth eisteddfodol. Er ennill yn Eisteddfod Genedlaethol
Aberhonddu yn 1889, daeth yn ail i Bontycymer yn Abertawe yn 1891
ac yn ail eto ym Mhontypridd yn 1893 pan hawliodd bechgyn Tom
Stephens eu pasport i groesi'r Iwerydd i Ffair y Byd. Daeth rhawd
cystadlu Treorci i ben gyda'u buddugoliaeth yn Eisteddfod
Genedlaethol Llanelli yn 1895, pan drechwyd Pontycymer, Aman a'r
Porth. Ond yr oedd mwy fyth o amlygrwydd yn eu disgwyl.
    Er dyddiau buddugoliaeth Côr Caradog yn 1873 yr oedd canu'r
Cymry wedi creu argraff ar y Saeson yn rhinwedd ei nerth a'i hwyl
emosiynol, er bod yr edmygedd weithiau'n ymddangos yn debyg i'r

parch a estynnid at yr 'anwar nobl' (*noble savage*). Cafodd cantorion y
Côr Mawr berfformio i Dywysog Cymru yn Marlborough House ar ôl
eu buddugoliaeth, ac ennill ei ganmoliaeth yntau. Cyfrifai Morien y
diwrnod hwnnw yn 'grand one for Wales', mae'n debyg am fod côr o
Gymru wedi hawlio sylw a chlod aelod o'r teulu brenhinol.[25] Un
mlynedd ar bymtheg yn ddiweddarach, pan ymwelodd y Frenhines
Victoria â Phale ym Meirionnydd, cafodd hithau gyfle i werthfawrogi
doniau lleisiol côr o Gymry, yn datgan alawon cenedlaethol a
drefnwyd at yr achlysur gan D. Emlyn Evans.[26] Ond y gamp fwyaf
oedd cael galwad unswydd i ganu mewn palas brenhinol. Dyna'r
anrhydedd a estynnwyd i Gôr Merched Cymru, dan arweiniad Clara
Novello Davies (1861-1943), a ymddangosodd yng nghartref y
Frenhines yn Osborne ar Ynys Wyth, 8 Chwefror 1894, yn dilyn eu
llwyddiant yn Eisteddfod Ffair y Byd. Mwy trawiadol fyth, ddiwedd
1895, oedd i'r gwahoddiad ddod i gôr o lowyr.

Ar ryw olwg gellid disgwyl mai bechgyn Tom Stephens a ddylai
fod wedi eu galw i Lundain, gan mai hwy a gipiodd lawryf Eisteddfod
Ffair y Byd; ac yn wyneb y gystadleuaeth rhwng y ddau gôr, yr oedd
llawer yn barod i daeru bod teligram y gwahoddiad wedi'i gam-
gyfeirio. Yr oedd y ddau wedi ceisio ffafr pobl ddylanwadol i sicrhau
perfformiad brenhinol, ond mae'n debyg taw Ardalyddes Dwn-rhefn,
cyfaill i Gôr Treorci ac i'r Frenhines, a chwaraeodd y rhan allweddol.
Buasai'r côr yn canu deirgwaith yng Nghastell Dwn-rhefn, a chreu
argraff dda; a phan ddaeth y cyfle i fynd i Windsor (a oedd yn fwy
rhesymol na'r awgrym gwreiddiol, sef Balmoral), yr Ardalyddes a
dalodd gostau'r daith.[27]

Sefydlwyd mai dyddiad y cyngerdd fyddai nos Wener, 29 Tachwedd
1895, yng Nghastell Windsor. Pan ymgynullodd y côr ar y nos Iau
flaenorol i gynnal eu hymarfer olaf cyn y daith ymgasglodd tyrfa i
wrando arnynt, a chlywsant areithiau gan William Thomas, eu
harweinydd, William Morris, 'Rhosynog' (1843-1922), gweinidog
Noddfa, Treorci a gŵr dylanwadol ymhlith pobl Rhondda Fawr, ac
A.S. Tallis, dirprwy asiant cwmni'r 'Ocean'. Byrdwn yr areithiau hyn
oedd siarsio'r cantorion nid i ganu'n dda—cymerid hynny'n
ganiataol—ond i fihafio yn Llundain, am fod llygaid y byd arnynt. Y
mae'r ffaith fod un o gewri Anghydffurfiaeth y cymoedd ynghyd â

chynrychiolydd un o'r cwmnïau glo amlycaf yn mynd i drafferth i ddweud hyn yn dangos y pris a osodid ar y cyfle hwn—cyfle i wrthddweud yn llysoedd brenhinoedd byd y farn gyffredin, ddilornus a goleddid gan y Saeson am y Sioni. Yr oedd William Morris o leiaf yn gallu cynnig cysur breuddwyd iddynt, oherwydd yr oedd ei ferch wedi breuddwydio'r noson gynt y byddai William Thomas yn dychwelyd o Windsor yn farchog. Methu a wnaeth y broffwydoliaeth honno beth bynnag.

Trefnasai'r G.W.R. goetsys arbennig ('saloon coaches') i gludo'r côr o orsaf Treorci ar y bore Gwener. Mae'n siŵr fod rhai o'r dyrfa a ddaeth ynghyd i ddymuno'n dda i'r 'bechgyn' yn cofio fel y cychwynnodd Côr Caradog ar ei ymdaith fuddugoliaethus ugain mlynedd ynghynt; ac unwaith yn rhagor yr oedd cantorion De Cymru yn mynd i Lundain i brofi pwynt. Yr oedd pawb yn eu dillad parch— 'similar clothes to those usually worn by the best class of respectable Welsh miners' oedd barn y *Western Mail*:

> and although there was a variety of texture, cut and style, and the colours varied from light grey through all the shades of brown to black and dark blue, there was an air of solid respectability about the whole choir.

Cadarnhawyd y ddelwedd o barchusrwydd wrth i William Thomas gymryd ei le mewn un goets a W.P. Thomas, yr 'Ocean', yn y llall i gadw trefn a sicrhau bod y bechgyn yn cymryd eu gwaith o ddifri. Wedi'r cyfan, meddid, yr oedd llawer ohonynt yn fechgyn ifanc, a Duw ŵyr beth y gallai'r rheini ei wneud pan ganiateid iddynt benrhyddid 'excursion'.

Ymgasglodd torfeydd ar hyd y ffordd i gyfarch y côr, 'and at Pontypridd especially there was some hearty handshaking'. Pan gyrhaeddodd y trên Gaerdydd esgynnodd neb llai na'r Dr Joseph Parry iddo a dweud ei fod yn falch o'r cyfle i gyfarch y cantorion, a hwythau'n paratoi i ddatgan peth o'i waith ef gerbron y Frenhines. Yr oedd Parry yntau yn ymwybodol o'r cyfrifoldeb moesol a moesgarol a orweddai ar ysgwyddau'r côr:

> He was proud of the opportunity of accompanying them and was quite

certain that they would by their singing bring further honour upon 'Cymru gwlad y gân'.

I ddifyrru'r amser ar y daith cafwyd datganiadau gan gerddorfa fach o organ geg, chwibanogl tùn a 'bones', yn perfformio clasuron megis 'Grandfather's Clock'; ond ychydig iawn o ganu a ganiatawyd am fod William Thomas a Joseph Parry wedi siarsio'r bechgyn i arbed eu lleisiau a pheidio â chwerthin, am fod hynny'n blino'r llwnc. Ac ar wahân i ambell eiliad wamal, megis pan waeddodd y gard, 'Slough, Slough' ac atebodd un o'r côr, 'Ie, *slow* iawn hefyd', mewn tawelwch y treuliwyd rhannau olaf y daith i orsaf Windsor.

Yn Windsor croesawyd y côr gan eu trefnydd, W.H. Owen, a chan Jenkin Howell, cadeirydd Cyngor Sir Ceredigion, a oedd yn digwydd bod yn Llundain ar y pryd. Byddai nifer o gantorion o Gardis yn rhengoedd y côr, gan fod maes glo Rhondda wedi tynnu'n helaeth ar adnoddau dynol y sir honno; ond dichon fod Howell hefyd yn dirnad arwyddocâd yr ymweliad hwn i Gymru gyfan. Dosbarthwyd yr aelodau, tua phedwar ugain ohonynt, i'w hamrywiol westai a'i siarsio i gyfarfod ar sgwâr y dref, o fewn golwg i'r castell, erbyn hanner awr wedi wyth.

Rhaid bod y trefniadau'n dipyn o sioc i'r côr, oherwydd yr oedd y datganiad i ddechrau am ddeg o'r gloch y nos, amser nid anghyffredin i gymdeithas fonheddig oedd wedi arfer â chiniawau mawr gyda'r hwyr, ond awr annisgwyl i gantorion y Gymru weithiol, Anghyd-ffurfiol, ffaith arall sy'n tanlinellu pa mor anarferol oedd profiad Windsor i fechgyn Treorci. Ni ellid eu cyhuddo o ddiofalwch, beth bynnag: erbyn naw yr oedd pawb wedi ymgynnull, a'u teis duon ynghlwm, yn barod at yr antur fawr:

> nearly all . . . small of stature, quick in their movements, and Silurian Celts in all their characteristics.

Wedi ymffurfio yn gatrawdau bychain o bedwar aethant trwy'r glaw trwm at y castell 'with splendid military precision', i gael mynediad trwy'r porth yn Nhŵr y Brenin Ioan. Neuadd Sant Siôr oedd y neuadd gyngerdd, ac yr oedd llwyfan yno'n barod. Neilltuwyd cadair i'r

Frenhines, ac ar ford fach yn ei hymyl gosodwyd copi o raglen y côr wedi'i rhwymo â lledr. Wrth iddynt ddisgwyl eu cynulleidfa cafodd y cantorion gyfle i brofi acwsteg y neuadd, hyd nes i'r prif wrandawr gyrraedd wrth i'r cloc daro deg:

> In one hand she carried a walking stick, upon which she leaned heavily, while with the other hand she leaned upon her dusky Indian attendant, whose crimson costume and fez cap attracted curious attention.

Fe'i croesawyd gan y côr â datganiad o 'God save the Queen', ond wedi iddi eistedd cwynodd na allai weld wynebau'r cantorion fel y dymunai, a bu peth oedi tra cyrchid lampau o bob cwr. Yna cafwyd caniatâd i ddechrau, a chanu'n gyntaf 'Gytgan y Derwyddon' gan Joseph Parry, yna 'Gwŷr Harlech', 'Aberystwyth' a 'Tyrol'. Wedi canu'r darn yna galwyd yr arweinydd i'r presenoldeb brenhinol i'w longyfarch ar y canu ac ar safon hyfforddiant y côr. Testun syndod i'r Frenhines, meddid, oedd mai glowyr oeddynt ymron bob un.

Pan ailgydiwyd yn y rhaglen datganwyd yr emyn-dôn 'Gotha', o waith y Tywysog Albert, ar eiriau Emrys, 'Daeth yr awr im ddianc adref', cyn symud at ddarn cyffrous Joseph Parry, 'Cytgan y pererinion', a'i ddilyn gan dri phennill 'Hen wlad fy nhadau'. Er mai dyna ddiwedd y rhaglen swyddogol gofynnwyd am ragor, a chanodd y côr 'Destruction of Gaza' gan Laurent de Rille, ac yna 'Y Delyn Aur'. Yn ôl gohebydd y *Pontypridd Chronicle* yr oeddynt erbyn hyn ar eu huchelfannau:

> The words and music were entered into with spirit, and it was evident that many of the choristers were so far in the seventh heaven that they seemed to believe that they were already in the land of the Golden Harps.

Yr oedd beirniadaeth Walter Parratt, organydd Capel Sant Siôr yn Windsor, yn fwy syber ond yn fwy gwerthfawr i'r côr:

> Rarely have I seen a choir so attentive to their conductor.

Yr oedd ef, a gweddill y gynulleidfa, yn frwd eu canmoliaeth a'u llongyfarchion. Wedi datganiad pellach o 'God save the Queen' symudodd y côr i ystafell arall i fwynhau swper a arlwywyd yn arbennig ar eu cyfer, lle y cadwodd pawb yn sobr er bod gwin digon i nofio ynddo wedi'i ddarparu.

Treuliwyd rhai dyddiau yn Llundain yn ymweld â mannau enwog yn amrywio o Dŷ'r Arglwyddi i'r sw ac arddangosfa Madame Tussaud. Yr oedd y newydd am lwyddiant datganiad Windsor, a chanu'r côr yng Nghapel Castle Street ar y nos Sul, wedi cyrraedd Treorci ymhell o'u blaen. Gadawyd Paddington am ugain munud wedi tri brynhawn Mawrth a chyrraedd Caerdydd tua saith o'r gloch i groeso mawr, a ddyblwyd ym Mhontypridd, y Porth, a'r Ystrad, nes cyrraedd Treorci lle'r oedd Band Pres Cwm-parc yn chwarae'r 'Delyn Aur'. Yr oedd torf yn llenwi strydoedd Treorci a'r Pentre wrth i bum brêc gario'r cantorion adref, a bandiau di-ri' yn chwythu a churo o'u hôl. Gwelid goleuadau lliw ar y siopau, a chroeso i 'Thomas's Invincibles', enw a adleisiai'n gryf gamp y Côr Mawr yn 1873. Cafwyd areithiau o groeso a llongyfarch yn enwedig gan William Lewis, ficer Ystradyfodwg o 1869 hyd ei farw yn 1922, a chanwyd 'God save the Queen', 'Gwŷr Harlech', a 'Hen wlad fy nhadau', i gloi golygfa

which for ages to come will be regarded as a glorious chapter in the history of the Rhondda Valley.

Derbyniodd William Thomas fatwn addurniedig i goffáu'r achlysur, a chafodd y côr ychwanegu 'Royal' at ei enw, braint a estynnwyd i gôr Tom Stephens yntau ar ôl eu hymweliad hwy â Windsor yn 1898. Ail-ffurfiodd Thomas ei gôr ef yn gôr llai a mwy dethol; aethant ar daith i'r Unol Daleithiau yn 1906 ac i Dde Affrica, Awstralia a Seland Newydd yn 1908-09, lle y cawsant groeso brwd gan y cymdeithasau Cymraeg, 'yng ngwlad bell y gwrth-draedolion'.[28] Yr oedd enw Rhondda wedi'i anfarwoli ym myd y gân.

Hawdd fyddai dirmygu'r ffwdan a fu uwchben yr ymweliad â Windsor, a'i gondemnio'n arwydd o waseidd-dra a Saisaddoliaeth Cymry'r cyfnod. Gellid dadlau bod cyfraniad William Thomas a Tom Stephens yn fwy o lawer yn eu cynefin nag mewn plasty brenhinol. Yr oedd y cyfraniad hwnnw yn genhadaeth, a ddaeth â mwynhad a diwylliant i fywyd llwm a chaled y bröydd diwydiannol. Dylid edmygu aelodau'r corau am eu parodrwydd i dderbyn disgyblaeth canu ar ben caledi eu gwaith bob dydd; a rhaid bod gan yr arweinyddion a sicrhaodd eu cefnogaeth a'u cydweithrediad ddychymyg a dawn arbennig. Gellid dadlau hefyd i William Thomas gyflawni llawn cymaint drwy sefydlu traddodiad o berfformio oratorios yn Noddfa, Treorci, lle y'i dilynwyd fel arweinydd gan J.T. Jones, cyfeilydd y Côr Meibion ar yr ymweliad â Windsor, a John Hughes, Dolgellau wedyn, ag a gyflawnodd ym myd y côr meibion. Ac un perfformiad yn unig oedd perfformiad Castell Windsor o'i gymharu â'r llu mawr o gyngherddau a buddugoliaethau eisteddfodol yng Nghymru a thu hwnt.

Serch hynny, yr oedd iddo arwyddocâd. Ystyrier ymateb y *Faner*, sy'n pwysleisio'r gydnabyddiaeth amheuthun o ddoniau'r Cymry:

> Yr ydym fel cenedl yn prisio yr anrhydedd hwn arnom yn lled uchel. Dichon nad ydyw yn beth mawr ynddo ei hun; ond y mae yn fwy nag y mae ein cenedl ni yn gynnefin â'i dderbyn oddi wrth y teulu brenhinol.[29]

Tebyg oedd barn *Y Cerddor*, â'i bwyslais ar yr argraff dda a roed gerbron y byd:

> Y mae y 'boys' wedi eu anrhydeddu drwy gael eu gwahodd i ganu o flaen y Frenhines, ac y maent hwythau wedi anrhydeddu eu hunain, eu harweinydd, a'u gwlad enedigol, nid yn unig drwy eu datganiadaeth, ond drwy eu hymddygiad gweddus a boneddigaidd.[30]

Yr oedd a wnelo'r digwyddiad hwn lawer â hunan-barch y Cymry. Trwy fynegi safon ac egni eu diwylliant, gallod bechgyn Treorci ddangos nad gwlad o gaethweision diwydiant yn unig mo Cymru. Trwy eu hymddygiad da profasant nad gwlad o anwariaid ydoedd ychwaith. Yr oedd yr hyn a allforiwyd i Windsor yn 1895 yn ddrych o'r hyn a ffynnai ar raddfa lawer mwy yng nghymoedd y De ac mewn rhannau eraill o'r wlad. Wrth gydnabod, i'w syndod ei hun mae'n siŵr, y gallai glowyr ganu fel angylion, yr oedd y Frenhines Victoria yn cydnabod bod rhinwedd yng Nghymru a'i diwylliant, rhywbeth y buasai'r Saeson yn gyndyn i'w dderbyn ers hanner canrif a mwy. Nid rhyfedd y cafodd bechgyn y côr yr enw 'Invincibles'; oherwydd yr oeddynt wedi gorchfygu rhagfarn trwy eu cân, ac wedi profi gwytnwch diwylliant Rhondda yng nghyfnod anterth y diwylliant hwnnw. Ymhen amser, pan ddeuai cyni a dirwasgiad i ran y cymoedd, byddai cyfle i brofi eto pa mor wydn yr oedd.

NODIADAU

[1]T. Alban Davies, 'Impressions of life in the Rhondda Valley', yn K.S. Hopkins (gol.), *Rhondda Past and Future* (Rhondda, [1975]), 11-21, ar dud. 11.

[2]Emrys Pride, *Rhondda my Valley Brave* (Risca, 1975), 179.

[3]David Williams, 'Alawydd Orchwy', *Atgofion Bore Oes yn y Rhondda = Early Memories of the Rhondda* (Pontypridd, 1937), 64-9.

[4]Yn ei stori 'The exit of Battling Billson', cyfeiria Wodehouse fel hyn at effaith canu'r Cymry: 'There is something about a Welsh voice when raised in song that no other voice seems to possess—a creepy, heart-searching quality that gets right into a man's inner consciousness and stirs it up with a pole'. Yn ei lyfr *A Pilgrim's Progress* (Llundain, 1952), 202, cyfeiria Beverley Nichols yntau at ganu gwefreiddiol a glywodd ar Weddi'r Arglwydd yng nghapel Noddfa, Treorci: 'music in which the melody and the message were one'.

[5]John Haydn Davies, 'Rhondda choral music in Victorian times', yn *Rhondda Past and Future*, 129-49, ar dud. 129.

[6]M.O. Jones, *Bywgraffiaeth Cerddorion Cymreig* (Llundain, 1908), 29; Robert Griffith, *Llyfr Cerdd Dannau* (Caernarfon, [1913]), 197.

[7]E.D. Lewis, *The Rhondda Valleys* (Rhondda, ail arg. 1963), 217.

[8]ibid., 218-9.

[9]'Un o'r Cwm', 'Caniadaeth yn Nosbarth Canol Rhondda', *Y Cerddor*, 33 (1921), 75.

[10]*Y Cerddor Cymreig*, 1 (1861-3), 156; 5 (1867), 44; 7 (1869), 66.

[11]E.D. Lewis, 'Population changes and social life 1860 to 1914', yn *Rhondda Past and Future*, 110-28, ar dud. 121.

[12]*Y Cerddor*, 4 (1892), 21-2.

[13]ibid., 3 (1891), 128; Davies, 'Rhondda choral music', 135-7.

[14]Davies, 'Rhondda choral music', 133-5; *Y Cerddor*, 9 (1897), 74-5; 20 (1908), 117-8.

[15]*Y Cerddor Cymreig*, 9 (1871), 38; *Y Cerddor*, 10 (1898), 15; 'Marwolaeth Mr D Buallt Jones, Tonypandy', *Yr Arweinydd Annibynnol*, 2 (1879), 211-14.

[16]*Y Cerddor*, 20 (1908), 18; 22 (1910), 19.

[17]R. Leonard Hugh, *Braslun o hanes Cymanfa Ganu Annibynwyr Dosbarth Isaf Rhondda Fach* (Rhondda, 1949), 1-2.

[18]*Cerddor y Tonic Sol-ffa*, 6 (1873), 46; Tom Jones, 'Hanes Cymanfa Ganu Dosbarth Canol Rhondda', *Y Darian*, 26 Rhagfyr 1929, 5; *Y Gerddorfa*, 1 (1872-3), 38.

[19]*Cerddor y Cymry*, 2 (1884-5), 156.

[20]*Y Cerddor*, 6 (1894), 11.

[21]*Y Cerddor,* 9 (1897), 26-7; 18 (1906), 31; Davies, 'Rhondda choral music', 137-40.

[22]Dyfynnir yn Davies, 'Rhondda choral music', 138.

[23]*Y Cerddor,* 8 (1896), 62-3; 32 (1920), 63-4; Davies, 'Rhondda choral music', 140.

[24]*Y Cerddor,* 1 (1889), 7.

[25]Owen Morgan, 'Morien', 'The march of "Cambria's Five Hundred"' yn *Sketches about Wales* (Caerdydd, 1875), 24-47, ar dud. 39.

[26]D. Emlyn Evans, *Alawon Cymru = Melodies of Wales* (Aberystwyth, 1889).

[27]Mae'r disgrifiad sy'n dilyn yn seiliedig ar adroddiad y *Western Mail,* 30 Tachwedd 1895 ac adroddiad y *Pontypridd Chronicle,* a gyhoeddwyd yn llyfryn o dan y teitl *An account of the appearance of the Treorky Male Voice Choir before Her Majesty, at Windsor Castle, on . . . November 29th, 1895* (Pontypridd, 1895). Ceir disgrifiad manwl hefyd yn yr ysgrif 'Respectable Welsh colliers', *Excelsior: the voice of the Treorchy Male Choir,* 1987, 6-12.

[28]*Y Cerddor,* 20 (1908), 137. Ceir casgliad o gardiau post William Thomas a negeseuon yn canmol y côr ar y daith hon yn Llyfrgell Genedlaethol Cymru, Llsgr. NLW ex 1075.

[29]*Baner ac Amserau Cymru,* 4 Rhagfyr 1895, 4.

[30]*Y Cerddor,* 8 (1896), 7.

Eisteddfod Genedlaethol Treorci, 1928

Hywel Teifi Edwards

Yn y Ddeiseb a luniwyd yn 1926 i berswadio Gorsedd y Beirdd a Chymdeithas yr Eisteddfod Genedlaethol i ffafrio'r cais i gynnal y Brifwyl yn Nhreorci yn 1928, pwysleisiwyd fod cefnogaeth trigolion y Rhondda i'r fenter yn ddigwestiwn. Gwarantwyd £6,000 'ymhen ychydig ddyddiau . . . Petai angen gellid dyblu yn hawdd.' 'Roedd Treorci yn lle hygyrch waeth o ba gyfeiriad y deuid ato; byddai 'poblogaeth o ryw dri chwarter miliwn o fewn taith awr i babell yr Eisteddfod' a phwy na wyddai am groeso a lletygarwch diarhebol y cwm? At hynny, yr oedd llwyddiant blynyddol Eisteddfod y De a ddenai 'gystadleuwyr pennaf y genedl' ac a rannai o'i helw bob tro 'gannoedd o bunnau at achosion dyngarol' yn ddigon o brawf 'y cedwir yn loyw draddodiadau goreu eich Eisteddfod.' Craidd y Ddeiseb, fodd bynnag, oedd y pedwar pwynt canlynol:

VII.— Na bu'r Eisteddfod o'r blaen yn y Cwm er
    a) bod poblogaeth y Cwm ei hun yn rhyw 200,000
    b) bod rhai o brif gystadleuwyr a buddugwyr yr Eisteddfod yn gyson o'r cylch hwn.

VIII.— Bod iaith ac ysbryd Cymru yn y lle hwn yn fyw yng nghylchoedd masnach, ei swyddfeydd, a'i bywyd cyhoeddus; a bod Treorci y fan boblog fwyaf cyfleus i'w cadarnhau a'u lledu dros Gymru.

IX.— Bod Cyngor Dinesig Cwm Rhondda, drwy ei Awdurdod Addysg, a thrwy ei ysgolion o bob gradd, yn arwain Deheubarth Cymru yn y mater o sefydlu diwylliant arbennig Cymru yn ei threfn addysg

X.— Nad ydym yn feiddgar wrth fynegi y medr yr Eisteddfod yng

Nghwm poblog Rhondda yn 1928, wrth gefnogi byddin genedlaethol fwyaf blaengar Cymru, wneuthur mwy dros ddyfodol y wlad yn Nhreorci nag yn unrhyw le arall.[1]

'Roedd enwau pedwar ar ddeg o flaenoriaid y Rhondda wrth y Ddeiseb, sef yn ôl fel y'u rhestrwyd: 'Fred Jones, Llywydd y Pwyllgor; William John, Aelod Seneddol; R.M. Rees, Cadeirydd Cyngor Cwm Rhondda; T.W. Berry, R.R. Williams, Cyfarwyddwyr Addysg; D.J. Jones, Ysgrifennydd Cyngor Cwm Rhondda; Edward Edwards, Llywydd Pwyllgor Eisteddfod Gadeiriol y De; John Minton, Llywydd y Cymrodorion; John Samuel, Llywydd Cyngor yr Eglwysi Rhydd; Iorwerth Davies, Rhys Evans, Goruchwylwyr y Glowyr; J.H. Thomas, Llywydd Undeb Athrawon Cenedlaethol (Lleol); David James (Defynnog), Ysgrifennydd Cymdeithas yr Iaith Gymraeg a W.P. Thomas, Ysgrifennydd y Pwyllgor.' Yn Eisteddfod Genedlaethol Abertawe, 1926, dadleuwyd eu hachos yn enillgar gan y Parch. Fred Jones, B.A., B.D., Brynfab, Will John, A.S., a Miss Ellen Evans, M.A., ac er gwaethaf apeliadau Aberdâr, Treorci a orfu yng nghyfarfod blynyddol Cymdeithas yr Eisteddfod Gendlaethol o 215 pleidlais i 110. Ar unwaith, ymroes Cymry'r Rhondda i drefnu Prifwyl gystal â'u hymffrost. Yn y 'Gwahoddiad' a rigymodd Iago Blaenrhondda ar yr

Cerrig yr Orsedd, Y Maes a'r Pafiliwn yn Nhreorci, 1928

alaw 'Lili Lon', addawodd y câi 'Holl drigolion Byd a Betws' wyliau 'ffamws' yn Nhreorci:

> . . . Chwi gewch wledd na fu ei thebyg,
> Er pan grewyd dyn i'r byd.

Yn bennaf cysur gallai eu sicrhau

> . . . Ni fydd son am streic na slogan,
> Bydd y canu'n boddi'r cyfan.[2]

Dôi'r Brifwyl i'r Rhondda pan oedd y cwm yng ngafael dirwasgiad a fygythiai, yng ngeiriau Gwenallt, gracio seiliau gwareiddiad y De. Ym Mehefin, 1928, cyhoeddwyd sylwadau J. Kitchener Davies ar 'Cyflwr Cwm Rhondda' yn *Yr Efrydydd* ac y mae eu darllen ymron saith deg o flynyddoedd yn ddiweddarach yn sobreiddio dyn:

> A hwn yw Cwm Rhondda lle y mae pobl yn byw ar enillion dyddiau gwell, yn bwyta eu tai a difa addysg eu plant; yn bod ar gardod 'a ddyry graith fâg nychtod swrth'; yn syrthio i ddyled, yn torri eu calonnau ac yn trengu o nychtod corff ac enaid.[3]

Gellid dibynnu ar y Brifwyl, pe credid Iago Blaenrhondda, i gadw'r ymwelwyr â'r Rhondda rhag pla'r dirwasgiad hwn, ac y mae eisiau nodi nad oedd ond yn rhigymu'r farn boblogaidd-gyfrifol a pharchus am ei phriod swyddogaeth trwy gydol blynyddoedd dreng yr ugeiniau a'r tridegau. I'r graddau yr oedd y Brifwyl i brofi'n sefydliad cymodlon yr oedd ei lles cenedlaethol i'w glodfori. I'r graddau y darparai orig o ddihangfa rhag drygau'r dydd yr oedd ei 'hedd' i'w fawrhau. Dathlodd Alfa, ar y Maen Llog, y gallu honedig hwn i drawsnewid bywyd bro adwythig â rhin ei chyweithas—

> Hen Gwm diail gemau da,—enaid Cerdd
> Yw nwyd camp Cwm Rhondda;
> Er ei dywyll dir dua'
> Goleuni haul a'i glanha.[4]

—ac fe'i hategwyd gan 'J.J.' yr un mor gynganeddol ddiolchgar:

Er ei boen a'i hir benyd,—ar waethaf
Creithiau'r anesmwythyd,
Mae'r hen Gwm, er hyn i gyd,
Yn llon bau, yn llawn bywyd.[5]

Ni fuasai'n anodd troi Prifwyl Treorci yn un groch a llidiog. Ar
ddydd Mercher, 8 Awst, deuai'r Prifweinidog, Stanley Baldwin, i
ganol y miloedd a ddioddefai'n feunyddiol ganlyniadau ei bolisïau
economaidd ac fel pe na bai hynny'n ddigon llwyddasai ei Weinidog
Iechyd, Neville Chamberlain, i sarhau'r 'genedl' trwy ddatgan ar
drothwy'r Brifwyl y byddai'n ad-drefnu'r Byrddau Iechyd a
sefydlwyd yn 1919, gan ddileu Cadeirydd ac Ysgrifennydd y Bwrdd
Cymreig a thrwy hynny arbed £1,600. A ffiol cyfiawn ddicter 'y
genedl' yn llawn, sicrhaodd Mr. H.P.A. Bingley, Y.H., Marleybone y
byddai'n gorlifo trwy ymosod yn ei lys, megis un o ddrychiolaethau'r
'Llyfrau Gleision', ar ferched lladronllyd a ddeuai o Gymru i weini yn
Llundain. Yn sicr, gwnaethai Lloegr eu gorau i ddarparu Eisteddfod
derfysglyd yn Nhreorci, ond ymdawelu o'u dolur a wnaeth y Cymry
yn eu Prifwyl yn ôl eu harfer.

Nid na fu traethu bygylus ymlaen llaw. Yn ôl *Y Cymro*, 'roedd neb
llai na David Lloyd George wedi atgoffa Chamberlain yn y Senedd
fod 'Cymru'n genedl pan nad oedd Birmingham ond cors' ac yn ôl y
Western Mail 'roedd wedi maentumio fod parodrwydd y Gweinidog
Iechyd i wneud y Cymry'n destun sbort i'w briodoli i'r ffaith nad
ofnai'r Llywodraeth eu hymateb. Ni chythruddwyd Chamberlain gan
na Lloyd George na'i gefnogwyr. Ni wnaeth ond dweud na roddwyd
Cymru ar yr un gwastad ag Iwerddon a'r Alban yn 1919: 'There had
never been a separate Minister for Wales.'[6]

Yn Ysgol Haf y Rhyddfrydwyr yn Aberystwyth barnai'r Athro T.H.
Levi y byddai sarhad Chamberlain yn hybu achos y cenedlaetholwyr.
Fel golygydd *Y Cymro,* a ysgogwyd gan yr helynt i ddadlau dros
ymreolaeth mewn llith ar 'Hawliau Cymru', yr oedd Levi, hefyd, o
blaid Senedd i Gymru: 'Y mae enaid y genedl yn cael ei gadw yn yr
Eisteddfod: dirmygir, poerir ar ben yr enaid hwnnw yn Senedd Lloegr.
Oni ddylai fod i enaid gwleidyddol Cymru gartref ar ei aelwyd ei hun,
fel i'r enaid llenyddol a cherddorol?' Anelodd y cenedlaetholwyr eu

Taking no Notice (*Western Mail*, 3 Awst 1928)

Mardy Jones for the Defence (*Western Mail*, 4 Awst 1928)

dirmyg hwy at Lloyd George a'r Aelodau Seneddol Cymreig eraill a
oedd yn rhy lwfr i gefnu ar San Steffan mewn protest. Daethai Lloyd
George i Ysgol Haf y Rhyddfrydwyr ac nid ynganodd air am Gymru:
'Ac aeth o'r ysgol ac o Aberystwyth i Dreorci i areithio mewn hwyl
fawr ar bwysigrwydd cadw Cymru a Chymraeg yn bethau
amholiticaidd, yn bethau ymylon bywyd ac yn ddifyrrwch oriau
hamdden.'[7]

Y gwir, wrth reswm, yw na fyddai fawr neb ar wahân i ddarllenwyr
Y Ddraig Goch yn disgwyl iddo wneud dim gwahanol. Sentimenta
oedd ei orchwyl blynyddol. Yn *Y Brython* tystiodd 'J.H.J.' i'w
athrylith: 'Da y gŵyr ef sut i ddodi ei fys ar "gong" y galon.' A phwy
allai wadu na wnaeth i'r 'gong' honno atseinio droeon yn y Brifwyl
megis 'gong' J. Arthur Rank. Yn Nhreorci, cafodd gefnogaeth yr
Archdderwydd, Pedrog, a'r cyn-Archdderwydd, Elfed, a ddefnyddiodd
y Maen Llog i alw am dangnefedd rhwng meistr a gweithiwr. Ac
yntau ar fin urddo Syr D.R. Llewellyn; H.H. Evans, rheolwr
cyffredinol y Cambrian Combine; Frank Hodges, cyn-Ysgrifennydd
Ffederasiwn Cydwladol y Glowyr a Mr. Rhys Davies, A.S., (Llafur)
West Houghton, cyhoeddodd Pedrog ei fod yn 75 oed a charai pe
byddai ganddo 75 o dafodau tân i ddatgan 'Cariad yw Duw' a
'Cerwch eich gilydd.' Ymbiliodd Elfed yr un modd—er na wyddai
ddim, meddai, am iawnderau a hawliau'r perchnogion a'u llafurlu—ar
i'r ddwy blaid, er mwyn Duw, gydweithredu: 'He made that appeal on
behalf of all Gorseddogion, who always supported peace and peaceful
methods. (Hear, hear.)'[8]

Y mae'n dweud llawer am y modd y cawsai'r Brifwyl ei
'pharadwyso' dros y blynyddoedd bod disgwyl i filoedd dirwasgedig y
De, wyneb yn wyneb â'r Prif Weinidog a'u darostyngai, ymddwyn
mor wâr nes teilyngu clod y wasg Dorïaidd. Y mae'n dweud mwy am
awydd y Cymry cyffredin i blesio fod Baldwin wedi'i groesawu yn
Nhreorci yn 1928 fel petai'i bresenoldeb ymhlith y brodorion yn
gymwynas waredigol. Ni thaflwyd cymaint â charreg drosiadol ato ef
na'i Weinidog Iechyd. Mae'n wir fod heddychreg o Americanes
danllyd, sef Mrs. Samuel J. Jones o San Francisco, wedi parlysu
Pedrog pan ymosododd ar wŷr Cymru am ganiatáu i'r Ynad Bingley
warthruddo merched Cymru, ond ni lwyddodd i berswadio'r Orsedd i

brotestio'n swyddogol ar eu rhan! Gadawyd hynny i Ysgol Haf Plaid Cymru yn Llandeilo lle penderfynwyd galw ar y Llywodraeth, yn sgil dicter Kate Roberts, i ymwrthod â chollfarn Bingley. Ni ddaeth dim o'r brotest, wrth gwrs, ond fe gafodd golygydd *Y Darian*, y Parch. Tywi Jones, y pleser o gyhoeddi fel cenedlaetholwr mai 'Amhosibl yw i genedl a fyddo byw yn ymyl Lloegr beidio â dirywio . . .' Diolch i wenwyn cyfundrefn addysg Saesneg, 'Dysgid ni i fod yn anonest tuag atom ein hunain ac yn fradwyr i ni ein hunain. Nid yw'n rhyfedd fod y Sais yn dechreu medi o'r ffrwyth.'[9]

Waeth beth am ferched Cymru yn Llundain, 'roedd Prif Weinidog Prydain yn Nhreorci i'w barchu, yn yr un modd os nad i'r un graddau ag y perchid David Lloyd George. Mae'n 'rhyfedd' pa mor barod fu'r Brifwyl erioed i roi llwyfan i wleidyddion tra'n ymgroesi rhag caniatáu iddynt wleidydda, wrth gwrs. Barnai golygydd *Y Tyst* fod gwir fywyd y genedl i'w weld ar ei haelwyd yn y Brifwyl ac 'Anodd meddwl sut y gall ddal ei thymer pan glyw hi o bell y dull yr ymddygir ati mewn lle fel y Senedd.' Dal ei thafod politicaidd oedd ei rhesymol wasanaeth, fodd bynnag: 'Ni ddylai'r Eisteddfod, wrth gwrs, ymyrryd mewn gwleidyddiaeth, ond dylai'r genedl gael cyfle fel cenedl i ateb sarhad o bob math.' Nid, fodd bynnag, yn ei Phrifwyl ei hun pan oedd Tori o Brif Weinidog diedifar o fewn clyw.[10]

Synnu a gorfoleddu wnaeth y *Western Mail* wrth ddathlu buddugoliaeth Baldwin yn Nhreorci ar 8 Awst. Prin y gallai gredu'r hyn a ddigwyddasai. Gwelsai'r Prif Weinidog 'Wales a great family, happy in the unity of song and in complete oblivion of political dissensions.' Ofnid y byddai dyrnaid o Gomiwnyddion yn creu terfysg ond boddwyd seiniau'r 'Red Flag' gan 'Hyfrydol'. Atgoffwyd yr ugain mil yn y pafiliwn gan Llew Ogwy nad oedd na phlaid na sect yn cyfrif yn y Brifwyl a phan ddaeth Baldwin i'r llwyfan ni chafwyd mo'r arweinydd yn brin :

'Let Mr. Baldwin hear "Cwm Rhondda",' shouted Llew Ogwy, and immediately the audience responded. No man, not even the coldest and most indifferent Saxon, could fail to be moved by the sound of that strangely thrilling hymn, almost barbaric in the splendour of its harmonies.

Cystal inni gofio nad torf yr 'Arms Park' oedd y gyntaf i fwlgareiddio 'Cwm Rhondda'. Aeth Baldwin yn ei flaen i faldota'r Cymry, i ganmol David Lloyd George, i sbortian am gleddyf yr Orsedd a mympwyon ei Ysgrifennydd Cartref a'i Ganghellor. Nid oedd ganddo ddim i'w ddweud am ddioddefaint y De, ond bodlonodd bawb a'i clywodd yn ôl y *Western Mail*:

> He closed with an eloquent appeal to Wales 'to keep her standards high, and to keep her grip on the soul of democracy—for without a soul even democracy will make men as the beasts that perish.'
>
> It was such a speech as satisfies the soul and the self-esteem of a nation, and certainly the respresentatives of that nation sang 'Hen Wlad' out of their souls that afternoon . . .'

Wrth drafod y 1960au yn ei gyfrol ar *The Pendulum Years,* dywedodd Bernard Levin fod degawd a welodd Farnwr yr Uchel Lys yn archwilio ceilliau un o'r tystion yn achos Profumo, yn hawlio astudiaeth. Dywedwn innau fod parodrwydd ugain mil o eisteddfodwyr yn Nhreorci i feddwi ar sinigiaeth Stanley Baldwin yn ddigon o reswm dros astudio diwylliant ein Prifwyl mewn difrif.[11]

Mae'n amlwg i'r Cymry deimlo eu bod wedi pasio'r prawf ym Mhrifwyl 1928. Ni ellid eu galw'n anwar yn Llundain er gwaethaf yr enw drwg a oedd i'r maes glo terfysglyd ers blynyddoedd. Y mae'n llawn mor ddiddorol sylwi fod y Rhondda wedi plesio dau sylwebydd dylanwadol o'r Gogledd a ddaethai i Dreorci i bortreadu'r 'Sowth' i'r holl eisteddfodwyr hynny nad oeddent, er mawr gywilydd iddynt ym marn *Y Faner*, am gefnogi Prifwyl Treorci. Haeddai'r Rhondda, lle'r oedd y glowyr er gwaethaf eu hadfyd wedi derbyn yr Eisteddfod 'yn dywysogaidd', eu teyrngarwch am gadw gafael ar Gymreictod:

> Bu popeth yn anffafriol i'r cadw gafael hwnnw—dylifiad estron, tlodi economaidd, dyfodiad Comiwnistiaeth—ond er hynny oll fe gadwodd Cwm Rhondda ei enaid. Dangoswyd hynny yn amlwg iawn yn ei gwaith yn rhoddi ei phriod le i'r Gymraeg, yn yr ysgolion elfennol—arbraw llwyddiannus ond arbraw y mae'r mwyafrif llethol o awdurdodau Cymru rhy ddof i'w fabwyso! A dyma Gwm Rhondda'n derbyn yr Eisteddfod eto.[12]

Nodau cyffelyb edmygedd sydd i'w clywed yn adroddiadau 'J.H.J.' yn *Y Brython* ac E. Morgan Humphreys yn *Y Genedl Gymreig*. Ni allai 'J.H.J.' organmol y croeso a gawsai a'r rhadlonrwydd ar bob llaw: 'Bydd gennyf gof melys am Eisteddfod Treorci, a charedigrwydd difesur pawb. Gwnaeth y preswylwyr yno orchest. Er gwaethaf y cyfyngdra yn y Cwm, ni chlywais achwyn ar lety, na bod crocbris ar neb.' A'r gwron a noddodd y cyfan oedd 'Shoni', y colier heulog yr oedd ei ymddygiad yn ystod y Brifwyl wedi gwarantu'r ddelwedd draddodiadol ohono—y ddelwedd a gafwyd yn ei phurdeb eto fyth yng nghywydd Trefin i'r 'Glowr' a ddyfarnwyd yn orau gan J.J. Williams. Mor falch oedd 'J.H.J.' o gael ategu geirda'r Archdderwydd i sobrwydd 'Shoni':

Ni welais gymaint ag un meddwyn ar hyd yr wythnos; ac ni allai'r lledneisiaf ei chwaeth lai na rhyfeddu mor lân oedd pawb a phobman rhag dim gwrthun a dolurus i'r llygad mewn cwm mor gymysg ei genhedloedd. Teimlai'r ethnigion eu bod yng ngwydd rhywbeth da a dyrchafol ac y dylid ei barchu a phlygu pen iddo. Ac fe wnaethant.

'Ethnigion', sylwer. A phwy oedd y 'plygwyr pen' hynny, tybed? Nid Northmyn, 'does bosib? Waeth pwy, 'roedd 'J.H.J.' yn un â 'J.J.' yn ei glod i lowyr y Rhondda:

> . . . Daw'r glowr i drigleoedd—athrylith
>   Ar alwad y siroedd;
>   Yn eu lle mwynhâ lluoedd
>   Pella'r deyrnas flas ei floedd.
>
>   Yng nghyni dydd anghenog,—try ei wedd
>   Tua'r Wyl odidog;
>   Er yn llwm, heb aur na llog,
>   Nodda gân yn ddi-geiniog.
>
>   Wrtho glŷn y creithiau glas,—er y cur
>   Carodd gân a barddas;
>   Glynodd er pob galanas
>   A grymus gur gormes gâs.[13]

THE ELY BREWERY CO., LTD., PONTYPRIDD,

respectfully submit for the attention of Visitors to the ROYAL NATIONAL EISTEDDFOD OF WALES, to be held at Treorchy in August, 1928, *a list of their fully-licensed houses within easy reach either by train, tram or bus service.*

The Licensees would be happy to receive enquiries for accommodation.

Hotel.	Accommodation available. Bedrooms.	Persons.	Approximate distance from Treorchy. (Miles).
Bute Hotel, Treherbert	5	10	1
Ynyshir Hotel, Ynyshir	1	2	5
Carpenters' Arms, Ynyshir	2	4	5
Duffryn Hotel, Ferndale	1	2	4½
Ferndale Hotel, Ferndale	1	2	4½
Duke of York Hotel, Tylorstown	1	2	4
Queen's Hotel, Tylorstown	2	4	4
Diamond Jubilee, Tylorstown	1	2	4
Stanley Hotel, Stanleytown	1	2	4
Station Hotel, Ynyshir	2	4	5
Pandy Hotel, Tonypandy	2	4	4
Dunraven Hotel, Tonypandy	1	2	4
Gwaunadda Inn, Dinas	1 double-bedded room	3	4
Rhondda Hotel, Cymmer	1	2	4½
New York Hotel, Porth	2	4	5
Queen's Hotel, Pentre	1	2	½/¾
Woodfield Hotel, Pentre	1	2	½/¾
Bridgend Hotel, Pentre	3	6	¾
Windsor Hotel, Pentre	2	4	¾
Ystrad Hotel, Ystrad	2	4	1
Glandwr Hotel, Ystrad	2	4	1¼
Star Hotel, Ystrad	1	2	1½
Partridge Hotel, Llwynypia	1	3	2
Ynyscynon Hotel, Trealaw	1	2	2
Stuart Hotel, Treherbert	2	4	1
Dunraven Hotel, Treherbert	4	8	1
Castle Hotel, Treherbert	2	4	1
Welcome Home, Treherbert	2 beds.	3	¾
Smith's Arms, Treherbert	1	2	¾
Corner House, Treherbert	1	2	¾
Cardiff Arms, Treorchy	2	4	¼
Crown Hotel, Treorchy	2	4	¼
Market Hotel, Pentre	3	6	½
Llewellyn's Hotel, Pentre	4	4	½
Lewis Arms, Penrhiwfer	1	—	4½
Commercial Hotel, Ferndale	1	—	4
Victoria Hotel, Ferndale	2	—	4
Ferndale Hotel, Ferndale	1	—	4
Royal Hotel, Trealaw	4 2 beds each room		4½
Swan Hotel, Penygraig	1	—	4½
Turberville Arms, Penygraig	1	—	4½
Butchers' Arms, Penygraig	1	—	4½
New Inn Hotel, Pontypridd	20	40	10
Park Hotel, Pontypridd	10	20	10
Welsh Harp Hotel, Pontypridd	10	20	10

Croeso cynnes i bawb!

Mae cywair 'J.H.J.' yn dwyn i gof sylwadau O.M. Edwards yn ei ysgrif bortread ar Eisteddfod Genedlaethol Abertawe, 1891, pan ganmolodd ymarweddiad y glowyr yn ystod y Brifwyl stormus honno. 'Roeddent o hyd yn ffit i'w harddel yn nhermau'r diwylliant Cymraeg telediw. Gwnaeth llith golygyddol *Y Genedl Gymreig* hawl Treorci i gynnal y Brifwyl yn hollol glir, gan ddadlau fod 'ganddynt yno fwy o hawl nag odid un cwm neu dref yng Nghymru iddi, os ydyw aelwyd Eisteddfodol iach, egnion di-baid tros lên a chân, a chartref i iaith a phethau gore ein cenedl i gael llais mewn penderfynu.' Cwm o weithwyr diwylliedig oedd y Rhondda: 'Y mae geiriau llên a chân wedi bod yn llamu o graig i graig yno genhedlaeth ar ôl cenhedlaeth, a'r talcen glo wedi gwasanaethu lawer tro fel "black-board" i feirdd y fro i gerfio eu profiadau barddonol arno, a seiniau cân wedi bod yn llenwi'r pyllau gan fyned fel llif o drydan o'r naill lefel i'r llall.'[14]

Ni fuasai E. Morgan Humphreys yn y Rhondda cyn ymweld â Phrifwyl 1928 a chafodd y Cwm yn rhagori ar ei ddisgwyliadau:

Y mae digon o leoedd digalon ac anymunol i'w gweled yn ystod y tri chwarter awr neu well a gymerir i wneud y daith o Gaerdydd yma, bryniau wedi eu creithio a'u duo, afon fudr, tai bychain, diaddurn wedi eu gwasgu at ei gilydd—filltyroedd ar filltyroedd ohonynt, a holl hacrwch diwydiant, neu, a dweyd y lleiaf, diwydiant fel y bu. Ond, ar y cyfan, y mae'r dyffryn hir, troellog, yn lletach nag y disgwyliwn ei weled, y mae llethrau llawer o'r moelydd yn las gan redyn, a gwelir ambell lecyn sydd rywbeth yn debyg, y mae'n bosibl, i'r hyn oedd yr holl gwm gynt. Rhaid fod yma unigedd a distawrwydd a phrydferthwch unwaith. Ciliodd y cwbl o waelod y cwm. Erys peth o'r tri ar y llethrau a'r bronnau uchel.

Ac os nad oedd y cwm heb ei apêl i'w synhwyrau yr oedd cael sylwi ar 'Shoni' wrth ei waith yn brofiad a'i plesiodd yn fawr. Aeth i wylio cystadleuaeth 'sefyll coed gan chwech o ddynion' a rhyfeddu at yr olygfa:

Ni welais i ddynion yn gweithio mor galed ers llawer dydd—dynion cydnerth, byrion gan mwyaf, yn chwys dyferol, ac yn edrych yn bryderus ryfeddol, rhai gyda'u bwyeill, yn llunio'r coed, eraill â rhawiau'n tyllu'r ddaear neu â'u dwylo'n gwastathau'r tyllau, eraill yn codi'r coed mawr ac yn eu gosod yn eu lle, ac un arall yn mesur eu huchter yn ofalus.

Sylwais mai Cymraeg a siaredid gan y gweithwyr i gyd ac mewn Cymraeg, miniog weithiau, gallwn gasglu, y gwneid sylwadau gan edrychwyr profiadol. Nid oedd brinder ar y sylwadau, chwaith, a synnwn weithiau sut yr oedd gwyr y rhawiau a'r bwyeill yn dioddef. Ond hwyrach eu bod yn rhy brysur i glywed nac i gymryd sylw. Yr oedd yr olygfa hon yn werth ei gweled, ac yn ddifyrach, i mi, beth bynnag, na'r holl fandiau, er fod chwarae rhai o'r rhai hyn, yn effeithiol iawn.[15]

Fel 'J.H.J.', dychwelodd E. Morgan Humphreys i'r Gogledd gan ddymuno i'r haul dywynnu ar 'bobl garedig, ddeallus, frwdfrydig Cwm Rhondda . . .' Buasai'r Brifwyl, heb os, yn bluen yng nghap y 'Shoni' hwnnw yr oedd y Gymraeg wedi'i ddelfrydu ers canol y ganrif ddiwethaf. Ar werth yn Nhreorci yr oedd *Caniadau Milwyn*, cerddi'r colier o Gardi a gasglwyd ynghyd gan ei weinidog, Y Parch. D. Davies, B.A. Buasai wrthi'n ddiwyd yn dewis testunau i'r cystadlaethau llên ond bu farw Milwyn ar drothwy'r Brifwyl fel na chafodd ddarllen cywydd anwes Trefin ar 'Y Glowr'—un o'i destunau ef. Ni raid amau na fyddai wedi'i blesio'n fawr ganddo, ac ni raid amau, chwaith, na fyddai trwch eisteddfodwyr Cymru yn llawer dedwyddach eu meddwl yn darllen cerddi Milwyn a Trefin nag yn darllen nofel Rhys Davies, *The Withered Root*, a oedd yn cael ei hadolygu'r adeg honno—nofel am golier, Reuben Daniels, sy'n ymddyrchafu'n bregethwr diwygiadol enwog cyn colli'i ffydd yn wyneb angau a marw'n fethiant. Yn ôl Geoffrey West, a gystwyodd y Cymry yn *Y Daily Herald* am anwybyddu eu hawduron, nid ail Caradoc Evans oedd Davies er minioced ei ddychan. 'Roedd ganddo gydymdeimlad a chariad at 'the imprisoned community dwelling in the sullen acceptance of their existence, gathered about the black, sprawling filth of the mines, so that the very souls of the people seemed to blacken and life was an arid wilderness where toil and the animal processes fulfilled the years.' Ond, fel y darganfu Kitchener Davies yn 1932 ac 1934, byddai Rhys Davies wedi'i chael hi'n bur anodd i argyhoeddi beirniaid y Brifwyl o gywirdeb ei gydymdeimlad petai wedi ysgrifennu ei nofel yn Gymraeg. 'Roedd gan y famiaith 'amgenach' ffordd o'i fynegi, fel y dangosodd 'J.J.' mor ddi-ffael ag arfer, wrth englyna teyrnged i Milwyn:

Di-weniaith a dihunan,—pur ei foes,
Per ei fiwsig diddan;
Gwerinwr gwir, ynni'r gân
Ni ddihoenodd o'i anian.

Deheulaw ar y delyn—a ddaliodd,
Trodd ddolur yn emyn:
Yn ei wlad ei gân a lŷn,
A di-anghlod ei englyn.

Tristwch ymwneud y Gymraeg â'r De diwydiannol, wrth gwrs, yw iddi mor ddidaro droi cymaint dolur yn emynau tirion. Cofiwn mai 'J.J.' a wobrwyodd gywydd Trefin yn Nhreorci ar ôl cwyno fod y gystadleuaeth yn un sâl am fod 'Y Glowr' yn destun rhy hawdd i ganu arno![16]

Yn ôl y disgwyl enynnodd canu 'Shoni' a'i deulu yn Nhreorci gryn edmygedd. Ei ganu, wedi'r cyfan, oedd ei ragoriaeth eisteddfodol. Cafodd gyfle i arddangos medrau'i grefft fel colier; 'roedd gwobrau sylweddol i'w hennill yn yr Adran Fwyngloddio a thlysau i'w cipio yn yr Adran Ambiwlans; 'roedd £5 i'w hennill am 'Disgrifiad mewn tua 5,000 o eiriau o Waith Glo, ynghyd a Geirfa ddiffiniadol o bob term arbennig a ddefnyddir ynddo', a £5 arall am 'Casgliad o Ffraethebion y Glowr Cymreig', gwobr a rannwyd rhwng W. Rees, Port Talbot a W. Walters, Porth Tywyn am iddynt ddangos pa mor ddidramgwydd yr oedd yn rhaid i ffraethineb 'Shoni' fod i deilyngu cydnabyddiaeth genedlaethol. Yn yr Adran Gelf a Chrefft gellid ennill pum gini am luniadu '"Diwydiant" (rhywbeth ynglŷn a Gwaith Glo)', a dwy gini am set o chwe ffotograff yn portreadu agweddau ar 'Bywyd Ardaloedd y Gweithfeydd'. Darparodd Prifwyl Treorci fwy nag un cyfle i 'Shoni' ymorchestu, ond yn ei gôr—ie, a'i fand, yr oedd i hawlio'r sylw mwyaf brwd.[17]

Y mae'r Dr. Rhidian Griffiths eisoes wedi adrodd hanes Côr Mawr Ystalyfera dan W.D. Clee yn trechu deuddeg côr cymysg arall (heb fod llai na 150 o gantorion yn un ohonynt) mewn cystadleuaeth a barodd dros chwe awr ac a wnaeth i Syr Henry Coward wynfydu. Yr oedd i 'Shoni' a'i deulu le amlwg yn y côr mabinogaidd hwnnw—ac nid dim ond yn hwnnw os gwireddwyd disgwyliadau'r Rhaglen Swyddogol.

Yn y brif gystadleuaeth i gorau meibion (heb fod llai na 100 o gantorion) dôi deg côr i'r llwyfan ac yn yr ail gystadleuaeth i gorau meibion (heb fod llai na 60 o gantorion) dôi deg côr arall i'r llwyfan. Dyna leiafswm o 3,550 o gantorion mewn tair cystadleuaeth, ac o ychwanegu atynt saith côr (heb fod llai na 80 o gantorion) yn yr ail gystadleuaeth i gorau cymysg, tri ar ddeg o gorau merched (heb fod llai na 50 o gantorion) ac ugain o gorau plant dan 16 oed (heb fod llai na 50 o gantorion), dyna leiafswm o 5,760 o gantorion mewn chwe chystadleuaeth gorawl. Ychwaneger eto bedwar côr cynulleidfaol (heb fod llai na 40 o gantorion), pum côr bechgyn dan 15 oed (heb fod llai na 25 o gantorion) a dau gôr 'Girl Guides' (heb fod llai na 25 o gantorion) ac y mae'r lleiafswm o gantorion a oedd i ymddangos ar lwyfan Prifwyl Treorci mewn naw cystadleuaeth gorawl yn 6,095! Pa ryfedd fod beirdd Cymru yn mynnu fod 'Shoni' a 'Dai' byth a hefyd yn canu mewn rhyw gôr neu'i gilydd.[18]

Parodd camp Côr Mawr Ystalyfera, a sgoriodd 99 o farciau allan o gant ddwywaith, gryn gynnwrf yn Nhreorci ac nid llai oedd boddhad Côr Meibion Abertawe a'r Cylch dan Llew Bowen a enillodd y brif gystadleuaeth i gorau meibion am y pedwerydd tro. Ond yr oedd gorfoledd enillwyr yr ail gystadleuaeth i gorau meibion—Anthracite Male Chorus of Scranton Pa., U.S.A., dan Professor Luther Bassett— yn ddifesur. 'Roedd y Côr (a rifai 64 llais) yn rhan o'r fintai fawr— cynifer â mil ohonynt yn ôl ei blaenor, Mr. Edgar Jones—a ddaethai drosodd o Scranton ar y llong, *Scythia*, i'r Brifwyl. Ar fore Llun, 6 Awst, yn y Pafiliwn a allai gynnwys ugain mil, cyflwynwyd baner y Ddraig Goch i David Davies, A.S., Llywydd yr Eisteddfod a phrif hyrwyddwr achos Cynghrair y Cenhedloedd Unedig yng Nghymru, gan Mr. a Mrs. Edgar Jones a Miss Ethel Hannah Jones, prifathrawes yr ysgol a sefydlwyd i blant tlawd yn Scranton, lle gwnaed y faner gan ferched o un ar ddeg o wahanol wledydd. Diolch i'r Capten o Gymro, William Protheroe, buasai'n chwifio dros y *Scythia* am ddeng niwrnod wrth groesi'r Iwerydd ac ar ôl ei chyflwyno i David Davies aed allan gydag ef i'w weld yn ei dyrchafu fry uwchben y Pafiliwn lle bu'n chwifio trwy gydol y Brifwyl. Gan gyfnewid Scranton yn dwt am New York yn enw'r gynghanedd, mynegodd 'J.J.' fodlonrwydd y Cymry:

Y glôb gron a glybu gri—arian lais
Yr hen wlad eleni;
Daeth New York i Dreorci
I gadw ei Gŵyl annwyl hi.

Cyn dychwelyd yn fuddugoliaethus cafodd Cymry America eu
croesawu'n swyddogol yn y Pafiliwn ar fore Gwener, 10 Awst, gan
Undeb Cenedlaethol y Cymdeithasau Cymraeg dan lywyddiaeth yr
Henadur William George, a chawsant eu llorio pan ganodd Sam
Jenkins—achubwr sawl 'Hen Rebel fel fi' yn 1904-5—'Unwaith eto
yng Nghymru annwyl'. A'u dagrau heb sychu fe'u derbyniwyd y
prynhawn gan Gynghrair y Cenhedloedd Unedig yng Nghymru ac yn
briodol iawn troesant tuag adref yn sŵn y tenor cenedlaethol, David
Ellis, yn canu 'Baner ein Gwlad' (Joseph Parry).[19]

Rhoesai'r *Welsh Outlook*, Awst, 1928, groeso arbennig i'r 'Cymry
oddi cartref' yr oedd eu gweld ar y llwyfan yn golygu cymaint i'r
gynulleidfa: 'A rising tide of pride engulfs the audience, and as the
roll-call goes on the cheering deepens in intensity and in meaning. We
forget our inferiority complex (what unlettered small-knowing soul
accused us of possessing it?), for we are realizing afresh that Wales
means much to the world.' Yn ei lythyr cyfarch mynnodd aer
Llandinam, David Davies, A.S., fod y Brifwyl bellach iddo ef yn

David Davies, A.S., yn codi'r Ddraig
(Simon Eckley ac Emrys Jenkins, 1994: *Rhondda*, Chalford)

llawer mwy na chanolbwynt i'r diwylliant Cymreig: 'For it embodies ideals of peace and beauty, of culture and social progress which, far more than a common ancestry, form our real heritage, binding us to oneanother and to our distant past in a lasting brotherhood. It has thus fostered a nationalism of the spirit, transcending political and geographical frontiers, which enables every one of us, in complete loyalty to the country wherein he makes his home, to strive for that pure and noble citizenship which is our Welsh ideal.' Ac i brofi ei fod yn credu yn swyddogaeth y Brifwyl fel y gwelai ef hi talodd o'i boced ei hun am dair gwobr, £50 yr un, am dri thraethawd, Cymraeg neu Saesneg, ar (i) 'Arbitration, Security and Disarmament'. (ii) 'The Organization and Constitution of an International Police Force'. (iii) 'How to prevent Industrial Disputes'.[20]

Pan droir at yr unawdwyr gwelir fod 'Shoni' yr un mor amlwg ei ddawn. Dychwelodd dau gyn-löwr a oedd wedi hen ddisgleirio ar lwyfannau eu proffesiwn i ganu gyda'r hwyr—Tudor Davies, y tenor godidog o'r Porth a Watcyn Watcyns, y bas-bariton a symudasai'n grwt o'r wlad i Sir Fynwy. Yr oedd Syr Thomas Beecham fod arwain Cerddorfa Simffonig Llundain yn y Cyngerdd Cerddorfaol y canodd Davies ynddo ar nos Fercher, 8 Awst, ond bu rhaid i flaenwr y gerddorfa, W.H. Rees, gymryd ei le, ac ar nos Wener, 10 Awst, canodd Watcyn Watcyns gyda Chôr yr Eisteddfod (600 o leisiau) a Cherddorfa Simffonig Llundain, dan arweiniad John Hughes, Mus. Bac., mewn perfformiad o *Dream of Gerontius* (Elgar). Buasai tad Tudor Davies yn aelod o Gôr Mawr Caradog, 'that wonderful combination of singers that set the foundations of the fame of the Welsh miners in the world of music,' ac yn grwt 'roedd gan y mab lais alto nodedig. Dywedir mai ei gariad cyntaf oedd y feiolin a'i fod yn datblygu'n feiolinydd talentog cyn i ddamwain dan ddaear niweidio'i law. Am Tudor Davies gellir dweud, yn wir, mai trwy ddamwain pwll glo y daeth i fod un o'r tenoriaid gorau, onid y gorau, a godwyd yng Nghymru, ac ynddo ef a Watcyn Watcyns, a'u tebyg ers yr 1870au, buddsoddwyd balchder y genedl i gryn raddau.[21]

Yr oedd yn achos llawenydd, felly, mai Emlyn Burns, glöwr o Gwmllynfell, oedd y gorau o 83 a gystadlodd ar yr unawd tenor ac mai glöwr arall, sef John Penar Williams, glöwr di-waith o

Aberpennar a fuasai'n cystadlu ar un adeg yn erbyn Tudor Davies a Watcyn Watcyns, oedd y gorau o 19 a gystadlodd ar yr unawd bas. Canodd 'I have achieved the highest' (*Boris Godunov*) nes peri ei alw yn Chaliapine yr ail: 'He possesses not only a voice that reminds critics of Chaliapine, but much of the striking physique and personal dignity that characterise the famous Russian.' Penderfynodd y *Daily Herald* dalu i'w anfon am dridiau i Lundain er mwyn iddo gael 'audition' gan y B.B.C. a'i recordio'n canu 'The Desert' (Louis Emanuel) gan gwmni H.M.V. Ar nos Wener, 23 Awst, fe'i clywyd yn canu ar un o raglenni'r B.B.C., ac ar 24 Awst cyhoeddwyd ei lun yn arwyddo cytundeb â'r Gorfforaeth. Cafodd brofi am ennyd awr orfoledd bod yn wrthrych eilunaddoliad 'Gwlad y Gân' a chafodd y *Daily Herald*, a oedd heb os yn llawn edmygedd o'i dalent, gyfle i'w ddefnyddio'n arf sosialaidd yn y frwydr yn erbyn Torïaeth. Ymgorfforai'r baswr drasiedi'r miliwn di-waith—petai'r Prif Weinidog ond yn dewis gweld: 'We wonder whether Mr. Baldwin, in addressing the Eisteddfod gathering at Treorchy, paused amid his airy jokes about the Gorsedd sword and the vagaries of the Home Secretary and the Chancellor of the Exchequer to reflect upon the waste of human resources for which he bears such a grave share of blame.' Os gwnaeth, yn breifat y gwnaeth hynny.[22]

Y mae un digwyddiad arall a barodd fod cân 'Shoni' wedi bodloni eisteddfodwyr Prifwyl Treorci yn ddirfawr. O Ohio daeth John T. Davies i herio unrhyw ganwr yng Nghymru dros 70 oed. Ymatebodd chwe hynafgwr o'r De i'w her, yn eu plith, David Davies (Dafis y Cantwr), 80 oed, o Bont-y-pŵl. Buasai'n denor yng Nghôr Mawr Caradog, yn arweinydd y gân ym Methesda, Tonpentre, ac yn Nhreorci yn 1928 canodd 'Arafa Don' (R.S. Hughes), nes codi'r miloedd ar eu traed . Iddo ef, y cystadleuydd hynaf, y dyfarnwyd y wobr o dair gini er fod Syr William James Thomas wedi rhoi bobo ddwy gini i'r chwech arall, ac y mae molawd Iago Blaenrhondda iddo yn folawd i'r math o ganwr emblematig a fuasai ers tri chwarter canrif o eisteddfota yn gynheiliad hyder y Cymry:

> 'Rwy'n cofio pan oeddit ond ugain oed
> Dy weld ar y llwyfan hardd;

Yn hoyw fel ewig, mor ysgafn dy droed,
A'th wên bron a'm gwneud yn fardd;
A minnau yn sisial (ond wrthyf fy hun)
  Mai yn debig i ti carwn fod,—
  Yn lân fy nghymeriad, fel tithau, sef un
Osododd ei Geidwad yn nôd.

Edmygais dy gampau flynyddoedd hir,
Ti'm swynaist â'th gân lawer tro;
Mae adsain dy nodau o hyd yn glir,
Ac ni allant fynd o'r co';
Ond heddyw ar 'lwyfan Treorci'n' llon,
Gwefreiddiaist y 'dyrfa fawr';
Wrth daro'r 'B Flat' yn 'Arafa Don',
Daeth llonder y Nefoedd i'r llawr.

A ydyw 'Tenoriaid' y Wynfa'n brin,
A'n Duw am dy gadw di
I daro'r 'B Flat' am Galfaria fryn,
Ac hefyd y dwbwl C?
Anrhydedd fawr gefaist fel un o'r 'Côr Mawr'
Pan gurodd holl gorau y byd;
Ond mwy fydd gael canu a'th 'wisg fel y wawr',
Mewn Côr sydd yn 'canu o hyd.'[23]

I ohebydd *Y Cerddor Newydd*, Llewelyn C. Lloyd, yr oedd cynnydd cerddorol y Cymry yn amlwg yn Nhreorci a rhoes sylw arbennig i'r clod a roes W.H. Reed, blaenwr Cerddorfa Simffonig Llundain, i'r chwe cherddorfa o'r De a chwaraeodd symudiad cyntaf trydedd simffoni Beethoven (yr 'Eroica') am wobr o £60. Disgwylid dim llai na 35 o offerynwyr ymhob cerddorfa a châi wyth ohonynt fod yn offerynwyr proffesiynol, ac ym marn Reed, profodd y gystadleuaeth a enillwyd gan Gerddorfa Simffonig Beethoven Caerdydd dan arweiniad Herbert Ware, A.R.C.M., na ddylid mwyach gyhuddo'r Cymry o esgeuluso cerddoriaeth offerynnol. Tra'n cydnabod fod eto lawer iawn o dir i'w ennill yr oedd y ddau Athro Cerdd, David de Lloyd a David Evans, hwythau'n gadarnhaol eu hagwedd pan ddarllenasant bapurau ar 'The Development of Orchestral Music in Wales' yn sesiwn y Cymmrodorion ar 6 Awst.[24]

Ond y gystadleuaeth arloesol a lonnodd David de Lloyd, un o'r beirniaid, yn arbennig oedd y gystadleuaeth i'r pianydd-gyfansoddwr. Disgwylid i'r cystadleuwyr (a) chwarae darnau gan Cesar Franck a Ravel, ac un darn ar yr olwg gyntaf (b) cyfansoddi o fewn teirawr naill ai Solo Piano neu Solo (i'r llais neu offeryn) gyda chyfeiliant piano. Y wobr oedd Upright Grand Piano, rhodd Cwmni Aeolian, Llundain ac fe'i henillwyd gan fyfyriwr ifanc yn yr Academi Gerdd Frenhinol, sef Mansel Thomas o Bendyrus. Yn ail iddo 'roedd brawd deunaw oed John Hughes, arweinydd Côr yr Eisteddfod, sef Arwel Hughes a enillodd y wobr gyntaf i gyfeilyddion. 'A landmark in the history of the Eisteddfod', oedd barn de Lloyd ar y gystadleuaeth, gan ychwanegu: 'More events of this kind would give substance and standard to the Eisteddfod as being an important factor in the musical progress of Wales. If vocalists also had to submit to the same tests there would be a distinct step forward.'[25]

Wrth adael y Brifwyl, fodd bynnag, yr oedd ymffrost y Cymry yn eu cân, diolch yn bennaf i sylwadau Syr Henry Coward ar gystadleuaeth y Corau Mawr, yn uchel, ac yr oedd O. Llew Owain, tra'n ymgroesi rhag 'mwynsuo cenedl i ddamnedigaeth' â geiriau teg, am i'w gydwladwyr roi'r gorau i'w dibrisio'u hunain. 'Roedd barn y Wasg Saesneg o'u plaid yn 1928. Mae'n wir fod gohebydd y *Daily Mail* wrth sylwi ar y mynd a dod yn ystod y perfformiad o'r *St. Matthew Passion* (Bach) ar nos Fawrth, 7 Awst, wedi dweud mai 'something between a cathedral and a railway station' oedd yr Eisteddfod pan ymddygai'r gynulleidfa felly. Yn wir, barnai fod cynulleidfa'r Eisteddfod yn unigryw: 'The Eisteddfod crowd is like no other in its density, its vociferousness, its curious kind of quivering sensibility, its warm-heartedness, and also its impatience, which can at times be cruel.' Beth bynnag am hynny, ni fyddai neb yn gallu gadael Treorci heb gydnabod fod canu yn cyfrif i'r Cymry, ei fod, yn wir, yn gymorth mewn cyfyngder iddynt.[26]

Trwy gydol blynyddoedd y dirwasgiad byddai cyfeirio cyson at y canu eisteddfodol a dystiai i 'ysbryd anorthrech' y di-waith. Yn absenoldeb polisïau economaidd gwâr i'w codi, yr oedd canmol eu diwylliant yn ffordd o gydymdeimlo ac o edliw bai, hefyd, i'w dibriswyr. 'Culture has triumphed gloriously over cruel adversity that would have quelled the spirit of many a people', meddai'r *Daily Herald* trannoeth Prifwyl 1928 gan danlinellu cred J.H. Thomas, A.S., 'that the spirit that prevailed in making this Eisteddfod a success is the spirit that will ultimately triumph. It is the spirit that ought to be adopted in national affairs.' Mor eironig yw'r sylw hwnnw yng ngoleuni'r llith golygyddol yn yr un rhifyn o'r papur, 13 Awst, ar 'War in the Air', llith yn disgrifio paratoadau Llundain ar gyfer gwrthsefyll cyrchoedd awyr y rhyfel nesaf a bomiau nwy gwenwynig y gelyn. 'Thousands watch "Mock" raids' ac 'Attack that gave foretaste of Aerial warfare' oedd penawdau'r *Daily Herald* ar 14 Awst. Yr oedd diwylliannau eraill yn bod y tu hwnt i Dreorci a'u bwriad i oroesi gwaeth cyfyngder na'r dirwasgiad.[27]

Ond yn y cyfamser, goroesi hwnnw oedd gofid penna'r wlad a mynnwyd fod Prifwyl 1928 wedi codi calonnau a sythu cefnau. Yn y *West Briton and Cornwall Advertiser*—yn Nhreorci y daeth Gorsedd Cernyw dan aden Gorsedd Beirdd Ynys Prydain—talwyd teyrnged loyw i'r Rhondda:

> It proves, if proof were needed, that all that is best in Welsh life, the love of song, the passionate attachment to the mother tongue, the reverence for this old democratic institution of national culture, lives as vigorously as ever in the mining valleys of Wales, unharmed, if not untouched, by strange political importations. That is why the Treorchy National Eisteddfod is going to be one of the most outstanding in history.

Ac yn y *South Wales News*, wrth ryfeddu at y 'Welsh choirs' triumph', tarawyd yr un tant:

> The Welsh people have shown once more that no hardships can cause them to lose their joy in song, and that even in a time of dire impoverishment they are ready as ever to give the fullest support to the most precious of all our national institutions.

O blant y Rhondda, y dywedodd David Lloyd George eu bod 'yn canu yn y ddrycin', hyd at Dafis y Cantwr yn 80 oed, gellid dal fod y

The right side of the fence. Prifwyl 1928 yn clirio'i chostau.

(*Western Mail*, 10 Awst 1928)

cantorion a ddaethai i Dreorci—ie, a'r cerddorion a'r offerynwyr hwythau—i gyd wedi gwneud eu rhan ar lwyfan 1928 i gadw'r Brifwyl, fel y dywedwyd yng nghyfarfod blynyddol Cymdeithas yr Eisteddfod, 'yn fyw ac yn heinyf.'[28]

Pan droir at y cystadlaethau yn yr Adran Lenyddiaeth y doir wyneb yn wyneb â'r gofid na allai holl hwyl y canu eisteddfodol ddarparu dihangfa rhagddo i'r sawl a ymboenai am ddyfodol y Gymraeg a'i diwylliant yn y Rhondda. Mae'n wir fod y cystadlaethau drama wedi tynnu cannoedd brwd i Neuadd y Parc a'r Dâr i weld Cwmni Trecynon yn actio *Y Joan Danvers* (cyfieithiad D.R. Davies), a Chwmni Pontarddulais yn actio *Pobl yr Ymylon* (Idwal Jones). Dyfarnodd Gwynfor, Clydach Thomas a'r Parch W.E. Williams, B.A., y wobr i Gwmni Trecynon. Cafwyd yr un gefnogaeth i'r gystadleuaeth chwarae drama fer pan ddyfarnodd yr un tri beirniad y wobr gyntaf i Gwmni King's Cross, Llundain am actio *Dwywaith yn Blentyn* (R.G. Berry).

Yn ail iddynt 'roedd Cwmni Treorci a actiodd *Toddi'r Iâ* (Idwal Jones) ac yn drydydd, Cwmni Dowlais a berfformiodd *Atgofion* (Brinley Jones). Yn ogystal â'r cystadlaethau hyn yr oedd Cwmni Undeb y Ddrama Gymreig dan gyfarwyddyd y Parch. E.R. Dennis, Trecynon, wedi actio *A Ŵyr Pob Merch*, cyfieithiad Richard Jones o *What Every Woman Knows* (J.M. Barrie), ar nos Lun a nos Fawrth, ac ar brynhawn a nos Sadwrn perfformiwyd *Yr Hen Anian* (R.G. Berry) gan Gwmni Gwaelod-y-Garth a *Cyfrinach y Môr* (J. Eddie Parry) gan Gwmni Cwm Rhondda. Ym Mhrifwyl Treorci ni allai neb amau'r rhan a chwaraeodd Cwm Rhondda yn nhwf poblogrwydd y ddrama Gymraeg yn ystod yr 1920au ac ni allai neb amau, chwaith, fod y ddrama hithau wedi hen ennill bendith y weinidogaeth![29]

Mae'n wir, hefyd, fod yr Adran Gelf a Chrefft a drefnwyd gan Carey Morris wedi'i chefnogi gan ddeugain mil o ymwelwyr ar ôl ei hagor gan Lywydd y Bwrdd Addysg, yr Arglwydd Eustace Percy, er fod Morris ei hun yn ddig am nad aethai Stanley Baldwin, David Lloyd George a J.H. Thomas, A.S., ar gyfyl yr Arddangosfa. Barnai'r *Western Mail*, fodd bynnag, mai 'The greatest of Treorchy's attainments . . . has been its service to posterity, through the medium of the arts, crafts and science section . . .' Bellach 'roedd yr Adran hon yn rhan integrol o'r Brifwyl ac o'i datblygu yn unol â gweledigaeth Morris dylai fod yn foddion i ennyn 'as great a national pride in the plastic and pictorial arts and architecture as is at present displayed in music and literature.' Rhaid nodi, fel y gwnaeth Peter Lord, fod artist o Gymro proffesiynol fel Timothy Evans o'r farn na wnâi cystadlu ddim i godi safonau'r celfyddydau cain yng Nghymru ac iddo ymatal yn 1928 gan na fyddai 'ond yn iselhau fy hun yn ngolwg y Saeson, pe bawn yn cystadlu etto . . .', ond yr oedd o blaid arddangos 'fel ac y byddai glowyr Cymru yn cael y cyfle i weled yr hyn a wneir ym myd Celf gan oreuon pob ysgol . . . Dyna'r unig ffordd i wella celf yng Nghymru ac nid trwy gystadleuthau ond mae y genedl yn hir iawn yn gweled hyn.'[30]

A derbyn nad oedd cynnwys a chynnyrch yr Adrannau Drama a Chelf a Chrefft heb eu beirniaid, rhoed, serch hynny, llawer mwy o glod nag o anghlod i'w cyfraniad ym Mhrifwyl Treorci. Yr Adran Lenyddiaeth a achosodd flinder meddwl ac nid yn bennaf oherwydd awdl honedig ddiraddiol Gwenallt i'r 'Sant' a orfododd John Morris-Jones, Elfed a J.J. Williams i ymwrthod â hi'n flin—pwnc llosg nad oes rhaid ymhelaethu arno yma gan i'r Dr. Peredur Lynch wneud hynny'n gampus eisoes yng nghyfrol gyntaf 'Cyfres y Cymoedd'. Ac nid, chwaith, oherwydd 'Penyd'—pryddest fuddugol 'dywyll' Caradog Pritchard a achosodd benbleth i'r 'cognoscenti', heb sôn am y werin druan—yr amheuid fod llên Cymru, o'i gweld yn nrych Prifwyl 1928, mewn cyflwr gwachul. Y gwir ofid oedd fod cystadleuwyr yn prinhau a gwobrau'n cael eu hatal.[31]

O'r cystadlaethau a osodwyd i'r beirdd, yn ogystal â'r awdlau annheilwng ni chafwyd yr un gerdd gynganeddol odledig deilwng i'r 'Gwladwr' neu'r 'Anturiaethwr'; yr un gân ddisgrifiadol deilwng ar 'Siwrnai yn y Siarri'; yr un hir a thoddaid coffa teilwng i 'Y diweddar Brifardd Berw', ac ni dderbyniwyd yr un gân ar 'Pererindodau Penrhys'. O'r cystadlaethau rhyddiaith ataliwyd gwobr o £40 am draethawd ar 'Beirdd Morgannwg yn y bymthegfed ganrif gyda detholiad o'u gweithiau wedi eu codi o Lawysgrifau'; gwobr o £20 am draethawd ar 'Bywyd, Gwaith ac Athrylith y diweddar M.O. Jones, Treherbert'; gwobr o £20 am 'Cyfrol o Ystraeon Cymraeg i blant ysgol tua deuddeg oed, seiliedig ar Hanes Cymru, tua 30,000 o eiriau', a gwobr o £10 am 'Ymchwil wreiddiol: Enwau Afonydd Cymru, gyda Rhagair a Nodiadau Ieithyddol ar yr Enwau a'u Hanes'. Hanner y wobr a roddwyd am 'Cydymaith y Llenor: Cyfrol o Ysgrifau Hyfforddiadol ar Farddoniaeth a Rhyddiaith, eu prif raniadau a'u ffurfiau arferedig'; 'Llawlyfr: Cymhwysiad o Feddyleg ddiweddar at waith Gweinidog ac Athro Ysgol Sul' ac 'Enwau Lleoedd Cymoedd Rhondda o Bontypridd i'r Maerdy a Blaen-Rhondda, eu Hanes a'u Hystyron'. A decpunt o'r £35 a gynigiwyd am draethawd ar 'Bywyd Cymdeithasol y Cymry yn yr Oesoedd Canol' a ddyfarnwyd i'r unig gystadleuydd. Ni chystadlodd neb ar 'Hanes Eisteddfodau Morgannwg o tua 1800 hyd 1850'; 'Beirniadaeth Lenorol yng Nghymru o amser Caledfryn hyd 1900'; ysgrif i rai dan 18 oed, 'Y Cymro fel Gwladychwr'; 'Bywyd ac Athrylith y diweddar Ben Bowen'; 'Llafur Llenyddol y diweddar Frynfab, ynghyda rhes gyflawn o'i waith cyhoeddedig, llyfrau, erthyglau, barddoniaeth, etc.'; 'Llawlyfr i'r Werin ar "Y Gyfraith"' a 'Casgliad o Chwaraeon Traddodiadol y

Cymry, ar ddull llyfr Alice B. Gomme, "The Traditional Games of Great Britain, etc."[32]

Yng nghyfarfod blynyddol Cymdeithas yr Eisteddfod ar 8 Awst, mynegwyd siom fod cyn lleied o gyfansoddiadau wedi'u derbyn: 'Rhaid fod drwg yn rhywle pan y mae'r Eisteddfod yn methu denu ymgeiswyr i gystadlu ar ei thestunau llenyddol. Mae'n hen bryd cymeryd y mater hwn i ystyriaeth.' Ar sail tystiolaeth y Rhaglen Swyddogol esgorodd 19 o gystadlaethau yn adran Barddoniaeth ar 534 o gyfansoddiadau (yn eu plith 156 englyn, 83 telyneg, 46 hir a thoddaid coffa i Berw, 38 soned, 37 hir a thoddaid ar 'Y Goedwig', 30 pâr o gywyddau digrif, 20 pryddest, 19 cywydd a 9 awdl). Esgorodd 30 o gystadlaethau yn adran Rhyddiaith ar 141 o gyfansoddiadau (yn eu plith 57 stori fer a 12 stori fer yn nhafodiaith y Rhondda). O'r cystadlaethau eraill, dim ond y nofel (9) a hunangofiant unrhyw dri chymeriad (7), a gynhyrchodd fwy na phum cyfansoddiad. Gan ddramodwyr cafwyd 18 drama Gymraeg wreiddiol (i gymryd dwy awr a hanner i'w chwarae), a rhoes R.G. Berry £30 o'r wobr £50 i J. Eddie Parry am *Cyfrinach y Môr* a berfformiwyd ar nos Sadwrn, 11 Awst, yn Neuadd y Parc a'r Dâr dan gyfarwyddyd D. Haydn Davies. Cynhyrchodd pedair cystadleuaeth arall 76 o ddramâu i blant a cheisiodd 13 gyfieithu *What Every Woman Knows* (J.M. Barrie). Cynhyrchodd chwe chystadleuaeth i gyfieithwyr 110 o gyfansoddiadau—dwy gystadleuaeth o Gymraeg i Saesneg (52); tair cystadleuaeth o Saesneg i Gymraeg (57) ac un gystadleuaeth o Ffrangeg i Gymraeg (1). Y fwyaf poblogaidd o'r rhain oedd cyfieithu 'Elegy' Thomas Gray—eto fyth!—i'r Gymraeg, a rhannwyd pum gini rhwng T. Ifor Rees, Bilbao a D.R. Lewis, Corris.[33]

Mewn gwirionedd, nid yw Prifwyl 1928 gymaint â hynny'n brin o'i chymharu o ran ei llenyddiaeth â chynnyrch Eisteddfodau Cenedlaethol eraill yr 1920au. Wedi'r cyfan, seiniodd helynt 'Y Sant' gnul y feirniadaeth eisteddfodol grinolinaidd; cyfansoddodd Caradog Pritchard bryddest a fyddai'n her i ddaliadau a deallusrwydd llengarwyr; dyfarnwyd gwobr fawr y *Western Mail*, sef 100 gini, i Mr. John Hughes, M.A., am ei draethawd, clodwiw ym marn y beirniaid, 'A description of the Educational System of Wales and suggestions showing how it can best be developed in harmony with the highest traditions of Welsh life and culture'; barnwyd E.R. Evans, Caerdydd, nai i Beriah Gwynfe Evans a newyddiadurwr i'r *Western Mail*, yn deilwng o £40 gan Tegla Davies a Defynnog am nofel Gymraeg wreiddiol, tua 50 mil o eiriau, a barnodd y Dr. Tom Richards fod J.J. Evans, M.A., Abergwaun yn llawn haeddu £15 am ei draethawd ar 'Morgan John Rhys a'i Amserau'. Cyhoeddwyd y traethawd hwnnw'n ddiweddarach a phan gofiwn fod y ddau gasgliad cyd-fuddugol o 'Ffraethebion y Glowr Cymreig' hefyd wedi'u cyhoeddi'n un llyfryn, yn ogystal â'r gyfrol o ysgrifau a enillodd wobr o £10 i'r Parch. Robert Beynon, Aber-craf, a'r casgliad gorau o gerddi Saesneg gan feirdd cyfoes o dras Cymreig heb eu cyhoeddi mewn llyfr o'r blaen, a enillodd ddeg gini i Ieuan Rees-Davies, Ladywell, hwyrach na ellir cydnabod nad oedd cynhaeaf llenyddol Treorci mor dila ag yr ofnid ei fod. Fel Prifysgolion ein dyddiau ni sy'n prisio gwerth ymchwil yn ôl y fodfedd a lluosogrwydd 'citations', bu'r Eisteddfod Genedlaethol o'i chychwyn yn oes utilitariaeth y ganrif ddiwethaf yn rhy chwannog am yn rhy hir i gyfrif gwerth ei chynnyrch llenyddol yn ôl nifer y cystadleuwyr yn hytrach na sylwedd eu cyfansoddiadau.[34]

Nid yw'n anodd dyfalu pam fod cymaint pryder am dlodi tybiedig Adran Lenyddiaeth Prifwyl 1928. Yr adran honno'n flynyddol oedd baromedr cyflwr Cymreictod y genedl i'r graddau y'i cynrychiolid gan y Brifwyl. Os oedd honno ar i lawr dim ond yr anghyfrifol a wadai'r caswir am ddyfodol yr iaith ac yn 1928 yr oedd mater ei dyfodol yn y Rhondda, o bob man, yn fater tyngedfennol. Câi tynged y Gymraeg yn y De diwydiannol, poblog ei phenderfynu yn y Rhondda, fel y gwyddai'r *Tyst* yn dda:

> Cynhelir yr Eisteddfod eleni yn ardal geni'r bardd olaf a fagwyd yn y Rhondda. Ben Bowen oedd blodeuyn olaf Morgannwg, fel Islwyn ym Mynwy. Gadawer i ni egluro. Gwyddom fod beirdd ym Morgannwg ar ol Ben Bowen, ond nid plant y sir mohonynt. Tynner llinell o Ferthyr i Gastellnedd, a dyma'r ffaith: nid oes un bardd wedi codi yr ochr ddwyreiniol i'r llinell ar ol Ben Bowen. A oes angen mwy o dystiolaeth o ddifrod y dylanwad estronol? Mewn un genhedlaeth ysgubwyd pob arwydd am awenydd o Fynwy, a gŵyr pawb na chododd arall. Ai'r un a fydd tynged pethau ym Morgannwg?

Ni allai'r ffaith na chystadlodd neb am yr £20 a'r Tlws Aur a gynigiwyd am draethawd ar 'Bywyd ac Athrylith Ben Bowen', nac am y deg gini a gynigiwyd am draethawd ar 'Llafur Llenyddol y diweddar Frynfab', ond dwysáu pryder golygydd *Y Tyst* a Chymry tebyg iddo.[35]

Gerbron y Cymmrodorion ar 8 Awst, traethodd Hugh Owen, M.A., o Langefni ar, 'Yr Eisteddfod yn ei pherthynas â llên'. Mynnai holi'n ddifrifol yn wyneb y cynnydd yn nifer ac amrywiaeth y testunau a'r gwobrau a gynigid am gystadlu arnynt, 'a oes cynnydd cyfatebol yn niwydrwydd a chynnyrch meddyliol gwerin Cymru.' Onid oedd, nid oedd y Brifwyl yn cyflawni ei phriod swyddogaeth. Fel diwygiwr, barnai na ddylid gwobrwyo'r un cyfansoddiad llenyddol onid oedd yn deilwng i'w gyhoeddi, oherwydd dylai pob gwaith arobryn fod 'yn gannwyll yn goleuo.' Dan y drefn bresennol, ofer hollol oedd disgwyl traethodau swmpus o werth gan na chaniateid digon o amser i ymchwilio a chyfansoddi. Drachefn, heb ddarparu cyfarwyddyd ar ei gyfer ni châi 'diwylliant y bwthyn' yr un chwarae teg yn yr Eisteddfod ag a gâi 'diwylliant y Coleg'. Dylid dileu'r holl fân gystadlaethau a threfnu maes astudiaeth mewn llenyddiaeth Gymraeg i rai rhwng 18 a 25 oed, gan gynnal dosbarthiadau nos dan nawdd Colegau'r Brifysgol yn ystod y gaeaf i'w paratoi erbyn eu harholi. Ac yn lle gwobr ariannol, gwnâi cwrs mis yng Ngholeg Harlech lawer mwy o les i'r gorau ac 'fe leddid y wanc am arian sy'n gymaint felltith ynglyn a'n Heisteddfodau . . .' I'r rhai dros 25 oed dylid cynnig gwobr sylweddol iddynt am ysgrifennu traethawd, dros dair blynedd, ar ryw un allan o bump neu chwech o destunau, ac o ran y ddrama, er mwyn dysgu crefft llwyfan, dylid cael y cyfansoddiadau mewn llaw erbyn 1 Ionawr fel y gallai Cymdeithas yr Eisteddfod drefnu perfformio'r ddrama fuddugol ar ôl ei chymhennu a'i choethi yn sgil ei phrofi mewn rihyrsals. Yn wir, mynnai Hugh Owen weld sefydlu 'Theatr Fach y Maes', adeilad i gynnwys rhyw 600 o bobol y gellid ei ddefnyddio, hefyd, fel Pabell Lên pan na fyddai drama i'w hactio. Yn anad dim, yr oedd yn rhaid codi safon ochor lenyddol y Brifwyl a gwneud llawer mwy i ddatblygu talentau gwerin Cymru, canys 'Onis gwneir hyn, bydd ein hiaith farw, a chyda hynny fe gollwn ein nodweddion fel cenedl.'[36]

Nid Hugh Owen oedd y diwygiwr eisteddfodol cyntaf i gynnig

gwelliannau na welid mo'u sylweddoli; nid ef fyddai'r olaf, chwaith. Y mae ei bapur, fodd bynnag, yn tystio i'r teimlad fod y werin naill ai'n cael ei chau allan o'r Brifwyl—pwynt a wnaed yn gryf mewn llith golygyddol yn *Y Tyst*—neu'n cefnu o'i gwirfodd, ac o'i ddarllen ochor yn ochor â phapur nodweddiadol dreiddgar E. Morgan Humphreys yn Eisteddfod Genedlaethol Lerpwl, 1929, ar 'Anghenion Llenyddol Cymru', papur a wynebai'r caswir 'fod cenedlaethau o addysg oedd, yn ei hanfod os nad yn ei hamcan, yn wrth-Gymreig, wedi magu to ar ol to o bobl ag y mae darllen Cymraeg yn beth dieithr iddynt', yr ydym yn clywed gwewyr cyfnod tra cholledus yn hanes y Gymraeg. Nid rhyfedd i Humphreys ddal 'mai prif angen ein llenyddiaeth heddiw ydyw dewrder.'[37]

Byddai'n dda gallu dweud mai dewrder onestrwydd wynebu ffeithiau'n blaen a nodweddodd agwedd Prifwyl 1928 at 'broblem yr iaith' yn y Rhondda, ond sentiment a gariodd y dydd fel erioed. Nid yw dweud hynny'n gwadu am foment werth llafur arloesol Defynnog a gŵr fel R.R. Williams, y Cyfarwyddwr Addysg stans a wnaeth gymaint i sicrhau ei phriod le i'r Gymraeg yn ysgolion elfennol y Rhondda, ac a fu'n weithgar fel cadeirydd i Gôr yr Eisteddfod a'r Pwyllgor Cyhoeddusrwydd. Yng nghyfarfod Undeb Athrawon Cymreig ar 9 Awst, pan fu Saunders Lewis yn annerch, cydnabuwyd glewder ymgyrch R.R. Williams ynghyd â Chadeirydd y Pwyllgor Addysg. Pwysleisiodd y ddau mai prin ddechrau oedd y frwydr, ond nid oedd realaeth consyrns yr un Undeb i gael lle ar lwyfan y Brifwyl. Lle i ymgysuro a ffantasïa am ddyfodol sicr i'r Gymraeg a fuasai hwnnw ers tro byd.[38]

Hyderai'r Henadur William George, llywydd Undeb Cenedlaethol y Cymdeithasau Cymraeg, y gellid codi cronfa £100,000 ymhlith yr alltudion ('roedd gan yr Undeb 11,600 o aelodau gohebol) er ymladd brwydr y Gymraeg. Ffolodd y miloedd eisteddfodwyr ar lengoedd Urdd Gobaith Cymru Fach a orlanwodd Neuadd y Parc a'r Dâr a chapel Bethania ar fore Mawrth, 7 Awst. Cyhoeddodd (Syr) Ifan ab Owen Edwards fod aelodaeth yr Urdd yn 12,500 ar ôl cynnydd o 5,500 mewn blwyddyn, a thalodd yntau deyrnged i waith mawr R.R. Williams a'r Parch T. Alban Davies, hefyd. I rai, 'roedd cysur yn y ffaith fod niferoedd 'rhyfeddol' o bobol y Rhondda wedi dod allan cyn

Gorsedd y Beirdd yn Nhreorci
(Cyril Batstone, 1974: *Old Rhondda in photographs,* Stewart Williams)

8 y bore ar ddydd Mawrth i weld Pedrog yn cynnull Yr Orsedd, gan redeg ar draws y cae tua'r meini 'fel lloi wedi eu gollwng allan am y tro cyntaf erioed', chwedl E. Morgan Humphreys. Diolch i'r heddlu, meddai'r *Daily Herald* a farnai fod ugain mil wedi ymgrynhoi (!), 'the sanctity of the sacred circle was not disturbed'. Pwy gredai y byddai trigolion y Rhondda mor driw i Iolo?[39]

Ond, yr ymgysurwr o bob ymgysurwr, fel erioed, oedd David Lloyd George, brenin dydd Iau. Dyma'r gŵr a allasai edliw i Brifysgol Cymru ei dibristod o'r Gymraeg gan wybod y câi ei eiriau sylw. Mewn cyfarfod o Lys y Brifysgol ym Mangor ar 23 Gorffennaf, gwrthodwyd cynnig gan y Dr. Morgan Watkin i'r perwyl 'y dylai fod yn fater o ddewisiad rhwng y Gymraeg a'r Saesneg yng ngofynion arholiad y matriculation.' Rhagwelai'r Prifathro Emrys Evans 'technical problems' astrus ac ofnai'r Prifathro Trow y byddai caniatáu'r cynnig yn golygu gostwng safonau Prifysgol Cymru. Fe'i trosglwyddwyd i ystyriaeth y Bwrdd Academaidd. Ym Mhrifwyl Treorci, lle canwyd clodydd blaengaredd R.R. Williams, ni chododd neb mo'i lais yn erbyn adweithwyr y Brifysgol. Yn sicr, ni wnaeth Lloyd George.[40]

Gan siarad Cymraeg bob gair—arwydd digamsyniol iddo dderbyn fod haul ei ogoniant Prydeinig wedi machlud—ymroes i nawddogi ei gynulleidfa. Nid oedd achos i bryderu am ddyfodol yr iaith. Fe'i clywid yn amlach nag erioed yn y Senedd lle byddai'r aelodau Cymreig yn cweryla yn Saesneg ac yn cymodi â'i gilydd yn yr heniaith: 'Iaith garedig, iaith gynnes, iaith calon yw'r iaith Gymraeg, iaith pethau dyfnaf a thyneraf bywyd, iaith y cyfrinion, yr encilion, y dirgelion.' Os oedd pobol y porthladdoedd yn ei hanghofio hi, glynai gwŷr y mynyddoedd wrthi a byddai'n ddi-os yn parhau yn iaith yr Eisteddfod. 'Faked antique' fyddai'r brifwyl heb y Gymraeg. 'Cymraeg oedd enaid yr Eisteddfod, ac hebddi ni byddai'r Eisteddfod onid cawl heb gig, neu fwyd heb halen.' Nid oedd gwadu fod y Saesneg yn iaith ragorol at bwrpas masnachu, ond 'Dylai fod yn afon nofiadwy, ac nid yn lli ysgubol.' '"Cedwch Saesneg er mwyn masnach a'r cyfnewidfeydd", meddai, "ond cedwch eich iaith eich hun at bethau tyneraf a dyfnaf bywyd—iaith y dirgelion, iaith miwsig a llên."' Sut y gallai cynulleidfa eisteddfodol beidio â pherlewygu yn sŵn y fath gysur a'i ddwbwl fwynhau gan fod Elfed, wrth lywyddu ychydig oriau yn gynt, hefyd wedi cyhoeddi fod y Gymraeg yn *ddiogel* yn y Rhondda—dim ond i'r rhieni ei siarad â'u plant ar yr aelwyd![41]

I aelodau Plaid Cymru yn eu Hysgol Haf yn Llandeilo trannoeth y Brifwyl yr oedd truth Lloyd George yn codi cyfog, ond yr oedd eu hawydd hwy i drosi problem yr iaith yn frwydr boliticaidd yr oedd yn rhaid ei hennill, yn diflasu eu cyd-Gymry yr un fel. Achosodd y Parch. Fred Jones, llywydd bore cynta'r Brifwyl, a Phleidiwr o argyhoeddiad, gryn anesmwythyd wrth gefnogi Ymreolaeth i Gymru o'r llwyfan a chondemniodd *Y Faner* yr Archdderwydd a'r Athro Ernest Hughes am ddwyn gwleidyddiaeth i mewn i waith yr Orsedd ar ddydd Iau: 'Fe allai'r Orsedd wasanaethu llenyddiaeth pes mynnai. Ond am ddiwydiant a heddwch byd—lol botes yw'r siarad i gyd. Dylid dywedyd wrthynt am feindio eu busnes eu hunain od oes ganddynt fusnes o gwbl'. . . 'Doedd dim croeso i wleidyddiaeth neillog yn y Brifwyl ac amheuodd *Y Genedl Gymreig* allu Plaid Cymru i adfer Cymreictod trwy wleidydda. Yn lle 'ymgecru ynghylch manion' dylid ymroi i 'efengylu' dros y diwylliant Cymraeg mewn tir diffaith iawn:

Y mae mwyafrif poblogaeth Cymru bellach, mewn un ystyr, y tu allan i gyrraedd dylanwad y bywyd meddyliol Cymreig. Er iddynt fod yn siarad

Brenin y Brifwyl: David Lloyd George gyda'i wraig a'i ferch, Megan,
ac Evie Williams, naw oed, enillydd y gystadleuaeth canu alaw werin
(Simon Eckley ac Emrys Jenkins, 1994: *Rhondda*, Chalford)

Cymraeg nid ydynt yn darllen Cymraeg, a Seisnig o angenrheidrwydd
ydyw cefndir eu meddyliau. Ewch i rai o'r ardaloedd mwyaf Cymreig yng
Nghymru a chewch weled pa mor anwybodus a didaro ydyw mwyafrif y
trigolion am hanes ac amgylchiadau eu gwlad eu hunain.[42]

Byddai Cyfrifiad 1931 yn dangos mai 45.4% o boblogaeth Cwm
Rhondda oedd yn ddwyieithog ac erbyn 1951 byddai'r canran wedi

gostwng i 29.0%. Disgynasai i 8.2% erbyn 1991. Yng ngoleuni'r ystadegau hyn y mae gweld gwerth moddion eisteddfodol David Lloyd George ac Elfed o'i gyferbynnu â moddion Defynnog ac R.R. Williams. Ond wrth lywyddu ar Sadwrn Prifwyl Treorci gallai'r Barnwr Rowland Rowlands ymgysuro wrth rag-weld y byddai rhagfarn oesol y Sais yn erbyn y Cymro—rhagfarn a oedd eto'n frathog fyw fel y byddai nofel Evelyn Waugh, *Decline and Fall*, yn profi cyn pen y flwyddyn—yn rhwym o ddiflannu pan deflid mwy o oleuni ar orffennol Cymru. Gwyddom yn 1995 nad yw hi eto wedi darfod amdani a'n bod ni'n dueddol i ymateb iddi o hyd mor ddwl o ddifrifol ag yn 1928 pan wfftiodd W.J. Gruffydd at y ffaith 'mai cenedl fechan israddol "touchy" ydym, yn llawer mwy awyddus i brotestio yn erbyn beirniadaeth nag i fod yn anfeirniadadwy.'[43] Fodd bynnag, yr oedd un gwir gysur ar y gorwel i ymgeleddwyr y Gymraeg yn y Brifwyl. Yng nghyfarfod blynyddol Cymdeithas yr Eisteddfod Genedlaethol ar 5 Awst, nodwyd fod ymron hanner canrif wedi pasio er sefydlu'r Gymdeithas yn 1880-1. Yr oedd ei huno â'r Orsedd yn 1888 wedi bod o les digamsyniol i'r Brifwyl ond bellach, yn wyneb ei thwf a her yr amseroedd, yr oedd yn bryd i'w hadolygu eto a llunio Cyfansoddiad ar gyfer sicrhau ei dyfodol. Ymhen dwy flynedd fe fyddai D.R. Hughes a Cynan wrth lyw'r Brifwyl ac fe fyddai'r penderfyniad i sefydlu'r Rheol Gymraeg (neu'r Egwyddor Gymraeg fel y mynnai Cynan) wedi dechrau ymffurfio. Mae cofio hynny yn rhoi mwy o flas ar englyn 'J.J.' wrth ffarwelio â Threorci:

> Wedi'r Ŵyl, coder eilwaith—y darian
> Dros iawnderau'r fam-iaith;
> Nawdd a braint yn nydd bryntwaith
> Y dewr na wâd yr hen iaith.[44]

NODIADAU

[1]*At Orsedd y Beirdd a Chymdeithas yr Eisteddfod Genedlaethol. Deiseb am gynnal Eisteddfod Genedlaethol Cymru yn Nhreorci yn 1928* (Llyfrgell Genedlaethol Cymru: XAS 36 (1928)). Gadawodd Prifwyl Treorci elw o £253.15.10.

[2]ibid., *Gwahoddiad i Eisteddfod Genedlaethol Treorci, Awst 1928*; *Y Tyst*, 12 Awst 1926, 2.

[3]*Yr Efrydydd*, 1928 (Mehefin), 235.

[4]*Y Darian*, 16 Awst 1928, 4.

[5]*Y Tyst*, 16 Awst 1928, 1.

[6]*Y Tyst*, 9 Awst 1928, 8-9; *Y Cymro*, 8 Awst 1928, 2; *Y Darian*, 9 Awst 1928, 4; *Y Ddraig Goch*, Awst a Medi, 1928.

[7]*Y Cymro, 6 Awst 1928, 4;* Y *Tyst*, 9 Awst 1928, 8-9; *Y Ddraig Goch*, Medi, 1928.

[8]*Y Brython*, 27 Medi 1928, 4; *South Wales News,* 10 August 1928.

[9]*Y Ddraig Goch*, Medi, 1928; *Y Darian, 2/16* Awst 1928, 4.

[10]*Y Tyst*, 9 Awst 1928, 8-9.

[11]*The Western Mail*, 9 August 1928.

[12]*Y Faner*, 7 Awst 1928, 4; *Y Brython*, 23 Awst 1928, 2; ibid., 27 Medi 1928, 4.

[13]*Y Tyst*, 16 Awst 1928, 1. 'Yn Nhreorci', cyfres o englynion gan 'J.J.'

[14]*Y Genedl Gymreig*, 13 Awst 1928, 4.

[15]ibid., 5.

[16]*Y Darian*, 2 Awst 1928, 5; *The Daily Herald*, 14 August 1928, 7; *Cofnodion a Chyfansoddiadau Eisteddfod Genedlaethol 1928 (Treorci): Barddoniaeth a Beirniadaethau*. Gw. 'Cywydd "Y Glowr"', 46-55.

[17]Ceir yr holl fanylion perthnasol ynglŷn â threfniadaeth, cystadlaethau a chanlyniadau Eisteddfod Genedlaethol Treorci, 1928 yn (a) *Y Rhaglen Swyddogol* (b) *The Forty-eighth Annual Report of the National Eisteddfod Association Together with the Transactions of the Cymmrodorion Section of the National Eisteddfod (Treorci), 1928* (Cardiff, 1929)

[18]Rhidian Griffiths, 'Dau Gôr', yn Hywel Teifi Edwards (gol.), *Cwm Tawe* (Cyfres y Cymoedd), (Llandysul, 1993), 188-210.

[19]*Y Tyst*, 9 Awst 1928, 12; ibid., 16 Awst 1928, 1, 11-13; *Y Darian*, 16 Awst 1928, 4; *Y Genedl Cymreig*, 13 Awst 1928.

[20]*The Welsh Outlook*, XV, August 1928: 'Messages of welcome from Prominent Welshmen, to our kinsmen from overseas.'

[21]*South Wales News*, 9 August 1928.

[22]*The Daily Herald*, 10 August 1928, 1, 4; ibid., 21 August, 2; 22 August, 2, 10; 23 August, 1; 24 August, 10.

[23]*Y Tyst*, 16 Awst 1928, 11-13; *Y Darian*, 30 Awst 1928, 1; *The Daily Herald*, 13 August 1928, 2.

[24]*Y Cerddor Newydd*, 7, Medi, 1928, 55-6; *The Transactions of the Honourable Society of Cymmrodorion, 1928-9*, 97-102.

[25]*Y Cerddor Newydd*, 7, Medi, 1928, 56.

[26]ibid., 59; *The Daily Mail*, 9 August 1928.

[27]*The Daily Herald*, 13 August 1928, 2, 4; ibid., 14 August, 1.

[28]*West Briton and Cornwall Advertiser*, 9 August 1928; *South Wales News*, 9 August 1928.

[29]*Y Tyst*, 9 Awst 1928, 12; ibid., 16 Awst 1928, 11-13; *Rhaglen Swyddogol Eisteddfod Genedlaethol Treorci, 1928*.

[30]Peter Lord, *Y Chwaer-Dduwies: Celf, Crefft a'r Eisteddfod* (Llandysul, 1992), 94.

[31]Peredur Lynch, "'Y Sant" Gwenallt', yn Hywel Teifi Edwards (gol.), *Cwm Tawe* (Cyfres y Cymoedd), (Llandysul, 1993), 293-328.

[32]Gw. *Rhaglen Swyddogol Eisteddfod Genedlaethol Treorci, 1928,* a *The Forty-eighth Annual Report of the National Eisteddfod Association . . .*

[33]*The Forty-eighth Annual Report . . ., 25*

[34]Gw. J.J.Evans, *Morgan John Rhys a'i Amserau* (1935); Ieuan Rees-Davies (gol.), *Caniadau Cwm Rhondda* (Llundain, 1928); Robert Beynon, *Dydd Calan ac Ysgrifau Eraill* (Llundain, 1931); *Ffraethebion y Glowr Cymreig. Y Ddau Gasgliad Cyd-fuddugol yn Eisteddfod Genedlaethol Treorci, 1928* (Caerdydd, d.d.)

[35]*Y Tyst*, 9 Awst 1928, 8.

[36]*Trafodion Anrhydeddus Gymdeithas y Cymmrodorion*, 1928-29, 102-7.

[37]ibid., 180-88; *Y Tyst,* 16 Awst 1928, 8.

[38]*Y Genedl Gymreig*, 13 Awst 1928, 5.

[39]*The Liverpool Echo*, 10 August 1928; *Y Tyst*, 9 Awst 1928, 12; *Y Genedl Gymreig*, 13 Awst 1928, 5; *The Daily Herald*, 8 August 1928, 2.

[40]*Y Darian*, 9 Awst 1928, 4.

[41]*Y Genedl Gymreig,* 13 Awst 1928, 5; *Y Faner*, 14 Awst 1928, 2; *Y Tyst*, 16 Awst 1928, 11.

[42]*Y Tyst*, 9 Awst 1928, 12; Geraint a Zonia Bowen*, Hanes Gorsedd y Beirdd* (Dinbych, 1991), 322; *Y Genedl Gymreig*, 20 Awst 1928, 4.

[43]*Y Tyst*, 16 Awst 1928, 13; *Y Llenor*, VII (1928), 194.

[44]*Y Tyst*, 16 Awst 1928, 1.

Cyfaredd Cof a Chofnod

David Jenkins

Pan ddyfarnwyd Rhys Davies yn 'Llenor y Flwyddyn' gan Gyngor Celfyddydau Cymru ym 1971, gan na allai fod yn bresennol i dderbyn ei wobr, gofynnwyd i mi sefyll yn y bwlch am ein bod ein dau yn wreddiol o'r un ganllath sgwâr ym Mlaenclydach. I gofio'r achlysur anfonodd imi'n rhodd gopi o'i gyfrol hunangofiannol *Print of a hare's foot* (New York, 1969), gyda'r nodyn canlynol ar y dudalen flaen:

> . . . with the hope that you will not find the fragments of Blaenclydach in this book too much a contradiction of your own remembrances. Also with my thanks and kindest regards, Rhys Davies

Er mor gywir a difyr yw ei atgofion, nid ydynt na chyflawn na chytbwys o'r lle y buom yn chwarae gynt, ac yma 'rwyf am fanylu ychydig ar yr un llecyn o sabfwynt gwahanol. Cyfres o dreflannau tebyg i Gwm Clydach yw Cwm Rhondda, ond gan mai pobl o wahanol rannau o Gymru a sefydlodd yma'n wreiddiol ni chlywid tinc

Cwm Clydach yn y 1930au

(*Amgueddfa Genedlaethol Cymru*)

soniarus tafodiaith 'gwŷr y Gloran' ar eu gwefusau, ond yn hytrach amrywiaeth fawr o dafodieithoedd o Fôn i Forgannwg. A bu hynny, mi gredaf, yn fagl i ffyniant yr iaith.

O foelni creigiog Pwll yr Hebog fe ddisgyn Cwm Clydach dros Waun y Cwrt ar ei ben fel rhaeadr i Sgwâr Tonypandy. Hyd tua 1860 cilfach gul o goed derw (gan mwyaf) oedd yma, ac yna, dros nos megis, darfu'r twelwch gwledig ac yr oedd popeth o newydd. Denwyd yma Gymry o wladwyr o bedwar ban i dwrio am y diemwnt du gan greu cymuned cwbl wahanol i'r hyn a fu, ond a gyfrannodd yn amrywiol a helaeth i gyfoeth hanes Cwm Rhondda—ar gost ddirfawr!

Er iddynt ill dau gyrraedd oed yr addewid, yn y diwedd llwch glo a dorrodd linynnau bywyd fy nhad a'm brawd hynaf; er na fûm i erioed i lawr i bwll, llwch glo fu fy ngelyn pennaf innau o ddyddiau fy machgendod. O'r herwydd, bu'n dda imi gael dianc am loches fferm ewythr a modryb imi ym mro Dafydd ap Gwilym yng ngogledd sir Aberteifi, gan ddychwelyd bob gwyliau posib i gwm fy mebyd. Ni fu'r toriad erioed yn llwyr gan i'm brawd hynaf, John James Jenkins (1906-92),[1] dreulio'i fywyd, fwy na heb, o fewn ei filltir sgwâr enedigol yn y Rhondda. 'Roedd ef yn dra gwybodus yn hanes y cwm a gadawodd o'i ôl gasgliad o nodiadau, llyfrau, a nifer o ddyddiaduron a fu'n gymhelliad imi lunio'r ysgrif hon. Er iddynt gael byw y tu hwnt i oed yr addewid, nychdod creulon fu profiad blynyddoedd olaf fy nhad a'm brawd yng nghrafangau *pneumoconiosis*. Ac nid oeddynt hwy ond dau o filoedd lawer.

Dri chwarter canrif yn ôl 'roedd trin niwmonia neu'r pliwrisi yn elfennol o gyfyngedig i bowltisio cyson hyd oni chiliai llid yr ysgyfaint. Nid oedd bryd hynny gyfleusterau meddygol ysbyty yn y Rhondda i gleifion cyffredin, er cymaint y boblogaeth. Yng ngwanwyn 1921 fe'm trawyd yn wael iawn gan niwmonia. Yn hwyr iawn un noson bu'n rhaid i'm mam alw ar y meddyg teulu a argymhellodd alw fy nhad o'i waith yng nglofa'r Cambrian. Y cof sydd gen i oedd bod mam a'r meddyg ifanc[2] yn plygu dros erchwyn fy ngwely i'm cynnal wrth imi ymladd am anadl ar eu gwaith yn newid powltis. Yna, yn gwbl ddirybudd, mi glywais fân siarad yn nrws yr ystafell. Dwy gymdoges oedd wedi cyrraedd i gynnal breichiau fy mam—y naill oedd y wraig drws nesaf, a'r llall—y fwyaf serchog ei gwên a'i chymwynas i bawb—Mrs Lloyd y fydwraig, a'r un a fyddai'n troi heibio'r corff pan ddeuai'r diwedd!! A oedd ryfedd i mi lewygu ac i'r meddyg frawychu? Fel y newidiodd meddygaeth ein byd yn y cyfamser!

Wedi imi gryfhau ychydig ac i'r dydd ymestyn a thyneru, mi gefais fentro allan am ychydig i ben y stryd i fwrw 'nghaethiwed. 'Dim pellach na'r gornel', oedd y gorchymyn, 'a gofala dy fod yn ôl yma cyn y daw'r plant o'r ysgol, a chyn hynny os byddi'n dechrau oeri'. 'Roedd yn hawdd iawn cytuno er mwyn cael camu dros yr hiniog.

'Roeddwn wedi bod yn sâl droeon cyn hyn, ond 'roedd y rhyddhad hwn o gaethiwed gwendid yn brofiad nad anghofiais fyth. Safwn ar gornel y brif stryd yng nghynhesrwydd yr haul, gan fwynhau gweld cymdogion a chydnabod yn mynd a dod yn sionc eu cyfarch. Yna'n sydyn dyma sgrech gynhyrfus gwragedd o gyfeiriad y rheilffordd ar lawr y cwm. Am 'i bod hi'n streic ers dyddiau 'roedd mwy o ddynion nag arfer o gwmpas, ac ar fyrder 'roeddwn innau'n un o'r gynffon fawr a'i baglodd hi i gyfeiriad y floedd aflafar—a chyrraedd o brin i weld gorffen gwisgo dyn bach nerfus mewn crys gwyn a'i wfftio'n ddi-seremoni ar ei daith tua Thonypandy i gorws o 'Bradwr' a 'Blackleg'. Adrodd yr hanes yn ei fanylrwydd a achubodd fy ngham rhag cerydd pan gyrhaeddais adre wedi awr a mwy o benrhyddid. Siawns na ddysgais i fwy y pnawn hwnnw na phe bawn yn yr ysgol! Cefais weld—heb ddeall bryd hynny—mynegiant moel o'r ysbryd a gynhaliai'r gymdeithas hon yn ei gwae a'i gwynfyd! Ac 'roedd hynny'n addysg gyfoethog.

Cwm cul, coediog a diarffordd oedd Cwm Clydach hyd ganol y bedwaredd ganrif ar bymtheg, gyda thair fferm ddefaid—Blaen-clydach (764a), Ffynnon-dwym (190a) a Phwll yr Hebog (100a)—yn cwmpasu'r dyffryn. Ar wahân i ychydig ffermio cymysg i gynnal y teulu ac ychydig anifeiliaid, gwlân defaid oedd prif gynnyrch y tair fferm, a thros y canrifoedd fe werthid hwnnw'n gwbl ddidrafferth i'r pandy ar waelod y cwm—a roddodd yr enw, Tonypandy, i'r dreflan enwog a gododd o'i chwmpas.

Yn ei draethawd helaeth, 'A history of the parish of Ystradyfodwg',

Yr Hen Bandy
a fu'n gweithio er 1738
(Cyril Batstone, 1974: *Old Rhondda in
photographs*, Stewart Williams)

y mae gan Moses Owen Jones (1842-1908), ysgolfeistr diwyd Treherbert, hanesyn sy'n cyfleu inni ddirfawr faint y newid a fu yng Nghwm Rhondda yn ystod y bedwaredd ganrif ar bymtheg. Rhywdro yn nechrau'r ganrif fe ddyfarnodd y crwner fod Siâms Thomas, Ffynnon-dwym, wedi cyflawni hunanladdiad, ac yn unol ag arfer y dydd fod y corff i'w gladdu, nid ym mynwent y plwy, ond ar groesffordd, a bod polyn i'w daro drwy'r arch i nodi'r fan. Ac felly y bu, gydag un gwahaniaeth; wrth daro'r polyn fe ofalodd un o'r teulu ei fod wedi'i osod i osgoi'r arch. Yna, liw nos, fe godwyd yr arch a'i gladdu ym mynwent y plwy, gan adael y polyn yn yr unfan![3]

Tyfai digon o goed yng Nghwm Clydach bryd hynny i gynhesu aelwydydd y tair fferm drwy'r gaeafau gwlyb a gaed, ac os oedd galw am fwy o wres, 'roedd yna lecynnau lle 'roedd modd cloddio'n ddidrafferth am glapiau o lo a oedd yn sicr o wresogi'r tŷ drwodd. 'Roedd Walter Coffin wedi agor pwll glo llwyddiannus iawn yn Dinas yn nechrau'r ganrif, ac ni fu'n hir cyn i rai o'r allforwyr glo yn nociau Caerdydd weld man gwyn man draw pan glywsant am y trysor du a frigai i'r wyneb mewn man yng Nghwm Clydach oedd yn dwyn yr enw Tarren-y-tŷ-cneifio. Rhywbryd tua 1846 agorodd William Perch a'i Gwmni lefel ar dir Ffynnon-dwym, ac am fod y lle braidd yn anghysbell bryd hynny fe godwyd tuag ugain o dai coed ar gyrion y fan a ddaeth yn bur enwog maes o law fel Sgwâr Tonypandy. Tystiai fy mrawd, 'J.J.J.', fod 'Tai Perch' wedi dal ar eu traed nes eu dymchwel yn 1930. Enwodd Perch y lefel yn 'Gwennie'—hwyrach ar ôl aelod o'i deulu!

Yna, ym 1863, daeth cwmni o'r enw Bush—eto o Gaerdydd—ac agor lefel ar draws y cwm o Lefel Perch, a chyn gynted ag y gwelodd arwyddion llwyddiant, aed ati i adeiladu pentre dwyres o 50 o dai cerrig o fewn ergyd carreg i'r lefel fel nad oedd raid i'w weithwyr gerdded nemor ddim ffordd i'w gwaith. Un anfantais fawr i'r trefniant yma oedd i'r pentre gael ei leoli ar draws y cwm ac ar wahân felly i weddill y strydoedd a luniodd Flaen—a Chwm Clydach. Rhoddodd hynny elfen o arwahanrwydd i'r pentre dros y blynyddoedd.

Fodd bynnag, y sbardun mwyaf i ddatblygiad diwydiannol yr ardal fu'r cwmni a ffurfiwyd ym 1871 gan John Osborne Riches a Samuel Thomas, perchen gwaith Ysgubor-wen, Aberdâr, gyda'r bwriad o chwilio pen ucha'r cwm. Dechreuwyd suddo'r pwll cyntaf ymhen blwyddyn ond buont wrthi ddwy flynedd bellach, a hynny ar ôl cyrraedd dyfnder o 400 llath, cyn taro ar wythïen o lo. Ond pan wnaed, fe gafwyd ar fyrder os bu'r dasg yn hir bu'n werth y disgwyl, oherwydd 'roeddent wedi taro ar wythïen rhwng chwech a saith troedfedd o drwch a greodd ddiddordeb ymhell y tu hwnt i Gaerdydd. Gymaint fu'r bri ar lwyddiant Pwll 1 fel yr aed ati i suddo Pwll 2 ym 1874; ym Mehefin 1891 agorwydd Pwll 3, ac ym 1904 agorwydd Pwll 4, y Cambrian. Yn ôl E.D. Lewis, pan fu farw Samuel Thomas yn 1879 'roedd ei ddau bwll yng Nghwm Clydach yn cynhyrchu mil o dunelli o lo y dydd, ac erbyn diwedd y ganrif 'roedd cynnyrch dyddiol y tri phwll yn dair mil o dunelli.[4] I weithio'r cyfryw 'roedd angen llif cyson o weithwyr cryfion. Ac fe ddaethant—o Gwm Aberdâr a Bro Morgannwg, cymoedd Tawe, a siroedd cefn gwlad Cymru. Ar fyr o dro 'roedd y cwm o ben pwll y Cambrian hyd Sgwâr Tonypandy wedi'i weddnewid yn gyfresi di-fwlch, ymron, o strydoedd o dai cerrig. Diflannodd y coed deri, gan roi eu lle i dreflan o deuluoedd ifanc.

Mwynwyr profiadol a ddaeth o gymoedd y De ac o weithiau plwm siroedd Aberteifi a Threfaldwyn, ac nid llai gwerthfawr oedd profiad chwarelwyr Arfon a Meirionnydd. 'Roedd croeso yr un mor frwd i weision ffermydd am fod ganddynt, fel rheol, ddwy ddawn broffidiol, sef y profiad o drin ceffylau ar gyfer halio'r dramiau o dan ddaear ac ar ben pwll, a'r gallu i drin bwyell finiog i dorri polion yn ôl y gofyn i gynnal a diogelu'r to rhag rhedeg. Ni fu yn hanes Cymru ddiweddar, hyd hynny, gymaint trawsblaniad o'i phobl gyda'r fath newid ar ddeufyd, ag a brofwyd yn ail hanner y bedwaredd ganrif ar bymtheg wrth ddatblygu diwydiannau yng nghymoedd y De.

Fel yr awgrymwyd eisoes, pobl ifanc oedd trwch y cenedlaethau cyntaf o fewnfudwyr, a gellir eu rhannu'n dri dosbarth, sef (1) pobl briod a'u plant; (2) gwŷr priod a adawsant eu teuluoedd gartref yn eu cynefin; (3) dynion sengl. Byddai dosbarthiadau (2) a (3) yn lletya ar aelwydydd dosbarth (1) a'u galw'n *lodgers.* Er bod y drefn hon yn gweithio'n bur effeithiol at ei gilydd, gan mai byw drwyddi draw ar yr aelwyd yr oedd pawb, y *lodger* oedd agosaf i'r drws mewn unrhyw argyfwng. O ganlyniad, oherwydd cyfyngderau'r lle'r 'roedd hi'n gwbl naturiol i'r dynion hyn chwilio am loches gynnes a chwmni diddan i dreulio eu horiau hamdden. Ni theimlai perchnogion y gweithiau fod arnynt yr un rhithyn o gyfrifoldeb i hyrwyddo lles cymdeithasol eu gweithwyr. Gwelodd y bragwyr eu cyfle ac ymhen dim o dro 'roedd chwe thafarn sylweddol eu maint yng Nghwm Clydach[5] gyda digon o gyfleusterau i drefnu chwaraeon megis saethu, taflu coeten, pêl droed a.y.y.b., yn ogystal â stafelloedd digon helaeth i bwyllgora a thrafod problemau'r dydd. Nid oedd hynny'n ddigon gan rai a aeth ati'n fuan wedyn i agor clybiau preifat megis y *Liberal* a'r *Marxian.* Am fod mynediad iddynt yn gyfyngedig i aelodau, 'roedd rhyddid iddynt agor pryd y mynnent, gan gynnwys dydd Sul. Nid oes wadu nad oedd yma broblem alcoholiaeth fel ymhob tre ddiwydiannol drwy'r wlad. Erbyn troad y ganrif, oherwydd hwylustod trafaelu gyda'r trên, daeth llawer iawn o ddynion Gwlad yr Haf i weithio i Gwm Rhondda gan wthio'u ffordd i fyny i Gwm Clydach, ond ar y cyfan Cymry Cymraeg oedd trwch mwyaf y boblogaeth yno hyd ddiwedd y Rhyfel Byd Cyntaf. Mi glywais ddweud yn fynych mai'r elfen Seisnigaidd yn y gymuned a fu'n bennaf gyfrifol am agor y clybiau gan fod cau'r tafarnau ar y Sul yng Nghymru, yn unol â'r ddeddf, yn ddieithr a gwrthun ganddynt. Ymneilltuwyr oedd mwyafrif y Cymry Cymraeg a ddaeth â'u henwadaeth i'w canlyn. Rhwng 1870 a 1926 bu 18 o gapeli ac eglwysi yn gwasanaethu Blaen—a Chwm Clydach, ac er mai'r un nifer o gapeli Cymraeg a Saesneg a godwyd, ar wahân i'r Eglwys (St Thomas), capeli bychan o ran maint oedd eiddo'r Saeson.

O siroedd Aberteifi, Caerfyrddin a Phenfro y daeth y mewnlifiad mwyaf o deuluoedd gan dueddu i gadw'n glòs at ei gilydd drwy iddynt ymaelodi yn yr un un capel. Felly, er enghraifft, teuluoedd o sir Benfro oedd mwyafrif aelodau Noddfa (B); o Aberteifi a Chaerfyrddin, yn bennaf, y daeth Annibynwyr Soar, Gosen a Saron; ac o ganol sir Aberteifi a gogledd sir Gaerfyrddin y daeth carfan sylweddol o Fethodistiaid Libanus. Daeth yma ddigon o deuluoedd o ardal 'y Smotyn Du', yng ngodre sir Aberteifi, i'r Undodiaid gynnal achos eithaf llewyrchus ar ddechrau'r ganrif. Cangen o Soar oedd Saron (A) a godwyd ym mlynyddoedd cynnar y ganrif gyferbyn ag ysgol Cwm Clydach; adeilad urddasol a gymerai gynulleidfa o fil o bobl. Fodd bynnag, fe gododd ryw anghaffael cyfreithiol yn fuan a chyfyngwyd y gwasanaethau crefyddol i'r festri hyd 1924 pan ddarfu am yr achos. Yn y cyfamser, gosodwyd y prif adeilad gan y cyfreithwyr i Iddew o Gaerdydd o'r enw Barnet, a drodd y lle'n sinema!

Daeth Diwygiad 1904-5 yn ei nerth i Gwm Clydach fel ag i weddill y Rhondda, a pha ddylanwad arall a fu, fe roddodd gnoc farwol i un arfer a darddodd o ddyddiau cynnar gwaith y Cambrian. Mae'n debyg yr arferid talu'r glowyr yn yr Hen Dafarn nid nepell o'r gwaith a rhoi iddynt ddogn o gwrw yn dâl am unrhyw lwfans ychwanegol at y gyflog. Dyma adroddiad o'r *Rhondda Leader*, 4 Chwefror 1905, sy'n adrodd yr hyn a ddigwyddodd yng Nghwm Clydach:

The revival still continues at white heat. Over 700 new members have been added to the Churches during the last three months. The chapels are crowded on Sunday evenings and some of the Churches are contemplating extensions to their buildings. Business at the public houses has suffered greatly, and it is rumoured that some of the publicans have given notice to their servants to terminate their engagements and intend retiring from the business. We are glad to note that Mr Llewellyn, the agent of the collieries, is keeping abreast of the times, and intends giving the extra allowance which formerly took the form of intoxicating liquors in the form of hard cash . . .

Rhwng 1877 a 1892 corfforwyd pum capel ymneilltuol Cymraeg helaeth yn amrywio o 550 i 950 o eisteddleoedd. Bellach y mae'r festrïoedd yn ddigon at ofyn yr aelodau, a'r capeli wedi eu haddasu i ddibenion eraill. Y duedd heddiw yw condemnio'r oes honno am godi'r adeiladau mawr hyn, heb ystyried fod gofyn amdanynt yn y cyfnod hwnnw pan oedd rhif yr aelodau'n amrywio rhwng 250 a 400, a'r Ysgolion Sul, yn oedolion a phlant, o gwmpas 250 i 300. Cofier mai dyfodiad oedd pawb o'r boblogaeth a bod y capeli a'u festrïoedd yn ganolfannau cymdeithasol lawn cymaint â bod yn addoldai. Bryd hynny, y capeli oedd unig ynysoedd gobaith 'y bobl ddod' i ffurfio cymdeithas wâr—agored i'r teulu cyfan. Erbyn troad y ganrif 'roedd y dylifiant o Saeson i Gwm Clydach yn ogystal â'r addysg Saesneg a gyfrennid yn y ddwy ysgol gynradd, yn debygol o fod wedi lladd yr iaith Gymraeg cyn y Rhyfel Byd Cyntaf onibai i'r capeli agor eu drysau i fod yn ganolfannau cymdeithasol a gynigiai adloniant addysgol.

Ar yr ochr gerddorol 'roedd yr Ysgol Gân yn cyflawni mwy na thrwytho'r aelodau ar gyfer y Gymanfa Ganu flynyddol gan ei bod yn feithrinfa i unawdwyr, cyfeilyddion, arweinwyr a chyfansoddwyr. Dewiswyd Tom Thomas yn arweinydd y gân yng Ngosen ym 1893 (pan gorffolwyd yr eglwys) a rhoddodd oes o wasanaeth erbyn iddo ymddeol ym 1937. Ei gôr plant ef a gipiodd y wobr gyntaf yn eisteddfod gyntaf Tonypandy a gynhaliwyd ar y cae lle'r adeiladwyd yr Ysgol Ramadeg.[7] Athro ifanc yn Ysgol y Bechgyn, Blaenclydach, oedd William John Hughes yn 1913 pan gododd gôr o blith ei gyd-aelodau yng nghapel Gosen. Nid côr cyffredin oedd hwn, oherwydd yn ôl pob hanes, mewn pedair ar ddeg o gystadlaethau olynol, ni chollodd ond unwaith! Mae'n amlwg fod dawn arweinyddion i feithrin uchelgais gerddorol yn llwyddiannus iawn fel cyfrwng ymlacio i gymdeithas a oedd yn byw'n barhaus yng nghysgod adfyd a pheryglon corfforol. At hyn, 'roedd yn gyfle i hybu doniau unigol, megis David Pugh a fu'n arweinydd Cymdeithas Gorawl Cwm Clydach. Yn ystod 1908 a 1909 perfformiodd y côr dri gwaith sylweddol, sef *Hymn of Praise* a *St Paul* gan Mendelssohn, a *Mount of Olives* gan Beethoven, cyn i'r arweinydd fynd i'r Coleg Cerdd Brenhinol i'w hyfforddi'n unawdydd.

Ar ddiwedd y Rhyfel Byd Cyntaf derbyniodd W.J. Hughes wahoddiad i fod yn arweinydd y gân yn Soar, ac yno y ffurfiodd Gôr Meibion y Cambrian y dywedir iddo ennill bum gwaith yn olynol yn yr Eisteddfod Genedlaethol.[8] Yna, yn gynnar yn y 1920au, derbyniodd yr her i arwain Côr Cymysg Canol Rhondda a gyfrannodd yn ddirfawr i fywyd cerddorol Cwm Rhondda drwy flynyddoedd y dirwasgiad egr.

Bu Noddfa yn ffodus iawn i gael gwasanaeth dau ddyn ifanc amryddawn o blith yr aelodau. Tua un ar bymtheg oed, meddir, oedd Willie Edwards (glöwr) a'i gyfaill Rhyddid Williams (groser) pan aethant ati i ffurfio Côr Plant, gyda'r blaenaf yn arweinydd. Aeth y côr rhagddo i ennill llawer o wobrau mewn eisteddfodau taleithiol yn y De, yn ogystal â'r Eisteddfod Genedlaethol, ond cyfraniad y côr i ansawdd bywyd Cwm Clydach oedd eu braint a'u buddugoliaeth fwyaf. 'Roedd Rhyddid Williams nid yn unig yn gyfeilydd

Côr Ieuenctid Blaenclydach

anghyffredin ond hefyd yn gyfansoddwr dawnus a enillodd fri am ei donau plant bywiog. Colled fawr iawn i'r cwm yn ddiau oedd iddo ym 1929 ymfudo i Ganada pan wahoddwyd ef i fod yn organydd a chôr-feistr eglwys John Knox, Lethbridge, Alberta.

Digon tebyg fu hanes pob treflan arall yng Nghwm Rhondda a gweddill cymoedd de Cymru. Bu cerddoriaeth yn gyfrwng cynnal a chadw ysbryd y bobl hyn pan oedd haul ar fryn lawn cymaint ag yn nyddiau eu gofid.

'Roedd cwmni drama yn perthyn i bob capel, ond parti Soar yn unig a anelodd at gyrraedd safonau amatur cenedlaethol, gan ennill gwobrau yn Eisteddfodau Cenedlaethol Aberafan (1932) a Machynlleth (1937). Am y mwyafrif o'r actorion nid oedd un uchelgais amgen na chreu gweithgaredd cymdeithasol o fewn yr eglwys a rhoddi noson o adloniant difyr i'w cyd-aelodau. Yr un actor sylweddol iawn a fwriodd ei brentisiaeth gyda chwni Soar cyn troi at Gwmni'r Garrick (Canol Rhondda) oedd Jack James. Ef a ddewiswyd i chwarae Macbeth yn y Cwmni Cenedlaethol a gyflwynodd gyfieithiad T. Gwynn Jones yn ystod wythnos Eisteddfod Genedlaethol Caerdydd ym 1938. Purion yw nodi mai dau a fagwyd ym Mlaenclydach oedd y brodyr Glyn a Donald Houston.

Un o'r cyfarfodydd mwyaf poblogaidd hyd at ganol y 1920au oedd y Cyfarfodydd Cystadleuol a gynhelid ar nos Sadyrnau drwy'r gaeaf. Fel yr oedd y famiaith yn colli'i gafael ar y genhedlaeth iau erbyn dechrau'r 1920au 'roedd y cyrddau hyn yn gyfrwng i arddangos i'r plant nad iaith crefydd yn unig oedd y Gymraeg.

'Roedd Eisteddfod Gadeiriol Soar a gynhelid trannoeth dydd Nadolig yn dra phoblogaidd, gyda'r capel helaeth dan ei sang fel rheol. Tua 1923, os da y cofiaf, 'roedd fy mrawd Henry a minnau wedi cael aros i'r cyfarfod nos i weld cadeirio am y tro cyntaf. Mewn da bryd aethom i'r festri am 'baned, ond pan ddaethom yn ein holau 'roedd yna ŵr dieithr pengrych, a'i got fawr, wedi cymryd ein seddau, ond, trwy ras, caniatawyd inni sefyll y tu mewn i'r drws i wylio'r seremoni. Yn y man cododd y bardd o'n seddau ni (!) a cherdded i'r llwyfan i'w gadeirio. Ni ddychmygodd neb o'r gynulleidfa pa ryw awr fawr oedd hi, oblegid y buddugol oedd neb llai na Gwenallt. Yn anffodus ni chadwyd copi o'r bryddest. Buom dros yr hanes ymhen blynyddoedd a chawsom gryn hwyl pan soniais fel y trôdd siom y ddau frawd bach yn ymffrost fawr.

Soniai fy nhad fel y byddai'r glowyr yn defnyddio'r Gymraeg yn gwbl rydd a rhwydd yng nghyfarfodydd y glowyr hyd ddiwedd y Rhyfel Byd Cyntaf, ond erbyn hynny 'roedd y gyfundrefn addysg Seisnig a'r mewnlifiad o weithwyr o'r tu hwnt i Glawdd Offa (i gyfarfod â'r galw cynyddol am lo) wedi helpu ysigo Cymreictod yr ardal.

Pan oedd yn weinidog yng Nghaerdydd 'roedd T.T. Jones yn aelod blaenllaw o Gymdeithas y Cymrodorion, ac yn ôl a glywais, ef a anogodd sefydlu Cymdeithas debyg yng Nghwm Clydach ym 1921, er mwyn canoli egnïon y mân gymdeithasau eglwysig a chodi safonau diwylliant yn y cwm. Yn anffodus, hyd y gwn, ni ddiogelwyd cofnodion y Gymdeithas am y blynyddoedd cynnar ond y mae'r gyfrol am 1924-30 wedi'i chadw.[10]

Un o gofnodion cyntaf pwyllgor 1924 yw penderfyniad yn 'diolch yn gynnes i'r Cyngorwr E.J. Roderick am ei wasanaeth gwerthfawr a'i ffyddlondeb diflino fel llywydd y Gymdeithas er pan sefydlwyd hi'. Fe ddengys hyn graffter y sylfaenwyr yn dewis glöwr blaengar a Chymro brwd yn llywydd cyntaf y gymdeithas—yn hytrach na gweinidog neu athro ysgol—er mwyn apelio at y gweithwyr am eu cefnogaeth. Ac eto, nid glöwr cyffredin oedd Evan Roderick, ar lawer ystyr, er mai felly yr enillai ei fara. Daeth ef a'i frawd, Thomas M. Roderick, i weithio i'r Cambrian yn eu harddegau cynnar o bentre Pen-bont Rhydybeddau, ger Aberystwyth, lle 'roedd y gweithiau plwm yn cyflym gau gan adael gogledd sir Aberteifi a godre sir Drefaldwyn yn ddirwasgedig a'i mwynwyr yn us i bob rhyw wynt. Ymaelododd y ddau yn Soar ac ymhen amser aeth 'T.M.' yn weinidog gyda'r Annibynwyr, ond arhosodd 'E.J.' yn löwr a dyfodd yn un o arweinwyr y glowyr ac yn ŵr cyhoeddus diwylliedig a wasanaethodd ei gyd-ddyn yn helaeth yn ei gapel a'i gymdeithas.

Ar y cychwyn 'roedd yn fwriad gan y pwyllgor ffurfio adran i'r plant, ond cytunwyd fod hynny'n rhy uchelgeisiol a threfnwyd neilltuo un cyfarfod y flwyddyn i ieuenctid a sicrhau siaradwyr profiadol megis David James (Defynnog), W.H. Owen, R.R. Williams, neu Ifan ab Owen Edwards. At hynny, cynhaliwyd Eisteddfod ar ddiwedd y tymor i blant lleol.

'Roedd rhaglen yr oedolion yn cynnwys amrywiaeth o ysgolheigion cenedlaethol a deimlai hi'n wir fraint ac yn fudd cael darlithio i gymdeithasau o'r fath. Yr hyn a wnâi rhai ohonynt oedd trefnu dwy neu dair darlith olynol er mwyn arbed amser a chyfyngu ar deithio, megis y gwnaeth T. Gwynn Jones ym mis Ebrill 1928, fel yr adroddodd wrth ei gyfaill E. Morgan Humphreys: 'Bûm yn ŵr gwâdd mewn cinio yn Llandudno ar y nos Wener, i Wrecsam ar y Llun, a dydd Mawrth oddi yno i Flaenclydach ym Morgannwg, (gan) ddarlithio yno ac yn Ferndale'.[11]

Yn eu tro bu yma Herbert Morgan, Cyfarwyddwr cyntaf Adran Allanol, Coleg Prifysgol Aberystwyth; Henry Lewis a Saunders Lewis, Abertawe; T.A. Levi, Athro'r Gyfraith yn Aberystwyth; Ambrose Bebb, Bangor; W.J. Gruffudd a Griffith John Williams, Caerdydd; R.G. Berry, Gwaelod-y-Garth; Ellen Evans, Prifathrawes Coleg Hyfforddi'r Barri; Cassie Davies; Kate Roberts, a.y.y.b. Ac er bod twysged dda o athrawon yn y gynulleidfa, glowyr a siopwyr oedd y mwyafrif. Ar dro fe gynhelid ffug senedd pan ddeuai J. Victor Evans (mab H.H. Evans, goruchwyliwr gwaith y Cambrian), darlithydd yn y Gyfraith yn Aberystwyth, i fod yn 'Llefarydd y Tŷ' mewn dadleuon megis 'Ai mantais ai anfantais yw cael y Gymraeg yn orfodol yn yr ysgolion elfennol', a chyflwyno mesur ymreolaeth i Gymru. Mae'n ddiddorol nodi yr argreffid 300 o docynnau aelodaeth, pris chwe cheiniog yr un (erbyn 1927 codwyd i swllt) a 25 i danysgrifwyr am hanner coron. Ym 1926-7 derbyniai darlithydd cylchdaith Caerdydd/y Barri un gini ac arian trên, ac i bawb arall ddwy gini a chostau teithio.

'Roedd rhaglen darlithiau'r Gymdeithas yn fesur o faint y diwylliant Cymraeg a oedd yn y cwm, ac yn sbardun da i'r aelodau ddefnyddio adrannau Cymraeg y ddwy lyfrgell leol. Er mai methiant fu codi adran o'r Gymdeithas i blant, fe lwyddwyd y tu hwnt i bob disgwyl pan unwyd gyda Chymrodorion Canol Rhondda i gynnal Cymanfa Ganu o Alawon Gwerin i ddathlu Gŵyl Dewi yn y ddeule. Yn ôl ym 1910 'roedd Alfred T. Davies, ysgrifennydd parhaol cyntaf

Adran Gymreig y Bwrdd Addysg, wedi cymell Cymdeithas Alawon Gwerin Cymru i gefnogi symudiad yn yr ysgolion i ganu alawon gwerin yn ystod dathliadau Gŵyl Dewi. Ymatebodd Pwyllgor Addysg Caerdydd ar ei union, ond bu Rhyfel Mawr 1914-18 yn rhwystr i awdurdodau eraill weithredu'r syniad. Fodd bynnag, erbyn 1919, gyda bendith y Pwyllgor Addysg, fe weithredodd Cymrodorion Cwm Clydach a Chanol Rhondda ar y cyd i gyhoeddi rhaglen flynyddol a argraffwyd gan Evans a Short, Tonypandy. Gwahoddwyd nifer o gerddorion ifanc Cwm Rhondda megis Mansel Thomas, Porth; Edward Hugh, Tonypandy; W. Rees Lewis, Cwm Clydach; E.T. Lloyd, Porth; Tom Jones, Trealaw, a.y.y.b., i drefnu ac addasu'r alawon ar gyfer amryw leisiau. 'Roedd yn wir yn olygfa a phrofiad gwefreiddiol bod yn un o lond capel o gynulleidfa, Noddfa neu Libanus,—y galeri wedi ei llwyr lenwi gan blant a'u hathrawon—yn mwynhau canu'n afieithus alawon a cherddi gwerin a fu'n agos â diflannu o gof cenedl. Bu Willie Edwards yn arweinydd am flynyddoedd lawer, a bu athrawon yr ysgolion dyddiol yn helaeth eu cyfraniad. Nid anghofiaf i fyth drylwyredd Jack James, Rosser Jones a W.J. Hughes a'u tebyg, a ddysgodd fy nghenhedlaeth i eiriau ac alawon gwerin ein cenedl.

Archebai Cymrodorion Cwm Clydach fil o gopïau ar gyfer yr ysgolion oddi wrth y gymdeithas. Bu'r fenter yn llwyddiant digamsyniol ac yn y man cymerodd Undeb Alawon Cenedlaethol Cymru at gyhoeddi'r rhaglen flynyddol gan sicrhau cylch helaethach o gymanfaoedd. Trysorydd yr Undeb o'r cychwyn hyd ei ymddeoliad ym 1933, oedd Morgan Rees, prifathro Ysgol Gymysg Tonypandy. Wrth sôn am y gwaith hwn yn ei gyfarfod ymddeol, dywedodd fod yr Undeb yn cyhoeddi'n flynyddol agos i 35,000 o gopïau o'r rhaglen![12]

Erbyn canol y '30au 'roedd y diweithdra enfawr a ddilynodd y dirwasgiad economaidd wedi gorfodi lluoedd o weithwyr—yn enwedig felly'r bobl ifanc a chanol-oed—i ymfudo i drefi diwydiannol Lloegr, i Awstralia, Canada, a'r Unol Daleithiau, gan fylchu'r eglwysi Cymraeg yn ddirfawr a lladd Cymdeithas y Cymrodorion. Ar 28 Chwefror 1935 cofnodwyd 'Ein bod yn cyfarfod ymhen mis i ystyried y priodoldeb o gadw'r Gymdeithas yma mewn bodolaeth yn y tymor nesaf'. Ni chynhaliwyd cyfarfod hyd y dydd olaf o Fedi pan gynigiodd

Evan Roderick a'i eilio gan J.J. Jenkins (yr Ysgrifennydd) 'ein bod yn gohirio'r Gymdeithas hyd at Mawrth-Ebrill 1936'. Ond nid oedd obaith atgyfnerthu ar y pryd, a diffoddodd y lamp.

Bellach, fe ailadroddwyd hanes ardaloedd gweithiau mwyn siroedd Aberteifi a Maldwyn, ac yna'r chwareli, lle gadawyd y pentrefi a'u capeli yn hanner gwag a mwy—gyda hyn o wahaniaeth, i blant ac wyrion y bobl a ddaeth i bentrefi newydd Blaenclydach a Chwm Clydach ar droad y ganrif nid troi'n ôl i gynefin y teulu, ond chwalu ledled byd ar gost enfawr i iaith a diwylliant eu cenedl. Un peth a fu'n gyfamserol werthfawr oedd i rai o'r gweinidogion barhau am 30 i 40 mlynedd i wasanaethu nid yn unig 'y gweddill ffyddlon' a adawyd ond y gymuned gyfan lle 'roedd galw. Tri felly a ddaw i'r cof oedd Joseph Walters (A), (1898-1935); T.T. Jones (B), (1904-30), a G.H. Jones (M.C.), (1921-61).

Yn ei lyfr, *Print of a hare's foot,* sonia Rhys Davies am 'Mr. Walters's demoniac preaching . . . But the talent for *hwyl* in sweet, frock-coated Mr. Walters—a childless married man, he liked small boys on week-days—was wasted on me as an aesthetic or theatrical pleasure.' Mi fuaswn yn cytuno ei fod yn ei wisgo'i hun yn drwsiadus henffasiwn yn ein golwg ni'r plant, ond gŵr mwyn, caredig oedd ef heb arlliw o'r ensyniad ei fod yn dra hoff o blant ar ddyddiau'r wythnos. Bu 'nhad yn aelod a diacon yn ei eglwys am dros chwarter canrif a chawsom felly gryn gyfle i'w adnabod yn dda, er bod Rhys Davies yn sôn am gyfnod chwarter canrif yn gynt. Cofier, fodd bynnag, mai ei wraig oedd prifathrawes Ysgol Babanod Blaenclydach, a bod ganddo, felly, ddiddordeb iach mewn plant bach.

Pan fu farw Samuel Thomas ym 1879, 'roedd ei fab, David Alfred Thomas, yr Is-iarll Rhondda wedyn, (1856-1918),[13] newydd raddio ym Mhrifysgol Caergrawnt. Gŵr ifanc brwdfrydig, galluog a threiddgar oedd ef, ond hunandybus a ffroenuchel iawn yn ôl nifer o'i weithwyr yng Nghwm Clydach. Clywais adrodd fel yr ymhyfrydai gael gan rai o'i 'hogiau' ffurfio gosgordd ar Sgwâr y Pandy i helpu'r ceffylau dynnu ei goets dros ddarnau serthaf y rhiw a godai i waith y Cambrian. Ond ni wadai neb ei athrylith bryd hynny fwy nag ym mlynyddoedd y Rhyfel Byd Cyntaf pan benododd Lloyd George ef yn

Rheolwr Bwyd a Dogni, swydd a lanwodd gyda'r fath loywder. Ond meistr caled a thrachwantus oedd ef! Sut bynnag, fe drefnwyd iddo dorri'i ddannedd trwy baratoi arolwg trwyadl o ddyfodol gweithiau'r Cambrian a'r fasnach lo. Ni allesid ei well i'r diben hwn, ond buan iawn y dechreuodd perchnogion glofeydd eraill, megis S.T. Thomas a David Davies, amau rhai o'i ddelfrydau, yn enwedig pan anogodd ffurfio undod mawr (*Combine*) o'r glofeydd er mwyn torri costau cynhyrchu a magu nerth i gorneli'r farchnad. Er cymaint teyrn ydoedd, nid oedd brinder gweithwyr i'w lofeydd oherwydd y sicrwydd tebygol o waith a chyflog amgenach nag a gaent yn y gweithiau mwyn a'r chwareli, ac fel gweision ffermydd. Ni fanylai'r glöwr yn fynych am beryglon ei waith, onide fe nychai, ond 'roedd y gymuned gyfan yn ymwybodol iawn ei bod yn byw o dan gysgod angau. Therapi da oedd canu a chwerthin, chwarae gemau a chapela.

Fe gofia'r darllenydd mai agor lefelau ar ucheldir y cwm a wnaeth Perch a Bush, a'u tebyg, am mai yno y brigai'r glo. Yr oedd hynny'n ffordd ratach a rhwyddach o daro gwythïen na mynd ati i suddo pwll, gan mai dyddiau cynnar daeareg wyddonol oedd hi yng Nghymru, ac amrwd, yn fynych, oedd y dulliau o weithio a goruchwylio.

Ni fu gan hwteri'r gwaith glo erioed y mwyaf soniarus o seiniau, ond mae gan fy nghenhedlaeth i ddau gof hapus amdanynt fel band yn canu'n afiaethus lawen drwy'r cwm cyfan. Brithgof byw yw'r cyntaf. Eisteddwn ar ysgwyddau cydnerth fy nhad yn gwylio dathlu diwedd y Rhyfel Byd Cyntaf. 'Roedd hi wedi nosi a lampau nwy yn unig a ddangosai ichi lwybr troed. Yn y man daeth y dyrfa gerddgar fyrlymus heibio gyda ffaglau i'w goleuo ar ei ffordd a hwteri unsain heddwch yn hollti'r fagddu. Noson lawen yn wir! Yr eildro, mi 'roeddwn adre am ychydig seibiant pan gyhoeddwyd diwedd yr Ail Ryfed Byd yn Ewrop gan seindorf holl hwteri Cwm Rhondda. Noson y rhyddhau o'r 'blacowt' a laddodd bob cymdeithas nos am bedair blynedd—a mwy. Hwteri llawenydd oeddynt hwy! Bryd arall, cynt ac wedyn, utgorn angau oedd nodyn hirfaith yr hwter a seiliai bawb ar eu sodlau—nid yn lleiaf y gwragedd a'r mamau na allod neb fesur eu hing a'u loes heb sôn am faich eu gofalon wedi hynny.

Caniad dolefus annisgwyl yr hwter a glywyd ar draws Cwm

Clydach am 6.25pm ar 10 Mawrth 1905 i gyhoeddi tanchwa a dawodd bob stroi a chân ar wefusau'r trigolion. Yn ôl yr ymchwiliad swyddogol,[14] yn gyffredin 'roedd 3,420 o ddynion yn gweithio o dan ddaear yn y tri phwll a enwyd y Cambrian, bryd hynny, a 385 ychwanegol yn gweithio ar ben pwll. Awyrgylch sych iawn oedd o dan ddaear ac am hynny 'roedd llawer iawn o lwch yn bresennol oni ofelid fod pob ffordd yn cael ei dyfrhau'n drwyadl. Y dull arferol yma oedd rhedeg pibelli dŵr o waelod y siafft a chwistrellu'r dŵr dros bobman. Cadwai hynny'r llwch i lawr, ond 'roedd angen chwistrellu y tu hwnt i hyd y bibell. Yr hyn a wnaed yma oedd llenwi casgen â dŵr a'i chludo ar y rheilffordd. O ganlyniad, dim ond canol y ffordd a wlychid heb ddiferyn i'r to na'r ochrau. Yn ôl Arolygwr yr Ymchwiliad 'roedd y dull hwn yn gwbl anfoddhaol, yn amrwd ac aneffeithiol, ac am hynny'n beryglus.

Cynhyrchai'r pwll hwn 700 tunnell o lo (ar gyfartaledd) bob dydd, gan gynnwys tua 175 tunnell o lo mân. Codid y glo gan y sifft dydd pan fyddai tua 334 o weithwyr dan ddaear. Tua 276 oedd rhif y sifft nos a ofalai am waith cynnal a chadw. 'Roedd gwŷr y sifft dydd wedi gadael y pwll tuag awr cyn i'r danchwa ddigwydd, ac ar yr union adeg 'roedd yno 47 o ddynion yn yr wythïen chwe throedfedd, ac ohonynt hwy lladdwyd 33 ac anafwyd 14. Gwreiddyn y drwg oedd bod nwy wedi casglu mewn twll, a threfnwyd i un o'r gweithwyr geisio'i chwalu trwy osod siten i ailgyfeirio aer i'r fan. Ym marn rhai peirianwyr, wrthi'n gosod y siten yn ei lle 'roedd y gŵr hwn pan syrthiodd carreg a thorri gwydr ei lamp, ac wrth hynny danio'r nwy. Barnai'r Arolygwr, fodd bynnag, mai diffyg sylfaenol yn ei lamp (*Clanny*) oedd gwreiddyn y drwg ac i'r nwy dreiddio i mewn i'w lamp a chwythu'r meinwe (*gauze*). Daliai ef fod y lamp *Davy* yn gryfach i wrthsefyll drafft. Unig rinwedd y *Clanny* oedd fod iddi fwy o ffenestr ac, am hynny, llewyrchai fwy o olau. Bu'r ffrwydriad yn ddigon nerthol i chwalu corff y *fireman* a geisiai glirio'r nwy, a chan gymaint y gwres bu'n rhaid cau'r pwll am ddeng niwrnod.

Ni chafwyd bai ar neb er bod awgrym o esgeulustod mewn argymhelliad a wnaed fod i bob lamp gael ei rhif arbennig (yn ôl Rheol 179), a hyd yr oedd modd, dylai pob lamp gael ei rhoi'n gyson i'r un un gweithiwr. Nid oedd bryd hynny na iawndal na phensiwn i deuluoedd y gweithwyr hyn, ac nid oedd gyfleusterau ysbyty na nyrsio i'r rhai a glwyfwyd, ond am y meddyg teulu a theulu'r claf ei hun.

Ar 17 Mai 1965 cafwyd ail danchwa yng nglofa'r Cambrian pan gollwyd 31 o fywydau ac yr anafwyd 13. Ychydig cyn hynny cafwyd storm ffyrnig o fellt a tharanau yn y cwm. Gyda'i bod hi'n darfod clywyd ergyd a sigodd y tai o gwmpas y gwaith. Yn y man, wedi i dyrfa o'r strydoedd gerllaw gyrraedd pen y gwaith cyhoeddwyd fod tanchwa wedi digwydd ym Mhwll 1, 850 troedfedd o'r wyneb mewn rhan o'r gwaith lle nad oedd ond dwy droedfedd ac wyth modfedd o uchder.[15]

Ar 19 Gorffennaf agorwyd ymchwiliad swyddogol pedwar diwrnod yng Nghaerdydd gan A.S. Stephens, Prif Arolygwr Glofeydd a Chwareli'r Llywodraeth,[16] pan adroddwyd bod 816 o ddynion yn gweithio yn y Cambrian y diwrnod hwnnw—654 dan ddaear a 162 ar ben pwll. Tystiwyd fod dau drydanwr wedi bod yn chwilio am ddiffyg trydanol yn y peiriant a ddefnyddiai'r glowyr. Honnwyd iddynt fethu â dychwelyd clawr yn ôl i'w le, ac i hynny greu fflam a daniodd y nwy oedd o'u cwmpas. Yn ôl pob tystiolaeth 'roedd y fflam a gyneuwyd wedi teithio dros 325 troedfedd ac 'roedd grym y ffrwydriad wedi ymestyn ddwywaith hyd hynny yn y ffas heb gysgod yn y byd i'r glowyr. Ensyniwyd mai diffyg yn system awyru'r pwll a oedd yn wreiddiol gyfrifol bod nwy wedi ymgasglu yno i raddau peryglus yn y lle cyntaf. Er hynny, dyfarniad y cwest, a ddilynodd yr ymchwiliad swyddogol, oedd mai 'Damwain' oedd achos y ffrwydriad.

Ymhen blwyddyn—ar 23 Medi 1966—caewyd Glofa'r Cambrian, gan ddwyn i ben ddarn rhyfeddol o hanes diwydiannol Cymru. Cyn darfod â hanes y ddwy danchwa uchod, y mae'n iawn inni gydnabod gwrhydri aelodau'r Tîm Achub a sefydlwyd yn Dinas. Gorwedd eu hanes y tu allan i'r testun hwn, ond ni ellir myned o'r tu arall heibio iddynt.

Ym 1906, y flwyddyn wedi'r danchwa gyntaf, daeth nifer o lowyr ynghyd i ffurfio dosbarth Cymorth Cyntaf o dan nawdd Cymdeithas Sant Ioan, ac o dan hyfforddiant meddyg lleol.[17] Ni fu erioed fwy o angen mewn cymuned lofaol. Ymatebodd nifer o wragedd ifanc hefyd, gan ffurfio dosbarth nyrsio a brofodd o werth difesur drwy helpu'n wirfoddol i hyfforddi eu cymdogion sut i drafod eu gwŷr a'u meibion clwyfedig ar yr aelwyd. Beth a gymhellai'r bobl hyn i roddi o'u hamser a'u hegni i fwrw'u trugaredd ar gyd-ddyn? Efallai y bydd profiad 'J.J.J.' o ddiddordeb i'r darllenydd.

Un nos Sul ym 1921, clywodd bregeth rymus gan ei weinidog, T.T. Jones, Noddfa, ar ddameg y Samaritan Trugarog. Am ddyddiau fe'i poenwyd gan y gorchymyn, 'Dos, a gwna dithau yr un modd'. I laslanc a oedd newydd ddechrau yn y Cambrian ni fu raid disgwyl yn hir. Yn wir, ymhen deuddydd wedi iddo glywed y bregeth fe gafodd brofiad ysgytwol pan ddaliwyd un o ddynion hynaf y parti gan gwymp o'r to. 'Roedd wedi'i anafu'n enbyd, ac er ei ryddhau gan ei gydweithwyr, nid oedd yno undyn a allai ei ymgeleddu. Cariwyd ef cyd-rhyngddynt, y filltir a mwy i waelod y siafft, ac yna i'r ystafell ymgeleddu i ddisgwyl meddyg lleol. Yn y man symudwyd 'Sion Rhicos' adre, lle y bu farw ymhen tridiau.

Fe wasgodd y bregeth a'r ddamwain yn drwm iawn ar 'J.J.J.' a'r nos Wener ddilynol aeth at ddrws festri'r Eglwys i geisio ymuno â changen leol Sant Ioan; ond ei wrthod a gafodd am ei fod yn rhy ifanc. 'Ond', atebodd yntau, 'oni allaf chwarae rhan y gŵr claf fel y gallwch ymarfer arnaf?' A hynny a wnaed. Derbyniwyd ef yn aelod cyflawn ymhen blwyddyn, ac ar ôl 21 mlynedd o wasanaeth derbyniodd Fathodyn Hir Wasanaeth yr Urdd—yr ieuengaf ym Mhrydain ar y pryd.[18]

Yn was fferm ym Mhen-rhiw, Aber-arth, ym 1896, mynychai 'nhad yr eglwys gerllaw, a phan wobrwywyd ef â chopi o *Canwyll y Cymry* am ei waith yn yr Ysgol Sul, fe wrthododd argymhelliad i fynd yn offeiriad gan ddewis yn hytrach fynd i Lundain. Fel llawer o'i genhedlaeth, Lloyd George oedd ei arwr gwleidyddol, ac yn y brifddinas cafodd gyfle i'w wrando o neuadd i neuadd yn annerch ar faterion y dydd—yn arbennig felly Mesur Addysg Balfour o gwmpas 1902. Daeth ef a mam i Flaenclydach, ar gymhelliad ewythr iddo, ac yn fuan 'roedd yn ei afiaith yn chwilio am waith gwirfoddol. Yr hyn a roddodd fwyaf o foddhad iddo oedd llwyddiant y Gronfa Salwch (*Sick Fund*) a drefnodd 'y gwŷr nos' ym 1906 i helpu cleifion dros ddyddiau cynnar eu salwch, gan na thelid iddynt ddim o dan gynllun y llywodraeth. O'i gychwyn ym 1906, hyd ei ddarfod pan anwyd y Cynllun Iechyd Cenedlaethol (*National Health Scheme*) fel rhan o'r Wladwriaeth Les wedi'r Ail Ryfel Byd, fy nhad fu'n ysgrifennydd a'i gyfaill James Williams, (*Whitland*) yn drysorydd.

Fe gofia'r darllenydd mai 'Gwennie' y galwyd y lefel gyntaf a gloddiwyd yma gan William Perch. Bu rhywrai (ond nid ef) yn dal i'w gweithio hyd 1903 ond mae'n debyg na phenderfynwyd rhoi'r gorau i'w gweithio hyd 1909. Bu'r flwyddyn honno ac ymlaen i'r gwanwyn canlynol yn gyfnod gwlypach nag arfer. Yn wir, erbyn diwedd Hydref 1909 'roedd y tir o gwmpas y lefel yn anarferol o wlyb, fel y cwynwyd wrth swyddogion Cyngor y Rhondda gan ei bod o fewn llathenni i ddrysau cefn tai newydd Stryd Adams. Aeth y Cyngor i'r afael â'r perchnogion a threfnwyd i weithwyr agor ffos o'r lefel hyd at Nant Clydach, ac i symud y cwymp oedd wedi lled-gau ceg y gwaith. Bu pedwar o ddynion wrthi hyd fis Mawrth yn cadw llygad ar y lle heb ddisgwyl dim anarferol.

'Roedd hi'n tynnu at bedwar o'r gloch ar bnawn Gwener, 12 Mawrth 1910. Yn Ysgol Cwm Clydach 'roedd y plant—yn agos i 900 mewn rhif—newydd ddychwelyd i'w dosbarthiadau ar ôl ymarfer beth i'w wneud mewn achos o dân, a'u mamau'n paratoi i'w disgwyl adre i de. Yn gwbl ddirybudd clywodd y bobl a oedd yng nghyffiniau'r lefel sŵn anferthol megis taran a chyn iddynt allu troi yn eu hunfan llifeiriodd rhaeadr o ddŵr brwnt, gwyllt i gefnu'r tai gan ddarnio'r drysau a thaflu dodren o bared i bared, a ffrydio drwy ddrysau a ffenestri. Chwalwyd y tŷ cornel gan foddi mam 34 oed a'i phlentyn deg wythnos oed, ac o brin yr achubodd cymydog dewr fam a'i baban tair wythnos oed a gariwyd i ben draw'r stryd gan y lli. Difrodwyd pedwar ar ddeg o dai yn y newyddaf o strydoedd Cwm Clydach.

Yn yr ysgol 'roedd y prifathro, R.R. Williams, yn tacluso'i ddesg pan welodd y rhaeadr ddŵr yn powlio i lawr drwy lôn droed heibio talcen Capel Saron ac yn anelu at wal iard yr ysgol. 'Roedd disgyblaeth yn ail natur iddo, trwy drugaredd. Rhuthrodd o ddosbarth i ddosbarth gan alw ar ei athrawon i fynd â'r plant i iard y bechgyn a'u gollwng i'r lôn gefn er mwyn dianc i dir uwch. Y broblem fwyaf oedd

Miss M. Harries   Mr. R. R. Williams   Miss M. H. Williams

Athrawon dewr Ysgol Cwm Clydach

(Western Mail)

y babanod ym mhen isa'r ysgol. Erbyn iddo gyrraedd yno 'roedd y 300 o blant eisoes wedi'u gosod i sefyll ar eu desgiau tra'r oedd y dŵr gwyllt yn dal i godi'n llyn byrlymus o'u cwmpas. Yn wyrthiol 'roedd glowyr y sifft dydd yn dod i lawr Stryd y Wern ar eu ffordd tua thre o waith y Cambrian, ac ar amrantiad daeth gwaredigaeth. Torrwyd ffenestri a gyda help ysgol neu ddwy a phlanciau coed adeiladwyr a oedd wrth law, fe estynnwyd y plant drwy'r ffenestri i'r stryd islaw.

Yn y cyfamser, 'roedd y llifeiriant wedi chwalu waliau cerrig saith troedfedd yr iard fel petaent gloddiau pridd. Y rhyfeddod yw mai dwy eneth fach yn unig a gollwyd o'r naw cant o blant ysgol. Bernir bod yr ieuengaf yn yr iard pan dorrodd y dŵr drwodd, ond ni chafwyd o hyd i'w chorff hyd fore trannoeth. Fe'i ganed, mae'n debyg, y noson y bu'r danchwa yng ngwaith y Cambrian ym 1906, a dim ond pedwar diwrnod a fu ers iddi gychwyn yn yr ysgol. Am yr ail eneth, naw oed, fe'i dygwyd o freichiau cydnerth gŵr a oedd yn myned heibio ar y pryd; fe'i hachubwyd o'r llifeiriant gan arall, ac er i feddyg gerllaw ei hadfer bu farw o sioc ar ôl cyrraedd adre. Clodforwyd y prifathro, R.R. Williams, a'i staff yn ddiwahaniaeth, ac fel arwydd o'i gyfraniad cwbl arbennig ef fe'i hanrhydeddwyd â Medal Albert (*V.C.* y lleygwyr). Nid oes ball ar wroldeb rhai pobl. Un felly oedd R.R. Williams y cawn ei gyfarfod—a'i glodfori eto.

Cynhaliwyd cwest i achos y drychineb ar 10 Mai ond fe'i gohiriwyd er mwyn i beirianwyr gael cyfle i archwilio'r lefel. Yn eu

Trannoeth y llif a fygythiodd blant Ysgol Cwm Clydach yn 1910
(Cyril Batstone, 1974: *Old Rhondda in phtographs,* Stewart Williams)

barn hwy 'roedd llyn anferthol wedi cronni yn y lefel a dylasai rhywun cyfrifol fod wedi sylweddoli hynny mewn da bryd i'w ollwng. Er hynny, dyfarnwyd mai damwain oedd a bod pob gofal wedi'i gymeryd.[20] Rhyfedd fel y gellir cyfnewid ystyron geiriau!

Erbyn Hydref 1910, 'roedd gofyn agor gwythïen newydd ym mhwll Elai ym Mhen-y-graig, ond 'roedd sicrhau telerau boddhaol rhwng y gweithwyr a'r meistri yn broblem gyndyn. Yno, 'roedd dwy wythïen ar ddarfod, ac am na fuont yn enillfawr iawn barnai'r meistr fod yn rhaid sicrhau telerau a warantai elw sylweddol yn hytrach na'r colledion a brofwyd gan y cyfranddalwyr. 'Roeddynt felly am dalu i'r glowyr yn ôl y dunnell o lo a godwyd. Ar y llaw arall, hawliai'r glowyr fod natur ddaearegol y pwll mor anwadal fel y diflannai'r wythïen lo ar brydiau gan adael craig na chaent ddim am ei chloddio. Tra cynigiai'r cwmni swllt a naw ceiniog y dunnell, hawliai'r glowyr dâl o hanner coron megis a delid, mae'n debyg, yn Ferndale. Methwyd â sicrhau cytundeb ac ar 1 Medi caewyd gwaith Pen-y-graig (y Naval) a oedd yn rhan o Gwmni'r Cambrian; a dyna ddechrau gofidiau. Daeth glowyr eraill y Cwmni allan ar streic, ac am fod si (cywir, mae'n debyg) fod bwriad i gyflogi glowyr o ogledd Lloegr, a bod undebau y peirianwyr, ac eraill, yn gwrthod eu cefnogi, ystyfnigodd y glowyr a bygwth creu difrod yn y gweithiau. Galwodd y meistri ar yr heddlu, ac yna'r fyddin, i amddiffyn y glofeydd, a'r canlyniad fu terfysg difäol a wnaeth Tonypandy yn gyfystyr â chwyldro drwy'r byd diwydiannol. Daeth yma blismyn o Lundain, Bryste a siroedd Lloegr, a dilynwyd hwy gan gatrawd o filwyr.

Cafwyd helyntion ym Mlaenclydach a Chwm Clydach, ond er mor fygythiol fu'r sefyllfa yno, ni fu gymaint terfysg yno ag a gafwyd yn Llwynypia a Thonypandy. Ar 22 Mawrth 1910 fe wnaed cyrch i amharu ar y tŷ pympio yng ngwaith y Cambrian drwy hyrddio creigiau o'r llechwedd, ond rhwystrwyd y streicwyr pan gyrhaeddodd nifer sylweddol o'r heddlu gorun y mynydd a'u gorfodi i chwalu. Trannoeth, bygythiwyd nifer o swyddogion y Cambrian gerllaw'r gwaith a gyrrwyd 50 o'r Royal Munster Fusiliers i fod yn gefn i'r heddlu. Sut bynnag, un ffenestr siop a dorrwyd, sef eiddo'r cigydd y dywedwyd ei fod wedi estyn gwybodaeth i'r heddlu am fwriadau'r glowyr.[21]

Ar wahân i'r frwydr rhwng y ddwyblaid ar y strydoedd, llawer mwy parhaol oedd y gwrthdaro rhwng yr hen do o arweinwyr o dan arweiniad yr Aelod Seneddol Rhyddfrydol, William Abraham ('Mabon'), a'r to ifanc o'r adain chwith. Lle'r oedd 'Mabon' yn gredwr cryf bod hanner torth yn well na dim, ac felly mai cyfaddawdu oedd orau, daliai arweinwyr mwyaf eithafol y gweithwyr mai chwyldro rhonc oedd unig obaith y gweithwyr cyffredin.

Dau o'r gwŷr hyn oedd Noah Rees a W. H. Mainwaring, ill dau o Gwm Clydach. Y mwyaf taer a phenboeth oedd yr ail, a etholwyd maes o law yn Aelod Seneddol Dwyrain Rhondda. Colli'r frwydr a wnaeth y glowyr, fodd bynnag, a dedfrydwyd dau o'u harweinwyr, William John a John Hopla, i ddeuddeg mis o lafur caled. Bu'n wasgfa galed iawn ar y streicwyr, ac onibai am raslonrwydd eu siopwyr yn caniatáu 'hen gownt' iddynt, fe fyddai'n eithaf cyfyng arnynt. Defnyddiwyd festrïoedd y capeli i roddi cinio i'r plant ar gost y Pwyllgor Addysg.

Gweinidog William John oedd James Nicholas, Moriah (B), Tonypandy, a oedd nid yn unig yn gefnogol iawn i'r glowyr ond yn effeithiol iawn fel Cynghorwr y Fwrdeistref. Iddo ef, gweithredu

Cristionogaeth a wnâi wrth gefnogi'r gweithwyr. Un o ychydig oedd gwaetha'r modd. Bryd hynny, nid doeth na da gan lawer o weinidogion oedd trafod problemau economaidd gwleidyddol o'r pulpud gan fod tynged dyn yn y byd hwn wedi'i ragordeinio ac nad oedd felly bwrpas i ymladd yn erbyn anawsterau'r dydd. Mewn dadl faith yn *Seren Cymru* bu Herbert Morgan, gweinidog ysgolheigaidd East Castle Street, Llundain, a fagwyd yn Salem, Porth, yn flaengar alw ar yr eglwysi i beidio â chadw draw rhag y syniadau newydd a oedd ar gerdded, ac am eu bod yn mynnu dal yn geidwadol fe alwodd weinidogion y Rhondda yn 'Gardinaliaid', gan dynnu nyth cacwn ar ei ben. Ond mewn gwirionedd, 'roedd y ddiwinyddiaeth fodern a bregethid gan R.J. Campbell, Gwili, Herbert Morgan, a'u tebyg yn ormod i'r genhedlaeth hŷn a oedd yn dra amheus o fwriadau'r adain chwith wleidyddol i ddiorseddu Cristionogaeth a Rhyddfrydiaeth.

Dros y blynyddoedd cynigiwyd llawer rheswm dros ddirywiad Ymneilltuaeth, yn arbennig wedi Rhyfel 1914-18, ond y mae dyn yn dueddol i dderbyn barn Leonard Hugh a fu'n weinidog gyda'r Annibynwyr yn Ynys-hir, mai un rheswm 'oedd methiant Ymneill-tuaeth y Rhondda i weithio allan oblygiadau gwleidyddol a chredo gymdeithasol.'[22]

Pan oeddwn yn fyfyriwr gartref ar wyliau ym 1935, mi ddigwyddais daro ar W.H. Mainwaring ac mewn trafodaeth fer ar y sefyllfa ryngwladol a methiant yr eglwys i ymladd brwydr y gweithiwr tlawd, aeth ymlaen i adrodd yn sur ei brofiad ef yn Noddfa, Blaenclydach. Daethai ei dad a'i fam i Flaenclydach o Fforest-fach, Abertawe, gan ymaelodi yn Noddfa a'u hethol yn ofalwyr. Dewisodd yntau gynnal dosbarth yn y festri i ddynion ar foreau Llun, i drafod yr angen am chwyldro cyn y gwelid gwellhad yn sefyllfa'r gweithiwr. Yn sydyn, agorwyd y drws a cherddodd y gweinidog i mewn yn reit gynhyrfus gan ei wahardd i gynnal y fath ddosbarth eto. Y canlyniad fu i'r grŵp symud i'r Aberystwyth Café ar Sgwâr y Pandy, a'r grŵp hwn, meddai'n ymffrostgar, a fu'n gychwynnol gyfrifol am *The Miners' Next Step*—y pamffledyn mwyaf dylanwadol o odid un arall ar syniadau adain chwith y sosialwyr. Petai un tebyg i James Nicholas yn weindiog Noddfa ar y pryd, pwy ŵyr na fyddai'n stori wahanol.

I W.H. Mainwaring 'roedd gwir angen chwyldro ac er mwyn hynny 'roedd yn rhaid tanseilio pob awdurdod arall. Ni lwyddodd, yn fy marn i, am fod gormod o surni yn ei ysbryd.

Soniwyd eisoes am wrhydri Rolfe Williams, yr addysgwr a anwyd yn Llannon, Llanelli ond a fagwyd ym mans Soar(A), Cwm Clydach. Hwn, yn ddiddadl, yw tad mudiad yr ysgolion Cymraeg. Penodwyd ef yn Is-Gyfarwyddwr Addysg y Rhondda ym 1915, ac ym 1921, ar ei gymhelliad ef, dewiswyd pum ysgol gynradd yn rhai dwyieithog. Yn dilyn adroddiad a gyflwynodd i'w Awdurdod yn Hydref 1925, argymhellwyd dysgu'r Gymraeg yn ysgolion y babanod, bod yr ysgolion hyn yn mabwysiadu'r cynllun dwyieithog, a bod y Gymraeg i'w chynnwys yn amserlen yr Ysgolion Uwchradd fel pwnc a, hyd y gellid, fel cyfrwng dysgu rhai testunau eraill. Yna, ym mis Mai 1926, cyhoeddwyd cynllun yn gosod allan raglen gynhwysfawr i athrawon a disgyblion.

Ym 1927, penodwyd R.R. Williams yn Gyfarwyddwr Addysg y Rhondda, ac wrth hynny rhoddwyd sêl bendith y Cyngor ar ei bolisi iaith chwyldroadol. Yn anffodus, trethodd ei nerth yn ormodol ac ymhen pedair blynedd (1931) gorfu iddo ymddeol. Gyda hynny daeth y dirwasgiad a'r diboblogi enfawr a nychodd gynlluniau'r addysgwr mawr hwn. Fe fuasai yn ei afiaith heddiw o weld y deffroad mawr sy ar gerdded drwy gymoedd y De.

Llenor cwbl wahanol i Rhys Davies oedd Lewis Jones a gyhoeddodd ddwy nofel bropaganda yn Saesneg sy'n portreadu angerdd ingol y gŵr difreintiedig na allai ddianc o gylchdro beichus ei 'dynged'. Un o blant y gorthrwm oedd ef, yn meddu ar dymer wyllt, ymfflamychol; y Marcsydd digymrodedd a ddechreuodd weithio yn y Cambrian yn ddeuddeg oed, a fu'n ymladd yn Rhyfel Cartref Sbaen, ac a fu farw'n 42 mlwydd oed.[23]

Un gŵr yn unig a gadwodd y pentrefwyr ar flaenau eu traed hyd dri o'r gloch y bore a thu hwnt, ac a ddenodd dyrfaoedd i'r cwm i flasu'r naws. Ie, tipyn o baffiwr oedd Tommy Farr, ond un a enillodd gornel gynnes yng nghalonnau y mwyaf annhebyg oherwydd ei gwrteisi rhadlon. Ni fyddai neb o'r hogiau'n ymladd yn iard yr ysgol. Os oedd angen talu pwyth yn ôl, yna wedi'r ysgol amdani gyda dau neu dri

Tommy Farr

'pro' i drefnu cylch a chadw cyfrif a threfn. Rhuthrai John a Tommy Farr, a Jim Larkin i'r ystafell ymolchi i 'fenthyg' tywel a bwcedaid o ddŵr, cyn ei baglu hi i ffordd y mynydd i oruchwylio'r ornest mewn cylch trefnus cyn bod yr un athro wedi troi o'i stafell.

Pan oedd y dirwasgiad yn ei anterth a bechgyn ein cenhedlaeth heb fodd i godi o'u hunfan i chwilio gwaith, clywais adrodd droeon fel y trefnodd y paffiwr llwyddiannus lety iddynt yn Slough (lle 'roedd yn ymarfer) ar ei draul ef hyd oni chaent waith. Yna, talent eu benthyciad i gronfa ganolog i helpu'r nesaf. Noson yr ornest fawr a gollodd yn Efrog Newydd, 'roedd pob aelwyd yn y cwm yn effro, ac ar y brif stryd 'roedd cannoedd lawer o ddieithriaid yn rhannu'r bwrlwm, ac yn eu plith y newyddiadurwr enwog, Hannan Swaffer, a ddaethai yn ei unswydd i brofi'r ias a gerddai'r fro.

Byddai mwyafrif y gwragedd a ddaeth o gefn gwlad yn paratoi toes bara a chacen i'w crasu gan William Everett y pobydd. Rhoddai hynny i ni'r plant o leiaf un noson yr wythnos o seiadu digyffelyb. Brodor o odre sir Aberteifi oedd ef, hyd y cofiaf—un o wehelyth Undodiaid ardal 'y Smotyn Du'. 'Rwy'n cofio Andrew Williams, a oedd yn athro hanes adnabyddus, mewn dosbarth Beiblaidd yn Noddfa, yn ceisio disgrifio inni 'broffwyd' a heb iddo ofyn dyma iddo gorws o ateb: 'Everett y Bara'.

Ni chofiaf weld y gwron ond gyda'r hwyr yn y Bacws pan alwem i gasglu bara'r teulu. 'Roedd hi'n werth mynd yno'n gynnar er mwyn cael lle i eistedd ar gaead y gist flawd a ymestynnai hyd y popty. Lle cynnes ond unlliw oedd yr adeilad gyda'i waliau cerrig gwyngalch, ei oleuni llwm, a'r tap dŵr aml-bwrpas ger y drws. Clamp o ddyn gwalltog, barfog a llygadog oedd ef, mwynaidd wrth fwyn ond disgyblydd llym os oedd galw. Safai o'n blaenau yn ei grys gwlanen agored, a'i drowser melfared, fel petai'n Foses newydd dderbyn llechi'r gorchmynion. Seiat holi oedd ei beth mawr ef, ac 'roedd wrth ei fodd yn ein rhannu'n ddwy neu dair carfan. Caem ganu ac adrodd am y gorau, ac os byddai teilyngdod boddhaol ni fyddai Everett uwchlaw torri darn o grwstyn wedi gor-godi a'i gyflwyno i'r buddugol. Ni chlywais i neb gwyno am hynny erioed. Adroddai inni straeon ysbryd ar dro, ond ei gamp bennaf oedd cyflwyno inni hanesion o'r Hen Destament (yn Gymraeg a Saesneg), a gosod cwestiynau Beiblaidd. Nid oedd fyth raid i'r un fam ofyn ddwywaith i'w phlant gasglu ei bara—'roedd hi'n fraint bleserus, yn enwedig yn y gaeaf.

Siopwr dillad trwsiadus a di-farf oedd yr unig Iddew a drigai yng Nghwm Clydach. Teulu tawel, dawnus oedd y Diamonds ac Iddewon pybyr. Byddai John, fy mrawd, yn ennill aml i gildwrn ganddynt am wneud mân gymwynasau iddynt o gwmpas y tŷ ar Sadyrnau a gwyliau. Ar ei dro cerddai Iddew arall i fyny'r rhiw o'r Pandy a'i freichiau gwydr ar ei gefn, gan glebran wrtho'i hun fel melin bapur. 'Roedd golwg dlodaidd ar y gŵr hwn, ond ni chlywais erioed iddo gael na sen na soriant ar ei grwydriadau.

Yn fuan wedi iddo ddod yn brifathro i Ysgol y Bechgyn, Blaenclydach, rhoddodd Jack Phillips inni wers ar hanes Tonypandy, ac ar ei diwedd meddai—'Mae'r hanes sy bwysicaf i chi o dan eich traed, peidiwch â chamu drosto.'

NODIADAU

[1]Bu John James Jenkins (1906-92) yn löwr am nifer o flynyddoedd cyn mynd i Goleg Prifysgol Caerdydd ym 1938. Torrwyd ar ei gwrs gan y Rhyfel a bu'n rhaid iddo aros hyd 1948 cyn graddio. Bu'n dysgu yn y Barri, ac yn brifathro ysgol Pontsiân, sir Aberteifi, cyn cael ei benodi i staff Coleg Addysg Bellach y Rhondda.

[2]Dr. Powell a fu am flynyddoedd wedyn yn feddyg teulu ym Mhontsenni, sir Frycheiniog.

[3]Llyfrgell Genedlaethol Cymru, llsgr. 4383. Traethawd gan Moses Owen Jones (1842-1908), ysgolfeistr Treherbert, a enillodd iddo wobr yn Eisteddfod Genedlaethol 1902.

[4]E. D. Lewis, *The Rhondda Valleys: a study in industrial development* (London, 1959), 81-2.

[5]New Inn, Clydach, Bush, Central, Royal, Court.

[6]Leslie Wynne Evans, 'Colliery Schools in South Wales', *N.L.W Journal,* Vol. X (1957), 146.

[7]Edward Hugh, 'Cerddoriaeth a cherddorion Annibynwyr y Cylch', *Llawlyfr Undeb 1948,* 47.

[8]W.W. Price, 'Bywgraffiadur' yn Ll.G.C. (silffoedd agored).

[9]Dyddiadur 'J.J.J.', 1929.

[10]Casgliad 'J.J.J.'

[11]David Jenkins, *Cofiant T. Gwynn Jones* (Dinbych: ad-argraffiad 1994), 349.

[12]*Rhondda Leader,* Hydref 1933.

[13]Gwleidyddiaeth oedd ei ddiddordeb pennaf hyd 1906, ac etholwyd ef droeon yn A.S. dros Ferthyr, ond am na chafodd swydd yn Llywodraeth Campbell-Bannerman y flwyddyn honno, canolbwyntiodd ei egni ar ddatblygu gweithiau'r Cambrian.

[14]*Command Paper (Cmd) 2680,* 13 Mawrth 1905. 'Beyond limits of the pipe lines the roads were watered by casks. The plug was withdrawn from the cask, and only the middle of the road was watered. This is a very unsatisfactory method, crude and ineffectual, leaving the roof and sides dry . . .'

[15]*Rhondda Leader,* 21 Mai 1965.

[16]*Cmd 2813.* Gweler, hefyd, *South Wales Echo,* 18, 19 Mai 1965; *Rhondda Leader,* 21 Mai 1965; a *Observer, Leader & Free Press,* 23, 30 Gorffennaf 1965.

[17]*Rhondda Leader,* 10 Chwefror 1934.

[18]Nodyn ym mhapurau 'J.J.J.'

[19]Dyddiadur 'J.J.J.', 1937.

[20]*Rhondda Leader,* 15 Mai 1910.

[21]David Evans, *Labour strife in the South Wales Coalfield 1910-11* (Cardiff 1911), 111 seq; *Rhondda Leader,* Mawrth 1911.

[22]Leonard Hugh, 'Ymneilltuaeth a datblygiadau y Rhondda', *Llawlyfr Undeb* 1948, 37.

[23]Gweler David Smith, *Lewis Jones (1897-1939),* Writers of Wales Series (Cardiff, 1982).

D. T. Davies (1876-1962)

Menna Davies

Gellir olrhain y mudiad drama Gymraeg fodern i un flwyddyn arbennig, sef 1879, oherwydd yn y flwyddyn honno derbyniodd y ddrama sêl bendith yr Eisteddfod. Yn Eisteddfod Genedlaethol Caerdydd, fe gynigiwyd gwobr am ddrama'n ymwneud â'r bywyd Cymreig, ac yn yr un flwyddyn cynigiodd Eisteddfod Gadeiriol Eryri, Llanberis, wobr am 'chwareuaeth' Gymraeg yn null Shakespeare. Enillwyd y ddwy wobr gan Beriah Gwynfe Evans gyda'i ddrama hanesyddol *Gwrthryfel Owain Glyndŵr*.[1] Gellir honni mai dyma'r ddrama Gymraeg gyntaf i'w chyfansoddi, ac yn sicr fe fu'n fawr ei dylanwad. Ffurfiwyd cwmni drama yn Llanberis ym 1881 yn arbennig er mwyn ei pherfformio.

Am y deng mlynedd ar hugain nesaf, dwy brif ffrwd y ddrama yng Nghymru oedd y ddrama hanesyddol, yr oedd Shakespeare yn ysbrydoliaeth ac yn batrwm iddi, a'r ddrama gymdeithasol a oedd yn feirniadol ei hagwedd a chyfoes ei chefndir. Bu'r ddau fath yn cydfodoli heb unrhyw wrthdaro mawr yn ystod y cyfnod hwn, ac fe drodd Beriah ei law at y ddau. Ond erbyn dechrau'r ugeinfed ganrif 'roedd y to cyntaf a fu drwy'r ysgolion sir a'r brifysgol yn eu blodau, a bu dylanwad Cymdeithas Dafydd ap Gwilym ac adrannau Cymraeg Prifysgol Cymru yn drwm ar bob cangen o'n llenyddiaeth, gan gynnwys y ddrama. Ffurfiwyd Cymdeithas Ddrama Gymraeg ym Mangor ym 1901, ac yn nwylo unigolion megis D.T. Davies, J.O. Francis, R.G. Berry a W.J. Gruffydd, daeth y ddrama'n rhan ganolog o fywyd llenyddol y colegau.

Bu Beriah Gwynfe Evans a'i ddramâu hanesyddol yn cyd-fyw am gyfnod â dramodwyr yr Ysgol Newydd, yr ysgol a fagwyd ar safonau beirniadol John Morris-Jones a'r brifysgol, ond 'roedd gwrthdrawiad yn anochel. Er mai Beriah oedd arloeswr y mudiad drama Gymraeg fodern, fe ymosodwyd arno gan feirniaid ifainc am ei broffes ffug-ysgolheigaidd o gywirdeb hanesyddol yn ei ddramâu. Mewn Cymraeg safonol, ac nid mewn tafodiaith, yr ysgrifennid dramâu hanes y bedwaredd ganrif ar bymtheg, a'u diben oedd darlunio'r gorffennol,

nid ceisio portreadu na dehongli bywyd oes yr ysgrifenwyr. Ym 1911,
fe ysgrifennodd W.J. Gruffydd erthygl feirniadol yn rhifyn cyntaf *Y
Beirniad*[2] yn ymosod ar Beriah, ac ychydig o ddramâu hanesyddol a
gyfansoddwyd wedi hynny. Ar y llaw arall, tyfodd a chryfhaodd y
ddrama gymdeithasol, a datblygodd mewn dull toreithiog a
gwerthfawr iawn yn ein canrif ni. Yn yr un cyfnod, llaciodd nerth y
gwrthwynebiad piwritanaidd i'r ddrama, ac fe dyfodd poblogrwydd yr
adloniant newydd gyda chynulleidfaoedd gwerthfawrogol yn galw am
fwy o ddramâu.

Gyda thro'r ganrif daethai Ibsen a'i ddisgyblion Saesneg yn
boblogaidd yn theatrau Lloegr. Ym 1879 fe gyhoeddwyd a llwy-
fannwyd drama Ibsen, *A Doll's House*, am y tro cyntaf, a gellir dweud
mai dyma wir ddechrau'r ddrama ryddiaith gymdeithasol. Torrodd y
dramodydd hwn dir newydd ym myd y ddrama oherwydd yr hyn a
geid ganddo yn ei ddramâu oedd beirniadaeth lem ar fywyd a
chymdeithas. Ei amcan oedd cyfleu portread ffyddlon o fywyd a'i
feirniadu'n onest, a dyma ddechrau'r pwyslais ar realaeth mewn
drama. Dymunai i'r gynulleidfa eu gweld eu hunain drwy ddrych ei
ddramâu, a thrwyddo ef daeth realaeth newydd i'r ddrama Gymraeg.

Pan ddaeth Ibsen yn boblogaidd fe gafwyd toreth o ddramâu
Cymraeg ar bynciau cymdeithasol gan ddramodwyr a ymfalchïai
mewn darlunio realaeth ar y llwyfan. Yn 1913 fe ymddangosodd tua
chwe drama gan awduron megis R.G. Berry, J.O. Francis, D.T. Davies
a W.J. Gruffydd, dramâu a oedd yn wahanol o ran thema, techneg, ac
agwedd yr awduron tuag at fywyd, i unrhyw beth a gyhoeddwyd o'r
blaen. Cymerent Ibsen yn batrwm, a thafodiaith oedd yr iaith a
ddefnyddid ganddynt. Yr hyn a geid yn eu dramâu oedd beirniadaeth
chwyrn ar y bywyd Cymreig cyfoes; darlunnid bywyd a chymeriadau
yn eu gwir liwiau, a'r bwriad oedd dileu pob ffug a rhagrith. Bu trafod
mawr ar iaith drama yn y cyfnod hwn oherwydd iaith bob dydd a
ddefnyddid gan Ibsen, ac fe'i hefelychwyd gan y dramodwyr Cymraeg
am y gwelent y byddai'n rhaid defnyddio iaith y dyn cyffredin os
oeddent am ddarlunio realaeth bywyd ar y llwyfan.

Gyda'r dramâu newydd fe ddaeth y ddrama'n boblogaidd iawn, a
bellach fe'i cefnogid gan y prif sefydliadau Cymreig, megis y capel a'r
brifysgol. Enynnwyd brwdfrydedd aruthrol ymhlith y Cymry ac fe

ffurfiwyd nifer helaeth o gwmnïau drama, yn enwedig yn ardaloedd diwydiannol y De. Fe fu yna alw am theatr genedlaethol yn y cyfnod hwn, ac fe wnaed trefniadau ar gyfer Undeb Drama ym 1927.

Dyna fraslun o hynt a helynt y ddrama Gymraeg ddiweddar hyd bedwardegau'r ganrif hon, ac fe welir bod mudiadau Ewrop wedi cael cryn ddylanwad ar Gymru ym maes y ddrama. Yn awr fe allwn droi at ran arbennig o Gymru, sef Cwm Rhondda, a gweld bod yr ardal hon yn adlewyrchu tueddiadau cyffredinol llenyddiaeth Gymraeg. Yn wir, gellir dweud bod y cwm, ar ddechrau'r ugeinfed ganrif, yn feicrocosm o'r hyn oedd yn digwydd yng Nghymru gyfan ac yn Ewrop. Ym 1886 fe ffurfiwyd cwmni drama yn Nhrefriw, ac yn yr un flwyddyn ymwelodd â Thonpentre; diau mai dyna a gychwynnodd y ddrama Gymraeg yn y cwm. Ffurfiwyd Cwmni Tylorstown ym 1911, a bu'n perfformio dramâu megis *Beddau'r Proffwydi* W.J. Gruffydd[3] a *Ble Ma Fa?* gan D.T. Daavies,[4] ac o hynny ymlaen fe gododd nifer mawr o gwmnïau drama ar hyd a lled y cwm.

Ar ddechrau dauddegau'r ganrif hon fe ddaeth bri mawr ar y ddrama yn y Rhondda ac nid oedd lle hafal iddo yng Nghymru am gynulleidfaoedd brwd. Bu bron pob capel yn llwyfannu dramâu, a chynhelid llawer o wythnosau drama yn Neuaddau'r Gweithwyr ym mhob rhan o'r cwm, gan gynnwys perfformiadau prynhawn. Byddai'r neuaddau'n orlawn bob nos a rhaid oedd bachu tocyn fisoedd ymlaen llaw er mwyn gweld perfformiad. Arferai teuluoedd brynu tocyn wythnos er mwyn i bob aelod o deulu gael cyfle i weld o leiaf un perfformiad, a byddai'r ddrama'n un o brif destunau'r sgwrs ar yr aelwyd, ar yr heol, ac yn y siop. Bu nifer o aelodau'r capeli'n cyfansoddi dramâu ac yn ffurfio'u cwmnïau drama'u hunain er mwyn eu perfformio. 'Roedd gŵr o'r enw Daniel Ifans, aelod yn eglwys Hermon, Treorci, yn flaenllaw ym myd y ddrama ym mhen uchaf y cwm yn y cyfnod hwn. Fe ffurfiodd ef ei gwmni drama ei hun er gwaethaf y gwrthwynebiad iddo ar ran rhai o'r capelwyr, ond ni chyhoeddwyd ei ddramâu erioed.

Gynt, yr hyn a gaed oedd ymddiddanion dirwestol, moesol a diwinyddol a oedd yn gwbl ddihiwmor, ond bellach troesai'r rhain yn ddarlun mwy real o fywyd y Cymry yn y cwm. Câi'r trigolion gyfle i weld eu bywyd hwy eu hunain ar y llwyfan, ac fe ffrwydrodd y diddordeb yn y ddrama. Diau fod caledi bywyd y glöwr a'i deulu'n cyfrif am hyn i raddau helaeth iawn oherwydd 'roedd adloniant yn fodd i ddianc rhag y blinder, ac 'roedd y ddrama o bwys mawr i'r wraig yn arbennig. Eisoes ffurfiwyd corau gan y dynion fel dull o adloniant, ond gyda dyfodiad y ddrama i'r cwm dyma gyfle i'r gwragedd gael adloniant am y tro cyntaf. Yn amlach na pheidio, 'roedd gan y glowyr deuluoedd niferus, ac o ganlyniad fe glymwyd y gwragedd i'r aelwyd i frwydro yn erbyn y caledi. Felly pan ddaeth y ddrama i fri, medrai'r wraig ei huniaethu'i hun â'r cymeriadau ar y llwyfan; câi ei gweld ei hun, ei chymdeithas, a bywyd ei hardal, yn y ddrama, ac mae'n arwyddocaol fod wyth allan o ddeg o'r gynulleidfa'n fenywod pan gyrhaeddodd y ddrama ei phenllanw yn y cwm.

Ond erbyn diwedd y pumdegau, fe aethai'r brwdfrydedd dramayddol i ddifancoll am nifer o resymau. Amgylchiadau anorfod tlodi a chyni a ddechreuodd ddiffodd y fflam gan nad oedd digon o arian ar gael i dalu treuliau'r perfformiadau, ac 'roedd y llywodraeth ar fai am beidio â noddi'r ddrama yr adeg hon. Ond y prif reswm dros golli'r gynulleidfa oedd colli'r iaith. Yn y dauddegau, 'roedd 70 y cant o bobl pen uchaf y cwm yn arfer yr iaith, ond erbyn 1960, 5 y cant yn unig. Ni fu ond tri pherfformiad o ddramâu Cymraeg yn y cwm yn ystod y degawd 1950 i 1960.

'Roedd hanner cyntaf yr ugeinfed ganrif yn gyfnod arbennig ym maes y ddrama yng Nghwm Rhondda, felly, ac fe adlewyrchai hyn dueddiadau llenyddol Cymru yn gyffredinol. Yn wir, fe gafodd un o brif arloeswyr y mudiad drama newydd yng Nghymru, sef D.T. Davies, ei fagu yn y cwm, a bu'n byw yn y cyffiniau yn ystod y cyfnod o frwdfrydedd dramayddol. Ganed D.T. Davies yn Nant-y-moel, Morgannwg Ganol, 24 Awst 1876, ond fe'i magwyd yn y Gelli, Ystrad Rhondda, ac yno, ac yn Llandysul, y'i haddysgwyd. Enillodd radd B.A. yng Ngholeg Prifysgol Cymru, Aberystwyth, a thra oedd yno bu'n ffrind mawr i J.O. Francis. Gadawodd y coleg yn gynnar yn y ganrif hon i fynd i ddysgu yn Llundain, ac yno y bu hyd y Rhyfel Byd Cyntaf pan ymunodd â'r Ffiwsilwyr Cymreig. Ymddiddorai'n fawr yn y theatr fyw yr adeg hon, a châi gyfle i weld dramâu Saesneg ar lwyfan proffesiynol. Dyma'r union adeg yr oedd Ibsen yn cael cymaint

D. T. Davies (1876-1962)

o ddylanwad ar theatrau Lloegr, a chawn weld fod hyn wedi gadael ei ôl ar D.T. Davies yn ei ddramâu. Ysgrifennodd rai o'i ddramâu cynnar yn y cyfnod hwnnw.

Dychwelodd i Gymru ar ôl y rhyfel a chael swydd fel Arolygwr Ysgolion o dan y Weinyddiaeth Addysg. Bu'n byw ym Mhontypridd, ar drothwy'r Rhondda, hyd 1936, ardal a oedd yn ferw o weithgarwch dramayddol, ac yn ystod y cyfnod hwn bu chwarae ar rai o'i ddramâu yn Theatr y Grand, Abertawe, gan Gymdeithas y Ddrama Gymraeg, Abertawe, ac mewn mannau eraill. Ysgrifennodd gryn nifer o ddramâu a oedd yn waith arloesol yn y cyfnod hwnnw, ac mae ganddo nifer o erthyglau ar y ddrama ac ar lenyddiaeth yn gyffredinol mewn cylchgronau megis *The Welsh Outlook* a'r *Llenor*. Hefyd, bu'n feirniad drama mewn eisteddfodau, yn cynnwys yr Eisteddfod Genedlaethol, am flynyddoedd lawer. Wedi ymddeol, fe symudodd i Borth-cawl, ond ym 1954 aeth i fyw i Abertawe a bu'n weithgar gyda'r mudiad drama yno. Bu farw ym mis Mehefin 1962, ac fe'i claddwyd yn y bedd teuluol yng Nglyn-taf, Pontypridd.

Y ddrama gymdeithasol oedd priod faes D.T. Davies, a gwelir yn ei waith y nodweddion hynny a oedd yn gyffredin i'r mudiad drama ar ddechrau'r ugeinfed ganrif. Efallai mai ei ddrama fwyaf enwog yw *Ble Ma Fa?*, a ystyrid am flynyddoedd y ddrama un act orau yn yr iaith Gymraeg. Fe gyfyd y thema o broblemau cyfoes, sef ansicrwydd Marged ynghylch enaid ei gŵr marw, Gitto. 'Roedd y dramodwyr newydd yn byw yng nghyfnod y gwrthdaro rhwng dwy oes a dau draddodiad; dyma gyfnod tranc Anghydffurfiaeth a dyfodiad Agnosticiaeth a'r 'ddiwinyddiaeth newydd', ac fe adlewyrchir hyn yn llenyddiaeth y cyfnod. Cristion yw Marged, ond anffyddiwr fu Gitto ar hyd ei oes, a cheir gwrthdrawiad yn y ddrama rhwng credo Marged a'i phrofiad o weithredoedd da ei gŵr yn ystod ei fywyd.

Ar dir meddyliol, neu ysbrydol, y gosodir y ddrama, a digwydd yr holl chwarae yng nghegin tŷ'r glöwr marw. Yr hyn a geir yw Marged yn gosod ei chwestiwn hollbwysig gerbron ei chymdogion, y blaenor Simon Morris, a'r gweinidog newydd ifanc, y Parch. Daniel Roberts. Beirniedid y diacon yn ddidrugaredd gan lawer o ddramodwyr y mudiad newydd. Yr adeg honno, tueddai Pietistiaeth Gymraeg i ofalu'n ormodol am y gyfundrefn allanol ar draul yr ysbryd mewnol, a chan i'r gyfundrefn honno gael ei hadeiladu o gwmpas y diacon, fe'i gwnaed yn symbol ohoni, a'r gweinidog yn symbol o gred. O ganlyniad, fe ddeliwyd â'r gweinidog â'r parch mwyaf, ond nid felly'r diacon. Gwelir hyn yn amlwg yn *Ble Ma Fa?*

Fe lŷn Simon Morris at hanfodion ei gred a theimla ddyletswydd i ddweud am enaid Gitto: 'Os yw'r hyn yn ni'n glwad o'r pwlput bron bob Sabboth o'n bywyd yn wir, 'dôs na ddim ond un peth . . .'[5] Ond mae'r gweinidog yn barod i lacio gofynion y Ffydd, ac yn ymddangos yn fwy trugarog wrth Marged na'r diacon pan ddywed: 'Os bydd dyn wedi bod ar ei ore glan i gredu ar y ddaear 'ma, ac wedi methu, mae'n anhawdd gen i feddwl y bydd hi'n galed arno yn y byd a ddaw.'[6] Yr oedd dechrau gwyro oddi wrth ffeithiau sylfaenol y grefydd Gristnogol yn un o brif gyfnewidiadau'r oes newydd ac fe achosai wrthdrawiad rhwng y genhedlaeth hŷn a'r to ifanc. Y gweinidog yw'r arwr yn y ddrama hon oherwydd fe ymddengys iddo ddangos trugaredd tuag at Marged yn ei phrofedigaeth.

Ephraim Harris[7] yw'r agosaf o holl ddramâu D.T. Davies at fod yn drasiedi. Dyma gangen fwyaf toreithiog y ddrama gymdeithasol yng Nghymru—melodrama, ac nid trasiedi, a geid yn y bedwaredd ganrif ar bymtheg. Ym maes trasiedi gymdeithasol y gwelir grym dylanwad ysgrifenwyr ieuainc y brifysgol newydd yn y ganrif hon. Dyma genhedlaeth a fagwyd yn y cefndir Cymreig, a astudiodd lenyddiaeth a hanes Cymru, ac a oedd hefyd yn gyfarwydd â dramâu a pherfformiadau diweddaraf Lloegr ar adeg pan gynhyrchid cyfieithiadau William Archer o ddramâu cymdeithasol Ibsen. Prif gyfraniad y dramâu hyn oedd cyflwyno'r ddrama deuluaidd fel drama fewnol yn enaid y prif gymeriad, oherwydd ar ddigwyddiadau ac allanolion y bu prif bwyslais melodrama, a'r hyn a geir yn *Ephraim Harris* yw brwydr yn enaid Ephraim o ganlyniad i'w bechod. Cyfraniad arall y dramâu Ibsennaidd oedd canoli plot y ddrama o gylch gwrthdrawiad dyn a'i gymdeithas, a cheir hyn eto yn y ddrama dan sylw. Daw Ephraim i wrthdrawiad â'r gymdeithas gapelaidd sy'n ei annog i guddio'i bechod yn hytrach na'i gyffesu, gan ei bod yn gweld mwy o waradwydd yn y gosb am bechod nag yn y pechod ei hun.

Gosodir y ddrama mewn cegin ffermdy yn weddol gynnar yn y ganrif ddiwethaf, a dywedir gan rai mai hon yw drama orau D.T. Davies. Amlygir y gwrthdaro o fewn y gymdeithas ym maes disgyblaeth eglwysig lle mae yna gryn anghytuno ymhlith y blaenoriaid. Mae William Morris o blaid cuddio pechod Ephraim, ond yn dweud am Watcyn Hughes: '. . . mà Watcyn yn meddwl lawn cymant am ddysgyblath eglwysig ag y mà fa am grefydd.' Pwysleisir allanolion crefydd ar draul yr ysbryd mewnol ac fe anogir Ephraim gan y blaenoriaid i feddiannu swydd ei ddiweddar dad, nid oherwydd ei fod yn ddyn Cristnogol, ond oherwydd '. . .'d yw eclws Bethania ariod wedi bod heb rhyw Harris ne gilydd yn "drustee".'[9] Ni theimla Ephraim yn deilwng o'r swydd am iddo bechu, ond ymateb ei fam i hyn yw dweud: '. . .'n deilwng, a thithe wedi càl yr holl ysgol!'[10] Mae safonau'r oes yn newid, ac addysg a pharchusrwydd allanol yn cael eu dyrchafu ar draul gwir grefydd.

Ceir yn y ddrama hon holl nodweddion y ddrama gymdeithasol, yn cynnwys cymeriadau megis y blaenoriaid, y gweinidog, y gŵr ifanc galluog, sef Ephraim—a'i wrthdrawiad â'r genhedlaeth hŷn—y trempyn, sef Dinah, a'r potsiar, sef Griff Pugh. Beirniedir y safonau cymdeithasol drwy gyfrwng y trempyn, oherwydd fe saif Dinah megis o'r tu allan i'r chwarae gan weithredu fel sylwedydd arno. Nid yw hi'n rhan o'r gymdeithas ffug-barchus, ac fe'i diarddelwyd gan y capel, felly gall edrych ar y cymeriadau eraill yn gwbl ddiragrith. O enau Dinah y daw'r gwirioneddau mawr, ac fe gyhudda Ephraim o fod yn bagan, ac o eilunaddoliaeth: '. . . o herwydd amgylchiata . . . fe roiff y dyn briodoldeb idd i Dduw nes y bydd a'n wàth eilun nag a greodd dychymyg unrhyw bagan ariod o ddim byd arall. A dyna dy hanas di, Ephraim Harris.'[11] Fe wêl hi'r perygl a gyfyd o orbwysleisio allanolion crefydd ac o'r awdurdod y mae ambell aelod eglwysig yn ei gymryd arno'i hun, a gofynna onid oes 'gormodd o awdurdod gan amball un ar fater arall?'[12] Ateb mam Ephraim i hyn yw, 'Ma'n rhaid càl disgyblath Dinah.'[13] Pobl megis Dinah a wêl ddrygau'r gymdeithas, nid y rhai sy'n honni bod yn bileri'r gymdeithas honno; y trempyn yw'r gwir arwr yn hyn o beth, ac mae'r elfen hon yn un o brif nodweddion y ddrama gymdeithasol ar ddechrau'r ugeinfed ganrif. Thema gyffredin arall i'r dramâu hyn yw'r ferch gyfoethog yn priodi'r bachgen tlawd er gwaethaf gwrthwynebiad ei rhieni, ac fe geir hyn yn *Ephraim Harris* lle mae Morfudd, merch Ephraim, yn priodi'r potsiar, Griff Pugh.

Mae meistrolaeth ar grefft geiriau a chynildeb mynegiant yn y ddrama hon, ac 'roedd hyn eto'n un o brif nodweddion y dramâu newydd. Mynega'r awdur ei feirniadaeth ar y gymdeithas yn ddiflewyn-ar-dafod ac mae dylanwad Ibsen i'w weld yn glir yn hyn o beth. Ond mae diwedd y ddrama'n ein rhwystro rhag ei galw'n wir drasiedi oherwyd y mae'n wan iawn ac yn dod pan ddisgwylia'r gynulleidfa i rywbeth arall ddigwydd. Darganfyddir fod y peth a barodd yr holl wewyr meddwl i Ephraim, sef y gred ei fod yn dad i blentyn siawns, yn gelwydd, ac fe â ar ôl ei ferch ar unwaith a'i chroesawu'n ôl i'w chartref. Yn hytrach na beio'r dramodydd am hyn, gellir dweud mai agwedd cynulleidfa'r cyfnod oedd yn gyfrifol amdano; 'roedd eu hamharodrwydd i fod yn dystion i ddinistr bywyd arwrol yn gwneud gwaith y dramodydd cydwybodol yn un anodd iawn.

Bu'r ddrama hon yn hir cyn dod yn boblogaidd ac ni chwaraewyd mohoni'n aml wedi iddi gael ei chyhoeddi. Hon oedd y ddrama gyntaf i'w pherfformio gan Gymdeithas y Ddrama Gymraeg, Abertawe, a bu protest yn erbyn ei hail-lwyfannu gan ei bod yn sôn am blentyn siawns. Ni lwyfannwyd hi wedyn am hanner can mlynedd, sef ar achlysur dathlu pen blwydd y gymdeithas yn hanner cant oed ym 1969. Gellir awgrymu mai'r rheswm dros amhoblogrwydd y ddrama oedd ei bod yn rhy dda i'w chynulleidfaoedd ac na chyffyrddwyd â'r Cymro cyffredin eto gan yr ysbryd llenyddol newydd. Diau mai dyna un rheswm pam y bu i D.T. Davies, wedi 1918, fodloni ar gyfansoddi dramâu llawer ysgafnach, sy'n ddramâu da ond nid i'r un graddau ag *Ephraim Harris*. Dyna esiampl o'r gynulleidfa'n rheoli cyfeiriad awen yr artist, yn penderfynu cwrs celfyddyd, ac yn cael effaith ddrwg arni. Mae hyn yn fwy posibl yn y theatr nag mewn un gangen arall o gelfyddyd, gan fod ymateb y gynulleidfa'n amlwg ar unwaith. Dyma'r farn a fynegir gan Gwenallt,[14] ac fe ddywed ef fod D.T. Davies wedi mynd yn ysglyfaeth i'w gynulleidfa. Galwent hwy am ddramâu ysgafn, doniol, a phetai ef wedi ymwrthod â'r demtasiwn i ildio i'w dymuniadau hwy, mae'n bosibl y byddai wedi datblygu'n aruthrol fel dramodydd. Efallai mai'r enghraifft orau o'r math o ddrama yr aeth D.T. Davies ati i'w hysgrifennu ar ôl *Ephraim Harris* yw *Pelenni Pitar*,[15] a gyhoeddwyd ym 1925. Nid drama gymdeithasol mohoni, ac nid oes iddi unrhyw neges; drama ysgafn yw hi, a'i hunig bwrpas yw diddanu cynulleidfa.

Erbyn dechrau'r ugeinfed ganrif, 'roedd y ffordd eisoes yn glir ar gyfer datblygiad y gomedi werin, gyda'i chefndir yn y bywyd gwledig a'i chymeriadau stoc, ond yn y ganrif newydd fe ddaeth mwy o gynildeb crefft iddi, a mwy o wreiddioldeb ar ran y dramodydd wrth ddewis sefyllfaoedd doniol. Gellir dweud bod *Castell Martin*[16] D.T. Davies ymhell ar y blaen ymhlith y comedïau gwledig oherwydd sicrwydd crefft lwyfan yr awdur, a'i syniad am gymeriadau comedi. Mae'r ddeialog yn fywiog a ffraeth, ac mae'r ffaith iddi gael ei hysgrifennu mewn tafodiaith yn ychwanegu at hyn. Llwydda'r dramodydd i hoelio sylw'r gynulleidfa ac ennyn eu chwilfrydedd drwy gydol y ddrama drwy ei saernïo a'i hadeiladu'n ofalus o gwmpas pedwar cwestiwn sylfaenol, sef pwy fydd yn ennill yr etholiad, pwy fydd yn ennill y raffl, a fydd y fuwch yn marw, ac a fydd Marged Ann yn cytuno i briodi Isaac. Ni ddatguddir yr atebion i'r cwestiynau hyn tan ddiwedd y ddrama, ac yn y modd hwnnw mae'r awdur yn cynnal diddordeb yn y chwarae hyd y diwedd. Mae'r ddrama hon yn adlewyrchu'n glir fywyd beunyddiol byw y gymdeithas y cafodd ei hysgrifennu ar ei chyfer.

Mae yna elfennau comedi yn *Ffrois*[17] hefyd, drama arall a osodwyd mewn cegin gweithiwr yn Ne Cymru ac a ysgrifennwyd yn nhafodiaith Cwm Rhondda. Mae'r ddwy chwaer, Ellen a Martha, a'u teuluoedd, yn cynrychioli dwy ran o'r gymdeithas Gymraeg ym mlynyddoedd cynnar y ganrif hon. Gwelir yn Ellen a Robert nodweddion y dosbarth canol a oedd yn codi yng Nghymru'r adeg honno, ac ym Martha a William gwelir ymateb y dosbarth gweithiol iddynt. Tuedda William i chwerthin am eu pennau a'u dirmygu, ond ymetyb Martha iddynt â'r parch mwyaf, gan ddweud am Robert: 'Ma Robert yn gwishgo "dressing-gown", 'rwy'n cyfadda—ond mafa ar y "Council", ac yn "J.P." a os na all "J.P." wishgo "dressing-gown",—ma hi wedi mynd!'[18] Eto i gyd, Martha sydd wedi gweithio'r galetaf o'r ddwy chwaer, ac er bod Ellen a'i gŵr wedi gwneud arian ac wedi ennill safle blaenllaw yn y gymdeithas, teimlir mai gan deulu Martha y mae'r afael sicraf ar y gwerthoedd hanfodol. Pethau materol sy'n bwysig ym mywyd Ellen a'i gŵr, megis Robert yn rhoi llestri arian iddi i ddathlu eu priodas arian, ond fe wêl Martha mai pethau gwag yw'r rhain a bod yna elfennau llawer pwysicach i'w cael mewn bywyd, fel y dywed wrth ei gŵr: 'Na William, 'dos dim raid i'n bath ni i brynu presants i'n gilydd.'[19]

Pobl gyffredin iawn yw teulu Martha, ac fe ymddengys William yn nhraed ei sanau, yn llewys ei grys, a heb wasgod; ond er eu bod yn dlawd yn faterol, mae eu hagwedd at fywyd yn un dra chyfoethog ac iach, a dyna sy'n bwysig. Fe ddywed William am ei wraig: 'Os aiff rhywun i'r nefodd, Martha, fe ewch chi, ond os na fydd 'na fashîn gwinio, twbin golchi, a phar o heyrn smwddo, fyddwch chi ddim wrth ych bodd.'[20] Yn ogystal â chyfleu gallu D.T. Davies i ymdrin â hiwmor, fe ddengys y dyfyniad hwn grefft y dramodydd wrth ddarlunio cymeriad. Dysgwn lawer iawn am Martha yn yr ychydig eiriau hyn; menyw gyffredin, yn agos at y pridd ac at yr hanfodion Cymreig. Dyna'r math o gymeriad a edmygid ac a ddyrchefid gan y dramodwyr cymdeithasol.

Drama arall â'i chefndir yn y gegin Gymreig yw'r digrifawd un act, *Y Pwyllgor*,[21] sydd eto yn nhafodiaith Cwm Rhondda ac yn digwydd tua 1920. Mae'r ddrama gymdeithasol yn werthfawr i ni heddiw am fod pwyslais y dramodwyr ar realaeth yn eu dramâu yn peri ein bod yn cael darlun cywir a gonest o'r gymdeithas mewn cyfnod arbennig, ac mae hynny'n wir am y ddrama hon. Y capel oedd y ganolfan gymdeithasol yn y cyfnod hwnnw, ac oherwydd natur y gwasanaethau, a chymeriad democrataidd llywodraeth eglwysig, gorfodid nifer helaeth o'r bobl gyffredin i gymryd rhan ynddynt ac i dderbyn swyddi o awdurdod. Golygai hyn y câi gŵr fod yn ysgrifennydd neu'n drysorydd ei gapel, neu'n gynrychiolydd eglwysig mewn cynadleddau a chyfarfodydd chwarterol. Hefyd, fe gâi gyfle i ddysgu siarad ar goedd ac ennill tipyn o hunanhyder mewn materion cyhoeddus. Fe gynyddodd hyn yn ddirfawr gyda thwf a datblygiad sefydliadau a gweithgareddau seciwlar y capel, megis eisteddfodau, cyngherddau, a chymdeithasau drama.

Darlunnir y sefyllfa hon yn fyw iawn a chyda llawer o hiwmor gan D.T. Davies yn *Y Pwyllgor*, lle mae rhai o aelodau'r capel wedi ymffurfio'n bwyllgor er mwyn trefnu rhaglen yr eisteddfod. Cymerant y peth yn hollol o ddifrif, gan geisio gwarchod a lleisio'u tipyn awdurdod, ac mae ffurfioldeb y cyfarfod yn fwy chwerthinllyd am ei fod yn digwydd mewn cegin, man y mae'n anodd disgwyl unrhyw ffurfioldeb ynddi. Rhaid oedd cynnig yn ffurfiol fod Mari, fel gwraig y tŷ, yn dod yn aelod o'r pwyllgor fel 'co-opted member',[22] ac yna fe etholwyd Malachi, gŵr y tŷ, yn gadeirydd. Gwelir yn ei araith agoriadol mor estron oedd y math hwn o gyfrifoldeb iddo: 'Fel gwetas

i, 'wy-i ddim llawar o sharatwr, ond ma ngalon-i yn y gwaith. 'R wy
wedi bod gita chrefydd nawr ers dros ddeugain mlynadd.'[23] Defnyddir
Mari'n gyfrwng i ddangos mor chwerthinllyd yw'r sefyllfa hon, ac fe
ofynna: 'Pwyllgor 'steddfod ne seiat-brofiad sy 'ma, gwetwch?'[24]
Dyna yw ei swydd hi drwy gydol y ddrama, sef bod yn sylwedydd ar y
gweithgareddau ac amlygu'r ochr ysgafn iddynt. Ni chymer hi'r
pwyllgor o ddifrif o gwbl, ac wrth gwrs mae ei hagwedd yn wrthun i'r
aelodau.

Yn *Y Pwyllgor* fe welwn agwedd pobl at y ddrama yn y cyfnod
hwn, a'r gwrthdaro a gododd rhwng aelodau hŷn y gymdeithas a'r
genhedlaeth iau. Cynrychiolir y to ifanc gan Obadiah a ddywed: 'Ma'r
'steddfod yn mynd mas o'r ffashwn nawr. 'Rwy-i'n cynnyg yn bod ni
yn cal drama',[25] ond ymateb Malachi yw dweud: 'Beth! Wara hen blai
yn y capal!'[26] Ar yr ochr lenyddol, mae Obadiah o blaid defnyddio'r
orgraff newydd oherwydd: 'Dyma gyfle bendigetic i ni ddangos yn
bod ni'n ddynon gwybotus a diwyllietic',[27] ac fe ychwanega, ''Dyw
orgraff y Beibl ddim hannar right'.[28] Yn naturiol, nid yw hyn yn
plesio'r aelodau eraill, ac fe ddywed Jacob: '. . .'dos dim daioni yn dod
o ddarllen y "New Theology" 'na.'[29] Yn y modd hwn fe lwydda'r
awdur i gyfleu peth o naws y cyfnod a'r gwrthdaro a gyfyd wrth i
syniadau newydd lifo i mewn i'r gymdeithas.

Cyfeiria Obadiah'n uniongyrchol at awyrgylch yr oes wrth drafod
testun y bryddest:

'Dych-chi ddim yn diall ysbryd yr ôs Ys gwetws dyn enwog ychydig bach
yn ôl, fe gas Cymru afal ar 'i henad yn y ddeunawfed ganrif, fe ddath o
hyd idd 'i meddwl yn y bedwaredd ganrif ar bymtheg, a nawr yn yr
ugeinfed ganrif ma-hi'n sylweddoli fod gita-hi gorff. Gadewch i ni ddewis
testun fydd yn trafod petha agosa a mwya cynefin bywyd, testun
'realistic'.[30]

Dyna farn y genhedlaeth ifanc a fu drwy'r brifysgol ac a ddaeth o dan
ddylanwad Ibsen, ond ni allai'r bobl hŷn amgyffred y newidiadau ac fe
wna Matthew sbort am ben Obadiah drwy gynnig y testun 'realistig',
sef 'Twlc Mochyn'. Erbyn diwedd y ddrama mae'r aelodau hŷn am
ddiaelodi Mari ac Obadiah, y ddau sy'n gwrthryfela yn erbyn y drefn

ac yn ceisio tanseilio'u hawdurdod. Gwrthwynebant Mari am iddi wrthod cymryd y pwyllgor o ddifrif, gan fychanu pwysigrwydd swyddi'r aelodau, ac Obadiah am iddo geisio cyflwyno syniadau newydd a newid yr hen ddulliau. Mae gweddill yr aelodau am amddiffyn yr hen gyfundrefn a dal eu gafael ar yr awdurdod a'r sefydlogrwydd oedd ar fin cael eu chwalu gan yr oes newydd.

Cegin ffermdy ar ben un o fynyddoedd Morgannwg yw golygfa'r ddrama *Y Dieithryn*,[31] ac mae i hon, eto, elfennau sy'n nodweddiadol o'r cyfnod. Fel yn Lloegr, fe fu yng Nghymru hefyd nifer o ddramâu yn ymdrin â thema ysbrydol trwy gyfrwng cefndir, neu rai cymeriadau, y tu allan i'r byd hwn. Gellir eu galw'n ddramâu moes mewn gwisg fodern, ac 'roedd y math hwn o ddrama'n gweddu i feddylfryd cynulleidfa a fagwyd ar gefndir crefyddol, megis y Cymry, a buont yn dra phoblogaidd. Yn y ddrama hon mae Ianto mewn cysylltiad â'i wraig farw ac yn siarad â hi yn barhaol. Bu'n chwilio am Gomer, y gŵr a laddodd ei wraig, am ugain mlynedd er mwyn dial arno, ond ni chaniataodd Duw iddo ddod o hyd iddo nes iddo ddysgu sut i faddau. Dim ond ar ôl maddau i Gomer y cafodd Ianto adael y byd hwn a'i helyntion ac ymuno â'i wraig yn y byd arall.

Saif *Gwerthoedd*[32] yn yr un dosbarth o ddramâu, ond y tro hwn lleolir y ddrama gyfan y tu hwnt i angau, ac ynddi fe gyferbynnir gwerthoedd y byd hwn â rhai y byd arall. Torrwyd tir newydd ym myd y ddrama yng Nghymru gan hon, oherwydd dangosir ynddi nad ein safonau ni o farnu gwerth cymeriad yw'r safonau y tu hwnt i'r llen. Dyma feirniadaeth gymdeithasol lem a chais i chwalu rhagrith o fewn y gymdeithas. Gwelir amcan y ddrama yn y dyfyniadau o ysgrifau 'Alpha of the Plough' ar y dechrau, sef dangos nad y gallu i edrych yn wyneb y byd sy'n bwysig, ond yn hytrach gallu dyn i edrych yn ei wyneb ei hun a'i adnabod ei hun yn ei holl wendidau.

For, after all, the important thing is not that we should be able, like the honest blacksmith, to look the whole world in the face, but that we should be able to look ourselves in the face. And it is our private standard of conduct and not our public standard of conduct which gives or denies us that privilege.[33]

Mae Wil Hanner Galwyn yn ddyn cyffredin, yn hoff o'i beint ac yn ddirmygedig yng ngolwg y gymdeithas, ond fe ddywed: 'Es i ddim â dime goch oddi ar neb, na dim byd arall chwaith. Fy nwy demtasiwn fawr i—fel ma mwya nghwilydd i—odd y ddiod a'r cnawd.'[34] Mae Roger Evans, ar y llaw arall, yn 'Y.H.' ac yn 'O.B.E.', a dyna'r math o ddyn a gâi barch ac edmygedd y gymdeithas, gan gynnwys pobl fel Wil a restra 'rinweddau' Roger Evans:

A beth am yr organ roisoch chi i Gapel Samaria—dyna ddeuddeg cant o bunne; mil arall i gronfa'r Achosion Gweiniaid, arian mawr i'r League of Nations a 'd'os neb ond chi a wyr faint roisoch chi i'r Party Funds.[35]

Ond ar ôl marw, mae safonau beirniadu cymeriad yn dra gwahanol, a gwelir y ddau gymeriad hyn yn eu gwir liwiau. Adnabu Wil ei hun ar unwaith yn y drych wrth y Porth Mawr am ei fod yn ddigon gonest i gyfaddef ei ffaeleddau, ond methu fu hanes Roger Evans, er iddo fod yno am saith mlynedd; bu'n byw yn ei ragrith ar y ddaear gyhyd nes iddo gael ei ddallu ganddo, ac wedi iddo farw ni allai, neu nid oedd yn fodlon, ei weld ei hun fel yr oedd mewn gwirionedd. Wedi saith mlynedd, 'roedd yn dechrau dysgu ei adnabod ei hun a rhoi'r rhesymau cywir dros ei weithredoedd ar y ddaear, megis y rheswm dros roi'r organ: '. . . nid yn bennaf o gariad at yr achos, eithr o genfigen, am fod organ wych iawn gan gapel cyfagos.'[36] Cyflawnasai bob math o weithredoedd da gan obeithio cael ei urddo'n Farchog.

Yna fe ddown at brif neges y ddrama pan ddywed Wil yn syn: 'A finne wedi meddwl am Mr. Evans bob amser fel un allse edrych yn wyneb y byd.'[37] Ond meddai'r swyddog: 'Y gamp fawr ydyw gallu edrych yn eon yn eich hwyneb eich hun. Heb ymarfer â hynny ar y ddaear y mae'n amhosibl i neb ei adnabod ei hun yn y drych wrth y Porth Mawr.'[38] Mae yn y feirniadaeth hon ar y gymdeithas gyfoes feiddgarwch mawr ar ran y dramodydd, sy'n nodweddiadol o lawer o ddramâu eraill y cyfnod.

Un arall o ddramâu'r gegin yw *Troi'r Tir*,[39] a'r gwerthoedd Cymreig a ddaw o dan sylw unwaith eto. Disgrifir Gwen, y fam, fel 'dynes Gymreig gyffredin',[40] John Morgan fel 'masnachwr llwyddiannus',[41] a thrwy gyferbynnu eu gwahanol farn, dengys y dramodydd i ni'r newid

a oedd ar gerdded yng Nghymru'r dauddegau. Cynrychiola Gwen yr
hen oes, a John yr oes newydd, ac fe berthyn Bob, y mab, i'r to nesaf
eto. Mae John am i Bob fynd ato i Lundain i fod yn ŵr busnes, a
gwelir yng ngeiriau John agwedd llawer o Gymry at eu cenedl yr adeg
honno: 'Ma'r hen iaith yn marw, a gora i gyd po gynta y sylweddolir
hynny.'[42] Mae hwn, bellach, wedi colli pob gafael ar ei wreiddiau ac
nid ystyria ei fod ar ei golled yn hynny o beth:

> Ma dydd cenedlaetholdab ar ben . . . Ma'r byd wedi mynd yn rhy fach i
> ryw nifar o fân genedlod . . . Fe alla i siarad â dynion o fusnes yn
> America bron fel tawn i wynab yn wynab â nhw, er bod 'na filodd o
> filltirodd rhyngon ni. 'Rwy wedi hedfan droion o Lundan i Paris a dod
> 'nôl cyn amsar te.[43]

Dyma'r oes newydd yn siarad; mae'r gorwelion yn ehangu a'r byd yn
ymagor. Ond fe lŷn Gwen wrth yr hen werthoedd Cymreig, gan
hyderu y daw yna ddeffroad i Gymru, a dymuna i Bob gael coleg er
mwyn iddo allu cymryd ei le yn y deffroad hwnnw. Yn y ddrama, mae
Gwen yn cael cipolwg ar y dyfodol ac yn gweld bod ei mab wedi
cyflawni llawer o bethau er lles Cymru; mae gan y genedl hunan-
lywodraeth, mae'r plant yn siarad Cymraeg unwaith eto, a phawb yn
addoli yn Gymraeg. Neges y ddrama hon, felly, yw bod yna obaith i
Gymru yn y dyfodol, ac na ddylai ei phlant droi'u cefn arni er mwyn
ennill swyddi breision yn Lloegr, ond yn hytrach weithio tuag at
adfywio'r hanfodion Cymreig.

Mae iaith y ddrama hon yn ddiddorol oherwydd fe ddywed D.T.
Davies mewn nodyn ar y dechrau fod amryw wedi gofyn iddo
ddefnyddio iaith haws i'w deall na thafodiaith Cwm Rhondda. Ceir
arbrawf ieithyddol yn y ddrama, felly, gyda'r awdur yn ceisio
defnyddio'r iaith honno a siaredid gan yr ymfudwyr o Geredigion a
gymysgodd eu hiaith hwy â thafodiaith y Rhondda:

> Bûm mewn tipyn o benbleth pa fath dafodiaith a arferwn, ond ar ôl dyfalu
> a dyfalu, yng Nghwm Rhondda unwaith eto y cefais fy nghyfrwng. Y mae
> yno gannoedd os nad miloedd o bobl sydd yn blant i rai a faged yng
> Ngheredigion. Cymysgant iaith yr aelwyd, hynny yw, iaith eu rhieni, â
> thafodiaith y cwm. Iaith rheiny, yn bennaf, sydd yn y ddrama hon . . .[44]

Problem yr iaith Gymraeg a'r Seisnigo yn ardaloedd diwydiannol y De a drafodir yn *Toriad Dydd*.[45] Eglura'r dramodydd mai ei amcan yw ceisio cyflwyno i'r gynulleidfa y rhieni o Gymry a ddaeth i'r ardaloedd hyn o fannau hollol Gymreig ac sydd yn troi i siarad Saesneg â'u plant ac â'i gilydd 'oherwydd byw mewn ardal lle y ceir llawer o Saesneg, ond yn fwy arbennig oherwydd Seisnigeiddio eu plant o dan ddylanwad yr ardal.'[46] Yn y gegin y lleolir y ddrama hon, ond nid yr un awyrgylch sydd iddi ag sydd i'r dramâu eraill am fod y propaganda mor amlwg ynddi, ac ni thalwyd cymaint o sylw i'r grefft o gyhoeddi'r neges o fewn gofynion y theatr. Darlunnir y sefyllfa druenus yn ardaloedd Seisnig Cymru wrth i'r plant drafod eu gwersi Cymraeg â'u rhieni, a daw'r ysgolfeistr i mewn i annog y rhieni i siarad Cymraeg â'r plant. Hanner y drychineb yw'r ffaith fod Saesneg y rhieni'n warthus, ond bod eu Cymraeg yn gadarn ganddynt petaent ond yn sylweddoli hynny. Byddai eu hymddygiad yn gwbl chwerthinllyd oni bai am ei effaith andwyol ar ein hiaith a'n diwylliant: 'Cato'n pawb, wech o'r gloch, and 'e avent been 'ome to 'ave 'is tea yet!'[47]

Daw'r Gymraeg i'r llwyfan yn rhith hen wraig i ddarlunio'r sefyllfa ymhellach a sôn am y cyfnod pan oedd yr iaith yn llewyrchus yn yr ardal, 'nid yn unig ar yr aelwyd ond mewn capel, ffair a marchnad.'[48] Gorffenna'r ddrama ar nodyn gobeithiol gyda'r iaith Gymraeg yn proffwydo dyfodol llewyrchus yn hanes Cymru:

> Gogoniant mwy gaf eto
>   A pharch yng Nghymru fydd;
> Mi welaf ddisglair oleu 'mlaen,
>   A dyma doriad dydd![49]

Oherwydd natur ei neges, mae yna lawer o Saesneg yn y ddrama hon, a dyna un broblem fawr y bu'n rhaid i'r dramodwyr cymdeithasol ei hwynebu. Os oeddent am ddarlunio'r gymdeithas yn llythrennol yn ei gwir liwiau, 'roedd yn rhaid iddynt ddefnyddio'r iaith mewn modd a fyddai'n real i'r gynulleidfa. Er enghraifft, ni fyddent yn gallu derbyn bod pobl mewn awdurdod, megis y meistri glo neu'r heddlu, yn siarad Cymraeg â'u gweision cyflog, a phetai hyn yn digwydd mewn drama, ni fyddai'r theatr yn fyw iddynt. Felly, er mwyn peidio â dinistrio'r elfen o realaeth oedd mor bwysig i'r dramodwyr cymdeithasol, 'roedd yn rhaid cael tipyn o Saesneg yn y dramâu. Fe welodd D.T. Davies y broblem hon, ac efallai fod *Toriad Dydd* nid yn gymaint yn bropaganda dros ddysgu'r Gymraeg, ag yn arbrawf ar foddau newydd o ddefnyddio iaith.

'Roedd D.T. Davies yn un o arloeswyr pwysicaf mudiad y ddrama gymdeithasol yng Nghymru felly, ac mae'r rhan fwyaf o'i ddramâu'n rhai annatod o'r mudiad hwnnw. Ond gellid dweud fod un ddrama o'i eiddo'n cynrychioli mudiad arall, sef mudiad y brifysgol, a'r ddrama honno yw *Branwen Ferch Llŷr*.[50] Hon, yn ôl D.T. Davies yn ei ragair i'r ddrama, yw'r 'ymgais cyntaf yn y Gymraeg, hyd y gwn i, i neb gymryd un o'r pedair cainc a'i chyfnewid i wedd ddramodol.'[51] Ar yr olwg gyntaf, ni chanfyddir yn y ddrama hon unrhyw ymgais i ddehongli nac i gyhoeddi neges arbennig; ymddengys mai bwriad yr awdur oedd adrodd y stori yn unig, ar ffurf drama. Ond mae'r hyn a ddywed y dramodydd yn ei ragair am sefyllfa'r ddrama yr adeg honno yng Nghymru, a'r problemau a'i hwynebodd wrth lunio'r ddrama hon, o gryn ddiddordeb:

> Ym mwyafrif dramâu'r symudiad presennol, ymdrinir gan amlaf â bywyd cyffredin yr aelwyd Gymreig. Cegin glöwr, amaethwr, neu chwarelwr ydyw'r olygfa, fel rheol, a phenderfyna hyn, i raddau helaeth, y dull angenrheidiol o gynhyrchu'r chwarae. Gan gymaint cynefindra'r dramodwr, nid gwiw fyddai cynnyg llai na'r union beth iddynt yng ngosodiad a threfn y llwyfan. Buasai cynnyg unrhyw fath o symlrwydd celfyddydol iddynt mor anghyson â'u profiad ac felly mor groes i'w disgwyliad, fel ag i amharu dylanwad y ddrama a'u mwyniant hwythau ohoni. [52]

'Roedd yr un peth yn wir am yr iaith a ddefnyddid; rhaid oedd cyflwyno i'r gynulleidfa yr hyn 'roeddynt yn ei ddisgwyl neu fe fyddai'r theatr yn colli'i hapêl, a'r ddrama gymdeithasol yn colli'i hystyr. Yn hyn o beth, 'roedd yna ffiniau pendant iawn i'r ddrama gymdeithasol, a'r gamp oedd sylweddoli hyn a cheisio gweithio o'r tu mewn iddynt. Dyna un rheswm, os nad y rheswm pwysicaf, pam na chafwyd drama fawr Gymraeg yn y cyfnod hwnnw; 'roedd yna ormod o gyfyngiadau, a dim digon o ryddid, ac 'roedd y dramodwyr, gan gynnwys D.T. Davies, yn sylweddoli hyn.

Nid oedd hyn yn wir gyda drama fel *Branwen,* oherwydd 'Dyma fywyd a chyfnod nad oes gan y mwyafrif namyn syniadau annelwig iawn amdanynt.'[53] Ni wyddai'r gynulleidfa beth i'w ddisgwyl yn y maes hwn, a rhoddai hyn ryddid aruthrol i'r dramodydd i arbrofi gydag iaith, cymeriadau, thema, a llwyfan. Serch hynny, fe geir yr argraff na fanteisiodd D.T. Davies ddigon ar y rhyddid hwn, oherwydd fe gododd ddarnau cyfan o'r gainc yn aml a'u rhoi yn eu crynswth, bron, yn ei ddrama, ac yn y rhagarweiniad fe gyfeddyf mai dyna oedd ei fwriad. Newid ambell hen gystrawen a'r orgraff yn unig a wnaeth, oherwydd ei fod am gadw naws y chwedl, ac 'roedd hyn yn wahanol iawn i'r defnydd a wnaeth Saunders Lewis o chwedl Blodeuwedd. Defnyddiodd yntau'r chwedl mewn drama er mwyn mynegi'i athroniaeth a'i syniadau gwleidyddol ei hun, ac fe lwyddodd i gadw ei naws drwy gyfrwng barddoniaeth.

Ni fu D.T. Davies mor llwyddiannus â Saunders Lewis, ac fe awgrymir un rheswm dros hynny gan Glenys Mair Powell yn ei thraethawd, 'Mytholeg Geltaidd yn Llenyddiaeth Gymraeg yr Ugeinfed Ganrif',[54] sef bod rhyw realaeth yn perthyn i'r ddrama *Branwen* nad yw'n hollol gyson â chymeriadau a digwyddiadau'r Fabinogi:

> Y gwirionedd yw mai drama gymdeithasol yw Branwen Ferch Llŷr, yn yr un ystyr ag y mae dramâu eraill D.T. Davies yn ddramâu cymdeithasol. Er bod ei thestun yn hollol wahanol i destunau cyffredin mudiad y ddrama gymdeithasol, mae ei dull o ddelio â'r testun yn dilyn dull Ibsen yn yr un modd ag y gwnâi dramâu eraill y mudiad. Wrth nodi'r gwahaniaethau rhwng dramâu melodramatig dechrau'r ganrif a'r dramâu Ibsennaidd a'u dilynodd, dywedir bod melodrama yn canolbwyntio ar allanolion, ond bod Ibsen yn cyflwyno drama deuluaidd fel gwrthdaro mewnol yn enaid y prif gymeriad, a'i fod hefyd yn trefnu plot y ddrama o gwmpas gwrthdaro dyn a'i gymdeithas. Dyna'r union fath o ddrama yw Branwen D.T. Davies.[55]

Gellir dweud mai prif bwyslais y ddrama yw'r gwrthdaro mewnol yn enaid Branwen, rhwng ei dyhead am ryddid a chyswllt naturiol â dynion unwaith eto, a'i chasineb at ryfel. Ei thrasiedi bersonol hi yw craidd y ddrama, sef bod ei hawydd hi am ryddid yn achosi'r rhyfel a'r dinistr mae hi'n ei gasáu gymaint.

Ond yn ogystal â hynny, fe adeiladodd D.T. Davies blot y ddrama o gwmpas gwrthdaro dyn â'i gymdeithas. Mae'r prif gymeriad yn gymeriad heddychlon; mae awydd Branwen am gymodi Ynys y Cedyrn ac Iwerddon, ei hawydd am heddwch, a'i hatgasedd tuag at gasineb a thywallt gwaed, yn ddigon i dorri'i chalon yn y diwedd. Ond sefydlwyd holl fframwaith y gymdeithas o'i chwmpas ar y gred mewn rhyfel fel arf i ddatrys problemau, ac felly drwy gydol y ddrama fe geir gwrthdaro rhwng syniadau heddychlon Branwen ac awydd y cymeriadau eraill i ryfela. Dramateiddio thema rhyfel a heddwch, a'r gwrthdaro rhwng yr heddychwr a'i gymdeithas a wna D.T. Davies, ac fe gawn yr argraff barhaus gyda *Branwen* fod yr awdur wedi gorfod gwthio'i themâu ar y chwedl, ei fod wedi gorfod bod yn orymwybodol o'r angen i gadw naws y chwedl wreiddiol, a'i fod wedi gorfod gwneud hynny drwy osod darnau cyfan o ddeialog y chwedl yn y ddrama. Cyfeddyf D.T. Davies mai'r hyn a wnaeth oedd, '. . . arfer iaith y gainc mor llythrennol ag oedd modd, bob tro y caffwn gyfle. Pa le bynnag y ceir ymadroddion union-gyrchol yn y gainc, ceir hwynt bron yn ddieithriad yn y ddrama, heb nemor gyfnewidiad.'[56] Mewn gwirionedd, fe syrthiodd D.T. Davies rhwng dwy stôl. Ar y naill law, mynnodd ddelio â'r chwedl mewn dull cyfoes, sef trwy wneud drama gymdeithasol ohoni, ond ar y llaw arall ni chymerodd y rhyddid oedd yn angenrheidiol i wneud hynny'n llwyddiannus. 'Roedd yn ymwybodol o'r angen i ddarlunio'r cymeriadau'n gyson â'r chwedl, felly fe lynodd yn rhy glòs wrthi.

Awgryma Glenys Mair Powell mai teip yw Branwen D.T. Davies, teip oesol o'r cymeriad diniwed yn dioddef. Hi yw symbol yr holl elfennau goddefgar, heddychlon, adeiladol a diniwed yn y ddrama, ac Efnissyen yw'r symbol o'r cyfan sy'n ddrwg a dinistriol. Gwrthgyferbynnir y ddau gymeriad hyn yn gyson drwy'r ddrama ac fe ychwanega hyn at yr argraff a geir mai teipiau ydynt. Ar y llaw arall, fe rydd cymeriad hud-a-lledrith Blodeuwedd lawer mwy o ryddid i Saunders Lewis, ac mae'r ffaith iddo ddefnyddio barddoniaeth i ddiogelu naws y chwedl, yn hytrach na chynnwys darnau o'r chwedl yn y ddrama, yn golygu bod ei ddrama ef yn llawer mwy llwyddiannus na *Branwen*. Medd Glenys Mair Powell:

> Gwelir datblygiad amlwg felly yn y ddrama fytholegol rhwng Branwen Ferch Llŷr a Blodeuwedd, rhwng y ddrama gymdeithasol a'r ddrama fydryddol, ac ar y cyfan, gellir dweud mai'r ddrama fydryddol a brofodd ei hun yn fwyaf addas ar gyfer drama chwedlonol, yn y cyfnod hwnnw beth bynnag.[57]

Er nad ysgrifennodd D.T. Davies ddrama 'fawr' felly, fe haedda le teilwng iawn ymhlith dramodwyr cymdeithasol hanner cyntaf y ganrif hon. 'Roedd iddo ran bwysig dros ben yn y mudiad drama yng Nghwm Rhondda'r adeg honno, ac fe ddefnyddiodd y gymdeithas a'r bobl a welai yn yr ardal i raddau helaeth iawn yn ei ddramâu. Mae'n amlwg iddo ymhoffi'n fawr yn y dafodiaith a'i chymhwyso'n llwyddiannus iawn ar gyfer y theatr. Wrth ddarllen y dramâu cymdeithasol heddiw gellir cytuno â Dafydd Glyn Jones pan ddywed:

> . . . teimlir mai peth prin yn nramâu'r ysgol hon yw'r ansawdd lenyddol sy'n sicrhau bod drama'n goroesi ei chenhedlaeth ei hun. Wrth ail-brisio'u gwerth a'u pwysigrwydd . . . mae dyn, er mor anodd esbonio'n union pam, yn teimlo nad gwerth a phwysigrwydd llenyddol mohono . . .[58]

a gellir dweud bod eu pwysigrwydd yn gorwedd yn y ffaith eu bod yn faes toreithiog 'i'r sawl sy'n olrhain hanes syniadau a hanes cymdeithas.'[59] Serch hynny, rhaid canmol gwaith gorau D.T. Davies ar gyfrif crefft y dramodydd, ei allu i ddarlunio cymeriadau byw, a'i ddisgyblaeth ym maes iaith a mynegiant.

NODIADAU

[1]Beriah Gwynfe Evans, *Gwrthrhyfel Owain Glyndŵr* (Llanberis, 1880).

[2]W.J. Gruffydd, adolygiad ar Beriah Gwynfe Evans, *Glyndŵr: Tywysog Cymru* yn *Y Beirniad*, cyf. 1, rhif 3 (Hydref, 1911), 214-217.

[3]W.J. Gruffydd, *Beddau'r Proffwydi* (Caerdydd, 1913).

[4]D.T. Davies, *Ble Mà Fa?* (Caerdydd, 1913).

[5]ibid., 15.

[6]ibid., 22.

[7]idem, *Ephraim Harris* (Caerdydd, 1914).

[8]ibid., 19.

[9]ibid., 20.

[10]ibid., 21.

[11]ibid., 86.

[12]ibid., 27.

[13]ibid.

[14]Ceir casgliad o ddarlithiau anghyhoeddedig Gwenallt yn Llyfrgell Genedlaethol Cymru, Aberystwyth.

[15]D.T. Davies, *Pelenni Pitar* (Abertawe, 1925).

[16]idem, *Castell Martin* (Caerdydd, 1920).

[17]idem, *Ffrois* (Caerdydd, 1920).

[18]ibid., 17.

[19]ibid., 31.

[20]ibid., 25.

[21]idem, *Y Pwyllgor* (Caerdydd, 1920).

[22]ibid., 16.

[23]ibid., 19.

[24]ibid.

[25]ibid., 23.

[26]ibid.

[27]ibid., 35.

[28]ibid.

[29]ibid.

[30]ibid., 36-7.

[31]idem, *Y Dieithryn* (Caerdydd, 1922).

[32]idem, *Gwerthoedd* (Aberystwyth, 1936).

[33]ibid., 3.

[34]ibid., 9.

[35]ibid., 17.

[36]ibid., 19.

[37]ibid., 20.

[38]ibid.

[39]idem, *Troi'r Tir* (Caerdydd, 1926).

[40]ibid., 3.

[41]ibid.

[42]ibid., 18-19.

[43]ibid., 21.

[44]ibid., 7.

[45] idem, *Toriad Dydd* (Aberystwyth, 1932).

[46]ibid., 3.

[47]ibid., 7.

[48]ibid., 28.

[49]ibid., 31

[50] idem, *Branwen Ferch Llŷr* (Caerdydd, 1921).

[51]ibid., 3. Cyhoeddwyd y ddrama hon ym 1921, ddwy flynedd cyn i act gyntaf *Blodeuwedd* Saunders Lewis ymddangos yn *Y Llenor*.

[52]ibid., 6-7.

[53]ibid., 7.

[54]Glenys Mair Powell, 'Mytholeg Geltaidd yn Llenyddiaeth Gymraeg yr Ugeinfed Ganrif', Traethawd M.A. (Cymru, 1970).

[55]ibid., 84.

[56]ibid., 85.

[57]*Branwen Ferch Llŷr*, 4.

[58]*op.cit.*, 95.

[59]*op. cit.*, 215.

ATGYFODI CWM GLO,
KITCHENER DAVIES

Manon Rhys

Bu cynhyrchiad Cwmni Theatr Gwynedd o *Cwm Glo,* yn Gymraeg ac yn Saesneg, ar daith ledled Cymru yn ystod Gwanwyn 1995. Dyma'r ddrama a achosodd drafodaeth frwd adeg ei hymddangosiad cyntaf drigain mlynedd yn ôl. Fe'i dyfarnwyd yn fuddugol yng nghystad-leuaeth y ddrama hir yn Eisteddfod Genedlaethol Castell-nedd yn 1934; fe'i canmolwyd am ei chrefft gan y beirniaid, D.T. Davies, R.G. Berry a'r Athro Ernest Hughes, ond fe'i collfarnwyd oherwydd ei 'hanfoesoldeb'. 'Roedden nhw o'r farn bendant na ddylid ei llwyfannu. Ond ar ôl sicrhau caniatâd y sensor, Cynan, fe'i perfform-iwyd gan Gwmni Drama Gymraeg Abertawe ac yna gan Gwmni'r Pandy, o dan gyfarwyddyd yr awdur. Bu mwy o feirniadu arni, eto oherwydd ei moesoldeb amheus, ac am iddi bardduo cymeriad glân y glöwr.

Penllanw'r penderfyniad i atgyfodi'r ddrama ar ôl trigain mlynedd yw'r ffaith ei bod yn fwriad ei chynnwys, yn Gymraeg ac yn Saesneg, ym maes llafur arholiadau'r Cyd-bwyllgor Addysg Cymreig.

*   *   *

Mae cyfres o erthyglau ar 'The Drama in Wales' a sgrifennodd fy nhad ar gyfer tudalen Gymreig y *News Chronicle*, rhwng Hydref 1935 a diwedd Chwefror 1936, yn crisialu ei syniadau radical am gyflwr y ddrama yng Nghymru ar y pryd, ac yn sgil hynny yn taflu goleuni rhyng-linellol, fel petai, ar *Cwm Glo*. Erthygl feirniadol iawn o'r 'dramaydd ac awdur *Cwm Glo*', yw'r un a ymddangosodd yn yr *Amman Valley Chronicle* ar 21 Mawrth 1935. Ond mae hi, hefyd, yn adleisio'i ddaliadau gwleidyddol a chrefyddol yn y cyfnod hwn, ac yn adlewyrchu grym didostur y feirniadaeth a daflwyd ato. Mae hi'n werth nodi cynnwys yr erthyglau hyn yng nghyd-destun atgyfodi'r ddrama yn 1995.

Mae'r gyfres yn y *News Chronicle* yn eang ei sylwadau. Er enghraifft, trafodir y diffyg traddodiad ym myd y ddrama yng Nghymru, a'r ffaith bod y diffyg hwnnw wedi llesteirio ei thwf a'i datblygiad: 'England can suffer a deluge of fashionable and sensational plays because its theatre tradition is deep rooted and because it has, when it tires of its present whim, the centuries-old body of English drama to which to return . . . Wales has no theatre tradition and no literature of plays.' (8 Tachwedd 1935) Sylwir ar ysfa cynulleidfaoedd y cyfnod i gael eu diddanu yn hytrach na'u diddori: 'Formerly our dramatists sought to create fun, and their farces helped breed the undisciplined audiences that fail to appreciate tense drama.' (20 Rhagfyr 1935)

Yn ôl mwy nag un adolygiad o berfformiad Cwmni Drama Gymraeg Abertawe o *Cwm Glo*, cymeriad doniol iawn oedd y Dai Dafis a actiwyd gan Clydach Thomas. I ddyfynnu 'Cerddetwr' yn yr *Amman Valley Chronicle*, 14 Chwefror 1935, 'Fe gadwodd Mr. Clydach Thomas, drwy droi cryn lawer o drasiedi'r ddrama yn rhywbeth tebyg iawn i ffars, y cwbl rhag mynd yn boenus o ddiflas i'r neb sydd yn anwylo cymeriad glöwr de Cymru. Diolch am hyn!' Tybed a deimlodd yr awdur yn flin ynglŷn â hyn? Ai dyna oedd un o'r rhesymau a'i hysgogodd i godi ei gwmni ei hun i gynhyrchu'r ddrama, a hynny'n syth ar ôl cynhyrchiad Cwmni Abertawe? Daliai'r mater i'w boeni yn erthygl y *News Chronicle*, 14 Chwefror 1936: 'The Welsh play need only *amuse* in the sense that it engenders uncontrolled laughter. The English play must set an artistic problem. Welsh dialogue need only be farcically funny or tearfully sad; English dialogue has to be cleverly written or poignantly dramatic.'

Mae erthygl 13 Rhagfyr 1935 hefyd yn berthnasol i *Cwm Glo*—ac i'r ffaith na sgrifennodd ddim tebyg iddi weddill ei fywyd. Wrth sôn am y bwriad i addasu nofel Jack Jones, *Rhondda Roundabout*, ar gyfer y radio, fe gyfyd cwestiwn ynglŷn ag 'experiments in realism . . . a feature of both our radio and stage plays.' Honna fod yr arbrofi hwn bellach wedi'i ddyddio: 'Should (we) not seek to create a more poetic, mystic or symbolic expression . . .?' (Sef, gellid dadlau, yr hyn a geisiodd ef ei hun ei gyflawni yn ystod y blynyddoedd nesaf.)

Ond yng nghyd-destun *Cwm Glo*, efallai mai erthygl 3 Ionawr 1936 yw'r un fwyaf dadlennol. Ei phennawd yw, 'Will 1936 produce the great playwright?' a'i his-bennawd, 'Artistic Traditions which have not been explored.' Ei gyflwyniad i'r erthygl yw: 'Nothing startling occurred to Welsh drama in 1935. Certain names are becoming a legend; a few fresh names appear. The Eisteddfod witheld its prize.' Dwy ffaith berthnasol. Yn gyntaf, 1935 oedd y flwyddyn y perfformiwyd *Cwm Glo* ac y bu'r holl drafod yn ei chylch. Yn ail, ei ddrama ef, *Dies Irae*, a ddaeth i'r brig o ddeunaw yn yr Eisteddfod. Ai cyffyrddiad bach tafod-yn-y-foch a hunan-wawdlyd yw'r cyflwyniad hwn, felly?

Â ymlaen i drafod awgrym rhai o feirniaid y cyfnod y dylai'r ddrama yng Nghymru ehangu'i gorwelion a chwilio am ddeunydd mewn meysydd lletach na 'native Welsh settings' y ddrama-gegin wladaidd ei chefndir a'i chymeriadau. Lled gytuna â'r awgrym, gan gyfaddef '(that) this folk stuff demands the poetic insight of a Synge to make alive the farm kitchen and the chapel vestry, its necessary stage setting, and the deacon/grocer/carpenter, its necessary dramatis personae.' Honna fod patrwm bywyd yr ardaloedd diwydiannol yn debyg iawn i un y bywyd gwledig, ac yn ei drawsfeddiannu'n raddol: '. . . the habits and people of rural Wales (are) lingering in their death.' (Naw mlynedd yn ddiweddarach, dyma oedd thema ganolog *Meini Gwagedd*, y soniaf amdani eto.) Mewn drama-gegin a leolwyd mewn ardal ddiwydiannol, meddai, yr un dodrefn fyddai ar y llwyfan a'r un cynhwysion (*passion-ingredients*) fyddai i'r ddrama; ond byddai'r siopwr traddodiadol yn fasnachwr 'multiple store', gweithiwr ffatri fyddai'r saer coed, a chynghorydd lleol fyddai'r hen flaenor duwiol: 'In art', meddai, 'industrial Wales is a derelict rural culture.'

Mae'n cyfaddef y cyfyd problemau wrth bortreadu cymdeithas ddiwydiannol yn Gymraeg. Y maen tramgwydd mwyaf yr adeg honno, fel heddiw, oedd y ffaith fod cyfran helaeth o'r gymdeithas mor Seisnigedig. 'The proletariat is Anglicised,' meddai. (Parodd ei ddefnydd o'r gair 'proletariat', yn yr araith y byddaf yn sôn amdani maes o law, dipyn o ofid i ambell un.) Y cig yn y frechdan oedd 'Welsh life' ond haenen fach denau ydoedd rhwng dau grystyn trwchus o 'Anglicism'. O ganlyniad, byddai'n haws sgrifennu ambell beth fel drama ' thriller', neu ddrama wedi ei lleoli mewn sefyllfaoedd

'Saesneg', megis gwesty neu gyfarfod busnes, yn Saesneg. (Gallasai ychwanegu fod gosod drama Gymraeg mewn cymuned lofaol wedi bod yn anodd; bod trafod dadleuon economaidd a gwleidyddol mewn cymuned o'r fath wedi bod yn anodd yn Gymraeg; yn sicr gallasai ddadlau fod trafod rhwystredigaeth rywiol, puteindra a llosgach yn Gymraeg, wedi bod yn anodd. Ond dyna a wnaethai ychydig fisoedd ynghynt yn *Cwm Glo*. A chofier mai'r ffaith iddo feiddio sôn am y pynciau rhywiol hyn yn *Gymraeg* a gynhyrfodd y beirniaid.)

Problem ieithyddol sylfaenol yn llesteirio datblygiad y ddrama Gymraeg ddinesig/ddiwydiannol—dyna, felly, oedd barn fy nhad. Efallai ei bod yn llai o broblem heddiw. Diolch i nifer o ffactorau, gan gynnwys y cynnydd aruthrol mewn addysg drwy gyfrwng y Gymraeg yn ardaloedd Seisnigedig y De, normaleiddir fwyfwy y defnydd o'r iaith mewn sefyllfaoedd a fuasai gynt yn anghredadwy yn yr ardaloedd hyn. Dylai fod yn gynyddol bosib i leoli, dyweder, drama 'thriller' Gymraeg mewn ardal Saesneg ei hiaith, ac i greu sefyllfa ddramatig gredadwy, naturiol Gymraeg mewn, dyweder, gwesty, ffatri, siop neu ystafell bwyllgor mewn ardal gyffelyb, boed hynny ar lwyfan neu mewn drama deledu. Gyda llaw, mae hi'n werth nodi mai o'r ysgolion Cymraeg y brwydrodd pobol fel fy rhieni i'w sefydlu, y llifodd ac y llifa eto, gobeithio, awduron a'u 'dramatis personae' Cymraeg eu hiaith—fel y gweithiwr ffatri, y masnachwr a'r cynghorydd.

Ei honiad nesaf yw mai dyn (sic!) o allu arbennig a fyddai'n llwyddo i wneud tlodi a dadwreiddio cymdeithasol yn elfennau byw (*active characters*) mewn dramâu cymdeithasol cyfoes yn hytrach nag yn gefnlen cyfleus: 'Lesser minds must be content with the strife of petty individual wills, missing the true tragedy of human souls battling with Fate.' Unwaith eto, gwelir cysgod o'i ymdrech yntau beth amser ynghynt i bersonoli effeithiau tlodi, materoliaeth a chyfalafiaeth yng nghymeriadau *Cwm Glo*, ac i bortreadu brwydr unigolion i oresgyn eu ffawd, sef yr amgylchiadau cymdeithasol enbyd sy'n eu llethu.

Mae ei syniadau am y ddrama a'i ddaliadau gwleidyddol yn cydblethu pan drafodir y cysylltiad rhwng creu dramâu 'mawr' (*great drama*) a methiant y system addysg i greu ymwybyddiaeth o hanes Cymru: 'An alien education system has taught us to neglect the history

and legend of our nation . . .' Ond dyma'r gic, '. . . and so saved us from
the surfeit of the Welsh counterpart of Deirdre!' Yn syth ar ôl dweud
hynny, cyfaddefa fod prinder y deunydd hanesyddol/chwedlonol y
gellid tynnu ysbrydoliaeth ohono yn broblem, 'even if the sensitive
spirit should appear to create the beautiful fairy tale that a history play
must be of necessity.'

Cofier mai Calan 1936 yw hi, ac iddo yntau sgrifennu dwy ddrama
yn ystod 1935. Mae *Ynys Afallon* yn tynnu ei hysbrydoliaeth o'r
traddodiad chwedlonol Arthuraidd. Drama ac iddi gefndir hanesyddol
cyfnod y Rhufeiniaid yw *Dies Irae*. Drama symbolaidd, led-fydryddol,
yw'r gyntaf. Mae hi'n amlwg y bu'r syniad yn troi yn ei ben am
flynyddoedd. Mewn llythyr at T. Gwynn Jones, ddiwedd Hydref 1930,
dywed: 'Y mae yn fy mryd sgrifennu drama Gymraeg ar Ymadawiad
Arthur, a'i chnewyllyn fydd problem Heddwch: bod gobaith byd
mewn rhywbeth rhagor na Chaledfwlch . . . Fy amcan yw gwneud stori
Arthur yn fan cyfarfod holl broblemau ymladd, holl pros &cons
rhyfeloedd, od yw'n bosibl, a chadw urddas ddibropaganda y stori heb
ddifwyno ei chelfyddyd.' Erbyn 1935, 'roedd wedi ehangu ar y thema
hon, ac wedi cyfuno elfennau o'r chwedl Arthuraidd ag elfennau
hanesyddol a chyfoes.

Ei thema, yn ôl nodiadau cefndir fy mam yn y gyfrol *Gwaith James
Kitchener Davies*, 'yw argyfwng hanesyddol colli Arthur yn wyneb y
digwyddiadau yng Nghymru heddiw, ac arferai'r awdur ddweud ei bod
yn crynhoi llawer o'r hyn a geisiai ef ei fynegi ar focs sebon.'
Ymgyrch aflwyddiannus Buddug yn erbyn y Rhufeiniaid yn 61 CC
yw cefndir *Dies Irae*, drama a ddaeth i'r brig, fel y soniais eisoes, yn
Eisteddfod Genedlaethol Caernarfon, ond nad enillodd wobr. Honna
fy mam na 'theimlai'r awdur yn fodlon arni; bwriadasai ei hail-
ystyried a'i chrynhoi, gan gryfhau arwyddocâd sefyllfa'r hen
Frythoniaid i ni yn y Gymru gyfoes.' Dilynai'r ddwy ddrama yn syth
ar ôl *Cwm Glo* a'i dull naturiolaidd, ei dadansoddi gwrthrychol a'i
chefndir cyfoes 'Roedd yna fwriad i'r tair, mewn gwahanol ffyrdd,
adlewyrchu'r sefyllfa gyfoes yng Nghymru. Dywed Ioan Williams, yn
Kitchener Davies (1984), ei bod yn 'nodweddiadol o Kitchener fod y
tair drama hyn wedi'u cyfansoddi ymhen cyfnod o ddwy flynedd.
Rhaid eu gweld nhw fel rhan o'r un ymdrech angerddol i gysylltu

gwahanol agweddau o'i feddwl â'i gilydd.' Maen nhw hefyd, mi gredaf, yn crisialu bwrlwm y cyfnod hwn o arbrofi â syniadau a ffurfiau dramatig gan ddramodydd yr oedd ei fryd ar ehangu gorwelion y ddrama Gymraeg.

Ei gam nesaf yn ei erthygl yw ceisio diffinio pwy fyddai'r 'first great Welsh dramatist', sef: 'He who ventures on a voyage of discovery, into a sea that Welsh artists, possibly because of the objective tradition of our poetry, have not charted. The subjective psychological play that manifests the thirsts and tortures, the raptures and exultations, the frustrations and achievements within the human soul, facing the elemental passions of humanity, remains as yet to be written.' Heblaw am y gair 'subjective', gellid dadlau ei fod ef ei hun wedi ymdrechu, o leiaf, i gyflawni anghenion y diffiniad hwn yn *Cwm Glo* flwyddyn a hanner ynghynt. Ymhen naw mlynedd fe sgrifennai'r ddrama fydryddol (neu'r gerdd ddramatig?) *Meini Gwagedd*, â'i angerdd goddrychol. (Ac oni ellir defnyddio'r un diffiniad i ddisgrifio'r hyn a geisiodd ei gyflawni dros bymtheng mlynedd yn ddiweddarach yn ei gerdd, *Sŵn y Gwynt sy'n Chwythu?*) Beth bynnag am hynny, tybiaf fod dau berson ynghlwm â'r diffiniad hwn o'r 'ddrama fawr'; Kitchener y beirniad â'r dyhead angerddol i weld gwireddu'r fath ddrama, a Kitchener y dramodydd, â'r dyhead angerddol i'w sgrifennu hi.

O safbwynt *Cwm Glo*, ac o gofio'r beirniadu personol a fu arno ef fel awdur y ddrama, yn benodol am lusgo enw da'r glöwr drwy'r llaca, mae'r paragraff sy'n cloi'r erthygl yn ddiddorol iawn. Rhestra'r rhwystrau a saif yn ffordd sgrifennu'r 'ddrama fawr'. Yn gyntaf, amaturiaeth awduron—a phrinder amser i ymchwilio o dan groen syniadau, prinder nawdd i fentro i dir arloesol, a phrinder gweithdai drama i roi hwb i hyder ac i bwyso a mesur crefft. Yn ail, amaturiaeth cynulleidfaoedd y cyfnod, cynulleidfaoedd a oedd yn amddifad o draddodiad drama, ac o draddodiad o feirniadaeth safonol. Fel y nodwyd eisoes, os oedd drama'n peri chwerthin calonnog 'roedd hi'n dda. Yn drydydd—a hwn yw'r sylw arwyddocaol post-*Cwm Glo*—y ffaith fod niferoedd y gymdeithas Gymraeg mor brin '. . . that each of us becomes sensitive that his neighbour recognises him in the outrageous truth the dramatist tells, and so the dramatist—shame on

J. Kitchener Davies

him—must be made to understand that he is not to strip us naked for his selfish glee.'

Beth amser ynghynt, ceisiwyd gorfodi awdur *Cwm Glo* i ddeall un neu ddau o bethau. Yn ôl tri beirniad drama Eisteddfod Castell-nedd, 'roedd eisiau i'r dramodydd buddugol ddeall nad oedd lle i 'anfoesoldeb' ar lwyfannau Cymru. Tybient na ddylid llwyfannu'r ddrama o gwbwl; tybient na fyddai unrhyw gynhyrchydd yn awyddus i wneud hynny, beth bynnag, ac na feiddiai neb ofyn i'w chwaer chwarae rhan Marged. Tybiasant yn anghywir. Ymhen ychydig fisoedd, fe lwyfannwyd *Cwm Glo* gan ddau wahanol gwmni a'i theithio ledled de Cymru. Ac fe feiddiodd un cynhyrchydd drygionus ofyn i'w chwaer actio rhan Marged. Ond mwy am hynny eto . . .

Yn sgil y llwyfannu a'r teithio, penderfynwyd unwaith eto y dylid 'gwneud i'r dramodydd ddeall' nad oedd i fatryd pobol yn gyhoeddus. 'Pobol', yng nghyd-destun *Cwm Glo*, oedd y glöwr ac aelodau cymdeithas lofaol y cyfnod. Gyda llaw, nid oes unrhyw dystiolaeth fod yr un o'r tri beirniad eisteddfodol wedi codi llais dros nac yn erbyn y ddrama yn ystod y cyfnod wedi'r Eisteddfod. Ai golchi'u dwylo o'r holl fusnes a wnaethon nhw? Ai cachgïo rhag ailymaflyd yn y ddadl, gan adael y beirniadu i'r ychydig hyglyw?

'Roedd yr ychydig hyglyw hyn yn hallt a digymrodedd eu beirniadaeth. Arllwyswyd eu dicter dros *Cwm Glo* a'i hawdur dro ar ôl tro, a hynny gydag arddeliad y cyfiawn. Sicrhau cyfiawnder i'r glöwr ac i'w gymdeithas oedd prif fyrdwn yr un uchaf ei gloch, sef 'Cerddetwr', 'alias' Amanwy, 'alias' David Grifiths (brawd Jim Griffiths A.S., Ysgrifennydd Gwladol cyntaf Cymru), bron yn wythnosol yn ei golofn yn yr *Amman Valley Chronicle.* (Gw. y bennod 'Nid Bachan Budr yw Dai' yn *Arwr Glew Erwau'r Glo*, Hywel Teifi Edwards.) 'Paham y rhaid i ddramodydd o allu Mr. Kitchener Davies liwio'r graig y nadded ef ohoni â huddugl uffern?' oedd un o gwestiynau llym 'Cerddetwr': 'Wrth gwrs, gellir cyflawni pob anfadwaith yn enw celfyddyd, hyd yn oed dodi pump o saith cymeriad mewn drama i fynd i ddifancoll ar alwad rhyw.' Ond ei bregeth fawr oedd : 'Na feier Caradog Evans mwy am *My People* . . . Dyma chwaer unfam undad i'w nofelau yn *Cwm Glo*' (*Amman Valley Chronicle*, 14 Chwefror 1935). Fe'i cefnogwyd yn ei ymgyrch i ddysgu gwers i'r cyw ddramodydd gan un neu ddau arall uchel eu cloch ond cyfyng eu

David Griffiths (Amanwy)

cylch o ddarllenwyr yng nghymoedd y De. 'Does dim tystiolaeth fod yna gonsensws barn eang yn erbyn *Cwm Glo*.

Mae hi'n amlwg, fel y dywed Hywel Teifi, mai un maen tramgwydd anferth i 'Cerddetwr' a'i gyd-golofnwyr o Sosialwyr oedd y ffaith mai un o'r 'dynion rhyfedd' hynny a berthynai i'r Blaid Genedlaethol oedd awdur *Cwm Glo*. (Y 'Blaid Ffasist Gymraeg, sef yr unig blaid sy'n mynd i dywys gwerin y wlad i'r Ganaan well' yw disgrifiad 'G' ohoni yn yr *Amman Valley Chronicle*, 2 Ionawr 1936.) Ceir y rhagfarn hon ar ei hanterth gan 'Cerddetwr' mewn erthygl yn yr un papur, 21 Mawrth 1935, lle y ceir adroddiad am araith a draddododd 'y dramaydd ac awdur *Cwm Glo*' yng nghinio Gŵyl Ddewi Cymdeithas Dinam, Nantymoel. Teimlodd 'Cerddetwr' yn ddigon ffyrnig i gyhoeddi'r paragraff canlynol o'r araith yn ei grynswth. Gwnaf innau yr un peth, eto yng nghyd-destun *Cwm Glo*, ac oherwydd ei fod yn enghraifft o onestrwydd diflewyn-ar-dafod yr areithiwr. Ie—am 1935, nid am 1995 ôl-Thatcheraidd, os 'ôl' hefyd, y mae'n sôn:

> Yr ydym heddiw mewn argyfwng cyn galeted â dim o'r blaen. Y mae ffynhonnau diwylliant Cymru yn sychu, y tyddynnod yng nghefn gwlad yn dadfeilio, a 'phridd y ddaear' y gwnaethpwyd diwylliant Cymru ohono yn ddiwiddas [sic]; ac y mae miloedd o'r proletariat dieiddo, didras yn ysglyfaeth i bob gau-athrawiaeth yn ein cymoedd diwydiannol. Diwreiddir hwy yn llwyr a'u gyrru'n alltud o'u gwlad. Cred faterol y Comiwnyddion sy'n llochesu yn eu heneidiau gweigion—y gred mai opiwm yw crefydd i'r bobl. Gwirach o lawer yw bod opiwm materoliaeth wedi troi'n grefydd iddynt, a'u dal yng ngefynnau tynion ofergoel economaidd a'u cadw'n gaeth i Famon ac i Foloch.

'Beth a ddywed cefnogwyr Mr. Kitchener Davies . . . wedi darllen y paragraff uchod?' yw cwestiwn godidog o orchfygol 'Cerddetwr'. Unwaith eto, fel petai *Cwm Glo* ddim yn ddigon, dyma brawf diysgog bod y tipyn Cenedlaetholwr hwn o awdur â'i gyllell yng nghefnau eneidiau'r cymoedd glofaol. Yr ymadroddion 'proletariat dieiddo, didras', 'Comiwnyddion' ac 'eneidiau gweigion' sy'n peri'r gofid mwyaf iddo. (Â i'r Geiriadur i chwilio am ystyr 'proletariat' a sylweddoli bod 'arweinwyr y Blaid Genedlaethol nid yn unig yn mynd i Rufain am eu crefydd ond am eiriau i bardduo gweithwyr ein cymoedd diwydiannol.') Yn fwy na dim dylai Mr. Kitchener Davies 'ddeall enaid pethau ac yntau'n byw yn Nhonypandy, lle mae chwech neu saith o bob deg yn segur.' Fe'i gwahoddir yn daer i fynychu 'ambell Ddosbarth Ysgol Sul yng nghapeli'r cylch. Neu, yn wir, i dreulio ychydig foreau ar sbel yn un o lofeydd y fro. Yr ydym yn sicr y dysgai fwy o athroniaeth crefydd nag a gasglodd ar ei daith golegol hyd yn hyn.' Yn wir, byddai'n dda iddo gofio 'mai y *proletariat*, drwy gyfrwng Cyngor Sir Morgannwg, a'r cyfoeth a ddaeth via Llandinam, Glanely, y Seagers a diwydianwyr cyffelyb a roes Brifysgol iddo fyfyrio ynddi . . .' Mae'n cloi ei feirniadaeth â her: 'Yr ydym yn hanner obeithio mai anwiredd yw'r adroddiad. Os felly, gorau oll gyntaf y dywed Mr. Kitchener Davies hynny wrth werin Cymru.'

Am wn i, ni dderbyniwyd yr her hon. Am wn i, ni fynegodd fy nhad ei ymateb i'r beirniadu ar *Cwm Glo* nac arno yntau, mewn nac erthygl nac araith. Câi gyfle i egluro'i ddaliadau gwleidyddol ar lwyfannau cyhoeddus, ar focsys sebon ac mewn print—ac i geisio'u byw nhw yng Nghwm Rhondda. Câi gyfle i fynegi ei ddaliadau crefyddol o bulpudau—ac i geisio'u byw nhw. Ond ni fachodd erioed ar y cyfle i'w amddiffyn ei hun yn gyhoeddus fel awdur *Cwm Glo*. Pam? Pwy ŵyr? Yn bersonol, byddwn wrth fy modd yn gwybod beth oedd ei adwaith. Byddwn hefyd wrth fy modd petai wedi egluro'n fanwl pam y sgrifennodd *Cwm Glo*. Efallai y byddai ei eglurhad yn un cyfrwng arall i minnau, na chafodd ei adnabod, ddysgu ychydig mwy amdano.

Mae'n debyg nad oedd yn un i deimlo i'r byw ynglŷn â beirniadaeth bersonol. Onid oedd angen croen eliffant ar Genedlaetholwr i wrthsefyll sen y Blaid Lafur a'i chefnogwyr ar hyd y blynyddoedd? Mae'n debyg, hefyd, na phoenai'n ormodol am feirniadaeth ar ei waith. 'Roedd herio'n ail natur iddo ac 'roedd ynddo awydd gref i arloesi. 'Roedd hefyd, yn ôl y sôn, yn byrlymu o ddrygioni. Yng nghanol helynt *Cwm Glo*, beth wnaeth y dihiryn, fel y crybwyllais, oedd herio'r beirniaid eisteddfodol a'r rhai colofnol a chodi cwmni i berfformio'r ddrama, gan chwarae rhan Dai Dafis ei hun a gwahodd ei chwaer i actio rhan Marged. (Yr un drygioni cynhenid a barodd iddo anfon *Y Tri Dyn Doeth*, ei addasiad o stori fer gan Thomas Hardy, i gystadleuaeth Cyfansoddi Drama Fer Eisteddfod Genedlaethol Caerdydd yn 1938, gan gyfaddef wrth y beirniad, J.D. Powell, mai addasiad

Cwmni'r Pandy

ydoedd. Fe'i bwriwyd allan o'r gystadleuaeth. Anfonodd *Meini Gwagedd* i ddwy gystadleuaeth yn Eisteddfod Genedlaethol Llandybïe, 1944—Y Ddrama Fer a'r Gerdd Vers Libre. Enillodd ar y gyntaf, gan dderbyn canmoliaeth gan y beirniad, Matthew Williams. Fe'i collfarnwyd gan Saunders Lewis am yr ail. Yn ddiddorol iawn, ar ôl iddo ddarllen gwerthfawrogiad canmoliaethus Prosser Rhys ohoni, ailfeddyliodd Saunders Lewis yn llwyr ynglŷn â *Meini Gwagedd*. Anfonodd lythyr at fy nhad yn canmol y gwaith ac yn tynnu ei feirniadaeth swyddogol yn ôl.)

Soniais am gefndir cymhleth a chyffrous 1935. Ond beth am 1995, a'r bwriad i atgyfodi *Cwm Glo*? Pan ddeallais fod gan Gwmni Theatr Gwynedd ddiddordeb yn ei lwyfannu, a bod cyfle i mi gydweithio ar y fenter, waeth i mi gyfaddef, 'rown i'n fwrlwm o deimladau cymysg. Yn gyntaf, teimlwn yn falch. Dros ddeugain mlynedd wedi marwolaeth fy nhad, a thrigain mlynedd ar ôl iddo sgrifennu'r ddrama, 'roedd bwriad i'w hatgyfodi a'i theithio ledled y wlad. Câi ei llwyfannu gan gwmni proffesiynol am y tro cyntaf erioed, a chawn innau fod yn rhan o'r cywaith drwy ystwytho rhywfaint ar y ddeialog a

Rhaglen *Cwm Glo*, 1995

(Cwmni Theatr Gwynedd)

thynhau tipyn ar ambell olygfa ac ambell araith. Cawn gyfle i bontio'r blynyddoedd; cawn gyfle i hybu gwaith fy nhad; cawn gyfle i fod yn rhan o'i weledigaeth.

Ond yn gymysg â'r balchder 'roedd gen i f'amheuon A ddylid, mewn gwirionedd, atgyfodi'r ddrama? A oedd hi wedi llwyddo i oroesi'r trigain mlynedd? A fyddai hi'n llwyddo i ddal ei thir—o ran thema a thechneg? Beth fyddai adwaith cynulleidfaoedd soffistigedig yn hinsawdd gymdeithasol a gwleidyddol gymhleth 1995? Er gwaetha'r holl sôn a fu am ei beiddgarwch yn ei chyfnod, am 'ei moesoldeb amheus' ac am hyfdra digymrodedd fy nhad wrth ymdrin â rhyw, ac â'r glöwr a'r gymuned lofaol, a fyddai hi wedi dyddio'n ormodol, ac yn ddim byd mwy, erbyn hyn, na melodrama fach syml, ddiniwed ei syniadaeth? A fyddai hi'n chwerthinllyd o arwynebol?

Pendronais, hefyd, ynglŷn â'r gwahoddiad i'w chyfieithu i'r Saesneg a'r bwriad i'w pherfformio yn yr iaith honno yn ogystal ag yn Gymraeg. Byddai'n gyfle i gynulleidfa ddi-Gymraeg ei gweld a'i gwerthfawrogi—neu ei beirniadu. Ond pam na sgrifennwyd hi yn Saesneg yn wreiddiol os mai apelio at y di-Gymraeg oedd y nod? Ni phendronais yn hir. Mae hi'n dderbyniol i gyfieithu dramâu anghyfiaith i'r Gymraeg er mwyn inni eu gwerthfawrogi; mae cyfieithu dramâu Cymraeg, gan awduron fel Saunders Lewis a John Gwilym Jones, i'r Saesneg yn dderbyniol er mwyn i'r di-Gymraeg eu gwerthfawrogi; mae cyfieithu unrhyw lenyddiaeth i'r Gymraeg, ac o'r Gymraeg i'r Saesneg ac i ieithoedd eraill, yn dderbyniol. Boed felly â *Chwm Glo*. Ond os tybiais y byddai gan gynulleidfa ehangach na'r un Gymraeg yn unig ddiddordeb mawr ynddi, prin fu'r dystiolaeth o hynny, fel yr esboniaf eto.

Fy mhryder pennaf oedd faint o hawl oedd gen i (na neb arall, o ran hynny) i fentro ar ryw dipyn o addasu? Adrodddai'r annwyl Eic Davies stori amdano'n actio yn *Y Tri Dyn Dierth*. 'Doedd Eic ddim yn rhy siŵr o'i eiriau, a thueddai at yr *ad lib*. Yn yr ymarfer olaf cafodd bregeth dwym gan fy nhad. Dadleuai Eic ei fod yn dilyn y sgript i'r llythyren, ond cafodd wybod ei seis a dim whare. 'Paid â dadle 'da fi, gwboi!', tasgodd y dramodydd-gynhyrchydd. 'Achos pwy sgwennws y ddrama 'ma? Ti neu fi?' Nid fi sgwennws *Cwm Glo*, ond fi oedd yn mynd i ddablan â hi.

Mae stori'r atgyfodiad yn dechrau gyda diddordeb mawr Graham Laker, Cyfarwyddwr Artistig Cwmni Theatr Gwynedd, yn y ddrama. 'Roedd yn awyddus i lwyfannu drama gyfnod Gymraeg fel rhan o raglen waith y theatr yn ystod 1995. Bu'n pori mewn amryw o ddramâu cyn dod ar draws *Cwm Glo*, a'i mwynhau, ond heb wybod fawr am ei chefndir nac am yr helynt a fu yn ei chylch. Cysylltodd â mi ar ôl ei darllen, gan sôn amdani'n llawn brwdfrydedd a chan ddatgan ei awydd pendant i'w llwyfannu. Mynegodd ei farn ffafriol amdani mewn erthygl yn *Dawn*, cylchgrawn Cymdeithas Ddrama Cymru, Gwanwyn 1995, lle y dywed: 'Y mae drama a achosodd ddicter moesol ar ei hymddangosiad cyntaf yn haeddu cael ei hailystyried; yn aml fe wêl cenhedlaeth newydd haenau o wirionedd ynddi na welodd y gynulleidfa wreiddiol.' Yn *Barn*, rhifyn Mawrth, 1995, fe ddywed: 'Yn fy marn i, mae *Cwm Glo* yn un o glasuron y theatr Gymraeg. Yn bersonol, dwi'n meddwl ei bod hi gystal â'r rhan fwyaf o ddramâu John Gwilym Jones, yn well na rhai ohonyn nhw, ac mae hi'n sicr yn fwy diddorol na dramâu rhyddiaith Saunders Lewis . . . (Mae hi'n) fwy uchelgeisiol na llawer o'r dramâu Cymraeg sy'n cael eu sgwennu heddiw.'

Dyma ddweud mawr. Ar ôl derbyn gwahoddiad Graham, rhaid oedd i minnau ei hailystyried, a'i hailfesur â llinyn go dynn—er mwyn bod yn ymwybodol o'i chryfderau a'i gwendidau. Mae'r sylwadau a sgrifennais ar y pryd yn rhai llym. 'Cymeriad Dai Dafis yn rhy ddu'; 'Marged yn rhy "spoilt"' (Cymraeg Trealaw!); 'Mrs. Davies yn ormod o "deip"'; 'Cymeriadau'n siarad â nhw'u hunain—gormod o ymsonau gan Mrs. Davies, Dai, Morgan Lewis'; 'Y golygfeydd rhwng Bet ac Idwal yn rhy ddwys athronyddol'; 'Y diweddglo'n rhy felodramatig'.

'Rown i'n awyddus i 'gywiro''r 'gwendidau' hyn, ac fe es i ati gydag arddeliad. Fe es i mor bell (a bod mor hyf) â sgrifennu fersiwn newydd, a gynhwysai newidiadau helaeth i'r olygfa olaf, er mwyn ceisio osgoi'r felodrama. Ond, diolch i sawl seiat gyda Graham Laker, aeth y fersiwn honno i ddifancoll. 'Roedd yn fersiwn niwtral, fflat a syrthiai rhwng dwy stôl. Byddai'n ddrama gyfnod y ceisiwyd ei soffistigeiddio, yn llawn o elfennau ei chyfnod o ran cefndir, cyfeiriadau a chymeriadau, ond yn llawer rhy slic a chyfoes ei naws i fod yn ddim ond cawl eildwym. A'r diweddglo melodramatig? Dyna'r diweddglo y disgwyliai cynulleidfaoedd y tridegau amdano'n eiddgar. Dyna'r un a welai cynulleidfa 1995. Penderfynwyd cadw'r 'gwendidau' bron i gyd, heblaw am yr ymsonau nad oedd eu hangen ac a dynnai oddi wrth gredadwyaeth y cymeriadau a rhediad y stori. Erbyn iddi gyrraedd y llwyfan (a'i chyhoeddi mewn argraffiad newydd gan Gymdeithas Ddrama Cymru) parhâi *Cwm Glo* i fod fwy neu lai yn ei chyflwr gwreiddiol.

Cytunwn i'r carn â Graham Laker y dylai'r cynhyrchiad yn ei grynswth lynu mor agos ag oedd yn bosib at y gwreiddiol. Ac felly y bu. Yr eithriad amlwg oedd y set agored, symbolaidd. Fe'i hoffais, yn bennaf am ei bod yn cynrychioli hollbresenoldeb y pwll glo. 'Roedd ei gysgod yn hofran dros bob golygfa, hyd yn oed wrth newid o un olygfa i'r llall, adeg tynnu dodrefn a phrops yr olygfa nesaf allan o'r dramau a gosod rhai'r olygfa flaenorol yn ôl ynddyn nhw. Gorlywodraethai gormes y pwll gydol y ddrama, yn unol â'i neges mai gormes didostur diwydiant a chyfalafiaeth sy'n rheoli bywydau trigolion pob Cwm Glo.

O ran ystwytho'r ddeialog, y cyfan a olygai hynny oedd ceisio sicrhau ei bod yn llifo'n haws, ei bod yn fwy naturiol i'r glust, yn fwy cyfoes ei naws ac yn haws i'r actorion ei llefaru Y nod oedd ei hystwytho heb i neb fod yn ymwybodol o hynny. Ond beth am idiom, tafodiaith ac acen? Yn y fersiwn wreiddiol, ymdrechwyd i gyfleu ar bapur awgrym o dafodiaith gogledd Ceredigion, sef tafodiaith yr awdur. Fel y dywedodd mewn sgwrs radio yn 1951, 'Iaith seiat Llwynpiod sydd yng *Nghwm Glo* . . .' ac ar sail y sylw hwnnw y dadleua Hywel Teifi y gellid fod wedi cyfoethogi'r ddeialog drwy chwistrellu iddi ruddin Cymraeg y cymoedd.

Ond beth oedd 'Cymraeg y cymoedd' erbyn y cyfnod hwn? Pair a fyrlymai o wahanol ieithoedd a thafodieithoedd oedd Cwm Rhondda fel pob ardal ddiwydiannol arall yn ne-ddwyrain Cymru. Lled ddiflanasai hen dafodiaith wreiddiol y 'gloran'— ei geiriau unigryw, ei llafariaid main a'i chytseiniaid celyd. Llifasai miloedd i mewn i'r cwm o wahanol ardaloedd yng Nghymru a Lloegr. 'Roedd y Gymraeg ar drai, ac yn gwanhau o ran ansawdd. Byddai mwy o ruddin yn iaith ambell un, wrth gwrs, gan gynnwys, neu yn enwedig, y capelwyr. Nid y cymysgwch difyr hwn o wahanol dafodieithoedd Cymraeg a siaredir gan gymeriadau *Cwm Glo*. Nid iaith naturiolaidd yw hi felly. Bron y gellir dadlau mai yn Saesneg, mewn gwirionedd, y byddai cymeriadau *Cwm Glo* yn siarad â'i gilydd.

Dywed Saunders Lewis yn ei ragymadrodd i *Gymerwch Chi Sigaret?* ei fod yn anelu yn ei ddramâu at 'urddas yr iaith lafar'. Cytunaf mai dyma'r nod y dylai pob dramodydd anelu ati. Dywed ymhellach ei fod yn anelu at 'iaith sy'n ystwyth a naturiol i'r glust ac yn draddodiadol lenyddol.' Oni ellir dadlau fod ei 'iaith draddodiadol lenyddol' ef yn addas ar gyfer ambell ddrama o'i eiddo nad yw eu cymeriadau, mewn gwirionedd, yn siarad Cymraeg â'i gilydd, dramâu megis *Gymerwch Chi Sigaret?*, *Siwan*, *Esther* a *Brad*? Yr un 'iaith draddodiadol lenyddol' sy'n gweddu i'w ddramâu nad ydynt wedi eu lleoli'n bendant o ran amser na lle—megis *Blodeuwedd*. Ond gellid dadlau hefyd fod sôn am 'urddas yr iaith lafar' yn gyfystyr â sôn am iaith fyw, rywiog, dafodieithol sy'n gyfrwng ardderchog i roi cnawd ar esgyrn cymeriadau, i ychwanegu at ein diddordeb ni ynddynt, i gyfoethogi'n dealltwriaeth ni ohonynt ac i'w gosod nhw yng nghyd-destun amser a lle. (Gyda llaw, dywed Saunders Lewis mai ar gyfer actorion o'r De y sgrifennodd *Gymerwch Chi Sigaret?*, gan ddefnyddio 'fe' yn hytrach na 'fo' drwyddi, ond y 'gallai actorion o'r gogledd newid hynny.' Mae hi'n edrych yn debyg, felly, mai hyd a lled tafodiaith yn ei ddramâu oedd ambell 'fo' a 'fe'.)

Fe fyddwn i'n dadlau mai'r hyn a geir yn *Cwm Glo* yw 'urddas yr iaith lafar', 'iaith sy'n ystwyth a naturiol i'r glust', ond heb fod yn 'draddodiadol lenyddol'. Ond nid yw chwaith yn ddifyr o idiomatig na thafodieithol gan mor unffurf yw sgwrs pawb, waeth beth yw eu cefndir na'u hoed. Yr unig eithriadau yw Dai, â'i regfeydd cyson, a Dic, â'i dinc sych-dduwiol. Yn un o'i erthyglau yn y *News Chronicle*, 31 Ionawr 1936, gwelir prawf o farn fy nhad mai 'problem' yw tafodiaith i'r dramodydd Cymraeg, a hynny'n bennaf am nad oes iaith lafar Gymraeg sy'n cyfateb i *King's English*: '. . . if actors use literary Welsh, their pedantry will spoil the illusion. The dramatist, perforce, has to mint a stage tongue that no-one ever speaks, and yet will delude an audience into believing that it and the stage characters use no other language form'. Dylai iaith y llwyfan fod yn seiliedig ar Gymraeg y Beibl, meddai, sef yr unig lenyddiaeth safonol a ddarllenir ac a glywir ar lafar: 'It has already familiarised the Welsh ear to a non-dialect speech-form.' Dyma, efallai, yw 'ieithwedd seiat Llwynpiod'. 'Stage tongue', 'non-dialect speech form', ieithwedd ddidafodiaith sy'n gyson ddealladwy i bawb, ond sy'n ddi-flach ac yn ddigymeriad. Diolch ein bod wedi symud ymlaen o'r meddylfryd gofalus, difenter hwn ym myd y ddrama Gymraeg.

O'r wyth actor yng nghynhyrchiad Cwmni'r Pandy yn 1935, 'roedd tri Chardi, dau o Sir Gaernarfon a'r tri arall, am wn i, o'r Rhondda. 'Dyw hi ddim yn syndod mawr i ddeall fod y cymysgwch hwn o acenion wedi peri dryswch i ambell feirniad main ei glust—fel yr hen gyfaill 'Cerddetwr'! 'Methu'n lân a dirnad yr ydym paham y myn cwmnioedd Cymreig gymysgu tafodieithoedd mor greulon . . . Camp fawr yw cael naturioldeb mewn tafodiaith.' (Dywedaf innau 'Amen' i hynna!) Un peth sy'n rhyfedd ynglŷn â'i feirniadaeth yw ei fod yn canmol yr ogleddwraig, Kate Roberts, a chwaraeai ran Mrs. Davies, am naturioldeb ei hiaith, ond yn galw'r gogleddwr, Morris Williams, a chwaraeai ran Idwal, yn 'bechadur mawr yn yr ystyr hyn.'

Pum actor o Forgannwg, un o Sir Gâr, ac un o Ben Llŷn ond a fu'n byw yn y De ers blynyddoedd maith oedd yng nghynhyrchiad Cwmni Theatr Gwynedd. Defnyddiai pedwar o'r deheuwyr eu hacenion cynhenid—William Thomas (Dai Dafis) Cwm Tawe; Ieuan Rhys (Morgan Lewis) Aberdâr; Donna Edwards (Bet) Merthyr a Simon Fisher (Idwal) Cydweli. 'Roedd acen Griff Williams (Dic Evans) yn adleisio'i fagwraeth yn Llŷn a'i gyfnod hir ym Morgannwg. Penderfynwyd meithrin acen 'y gloran' ar gyfer y fam a'r ferch, sef Mrs. Davies (Eirlys Britton) a Marged (Maria Pride) (Mater o ddiddordeb i rai â'u llygaid ar ddylanwad addysg Gymraeg yng nghymoedd y De yw mai Eirlys, pan oedd yn athrawes ar Maria ym Mhontypridd, a fu'n rhannol gyfrifol ei bod yn siarad Cymraeg mor raenus ag a wna heddiw.) Y canlyniad oedd llond llwyfan o Gymraeg digyfaddawd y De. (Mor ddigyfaddawd nes peri gofid i ambell un yn y Gogledd! Mae hi'n rhyfedd meddwl yn nyddiau'r teithio helaeth, y teuluoedd gwasgaredig—ac wrth gwrs *Pobl y Cwm*—fod ambell ddeinasor yn dal i feddwl yn nhermau 'problemau cyfathrebu' rhwng Hwntws a Gogs!)

Cyfres o brofiadau cynhyrfus fu cyfnod y cynhyrchu a'r perfformio.

Actio *Cwm Glo* yn 1995
(Cwmni Theatr Gwynedd. Lluniau gan Dylan Rowlands)

Cyffro'r misoedd o addasu a chyfieithu, a'r trafod gyda Graham Laker;
mwynhad y tridiau o ddarllen drwy'r sgript gyda'r cast—yn Gymraeg a
Saesneg—yn Theatr y Sherman, Caerdydd; gwefr fach bersonol wrth
glywed y geiriau a fu hyd yn hyn yn fflat ar bapur yn cael eu llefaru;
gwefr arbennig wrth glywed un o'r actorion, na wyddai am fy
nghysylltiad â Kitchener Davies, yn dweud, 'Jawch, o'dd y boi 'ma'n
gallu sgrifennu!' Chwys ar gledrau'r dwylo ar y noson agoriadol yn
Theatr Gwynedd, a sylweddoli'r eironi, wrth glywed y bwrlwm o iaith
ddeheuol ar y llwyfan, mai cwmni theatr gogleddol ei leoliad a
gymerodd y cam o atgyfodi drama a oedd mor berthnasol i hanes a
meddylfryd cymoedd y De. Mwy o chwys yn Arena Theatr y
Sherman, a phoeni . . . Poeni na chafodd y ddrama y chwarae teg
dyledus gan y theatr hon a noddai'r fenter ar y cyd â Theatr Gwynedd;
diffyg hysbysebu, diffyg adnoddau, blaenoriaeth i *Romeo a Juliet* yn y
brif theatr, llwyfan bach clawstrophobig yr Arena yn anaddas i
olygfeydd 'tableau' *Cwm Glo*; ac yn waeth na dim, nifer fawr o bobol,
mae'n debyg, wedi methu â chael tocynnau. Gweld yno'r fersiwn
Saesneg am y tro cyntaf, ymfalchïo yn yr idiom a'r acenion a'r ffaith
fod yno gynulleidfa niferus—a'r cyfan yn cyfiawnhau fy hyfdra o'i
chyfieithu. Yna, diwedd y daith yn Theatr y Parc a'r Dâr, Treorci, ac
nid chwys, y tro hwn, ond dagrau. Pam? Am fod yno, yng ngeiriau
Eirlys Pritchard Jones, hen ffrind o ddyddiau ysgol yn y Rhondda,
'lond y lle o atgofion . . .'

Ie, yr atgofion . . . Buont yn hofran ar y cyrion drwy'r misoedd hir.
Nid fy rhai i, ond y rhai y soniwyd amdanynt mor aml gan fy mam
a'm modryb—Bet Lewis a Marged yng nghynhyrchiad Cwmni'r Pandy.
Atgofion oedden nhw am gyfnod hapus, cyffrous pan reolai menter ac
asbri a direidi ieuenctid dros galliineb. Straeon am lwytho ceir hyd at y
to â phrops llwyfan, am y ceir hynny'n diffygio neu'n mynd yn sych o
betrol cyn cyrraedd pen y daith. Panig wrth golli'r ffordd, a chyrraedd
theatrau'n hwyr. Cynulleidfaoedd yn gweiddi anghymeradwyaeth,
neu'n chwerthin lle na ddylai chwerthin fod. (Hyn oll a olygai fy nhad
wrth sôn am 'amaturiaeth' ym myd y ddrama Gymraeg yn ei erthygl
yn y *News Chronicle* rai misoedd wedyn!) Y 'Prima Donna' Kate
Roberts (Mrs. Davies), yn mynnu mai ei chawl-cartref hi ddylai fod yn
jwg Bet Lewis, ac yn dodrefnu'r llwyfan â'i bwrdd a'i chadeiriau derw

Neuadd y Parc a'r Dâr, Treorci. Codwyd yn 1894 ac ychwanegwyd sinema a neuadd biliards yn 1913
(Cyril Batstone, 1974: *Old Rhondda in photographs,* Stewart Williams)

moethus, a'i lliain les a'i chanwyllbrennau pres—a'r cyfan yn hollol anaddas i gegin y glöwr tlawd ac '. . . yn gweddu'n well i balas goludog na chell lom ellyll' yn ôl 'G' yn yr *Amman Valley Chronicle*, 21 Ionawr 1936. Weithiau, byddai'n rhaid chwilio'n sydyn ac ar fyr rybudd am brops newydd—pan fyddai Kate yn pwdu. Ond fel arfer byddai pawb, gan gynnwys Morris Williams, ei gŵr, yn ei gweld hi'n haws ufuddhau iddi na chodi ei gwrychyn.

Yn ôl eto i 1995, ac wedi'r cyffro a'r atgofion, yr adwaith a'r adolygiadau. Ar y cyfan, fe werthfawrogwyd y ddrama a'r addasiad. (Soniais mai prin oedd y dystiolaeth bod diddordeb yn y fersiwn Saesneg. Nid prinder y gynulleidfa yw'r rheswm dros ddweud hynny, ond prinder y diddordeb wedi'r cynhyrchiad Yr unig adolygiad a welais hyd yn hyn oedd un byr yn y *Liverpool Post*.) 'A remarkable piece of theatre' oedd barn Bob Roberts am y cynhyrchiad Cymraeg yn y *Western Mail* (23 Chwefror 1995), er ei fod yn rhybuddio y dylid ei hystyried fel drama gyfnod. 'Cynhyrchiad gonest' oedd barn Alun Ffred yn *Golwg* (23 Chwefror 1995). Er ei fod yn ymwybodol 'bod yr adeiladwaith braidd yn amrwd, bod melodrama'n hofran yn yr esgyll' a bod yr olygfa olaf yn ei atgoffa o un o straeon yr Arolygydd Poirot, mae'n ei chanmol am gyfoesedd ei chynnwys, yn enwedig y sôn am drais rhywiol yn y cartref, safle merched yn y gymdeithas a'r anobaith enbyd yn wyneb tlodi materol ac ysbrydol a bortreadir ynddi: "Roedd tynnu'r themâu—rhyw/grym/arian a hunan-les—at ei gilydd fel hyn, ymhell cyn i ffeministiaid ddechrau tanio'u bwledi, nid yn unig yn feiddgar ond yn hynod o broffwydol.' Canmolodd Meg Elis yr addasiad am ei fod yn 'rhydd o'r ofn ymddangosiadol sydd gan rai sgriptwyr heddiw o eiriau o fwy nag un sillaf, a sgwrs sy'n ddilyniant yn hytrach na chyfres o ebychiadau.' (Barn, Mawrth, 1995)

Diddorol, hefyd, oedd ambell sylw a glywais ac a orglywais. 'Roedden nhw'n pendilio o'r 'wedi dyddio'n ormodol' i'r 'anhygoel o gyfoes'; o'r 'rhy felodramatig' i'r 'cynnil o sylwgar'. Cytunaf ei bod wedi dyddio o ran techneg; mae ambell araith hir, yn enwedig gan Dic Evans, ac ambell drafodaeth, fel y rhai rhwng Idwal a Bet, ynglŷn â rhyw a natur cariad, yn tueddu i dorri ar y digwydd; mae'r digwydd, ar adegau, yn glogyrnaidd; ac wrth gwrs, mae'r diweddglo'n felodramatig Ond fe glywais sylwadau megis, 'Good play, that', ac 'O'r diwedd, drama ag iddi ddechrau, canol a diwedd.' 'Rown i'n falch clywed ambell sylw fel, 'On'd o'dd y ddeialog yn hyfryd?' Ac fe ges i sbort pan soniwyd fwy nag unwaith 'ei bod hi'n amlwg pa ddarnau a ychwanegwyd gan Manon Rhys—y darnau ffeministaidd!'

Hoffwn arddel y 'darnau ffeministaidd' hyn. Ond gweledigaeth dyn yn nhridegau'r ganrif hon yw menywod Cwm Glo. Fe'u gwelodd nhw'n unigolion yn ymladd yn erbyn cyfyngiadau a gormes eu hamgylchiadau; fe'u gwelodd yn symbolau o'u cyfnod a'u hamgylchfyd. Mae'r tair, yn ei ffyrdd gwahanol, yn gwingo yn erbyn y symbylau, yn erbyn yr 'uffern diffyg ffydd' sy'n gormesu'r cymeriadau i gyd. Creodd fy nhad dair menyw arbennig iawn yn y ddrama hon. Creodd gampwaith yng nghymeriad Marged. 'Roedd gweld, ar y llwyfan, y metamorphosis sy'n digwydd iddi, yn brofiad ysgytwol ac yn un o uchelfannau fy mhrofiadau wrth ymwneud â'r ddrama. A phwy feddyliai fod Marged, a sawl menyw arall debyg iddi, yn dal i deithio o'r cymoedd i ennill eu cyflog bob nos Wener a nos Sadwrn ar 'Stryd Fawr Caerdydd'?

Uchelfannau eraill? Oedd . . .

Gweld yr olygfa 'Siapa hi' yn erchyll o fyw o flaen fy llygaid;

gwingo wrth i Mrs. Davies ymbil ar ei gŵr i ymolch cyn mynd i'r
gwely rhag dwyno'r dillad gwyn, glân; sylweddoli grym y
symboliaeth—dyma'r union ddillad gwyn, glân a fyddai, maes o law,
yn stecs o staen ei drais rhywiol yn ei herbyn 'Roedd gweld Dai yn
sefyll yn ei ogoniant yn ffrâm y drws, heb ei grys, ac wedi ei oleuo o'r
cefn, yn brofiad theatrig cofiadwy. Felly, hefyd, yr olygfa yn yr ardd, a
cheisio penderfynu ai Morgan Lewis sy'n ceisio hudo Marged i'w gôl
ac i'w grafangau, neu ai hi sy'n defnyddio'i grym rhywiol nerthol,
newydd at ei dibenion ei hun? Parai'r benbleth anesmwythyd rhyfedd.

Gwerthfawrogwn ambell gyffyrddiad gan y cyfarwyddwr a/neu'r
actorion, fel yr awgrym cynnil o losgach wrth i Dai anwesu corff
Marged a hynny yng ngŵydd ei mam. 'Roedd yr olygfa chwareus,
synhwyrus rhwng Idwal a Marged, y tanio sigarét a'i diffodd droeon,
fel y dywed Alun Ffred, yn 'em fach'. Marged a'i mam wedyn, yn
cofleidio'i gilydd mor deimladwy eiliadau cyn i Marged ymadael am
'Stryd Fawr Caerdydd'. A'r areithiau yr ofnwn eu bod yn rhy hir a rhy
foesdrwm? Cefais siom o'r ochr orau. Araith Dic am adar y to, er
enghraifft:

> DIC: Falle taw diben y greadigaeth i gyd yw gwneud tŷ i aderyn y to . . .
> Mae Duw ei Hunan yn syrthio pan syrth aderyn y to . . . A beth yw Dai
> Dafis, druan, ond un aderyn to bach arall?

Gwerthfawrogwn yn enwedig ei araith am hagrwch enbyd Cwm Glo
a'i ddylanwad ar feddwl a gweithred pobol fel Dai Dafis. 'Rown i'n
dwlu ar rythmau ei llinellau ac ar berthnasedd cyfoes ei chynnwys i
gymoedd difreintiedig 1995, fel y Rhondda a Chynon. Mae trigolion
yr ardaloedd hyn yn dal i ddiodde'n enbyd ar ôl canrif o
gamlywodraeth ac o effeithiau cyfalafiaeth annynol:

> DIC: 'Se'r pylle 'ma ddim wedi'u sinco ar gymaint o hast, a'r tai heb 'u
> codi'n sang-di-fang; 'se'r strydoedd ddim mor gul . . . 'Se elw'r pylle'n
> ca'l 'i ddefnydio i gadw'r cwm yn bert, a'i lesni'n lân o rwbel . . . 'Se
> rhywun yn trefnu tre deidi ac yn codi tai cysurus, fydde Dai druan ddim yn
> whilo am gwmni mewn tai tafarne. Fydde fe ddim yn tri whilo am
> anghofrwydd mewn rasus ceffyle a chwrw . . .

Strydoedd y Rhondda

Yn yr araith hon y gwelaf graidd neges y ddrama. Yn wahanol i Saunders Lewis, nid oedd fy nhad yn ymwrthod yn llwyr â chynnydd diwydiannol cymoedd y De. Diffyg trefn y cynnydd hwn a diffyg gweledigaeth diwydianwyr a'i poenai, ynghyd â'r effaith andwyol anochel a gâi hynny ar unigolyn ac ardal a chymuned.

Wrth ymhel â hi dros gyfnod o fisoedd, llwyddais i ddod i ddeall ac i werthfawrogi fwyfwy yr hyn y ceisiodd fy nhad ei ddweud yn *Cwm Glo*. Ceisiodd sôn am ganlyniadau creulon tlodi, diweithdra a dirwasgiad ar deulu a chymuned. Ceisiodd bortreadu grymoedd difaol materoliaeth a chyfalafiaeth, ac mor ddi-rym a diymadferth yw pobol yn wyneb y grymoedd hyn. Ceisiodd dynnu sylw at anallu gwleidyddiaeth a chrefydd i amddiffyn pobol rhag llygredd ac anfoesoldeb. Yr unig amddiffyniad yw iddynt buteinio'u hunain a bradychu'i gilydd. Sethrir ar gariad teuluol, ar gysur cymdogol, ar deyrngarwch cyfeillion; sethrir ar safonau Cristnogol. Fe'u cleddir nhw yn y baw a grëir gan ecsploetio diegwyddor ar y naill law, a chan ymgais i oroesi'r

ecsploetio hwnnw, ar y llaw arall. Dyma'r hyn y *ceisiodd* ei wneud.
Mater arall yw a lwyddodd yn llwyr. Fel y soniais eisoes, mae i'r
ddrama ei gwendidau. Mae hi hefyd wedi ei lliwio'n drwm gan
feddylfryd a thechneg dramatig ei chyfnod.

Efallai bod cynulleidfaoedd 1995 wedi disgwyl rhywbeth
amgenach, rhywbeth gwell, hyd yn oed. Ond fe ddaliaf i amddiffyn y
ddrama fel enghraifft o'r hyn y ceisiwyd ei wneud gan un a oedd yn
fodlon mentro ac arbrofi. Fel rhai o weithiau eraill fy nhad, yn
enwedig *Meini Gwagedd* a *Sŵn y Gwynt Sy'n Chwythu*, 'roedd hi'n
flaengar, yn arloesol ac yn feiddgar yn ei dydd, yn torri cwys newydd,
ac yn ymgais i brocio'r byd llenyddol Cymraeg. Ac mae unrhyw un a
geisiodd—ac a geisia—wneud hynny, i'w longyfarch.

Un llais unig ei longyfarch yn ôl yn nyddiau cyffrous 1935 oedd
Ken Etheridge—artist, bardd a dramodydd ifanc a safodd yn gadarn
dros *Cwm Glo* yn Rhydaman pan oedd pawb arall yn y dref honno, fe
ymddengys, yn ei chondemnio. Cyfaddefa nad yw'n ddrama berffaith
o bell ffordd a bod iddi wendidau yn ei strwythur. Ond gwêl ynddi
rinweddau amlwg:

> This was not only a new play but a new development in Welsh drama. Mr.
> Kitchener Davies has swept aside the religious humbug found as an
> elegant padding in most of our old plays. Not for him the rose-coloured
> spectacles of the light-comedy writer who had hitherto held the Welsh
> stage . . . Cwm Glo is the first drama of the realistic school on the Welsh
> stage . . .' [*Amman Valley Chronicle*, 14 Chwefror 1935]

Yn rhyfedd iawn, yn yr un rhifyn o'r papur hwnnw, yn yr un erthygl
lle soniwyd am 'huddugl uffern' a 'chwaer undad unfam i *My People*',
'roedd yna un yn barod i longyfarch awdur *Cwm Glo* am ambell
agwedd ar ei ddrama. Ie, yr hen gyfaill 'Cerddetwr', 'alias' Amanwy!
A gweddus efallai, gan i mi ddyfynnu o'i feirniadaethau fflangellol
mor helaeth, yw rhoi'r gair olaf iddo ef. Wedi'r cyfan, efallai y dylem
sylweddoli mor anodd ydoedd i sosialydd Cymraeg o argyhoeddiad
ddeall cymhellion cenedlaetholwr 'colegol' ac 'uchel-ael' fel Kitchener
Davies. 'Roedd hi'n anodd ganddo dderbyn eu syniadau dierth; yn
sicr, 'roedd hi'n anodd ganddo faddau i un a feiddiodd feirniadu ei
gymrodyr oes. Ond bu'n ddigon o ddyn i ddweud hyn:

Caniatewch inni longyfarch yr awdur ar lunio drama sydd yn torri'r gŵys
gyntaf mewn maes arbennig ym mywyd Cymru heddiw. Yn fwy na
hynny, rhaid ei longyfarch am lunio darn o lenwaith sydd yn wir
ddramatig . . . Rhaid bod y thîm a gymerodd Mr. Davies wedi llosgi ei
ffordd i graidd ei natur. Mae Cwm Glo yn fyw gan ryw angerdd mawr . . .
Nid oes un o'r dramâu diweddar a gyhoeddwyd yn Gymraeg a ddeil
gannwyll iddi yn hyn o beth. Mae gan Mr. Kitchener Davies adnoddau
dramodwr o'r iawn ryw, a gellir disgwyl am bethau mawr oddi wrtho yn y
dyfodol . . . Mae ef a'i waith yn un. Ni ellir eu datgysylltu. Rhydd hyn
anadl einioes yn Cwm Glo a bydd yn batrwm oes, yn ddiamau.

Rhondda Rhydwen

Donald Evans

Yn ystod ail hanner y chwedegau dychwelodd Rhydwen Williams i ymgartrefu yng Nghwm Cynon; dychwelyd yn alltud clwyfedig i'r dyffryn nesaf un at y cwm y rhwygwyd ef ohono'n bymtheg oed gan grafangau dirwasgiad y tridegau. Dyna pryd y dechreuodd groniclo epig y Rhondda; stori a chwyrn nwyfus ddylifodd o gronfeydd y galon drwy hollt y clwyf agored: ffrydlif bortread o ddeuoliaeth angerdd bardd yn hytrach na dehongliad rhesymegol daearyddwr neu hanesydd, ffaith a olyga bod sylwedd ei ddarlun yn un llawer ehangach o gyfoethog na'i agwedd bersonol ef ei hunan, yn unig, tuag at ei gynefin—mae'n gynrychioliad organaidd, unwe emosiynol, o fywyd ei lwyth yn ogystal, fel yr ategir ganddo yn ei ragair i'w gasgliad cyflawn o gerddi a gyhoeddwyd yn 1991:

Rhydwen Williams
(Llun gan Philip Jones Griffiths)

Wrth sgrifennu am y cymoedd glofaol, gwyddwn fod y maes mor olau i mi â chledr fy llaw. Dyma fy nghefndir, dyma fi, dyma'r hyn oeddwn; ac yr oedd y bobl a'u tafodieithoedd a'u ffraethebion a'u trasiedïau yn rhan ohonof hyd at haenen isaf fy modolaeth—a thrwyddynt y ceisiais bortreadu fy holl brofiadau, pryderon, a gobeithion fel Cymro yn hyn o fyd.

Ac â'r awen atgofus hon mi ailrithiodd o'r tawelwch a'r adfeilion, am ennyd, yr holl ryferthwy o fywyd a fu'n hyrddio diasbedain ei rawd dan a thrwy Gwm Rhondda gydol tri degawd cyntaf y ganrif: drama ddwyran ei natur o wawl a mwrllwch, gobaith a thorcalon, llawenydd ac artaith y Cymry hynny a ddaeth ynghyd i'w gulni mwll a'i gilfachau lledrithiol i gloddio bywoliaeth o'r ogofeydd a'r twneli, ac yn ystod yr enbyd frwydr honno, yn erbyn diawlineb dyn a natur fel ei gilydd, creu cymdeithas ddiwydiannol o unigolion a theuluoedd unigryw.

Yn eironig, ymfudwyr gwledig o ogledd Cymru i'r Rhondda Fawr, ar gychwyn y ganrif, a drosglwyddodd ei winllan lofaol dywyll yn etifeddiaeth i Rydwen. Gorfodwyd hil ei fam i adael creigdir Dyffryn Nantlle ar ôl i'r penteulu, Robert Williams, a gyfunai swydd pregethwr, fel gweinidog capeli annibynnol Nasareth a Phant-glas, Llanllyfni, a chwarelwr, gwrdd â damwain angheuol yn chwarel Dorothea. Gyrrwyd llinach ei dad gan galedi o ddyddyn dau acer y Gelli ger Treffynnon, yn Sir y Fflint, i chwilio am well safon o fyw. Yn y cyfnod hwn 'roedd y Rhondda'n denu gweithwyr wrth y miloedd o bob rhan o Gymru, siroedd de-orllewin Lloegr a hyd yn oed mor bell â'r Alban ac Iwerddon. Yn 1851 dim ond 951 o bobl a drigai yno; ar ddechrau'r ganrif newydd 'roedd y lle'n Klondike anferth o 113,735 o eneidiau, nifer a oedd i chwyddo eto'n 152,781 erbyn 1911.

Dan y fath gynnydd, datblygodd y glyn yn grochan o anfodlonrwydd a therfysg, grymoedd a deimlwyd i'r eithaf gan y teulu yn ystod yr un mlynedd ar bymtheg cyn genedigaeth Rhydwen: miniog barhad o'r hen anghytgord bythol groch hwnnw rhwng glöwr a chyflogwr a fu'n crafu drwy awyrgylch y cwm fyth oddi ar saithdegau'r ganrif gynt, fwy neu lai, sef yn fuan ar ôl i'r ecsbloetio ar ei byllau glo gychwyn o ddifrif ganol y chwedegau. Miniog bersonolir egwydd-

Y Pentre ar droad y ganrif
(Simon Eckley ac Emrys Jenkins, 1994: *Rhondda*, Chalford)

orion y gwrthdaro hwn gan Rydwen yn *Y Briodas*, nofel gyntaf y drioled 'Cwm Hiraeth', bywgraffiad teuluol, drwy olrhain y ffordd a arweiniodd Dewyrth Siôn, Lleteca, y meddyliwr mirain a'r englynwr tyner, i danllyd ymuno â'r glowyr milwriaethus a throi'n Sosialydd gweithredol o argyhoeddiad, yn gyffröwr cynulliadau'r gweithwyr. Fe'i cythruddwyd i gofleidio'r tac gwleidyddol hwn yn angladd Ben Bowen, y bardd ifanc a fu farw o'r darfodedigaeth, drwy sylweddoli pa mor waelodol ddiymadferth oedd Anghydffurfiaeth, mewn gwirionedd, yn wyneb yr anghyfiawnderau cymdeithasol arswydus a ysglyfaethai'r cwm ar y pryd: byd o lwch a llygod mawr, dŵr drewllyd, 'sbwriel pwdr, heb sôn am gynllwynion y meistri glo.

A throes Siôn yn rebel politicaidd. Aeth yn fwyfwy amheus o dactegau William Abraham (Mabon), llywydd cyntaf Ffederasiwn Glowyr De Cymru, a'r cymodwr duwiol rhwng y gweithwyr a'r perchenogion. Ac aeth trafodaethau a dadleuon yr Ysgol Sul yn bethau diystyr o amherthnasol yn ei olwg. Nid ef, wrth gwrs, oedd y cyntaf i gymryd y llwybr hwn: bu dynion fel Noah Ablett, A.J. Cook ac Arthur Horner, hefyd, yn gyfranwyr brwd unwaith i weithgareddau'r capeli cyn troi ohonynt yn arweinwyr ymosodol y cymunedau glo. Crynhoir holl ysbryd y fath droedigaeth mewn brawddeg, ar un achlysur, gan Siôn wrth ddadlau'r pwynt â'i chwaer:

> 'Tydy'r Epistol at yr Hebr-iws, p'un ai Paul ai Barnabas ai Simon y Swynwr a'i sgwennodd, ddim mor bwysig â chael oriau iawn a theg i greadur grafu glo ym mherfeddion y ddaear, mi wn i hynny.

Mi greodd ei ymlyniad wrth y ffydd wleidyddol ddieithr hon, yn naturiol, dipyn o densiwn o fewn teulu mor gapelgar ei anian: er enghraifft, er i ddiwygiad Evan Roberts fflamio drwy'r Rhondda yn 1905 ac 1906, ni chyffyrddodd llyfiad o'i wres â Siôn er bod ei fam yn cyson fynychu'r cyfan o'r cyfarfodydd. Yn hytrach, cythrwfl o dymer gwbl wahanol a'i cynhyrfai ef: ymgyrch herfeiddiol galed y glowyr dros well amodau cyflog a thecach oriau gwaith.

Ac felly, cafodd ei hun yn rhan o gyffro'i thwf a'i llwyddiant. Wedi streic chwe mis 1898 ymunodd saith o undebau'r glowyr â'i gilydd i ffurfio Ffederasiwn Glowyr De Cymru, ac 'roedd hwnnw'n fuan i'w fabwysiadu'n rhan o Ffederasiwn Glowyr Prydain Fawr. Yn 1900, ymddangosodd Plaid Lafur newydd yn ne Cymru pan etholwyd Keir Hardie yn Aelod Seneddol dros Ferthyr. Diddymwyd y 'Sliding Scale' yn 1902—cyfundrefn a bennai gyflog y coliars o hyd yn ôl pris gwamal y farchnad lo: 'Beth oedd tamad o englyn i'w gymharu â'r *Sliding Scale* holl-bwysig'? Yng Ngorffennaf, 1909, daeth y Ddeddf Wyth-Awr i rym: 'Ma wyth awr yn ddicon i unrhyw ddyn fod yn i ddou-ddwpwl wrth un o'r jobsis mwya jawletig ddyfeisiodd dyn ariod.' Ond bu streic ffyrnig arall yn 1910: blwyddyn terfysgoedd Tonypandy pan yrrwyd milwyr i atgyfnerthu'r heddlu. Ac yn 1912 fe'i dilynwyd gan streic lowyr anferth ledled Prydain, solidariaeth a arweiniodd at y Ddeddf Lleiafswm Cyflog, mesur a ddyfarnodd bedwar swllt a chwe cheiniog y dydd i'r glöwr. Eto i gyd, ni ostegodd y cynnwrf ar hyd y meysydd glo: argymhellai'r syndicalwyr ifanc nid yn unig wyth swllt y dydd o gyflog a diwrnod seithawr o waith, ond hefyd bolisi i leihau cynnyrch er llwyr ddistrywio'r cyflogwyr— delfrydau a gyhoeddwyd ganddynt yn 1912 yn y pamffled enwog, *The Miners' Next Step.*

Ond er mor fanteisiol yn ddiau'r buddugoliaethau hyn, ymhell islaw iddynt daliai'r pyllau, uffern gudd y dyfnderau, mor filain fygythiol ag erioed. Ac nid yw'n syndod o gwbl mai paragraff yn disgrifio dychrynfeydd yr isfyd hwn yw un o ddarnau grymusaf, mwyaf iasol empathig, holl gynnyrch Rhydwen: darlun o'r arallfydedd hwn o arswyd lle dôi'r coliar wyneb yn wyneb beunydd â noethlymun beryglon ei drymwaith:

'Does neb ag amgyffred o'r hyn yw tywyllwch nes i'w ddau lygad rythu ar berfeddion y ddaear; o ran hynny, 'does neb ag amgyffred o'r hyn yw distawrwydd nes i'w ddwy glust wrando ar y fforestydd hynafol sy'n cysgu haen ar ôl haen o dan y mynyddoedd mawr . . . Mae gan y dyfnder lygaid. Gall y distawrwydd ddilyn dyn fel cŵn cecrus yn cyfarth a brathu wrth ei sodlau . . . Gall yr oerni yng ngheg y pwll rewi dyn i'r mêr. Gall y gwres yng ngheseiliau eithaf y pwll dagu fel anifail cras. Bydd y glo llachar yn sibrwd. Bydd holwy ar ôl holwy ar ôl holwy yn ei ateb yn ôl. Bydd y coed cnotiog yn rhegu a chablu pwysau'r mynydd. Bydd y rhaff o'r partin-dwbwl i hewl-y-glwyd yn griddfan o gam i gam. Bydd y nwy fel anadl ddrwg i'w glywed o bell. Bydd hyd yn oed bostyn swrth, syml yn aros ei gyfle i wneud tro trwstan . . .

Hunllef o fyd! Ac ni bu'r teulu'n hir chwaith cyn llawn brofi brath echryslon ei safnau. Un bore anafwyd Dewyrth Siôn yn bur gas gan gwymp dan-ddaear. Mae'r disgrifiad o'r anffawd yn *Y Briodas* yn debycach ei naws i sylwebaeth yng nghyfyngder a phanig y fan a'r lle nag i hanesyn o atgof amdani: teimlir 'y glo danheddog yn brathu'r'

Pwll glo'r Pentre, 1915
(Simon Eckley ac Emrys Jenkins, 1994: *Rhondda,* Chalford)

Wrth y ffas

(Amgueddfa Genedlaethol Cymru)

cnawd; gwelir blaen esgid yn gwthio i'r golwg o dan y cerrig; clywir griddfan o'r rwbel a lleisiau dychrynedig y dynion 'yn torri ar draws ei gilydd fel cleddyfau mewn brwydr'. A thrwy eu gwrhydri achubwyd Siôn o'r cwymp a'i gario adref i Leteca. Yno, wrth ei weld yn gorwedd ar wely'r parlwr, crisielir holl erchyllter y ceuffyrdd bwystfilaidd y disgynnai'r glöwr yn ddyddiol iddynt, gan sylw o'r eiddo'i wraig, Sarann: 'Ma i wynab fel tase ci wedi i gnoi e.' Yn Lleteca y diwrnod hwnnw, hefyd, y cyfarfu rhieni Rhydwen â'i gilydd am y tro cyntaf: rhwng popeth, erbyn hynny, rhaid bod y ddau ohonynt wedi hen sylweddoli mai amgylchfyd adfydus ar y naw oedd eu cwm mabwysiedig.

Ond nid dyna'r pictiwr cyfan o bell ffordd. 'Roedd i'r Rhondda ei gyfnodau dedwyddach o lawer, ac un ohonynt oedd amser y Nadolig, ac ar y diwrnod arbennig hwnnw y priodwyd Tomos a Maggie Williams yn ogystal. Fel y nesâi'r ŵyl, bob blwyddyn, gweddnewidid drych arferol y dyffryn a thryledai naws felysach drwyddo 'Roedd y siopau dan eu sang gan bob math o farsiandïaeth, teganau a danteithion; clywid lleisiau'r carolwyr ar awyr y nos; ceid cyngherddau ac oedfaon ysgubol yn y capeli. Ar y dydd ei hunan 'doedd yr un pwll i'w glywed yn rhuo na'r un peiriant chwaith yn cras chwythu. Yn hytrach, fe'u dileasid oll am orig gan fyd angylaidd o wahanol:

Dawnsiai heidiau o blant tu allan i'r tai yn chwarae â theganau o stryd i stryd. Deuai miwsig organ-geg o un parlwr a seiniau utgorn o un arall. Dangosai merch fach ei dol i gymdoges a llyfai bachgennyn ar bwys postlamp ei wefusau wrth fwynhau brecwast o gnau ac orennau a siocoled. Draw yn y pellter, clywid band-pres yn chwarae carol dyner.

Ac i'r amgylchedd deubryd hwn y ganwyd Rhydwen ar 29 Awst 1916: diwrnod pan oedd y Rhondda, unwaith yn rhagor, mor driw i'w briod anian â'r noson ddrycinog honno y cyrhaeddodd ei fam orsaf Ystradyfodwg gyntaf o'r Gogledd i ymuno â gweddill ei theulu. Utganai cawres o storm drwy'r dyffryn fel rhyw ragflas o lawer o'i ddyfodol ynddo. Disgrifir y dymestl hon ar gychwyn ail nofel y drioled, *Y Siôl Wen*. Graffig gyfleir gwasgfa gaeedig y llofft fechan honno, mewn tŷ glöwr, yn y Pentre ynghanol ynfydrwydd y ddrycin;

ymglywir â phryder cynyddol y fam feichiog wrth weld yr afon yn dal i ffrochwyllt esgyn nes arllwys ohoni i ddifwyno'r gegin, a chlywed y corwynt yn pwnio'r bryniau a'r tipiau crog—darlun cignoeth o angerdd elfennaidd y cwm ynghyd â chyflead o wytnwch ei drigolion.

Ond erbyn hyn 'roedd ecöau storom llawer llymach ei natur na thridiau o wynt a glaw yn cyson gyrraedd y cwm: newyddion am hynt y Rhyfel Mawr yn y papur newydd ac enwau'r bechgyn lleol a glwyfwyd. Wrth gwrs, yn y fath hinsawdd aed i wgu'n agored ar y sawl a ddaliai heb listio. 'Doedd y cyfryw agwedd yn poeni fawr ar Dewyrth Siôn gan ei fod, sut bynnag, yn condemnio'r rhyfel yn ddigyfaddawd, ac ni newidiodd yr ymosodiad dialgar a wnaed arno gan nifer o listwyr meddw ronyn ar ei egwyddorion chwaith: 'Mi faswn i'n fodlon mynd i'r Werddon i roi help llaw yn fanna, ond—nid i Ffrainc i farw dros gapitaliaeth!' Ac yn wir dyna a wnaeth: mynd drosodd i Iwerddon gydag Arthur Horner a chynnig ei wasanaeth dan faner Erin—baner rhyddid 'a staen gwaed y diniwed arni'. Daliai Siôn fod 'yr un gwaed ar bob cnepyn o lo a ddeuai allan o grombil daear Cwm Rhondda'; nid y Kaiser, yn y bôn, oedd prif elyn y wlad ond cyfalafwyr fel perchenogion y pyllau glo, 'yr arglwyddi dros-nos,' 'y byddigions-gneud'. Y Llywodraeth fydol Seisnig a gefnogai wanc y cyfryw giwed oedd y 'gwir ormes ar war y genedl'; daliai reiat Tonypandy i gyfiawn losgi yn ei gof.

Ond cafodd ysbryd danodol y dyffryn effaith wahanol ar dad Rhydwen. Digwyddai fod gartref yn sâl o'r pwll, am gyfnod go hir, ar y pryd, yn dioddef gan effeithiau sioc o weld hogyn bychan, a oedd â'i fryd ar ymuno â'r 'Bantams'—catrawd o lowyr Cwm Rhondda—yn cael ei ladd dan-ddaear. Felly, er ei fod yn aelod o achos y gweithwyr, 'roedd yn bur sensitif i'r awyrgylch gelyniaethus, ac fe'i doluriwyd yn dyngedfennol gan un bregeth hynod o edliwgar, o blaid cyfiawnder y rhyfel, a draddodwyd gan bregethwr dieithr yng nghapel Moreia. Y canlyniad fu listio yn y fyddin, cael ei symud i'r ffrynt a'i anafu'n bur dost yno hefyd.

Eithr os oedd y Rhydwen ifanc yn gwbl anymwybodol braf o wewyr yr ysgytiadau uchod, ni bu yntau'n hir cyn tyfu ddigon i gael ei ddwfn frawychu gan aruthredd yr amgylchiadau yn ei gymdogaeth. Dywed yn ei fywgraffiad, *Gorwelion*, i'r ffifar angheuol honno a gipiodd fywyd rhai o'i gyfoedion bychain, ei ddirdynnu'n ddirfawr, a hefyd iddo ddechrau ymglywed â phresenoldeb bygythiol y pwll glo'n gynnar iawn:

> Ystyriwch. 'Roedd 'nhad yn löwr. Cerddai allan o'r tŷ ben bore neu fin hwyr ar gyfer y shifft . . . Ac nid oeddwn yn siŵr a gawn ei weld byth mwy. Ni ddwedais hynny wrth neb, ond—mi feddyliais y peth . . . cysgu yn yr ystafell gefn, y pwll cynddeiriog dest tu allan i'r drws yn rhuo, nepell o'r tŷ-bach a gwaelod yr ardd. A dim ond i'r gwynt gyffwrdd â'r cyrtenni! Nefoedd fawr!

Ac eto, er yr ofnadwyaeth a'r argyfyngau oll, 'roedd plentyndod Rhydwen Williams, at ei gilydd, yn gyfnod iachus frwd o fwrw gwreiddiau i ddaear ei ardal a ffurfio perthynas gynnes agos â'i phlant a'i hoedolion. Lliwgar, i nodi rhai enghreifftiau'n unig, yw ei atgofion am chwarae'n grwt ar hyd y tipiau, dyfodiad ffair Scarrott i Gae'r Griffin a hen gymeriadau bachog fel Ben Six Foot, Wil Chwip a Dafydd Sand-y-Môr. Ac fe'i magwyd ar 'aelwyd lawen', gysurus a chrefyddol lle nad oedd tân, bwyd, canu na chwerthin byth yn brin. 'Roedd ei dad yn weithiwr abl ac yn arddwr sgilgar dros ben—penteulu ardderchog a'i fam hithau'n warcheidwraig egwyddorol o drylwyr. A heblaw am y gofal materol hwn fe gafodd feithriniad o gryn sylwedd diwylliadol yn ogystal. Arferai ei fam ddarllen allan o nofelau Daniel Owen iddo, a'i Dewyrth Siôn o'r Mabinogion a storïau hanes. Dechreuodd yr olaf ennyn blas ynddo hefyd at farddoniaeth Gymraeg â'i drafodaethau dengar o gerddi hir fel 'Dinistr Jerusalem', 'Iesu o Nasareth' a 'Mab y Bwthyn'. 'Roedd y sesiynau llenyddol hyn, mae'n debyg, yn llawer iawn mwy hudolus i'w chwaeth na bod allan yn rhofio a chwynnu yng ngardd ei dad ar lethr Pen-twyn. Ac yn ychwanegol eto at y manteision uchod, 'roedd ganddo ddau ewythr arall o gyneddfau tra arbennig—Robert Owen yn glamp o lengarwr a John David yn artist deheuig. Magwraeth ddiwylliedig, ym mhob ystyr i'r gair, yn wir!

Ac yn un â'r sylfaen hon o ddiwylliant, rhoes ei dras ymwybod dygn o Gymreictod i Rydwen yn ogystal. Dro ar ôl tro pwysleisia mai gwinllan Gymraeg oedd Rhondda ei blentyndod, ac o'i deulu y sugnodd y cyfryw ymdeimlad: 'nhw oedd ei wlad a'i genedl a'i iaith a'i gig a'i waed a'i anadl einioes'! Unwaith, ymhell cyn ei eni, gwrthododd ei fam roi tystiolaeth Saesneg yn Llys Ynadon Tonpentre. Yn ddiweddarach, bu yntau'n ymfalchïo yn yr ysgol yng Nghymraeg diledryw ei fam er gwaethaf gwawd ei gyd-ddisgyblion a rhai o'r athrawon, a hefyd yn ymladd â nifer o 'anwariaid difanars' ar Foel Cadwgan am iddynt feiddio taflu sen ar ei iaith: 'Felly, i mi, 'roedd gwawdio'r Gymraeg yn gyfystyr â bychanu popeth a berthynai i mi.' Ac yn wir, 'roedd pob cysylltedd neu ymwneud â'r Saesneg fel pe bai'n sicr o ddiweddu mewn helbul: dro arall wedyn, mi ddoluriodd Rhydwen ei fam hyd at ddagrau drwy fynnu siarad Saesneg â hi o ganlyniad i ddylanwad lletywr hudolus o Sais a dderbyniwyd gan ei rieni i'w cartref pan oedd arian yn brin; a hefyd siarswyd ef gan Dewyrth Siôn i ofalu peidio â gadael i'r lletywr hwnnw ei droi'n Sais ar unrhyw gyfrif. Ac fel yna o hyd brithir ei waith gan gyfeiriadau at Gymreictod ei fagwraeth: yng nghwmni Siôn teimlai 'nad oedd leferydd ar wahân i'r Gymraeg mewn bod'; yn ei gartref 'canai'r Gymraeg trwy'r dydd mor gynnes â'r tecell wrth y tân'; teimlai ei fam fod y 'bywyd beunyddiol, twymgalon, syml, Cymreig yn ffynnu yng Nghwm Rhondda ar waethaf holl ddychrynfeydd y cyfnod'; ac â'r un cariad yn union y geiriodd Rhydwen ei deyrnged ddiweddaraf un i eneidiau nobl bro ei faboed:

> Os yw hyn o lafur oes yn gronicl, pa mor syml bynnag ydyw, i gadw'r cyfan mewn cof am ysbaid ymhellach er mwyn Cymru a'r iaith odidog a oedd yn barabl beunyddiol iddynt, yr wyf ar ben fy nigon.

Dylanwad ffurfiannol arall ar yr hogyn oedd Moreia, capel y Bedyddwyr yn y Pentre. Gwnaed argraff arhosol arno gan y gweinidog, Robert Griffith. 'Roedd huodledd ei bregethu o'i bulpud enfawr yn gwbl gyfareddol ac yn debycach, yng ngolwg y llanc, i arwriaeth neu artistri nag unrhyw fath o grefydd. Hyn a fagodd gyntaf ynddo'r awydd cyffrous am fod yn bregethwr, y dyhead i efelychu celfyddyd ei eilun. Ac yn dra buan fe wireddwyd ei uchelgais o 'ddringo i bulpud Moreia' i gymryd rhan yn y Cwrdd Chwarter, profiad digymysg o drydan. Wrth gwrs, heblaw am fod yn ffynhonnell y pregethau ysgubol, 'roedd Moreia hefyd yn atynfa o ganolfan i gymdeithas gyfan â'i fynych berfformiadau drama a chôr, cyrddau plant, 'penny readings' ac operâu deniadol: gwir feithrinfa amrywiaeth o weithgareddau i lencyn chwilfrydig ar ei dwf.

Ond os bu Moreia'n athrofa ddelfrydol, cyferbyniad llwyr yn ei fywyd fu'r drefn addysgol yn y cwm. Bu'n anhapus dan ei theyrnasiad o'r dydd cyntaf yr aeth i ysgol y babanod. 'Rhyw fath o uffern rhwng y trwyn a'r llyfr neu'r llygaid a'r blacbord' oedd addysg yn ysgol y bechgyn, a dolurus yw'r cof am yr ysgol uwch â'i desgiau haearn, muriau caethiwus ac athrawon gormesol—'ffurf ar baffio oedd dysgu dosbarth'. 'Does ryfedd i'r fath gyfundrefn droi'r disgybl bach breuddwydiol yn wrthryfelwr go stwbwrn yn erbyn addysg ei ddydd. Ac eto, hyd yn oed yng nghanol y crastir philistaidd hwn 'roedd 'na un darddell afieithus o ysbrydoliaeth yn gloywi: athro byrlymus o symbylgar, yn ysgol y bechgyn, o'r enw Leonard Percy Lee. Fe drawodd hwn dant cynhenid o ymateb yn anian Rhydwen â'i bersonoliaeth frwdfrydig a'i wersi cynhyrfus, a bu'n dra chyrhaeddbell ei ddylanwad. Gadawodd wefr o argraff ar feddwl a chof ei ddisgybl, ac ymhen blynyddoedd fel gynhwysodd hwnnw gerdd deyrnged iddo, 'Magister', yn *Rhondda Poems*, cyfrol o'i farddoniaeth Saesneg a gyhoeddwyd yn 1987:

> I remember him young—
> eyes and tongue excited
> with History's stirring tales
> and Poetry's carved epics
> as he ushered a generation
> towards the challenge of an uncharted tomorrow.

Eithr os mai sych lwydaidd oedd y naws o fewn gwelydd yr ysgolion, y tu allan 'roedd ceunentydd lliwgar a bryniau gwlithog Cwm Rhondda o hyd, er gwaethaf llygredd y glo a blinderau byw, yn ddihangfa o iasau ac anturiaeth i blentyn a ymhyfrydai ym myd natur. Ac 'roedd Rhydwen wrth ei fodd yn chwilmentan drwy'r encilfeydd gwyrf ddeiliog hyn ymhlith gwiwerod a llygod-y-maes, a hir oedi uwchben ffrydiau crisial o ryfeddodau. Yn ystod y gwanwynau a'r hafau hyn mi feithrinodd adnabyddiaeth agos gyfewin â dirgelfeydd ei gymdogaeth a chariad naturiaethwr at rywogaethau eu bywyd gwyllt, cynneddf sydd wedi aros byth yn rhan o'i gymeriad:

> O, fel y bu fy myd ifanc yn orlawn o ryfeddodau—cnocell y coed yn nythu ar gyrion Gelli Goch, aruthredd Cwm Saerbren yn hanner cylch braf fel cadair freichiau 'nhad, blodau porffor gerllaw hen chwareli Ynysfeio, a'r rhedyn Mair hir lle'r oedd llysiau duon bach yn pyngu'n bert, a physgod mân mân Llyn Twm Padrig yn cynhyrfu dan drem sigl-di-gwt a churyll.

Mae'n bur debyg mai'r conglau a'r cyrion hyn o wyrthiau goroesol a barodd i Rydwen ddelfrydu cymaint yn ei farddoniaeth ar y milltiroedd hynny o goed cyntefig a suai'n wyrddlas unwaith uwchben Cwm Rhondda, bob cam o Ben-pych i Bontypridd yn ôl yr hen haeriad. Yn ei bryddest arobryn enwog, *Y Ffynhonnau*, ym Mhrifwyl Abertawe 1964, ceir darlun ireiddglos o dwymgalon o'r hen fywyd 'pastoral' hwn. Manylir ar esmwyth dempo'r tymhorau a pherthynas hamddenol y tyddynwyr â'r pridd pan 'oedd eu bara'n fynych yn wlân ar ddraenen bigog', a 'bref a chân a pharabl dyfroedd yn unig ar eu clyw'.

Ond er pob orig loyw o ddihangfa a'r rhamantu pefriog am y 'tyrfaoedd o goed talgryf' a'u 'glaw gwyrdd', gwyddai Rhydwen, a hynny'n rhy awchlym o'r hanner, mai 'daear yn dangos ei doluriau i'r haul' oedd ei Rondda ef mewn gwirionedd. A chymhleth greadigol yw ei agwedd hefyd at y ffaith hanfodol hon. Ar un olwg, gresyna at ddyfodiad diwydiant i'r cwm, dyfodiad yr hwteri a'r peiriannau i ddychryn y wiwer, y golomen a'r llinos o'u llochesau; wedyn, â thremyn dipyn yn wahanol, edmyga'r dynion gewynnog a geibiai a thorri eu ffyrdd drwy'r tywyllwch twyllodrus; yna, o gyfeiriad arall eto, clodfora'r goleuni gwâr a lathrai'n ddibaid o egrwaith y glowyr: 'Rhwygasant o'r mynydd hwn ryddid, urddas, gwiwdeb . . .'

Ond, ar derfyn ail ddegawd y ganrif, 'roedd y goleuni hwnnw ar fin cael ei bylu'n derfynol. Yn fuan ar ôl y Rhyfel Mawr, yn 1921, dechreuodd cymylau o helynt a thoriadau diwydiannol ddrifftio'n ysbeidiol i'r cwm, ac yna graddol ymgrynhoi'n drymllyd ddifwlch uwch ei ben dros ail hanner y dauddegau. Mae'n wir i'r blynyddoedd 1923 ac 1924 weld tywyn byr o gynnydd mewn cynhyrchiad glo, ond ar ôl hynny trymhaodd yr awyr yn gwbl ddilygedyn. Dyma'r adeg y gwelodd meysydd glo de Cymru'n gyffredinol ostyngiad sylweddol yn y galw am eu cynnyrch, a hynny'n rhannol oherwydd datblygiad mathau eraill o ynni a thanwydd fel pŵer hidro-electrig ac olew. Ac, o ganlyniad, yn 1925 dechreuodd y cymunedau glofaol wir ddioddef oddi wrth ddoluriau diweithdra. Fel y dywedodd Dr. John Davies, yn ei gyfrol *Hanes Cymru*, 'y dirwasgiad hir a ddechreuodd yn 1925 yw digwyddiad canolog hanes Cymru yn yr ugeinfed ganrif'. Ymhen blwyddyn, ar ddiwedd Ebrill, a gostyngiad o 13 y cant yng nghyflogau'r glowyr ac awr wedi ei hychwanegu at eu diwrnod gwaith, mi ddechreuodd streic finiog 1926 gan barhau am fisoedd o adfyd.

Amser calonrwygol! A chafodd ei hafog effaith ingol frawychus ar feddwl crwtyn o sensitifedd Rhydwen:

> Clywais air newydd mwy arswydus na rheg: dirwasgiad. Cerddai'r plant i'r ysgol, nid â llyfr yn eu dwylo, ond cyllell a fforc a phlat enamel ar gyfer gwleddoedd y gegin gawl. Methai ambell un chwarae pêl-droed am fod ei draed yn y golwg drwy'i esgidiau. Gwrthododd fy mhardner, Arthur, fynd i'r iard i chwarae am fod rhwyg yn ei drowser rhwng y coesau a 'phopeth yn y golwg'.

Ond drwy'r llymder i gyd dygnai cymdeithas y cwm, â'i holl ewyllys, i gadw ei morál. Cynhelid carnifal ar ôl carnifal yn rhywle bob wythnos: digwyddiadau lliwgar â'r bandiau'n ymlwybro drwy'r strydoedd, drymiau'n curo, dynion a merched yn chwythu gasŵcs, gorymdeithwyr mewn dillad clown, sipsiwn, morwyr, Sbaenwyr a'r plant mewn tablo ar ben wagen.

Misoedd o hwyl a rhialtwch! Ond o dan lif arwynebol y dadwrdd a'r miri llechai argaeau o rwystredigaeth a chynddaredd: 'gorfodi eu hunain i fod yn llawen oedd pobl Cwm Rhondda . . . 'Roedd wyneb arall i fywyd'. Fel y llusgai undonedd gwinglyd y streic rhagddo 'roedd yr anorfod yn rhwym o ddigwydd: 'Dynion y Moel yn newid gasŵca am fandrel', martsio, chwythu bygythion, a heidiau o blismyn

Band jas adeg y dirwasgiad

(Amgueddfa Genedlaethol Cymru)

estron yn cyrraedd i gadw trefn a gwarchod y streic-dorwyr. Ac fel y disgwylid, o dan y fath wyniasedd, daeth glowyr y cwm i wrthdrawiad â swyddogion y Llywodraeth: bu ymladdfa waedlyd o ffyrnig rhyngddynt o dan bont y Pentre fel yr hebryngai'r plismyn fradwr adre o'i waith ym Mhwll-y-Bedw:

> 'Let 'em 'ave it, men!'. . . traed a choesau ymhob man . . . sgrechfeydd . . . rhegfeydd . . . pen ar un o gerrig yr afon a'r geg yn agored a gwaed yn dod ohono fel dŵr o'r gratin amser llifogydd . . . plisman ar ei gefn a throed coliar yn ei wyneb a'r esgid yn sathru'i drwyn i'w geg â'r hoelion . . . pastwn Seisnig yn bwrw dannedd allan fel taro llestri oddi ar silff . . . mandreli yn yr awyr . . . a mwy o waedu . . . a mwy o gicio . . .

Erbyn diwedd y flwyddyn daeth y streic i ben, ond trychinebus fu ei chanlyniad. 'Roedd byd diwydiannol y cwm wedi ei wenwyno, ni bu ailagor ar lawer o'r pyllau, ac yng ngeiriau Dr. E.D. Lewis, yn ei gyfrol *Rhondda Valleys,* 'so began the darkest and most tragic chapter in the history of industrial Rhondda'. Dyma'r cyfnod a drymhaodd y cyfrifoldebau ar ysgwyddau tad Rhydwen a'r pryderon yn ei fynwes.

Gwyddai fod dyddiau'r cyflawnder glo wedi meinhau am byth o ganlyniad i'r rheibio trachwantus, er mwyn cyfoethogi rhagor ar y breintiedig, a fu ar y gwythiennau mwyaf toreithiog dros y blynyddoedd. 'Roedd wedi bod yn ddi-waith ers misoedd, ac er bod ei erddi ar Ben-twyn yn cyson gynhyrchu bwyd ffres i'r bwrdd ac yntau'n crafu glo o lefel Moel Cadwgan i gadw tân ar yr aelwyd, 'roedd y prinder arian ar gyfer diwallu anghenion sylfaenol y plant yn wewyr. Yn y fath gyfwng ymboenai, fel pawb arall o'i amgylch, am y dyfodol. Dibynnai cymunedau glo'r Rhondda'n gyfan gwbl ar y pyllau am eu cynhaliaeth, ond mwyach ymddangosai'r rhagolygon ynglŷn â'u parhad fel yr afagddu. Ofnai mai 'byd heb yfory oedd rhwng y mynyddoedd bellach'. Ac yn hynny o beth fe lwyr wireddwyd ei ragwelediad.

Ni bu'r fath edwiniad a thlodi'n hir cyn gorfodi torfeydd o'r trigolion i ymfudo o'r cwm mewn gobaith am esmwythach byd mewn estron diroedd. Ffaith eironig: y llanw byddarol o fewnlifiad a foddodd y dyffryn dros gwrs o ddegawdau erbyn hyn yn troi'n drai o ymfudiad i'w ado'n sychdir o lonyddwch. Yn ystod y dauddegau a'r tridegau mi ffarweliodd 50,000 o bobl â'r Rhondda, y mwyafrif ohonynt i chwilio am waith yng nghanolbarth a de-ddwyrain Lloegr. Ond i Rydwen a'r gweddill lleihaol o frodorion y cwm nid mater llithrig o ystadegau oedd y fath ecsodus, er mor ddwys huawdl oerfel y rheiny, ond trawma o dorcalon: gweld wynebau cyfarwydd yn diflannu fesul wythnos; y gweinidog yn ffarwelio 'â theuluoedd cyfan o Sul i Sul'; plant yn ffarwelio 'â ffrindiau ysgol wythnos ar ôl wythnos'; cymdogaeth yn cael ei gwaedu o'i hagosatrwydd a'i Chymreictod dyna wir drasiedi yr ymfudo o'r Rhondda:

Nid addurn yw ein Cymreictod ond brwydr.
Nid difyrrwch, ond iau ar ein gwarrau.
(Mae'r iau yn drom. Mae'r frwydr heb fwrw arfau.)
Daeth y gegin gawl i wawdio'n tlodi.
Prynwyd urddas oddi arnom â cheiniogau'r dôl.
Diwreiddiwyd ni wrth y cannoedd. Ailblannwyd ar draws y byd—
Hen wreiddiau diwerth a dyf ar unrhyw domen dan haul.

Ac ar ddiwedd Awst 1931, pan oedd Rhydwen yn bymtheg oed, ymunodd ei deulu â'r llif ymfudol gan symud i Christleton yn Swydd Gaer lle'r oedd y tad wedi sicrhau gwaith fel dyn casglu-siwrin. Mae'r *Siôl Wen* yn cau â disgrifiad o'r lori fudo'n araf dreiglo allan o'r Pentre, ac o drem Moel Cadwgan a Phwll-y-Bedw ar ei thaith tua Lloegr. Profiad dirdynnol oedd hwnnw: gweld ei gymdogion, ei gartref ac 'amlinell drist-felys y cwm' yn terfynol fynd o'r golwg; dyna'r awr pryd y 'daeth i ben yr ymdeimlad o fod yn gwbl gartrefol yn hyn o fyd'.

A gwir y gair! Ni chafodd y glaslanc lonydd gan y Rhondda hyd yn oed ar gyffiniau Caer. Ymwelai'n fynych ag ef ar ffurf chwythymau o hiraeth—emosiwn a gyffroai'r coluddion 'fel injan ddyrnu'. Y gwae hwn o gynnwrf yw un o brif themâu nofel olaf y drioled, *Dyddiau Dyn*. Yn wir, cyfrol yw hon a hydreiddir gan hiraeth diollwng; hiraeth alltud ifanc mewn dinas Seisnig am ei gwm glofaol. Fe'i hyrddid yn aml gan ei ddychymyg yn ôl iddo: yn ôl i ddringo Moel Cadwgan unwaith yn rhagor gyda'i ffrindiau a theimlo lleithder y lefel yn goglais ei drwyn a'i glustiau. Ond fe'i dadrithid yn siarp o fuan bob tro gan ddieithrwch ei amgylchedd estron, a dechreuodd anesmwyth deimlo fel pe bai 'ar goll yn y byd mawr y tu allan i Gwm Rhondda a Chymru':

> Ac yr oedd yr anniddigrwydd o'm mewn yn union fel pe bawn yn synhwyro â threiddgarwch rhyw ddyn hysbys mai ar goll y byddwn am weddill fy oes . . .

Ond nid fel ambell flast o hiraeth yn unig yr ymwelwyd ag ef gan y cwm yr adeg hwn; yn ddisyfyd mi wnaeth hynny ar lun llawer mwy treiddgar o finiogrwydd. Un min nos mi gyrhaeddodd Dewyrth Siôn ei gartref yn Christleton ar ôl cerdded bob llathen o'r Rhondda. Ysgytiwyd y teulu gan ei wedd ddieithr guriedig a'i draed gwaedlyd: ymgorfforiad o'r gormes, diweithdra a'r cyni affwysol a anrheithiai dde Cymru yn y tridegau—cyfnod y gorymdeithiau newyn, *means test* annynol y Llywodraeth Genedlaethol a'r orfodaeth ar lowyr segur i drampio milltiroedd i chwilio am waith nad oedd mewn bod, cyn y caniateid arian y dôl iddynt. A gellid dweud mai ar y noson honno y gwir wanwyd Rhydwen gan holl awchlymder arwyddocâd y gloes a'r

cyfyngder a rwygodd gymdeithas ei faboed. Daeth i lym sylweddoli
pa mor waelodol drychinebus oedd sefyllfa'r Rhondda, ynghyd â pha
mor ddieflig o ddidosturi y system wleidyddol: carfan a drôi ddyddiau
truenus y di-waith yn druenusach fyth, y gorthrwm a orfodai fardd a
gweithiwr mor ddidwyll â Dewyrth Siôn i grwydro mynyddoedd ei
wlad ei hunan yn ddim amgenach na chardotyn. Ond hefyd, wrth
wrando siarad, mi sylweddolodd ansawdd yr ysbryd, ysbryd unplyg
gwerin y Rhondda, a ddaliai rywsut i oroesi mor ysblennydd o 'styfnig
drwy holl gastiau a llygredd y Llywodraeth:

> Mi agorodd honna i llgada ar las y dydd yn gwarchod darn o dir ar Foel
> Cadwgan, dydy honna'n dallt dim tu allan i hynny, dydy am ddallt dim, a
> ma gen i syniad y bydd hi'n gofyn fwy na Macdonald a Chamberlain a
> holl awdurdod y Coalisiwn i'w symud hi fodfadd o'r fan a'i hatal rhag cau
> ei llgada ar yr union lesni yn gwarchod yr union darn tir hwnnw ryw
> ddydd a ddaw.

Ac nid anghofiodd Rhydwen mo natur nac egwyddorion yr ysbryd
hwnnw: rhyw ddeng mlynedd ar hugain yn ddiweddarach fe'i
hysbrydolwyd ganddynt i ganu pryddest *Y Ffynhonnau*. Dywedodd
Eirian Davies, un o'r beirniaid ym Mhrifwyl 1964, 'mai ysbryd Cwm
Rhondda yw cymeriad canolog y gerdd'. Yn wir, gyda'r gân hon, i bob
pwrpas, y dechreuodd ar ei uchelgais o groniclo epig y Rhondda, ac
fe'i cyflwynodd 'i blant ysgol Gymraeg yr Ynys-Wen, Cwm Rhondda
i gofio am Dri o'i Dewrion: John Robert Williams, glöwr a bardd;
Robert Griffiths, bugail a phregethwr; James Kitchener Davies, athro,
gwleidydd a llenor'. Yn y bôn, cerdd deyrnged yw hi i'r tri hyn a
arhosodd yn y dyffryn, fel niferoedd o drigolion eraill wrth gwrs, 'i
rydu gyda'r gêr a'r olwynion a'r rheiliau, a heneiddio gyda'r Achos a'r
Cymmrodorion a'r Iaith'; aros drwy gydol diffoddiad yr ecsodus i
ddygnu cadw fflam dynoliaeth a Chymreictod i gynnau, neu a'i roi eto
yng ngeiriau Eirian Davies: 'Ffynhonnau y bywyd Cymreig oedd y
rhain yn dyfrhau'r crastir mewn cyfnod diffaith . . .':

> Bu farw. Dim ond englyn ar ei feddwl
> A'r Gymraeg ar ei dafod,
> A'r llwch concwerus yn goresgyn ei wylaidd lwch ei hun.

Ac fe'i gorffennir mewn llawenydd: o'r diwedd mae'r ymdrech a nodweddir gan ysbryd gwydn y dewrion, a ddaliodd ati drwy flynyddoedd y dadwreiddio a'r Seisnigeiddio hirfaith, fel pe bai'n cychwyn esgor ar egingnwd o ffrwyth. Gwelir y ffesant a'r brithyll yn dychwelyd i'w cynefinoedd, 'cariadon newydd yn y grug ar Gadwgan', ac mae hi'n dymor adfywiad eto ar yr iaith Gymraeg:

> Eisteddai ar sedd wrth odre Moel Cadwgan
> Cap. Ffon. Sigarét.
> Rhyw led-gofio'i wyneb. Hynny oedd ar ôl ohono.
> Ma' plant y ferch 'cw yn mynd i'r Ysgol Gymraeg.
> Ma' 'na fachan ifanc o'r coleg yn dod i Nebo.
> Trodd dros y trum—yn her i bryder bro,
> A'i ffon mor gadarn â'i ffydd.

Ond yr un yw cignoethni'r briw o hyd: fel yr arhosodd y dygn adnoddol frodorion hynny ar ôl yn y Rhondda drwy gydol y gwasgariad ohono, deil clwyf yr ymrwygo i ffrwythlon aros ar agor yn isymwybod Rhydwen ymhell wedi'r hidl ymollyngiad o lunio'r epig. Mewn geiriau eraill, ni fedrodd cynhyrchiol gatharsis yr atgofio mo'i gau. Yn wir, 'doedd dim disgwyl iddo gyflawni hynny, blocio tarddell mor ddwys fywiog o ddihysbydd. A thyr ambell chwistrelliad ohoni ar adegau o hyd, tasgiadau claer o arwriaeth glowyr y Rhondda, drwy fywyn yr hollt. Mae'r gyffes ganlynol, er enghraifft, a fynnodd esgyn i'r wyneb yn *Gorwelion*, rhyw ddegawd, fwy neu lai, ar ôl iddo orffen creu prif gorff ei atgofion, gystal prawf â'r un o natur ddiderfyn ddeuol y ffynnon, ynghyd â hirhoedledd yr archoll:

> Mae'r atgof am wynebau'r coliars mor fyw ag erioed, Wil Eynon, Dai Painter, Jac Rees, Tom Sara, Sami Tŷ Cornel, ac eraill, dynion cryf, dynion onest, dynion twymgalon, a'r hen fyd anodd a didrugaredd hwn wedi gormesu pob un ohonynt. Gwelais y dynion hyn yn llenwi'r awyr â'u chwerthin ond gwelais y dynion hyn hefyd yn cau eu dyrnau a chablu'r pwll a'r perchenogion . . . Nid oes ddianc rhagddynt. Y mae'r camwedd a'r loes a'r siom a'r anghyfiawnder a ddioddefodd y bobl hyn yn glwyf hyd y dwthwn hwn . . .

'Nes na'r hanesydd' yn wir!

Cardi yn y Rhondda: Ambell Atgof

Glyn James

Tua diwedd Diwygiad 1904-5 daeth fy nhad, pan oedd yn fachgen sengl pedair ar bymtheg oed, i fyny o Glynarthen, ger Llangrannog, i Gwm Rhondda, i weithio fel saer i gwmni o adeiladwyr o'r enw *Brown a'i Feibion*, Ferndale. Daeth i fyny i'r Rhondda wedi iddo gwblhau ei brentisiaeth mewn gweithdy seiri cychod ar gei Aberaeron.

'Roedd adeiladu tai yn y Rhondda yn ei anterth yn hanner olaf y bedwaredd ganrif ar bymtheg a dechrau'r ugeinfed ganrif. Hwn oedd

Ferndale ar droad y ganrif
(Simon Eckley ac Emrys Jenkins, 1994: *Rhondda*, Chalford)

cyfnod mewnfudo'r gweithwyr i'r Rhondda o gefn gwlad Cymru a rhannau eraill o Brydain i weithio yn y pyllau glo. Bu crefftwyr yr adeiladydd *Brown a'i Feibion* wrthi'n ddiwyd yn adeiladu rhesi o dai teras. Ar ôl cyfnod byr o bedair blynedd yn y Rhondda torrodd iechyd fy nhad lawr ac fe ddychwelodd i'w gartref yng Nglynarthen, sir Aberteifi. Cyn ymadael â Ferndale rhoddwyd iddo hen fap o'r Rhondda—rhywbeth bach i gofio am y cwm enwog.

Ymhen blwyddyn fe briodod â merch o'r un ardal a chartrefodd y ddau mewn bwthyn dwy-ystafell o'r enw Penrallt-Perthneidr, rhyw filltir o Langrannog. Bwthyn bach to gwellt oedd hwn; 'roedd shytenni sinc yn gorchuddio'r to a rhwd yn bwyta ei wala ohonynt. Yn y bwthyn bach dwy-ystafell ganwyd wyth plentyn—chwe bachgen a dwy ferch. Felly rwy'n un o wyth o blant. Erbyn hyn mae'r hen fwthyn yn adfeilion a drain a drysni yn drwch drosto, ac yn tyfu o lawr yr ystafell wely, yr ystafell lle cawsom ein geni, mae coeden sycamorwydden. Sut ddaeth y goeden i fod yno? Hedyn, siŵr iawn, wedi hofran yn gywrain cyn disgyn ar wely ffrwythlon! Y blynyddoedd diwethaf hyn 'rwyf wedi bod yn gwylio twf y goeden drwy dynnu'i llun yn awr ac yn y man pan fyddaf ar fy ngwyliau yn ardal Llangrannog. Mae'n rhaid i mi ddweud ei bod yn tyfu'n braf a'i changhennau'n gadarn. Mae'n rhyfedd fel mae dyn yn cael ei dynnu 'nôl at ei wreiddiau!

'Roedd bwthyn dwy-ystafell yn lle cyfyng iawn i fagu wyth o blant, ac at hynny 'roedd ein teulu ni yn gorfod byw ar arian plwyf nad oedd ond pymtheg swllt yr wythnos. Cyfnod y tlodi a'r caledi mawr oedd y dauddegau a dechrau'r tridegau, a mentraf ddweud nad oedd yng Ngheredigion neb tlotach yn faterol na'n teulu ni yr adeg honno.

Cofiaf mai'r unig lyfrau ar ein haelwyd ni oedd y Beibl, y Llyfr Emynau a *Thaith y Pererin*. Yng nghwpwrdd y seld cadwai fy nhad hen fap o'r Rhondda yn gymysg â thrugareddau eraill—hwn oedd y map a roddwyd iddo gan Brown yr adeiladwr. Weithiau agorai fy nhad yr hen fap hwnnw a'i osod ar y bwrdd yng nghanol y gegin gan bwyntio at y lle y bu'n gweithio ynddo yn y Rhondda. Astudiwn y map bob cyfle a gawn. Fe'm swynwyd yn lân gan enwau soniarus trefydd y Rhondda, y ffermydd a'r mannau arbennig ar hyd y mynyddoedd oddi amgylch. Dyma rai ohonynt: Gwern-Cwm-

Dan gysgod y goeden gyda'r wyres, Rhiannon Hawys

Saerbren, Carn-y-wiwer, Pen-yr-englyn, Ffynnon-y-Gro, Moel Cadwgan, Ynys-wen, Bodringallt, Pwll-yr-Hebog, Rhiw Ogofâu, Craig-yr-Eos, Brithweunydd, Ynys-hir, Hendrefadog, Pendyrys, Dyffryn Safrwch, Glynrhedynog, Lluest Wen, Graig-y-Nos, Twyn Tŷ Cneifio, Llyn-y-forwyn, Bryn Llechwedd-ddiddos, Cefn-Rhos Gwawr. Mae'r enwau hyn yn fiwsig i'r glust.

Ychydig a feddyliais wrth astudio'r map pan oeddwn blentyn y deuai cyfle i mi fyw yn y Rhondda, yn fy nghwm ffantasi na welswn ond yn unig ar fap. Daeth y cyfle wedi i mi gyflawni pedair blynedd o brentisiaeth mewn ffowndri yn nhref Aberteifi. Gyda chymorth Sam Lloyd, brodor o Langrannog a oedd yn ddirprwy Brif Beiriannydd Pyllau Glo Tylorstown, cefais waith fel ffiter yn y pyllau glo hyn. Treuliasai Sam Lloyd ei brentisiaeth, hefyd, yn yr un ffowndri â mi flynyddoedd yng nghynt.

'Roedd yn arferiad gan Eglwys Penmorfa (M.C.), lle 'roeddwn yn aelod, i roddi Beibl i'r sawl a fyddai'n mynd i ffwrdd o'r ardal i weithio. Felly rhoddwyd i mi Feibl ac fe'm cynghorwyd gan rai o'r blaenoriaid i beidio ag esgeuluso moddion gras. Rhoddwyd i mi, hefyd, lythyr aelodaeth i'w drosglwyddo i'r Eglwys Fethodistaidd yn Tylorstown, sef Eglwys Libanus (M.C.), lle 'roedd y Dr. D.M. Phillips yn weinidog.

Mae'r diwrnod y des i fyny o Langrannog i weithio yn y diwydiant glo yng Nghwm Rhondda yn glir ar sgrin fy nghof. Codais yn fore iawn y diwrnod cofiadwy hwnnw er mwyn dal trên wyth o'r gloch yng ngorsaf Henllan, ger Castellnewydd Emlyn. Felly, cyn cychwyn, rhaid oedd llanw cist bren fechan â dillad pwrpasol, yn cynnwys crys, pâr neu ddau o sane, siwt dydd Sul a phâr o oferôls. Rhoddais y Beibl a dderbyniais gan aelodau Eglwys Penmorfa yn y gist gyda'r dillad, a'r hen fap o'r Rhondda a oedd ym meddiant fy nhad yn ogystal. I'r gist bren honno 'roedd caead a dolen gref wedi ei ffitio arno, felly 'roedd yn hawdd ei chario. Hon oedd y gist bren lle cadwn fy nillad pan oeddwn yn was bach yn cysgu mâs yn storws ŷd fferm Eisteddfa, ger Llangrannog. Cesglais, hefyd, rai o'm tŵls personol, y rhai a oedd gennyf pan oeddwn yn brentis yn y ffowndri, a'u dodi mewn bocs pren, rhyw bymtheg modfedd o hyd ac wyth modfedd o led a dyfnder.

Y dydd Llun olaf yn Ionawr, 1942, ydoedd—diwrnod oer, glawog a gwyntog. 'Roeddwn wedi trefnu gyda un o 'fois y Cilie', sef Tom Jones, perchennog Pentre Arms, Llangrannog, i'm cludo yn ei gar Morris Cowley i orsaf Henllan mewn pryd i ddal trên wyth o'r gloch. Pan oeddwn wedi dodi'r gist bren a'r bocs tŵls yn y bŵt ac yn barod i gychwyn ar fy nhaith, cofiaf fy mam yn dweud wrthyf i gofio galw i weld teulu ei hewythr, Thomas Powell, yn 5 Albert Street, Pentre, a hefyd teulu ei chefnder, Owen Powell, yn Kennard Street, Tonpentre.

Yn llawn brwdfrydedd, ond nid heb ychydig gryndod, gadewais brydferthwch glannau arfordir Bae Ceredigion, gadael 'gwylanod gwyn y glennydd' a bant â fi ar fy nhaith i Gwm Rhondda. Cyrraedd gorsaf Henllan mewn pryd i ddal trên i Gaerfyrddin. Mae gen i ryw gof i mi orfod newid i drên arall ym Mhencader ac yna 'mlaen i Gaerfyrddin. Newid yno wedyn i drên Abertawe, ac yno 'roedd gen i

Y trên ar ei ffordd i dwnnel Blaen-cwm tua 1900
(Simon Eckley ac Emrys Jenkins, 1994: *Rhondda*, Chalford)

ddwy awr i aros cyn dal trên i Gwm Rhondda. Felly, i basio'r amser, 'rwy'n cofio mynd am dro i weld y difrod ofnadwy a wnaed gan fomiau'r Almaenwyr rai misoedd cyn hynny. 'Roedd y rhan fwyaf o'r siopau mawrion ynghanol y dref wedi eu dinistrio'n llwyr. 'Rwy'n cofio dod o hyd i un siop a safai ar ei thraed ynghanol yr holl adfeilion. Siop yn gwerthu amrywiaeth o dŵls oedd honno, siop Samuel Hall. Prynais yno bâr o 'galipers' i ychwanegu at yr ychydig dŵls a oedd gennyf yn y bocs bach pren. Yna es nôl i'r orsaf i ddal trên i Gwm Rhondda. 'Roedd hi'n dechrau tywyllu a braidd yn niwlog ac yn bwrw glaw mân pan nesaem at geg y twnnel a redai drwy glamp o fynydd o Flaengwynfi i mewn i'r Rhondda. Nid anghofiaf byth y gipolwg gyntaf a gefais wrth i'r trên dynnu allan o'r twnnel ym Mlaen-cwm. Yn sydyn, codai mynydd Pen-pych fel rhyw anghenfil boliog drwy'r glaw a'r düwch a amgaeai'r cwm. Teimlais fel un o drigolion Lilliput yn wynebu'r cawr Gulliver. Cefais ofn a bûm rhwng dau feddwl pa un ai dal y trên nesaf nôl i Geredigion a wnawn ai aros yn y Rhondda. Ond aros a wnes.

Ym Mlaen-cwm daeth rhyw hanner dwsin o lowyr i mewn i'r trên ac eisteddodd un ohonynt yn y sedd wag wrth fy ochr. 'Roedd e'n un

Stryd Treharne, Cwm-parc wedi'r bomio, 29/30 Ebrill 1941
(Simon Eckley ac Emrys Jenkins, 1994: *Rhondda,* Chalford)

siaradus iawn ac ymhen byr amser ffeindiodd allan mai un o'r wlad yn dod i weithio yn y Rhondda oeddwn i. Gan mai adeg yr Ail Ryfel Byd ydoedd, 'roedd hi'n gyfnod y blacowt. Erbyn hyn, 'roedd wedi tywyllu ac ychydig iawn o olau a oedd i'w weld ar y daith honno yn y trên drwy'r Rhondda Fawr—dim ond digon i ddyn fedru darllen enwau'r gorsafoedd. Dywedai'r glöwr wrth fy ochr enwau'r gorsafoedd cyn i'r trên eu cyrraedd bron. Ymlaen yr aeth y trên o Flaen-cwm i Dynewydd ac yna i Dreherbert, gan aros, wrth gwrs, ym mhob gorsaf. Cyn cyrraedd Treorci dechreuodd y glöwr ddweud ychydig am y bom a ddisgynnodd ar Gwm-parc rai misoedd yng nghynt. Dywedodd wrthyf fod 27 wedi eu lladd, gan gynnwys tri efaciwî. Gan mai yng Nghwm-parc 'roedd e'n byw aeth allan o'r trên yn Nhreorci ac wrth ymadael eglurodd i mi mai rhyw chwarter milltir i fyny i'r dde o Dreorci 'roedd Cwm-parc a byddai croeso i mi yn ei gartref unrhyw amser. Ei enw, os cofiaf yn iawn, oedd Bryn Jones, Vicarage Road, Cwm-parc. Aeth y trên wedyn trwy Ystrad Rhondda, Llwynypia ac ymlaen am Donypandy. Nid oedd y tywyllwch a'r glaw yn lliniaru dim ar sŵn peiriannau'r pyllau glo. 'Roedd synau clatshio'r dramiau a'r wagenni yn erbyn cefnau'i gilydd, y 'jiggers' yn jigian a phwffian stêm y peiriannau dirwyn yn fiwsig i'm clust, a'r tywyllwch yn bywhau'r dychymyg.

Wrth i'r trên agosáu at Donypandy, daeth yr enwog Tommy Farr i'm meddwl. 'Roedd y bocsiwr hwn yn eilun gennyf oddi ar y bore hwnnw, 'nôl yn y tridegau, pan godais o'm gwely am dri o'r gloch y bore i wrando ar y radio yr ornest hanesyddol honno rhyngddo fe a Joe Louis am Bencampwriaeth y Byd (Pwysau Trwm). Wrth i hyn gorddi'r meddwl, ychydig a feddyliais wrth eistedd yn y trên yn Nhonypandy y byddwn, flynyddoedd yn ddiweddarach, yn cael yr anrhydedd pan oeddwn yn Faer y Rhondda, o fod yn brif siaradwr yn angladd Tommy Farr.

Ymlaen yr aeth y trên nes cyrraedd y Porth. Rhaid oedd newid yno i drên arall a redai i fyny i'r Rhondda Fach gan basio heibio i Ynys-hir a Phont-y-gwaith nes cyrraedd Tylorstown—pen y daith. Bu'n siwrne ddeuddeg awr o Langrannog i Dylorstown!

Tylorstown ar droad y ganrif
(Simon Eckley ac Emrys Jenkins, 1994: *Rhondda*, Chalford)

Yn aros amdanaf yng ngorsaf Tylorstown 'roedd Sam Lloyd, a oedd wedi trefnu llety i mi yn ei gartref gyda'i deulu. A Sam yn cario fy nghist bren ar ei ysgwydd a minnau'n cario'r bocs tŵls, dringasom risiau a rhiwiau serth nes cyrraedd cartref y Lloyds, 57 Brondeg Street, Tylorstown. Yno'n ein disgwyl 'roedd Mrs. Sam Lloyd a'r ddau blentyn—Enid ac Ailwyn. Sali oedd enw'r fam—hithau yn enedigol o Sarnau, ger Llangrannog. 'Roedd y teulu hwn yn hynod o garedig; fe'm derbyniwyd yn gynnes iawn i'w haelwyd a mawr yw fy niolch iddynt hyd byth.

Cofiaf i mi gael fy neffro y bore cyntaf yn fy llety nid gan gloc larwm ond gan sŵn dolefus hwter pwll glo, No. 9, Tylorstown a minnau'n meddwl mai cri seiren cyrch awyr ydoedd. A chan gofio bod bomiau wedi eu gollwng ar Gwm-parc gan awyrennau'r Almaenwyr rai misoedd cyn hynny fe neidiais allan o'm gwely mewn wincad gan fynd i gyfeiriad y cwtsh dan stâr. Ond fe'm darbwyllwyd yn fuan gan Sam Lloyd. Yn wir, rhaid dweud bod sgrech yr hwter a'r seiren yn swnio'n debyg i'w gilydd.

Pyllau glo 8 a 9 Tylorstown ym 1920
(John Cornwell, 1987: *Rhondda Collieries*, D. Brown & Sons)

Treuliais fy shifft gyntaf yn y pwll glo yng nghwmni Dai Powell, fforman y ffiters, dyn byr o gorff a'i goes chwith yr un siâp â bwa—canlyniad damwain a gafodd tan ddaear. Herciog, felly, oedd ei gerddediad, a'i lysenw oedd 'Hop-along Cassidy' gan y ffiters. Siaradai Gymraeg yn nhafodiaith y Rhondda. Tyfai fwstas llydan a thrwchus a guddiai flaen ei drwyn bron yn gyfan gwbl. Credai yr actiai'r mwstas fel ffilter i gipio'r llwch o'r aer a anadlai rhag mynd i'w ysgyfaint.

Aeth y fforman â mi drwy'r holl adeiladau a oedd ar y safle o amgylch pen y pwll glo—adeiladau megis canolfan y ffiters, yr efail, y felin lifio, gweithdy'r seiri, y stablau, tŷ'r injan ddirwyn, y lamprŵm, y sgrîn, y cantîn, yr orsaf bŵer a'r boeleri. Rhyfeddais at faint peiriannau mawr yr orsaf bŵer—y tyrbinau stêm a'r generaduron a hefyd y boeleri mawrion a'r injan ddirwyn. Wedi i'r fforman a minnau ymweld â'r holl adeiladau hyn ac iddo fy nghyflwyno i hwn a'r llall, 'roedd fy shifft gyntaf yn y gwaith glo drosodd. Fe'm bodlonwyd yn fawr gan gyfeillgarwch y fforman a'r gweithwyr.

Mynychai Sam Lloyd a'r teulu eglwys Libanus (M.C.) ar y Sul. I'r eglwys honno y trosglwyddais fy llythyr aelodaeth o eglwys Penmorfa (M.C.), Ceredigion. Cefais groeso twymgalon gan y gweinidog, y Parchedig Ddr. D.M. Phillips, a gan yr aelodau, hefyd. Yn fuan wedi i mi ymaelodi yn Libanus fe'm gwahoddwyd gan Dr. Phillips i'w dŷ am sgwrs. Erbyn hyn, 'roeddwn wedi clywed llawer gan aelodau'r capel am arbenigrwydd y Doctor ynglŷn â'i esboniadau trwchus ar wahanol lyfrau o'r Beibl. Cofiaf yn dda myned i'w stydi yn ei gartref yn Tylorstown. Dyna lle 'roedd e'n eistedd mewn cadair freichiau o flaen desg a honno wedi ei gorchuddio gan rifynnau o'r *Goleuad*—papur wythnosol y Methodistiaid. Nid y ddesg yn unig a orchuddiwyd ganddynt ond breichiau'r gadair, pengliniau'r Doctor a hyd yn oed y llawr oddi amgylch ei draed, hefyd. Dyn byr o gorff ydoedd a thyfai farf dywyll ar siâp V a honno'n dechrau gwynnu. Dywedodd wrthyf am eistedd ar gadair wrth ochr y ddesg, ac o'r fan honno dim ond ei ben a'i farf oedd i'w gweld. Mentrais ofyn iddo ai esboniad arall oedd ganddo ar y gweill. 'Nage wir,' atebodd y Doctor, ''rwyf wrthi yn sgrifennu cofiant y diweddar Ddoctor Cynddylan Jones ac mae tipyn o waith chwilota i'w wneud.' Ar yr ymweliad hwnnw â'i stydi cofiaf iddo roddi llyfr i mi, yn cynnwys deuddeg o bregethau Saesneg. Paham Saesneg, wn i ddim. Efallai iddo feddwl nad oeddwn yn rhugl yn yr iaith honno ac y byddai'r pregethau yn help imi. Credaf i'r hen Ddoctor farw cyn iddo orffen 'sgrifennu cofiant y Dr. Cynddylan Jones.

Cofiaf y tro cyntaf i mi fynd tan ddaear. Daeth neges i ganolfan y ffiters ar ben y pwll yn dweud bod y pwmp yn y swmp wedi torri lawr. Y swmp oedd y lle dyfnaf yn y pwll, sef y man lle cronnai'r dŵr islaw'r shafft. Gofynnwyd i mi gan y fforman a fyddwn yn barod i fynd lawr i'r swmp i atgyweirio'r pwmp. Sylweddolais fy mod ar fin cael y profiad o fynd lawr tan ddaear am y tro cyntaf. Cofiaf sefyll tu mewn i gaets a oedd yn hongian oddi ar raff ddur drwchus uwch ceg y shafft. Cariwn fag tŵls dros fy ysgwydd a lamp drom yn fy llaw. Rhoddwyd arwydd gan y 'banksman' i yrrwr yr injan ddirwyn i'm gollwng i lawr i waelod y pwll. Yr hyn a'm tarawodd wrth gyflymu i lawr drwy'r shafft oedd yr anhawster a gawn i anadlu a theimlwn fel petawn yn colli fy ngwynt. Yna, pan oedd y caets yn arafu'n sydyn wrth nesáu at waelod y pwll gallwn dyngu ei fod yn dod i fyny nôl, gan beri i rythm fy anadlu stopio am ychydig eiliadau. Wedi i mi ddod allan o'r caets yng ngwaelod y pwll cyflwynias fy hun i'r hitshwr. Ei enw llawn oedd Cadwaladr Richards, ond Cad y'i gelwid gan ei gyd-weithwyr. Ef oedd yn gyfrifol am yr arwyddion yng ngwaelod y pwll a oedd yn ymwneud â holl symudiadau'r caets a'r cwbl a oedd yn mynd i mewn ac allan ohono. Wrth i mi edrych o gwmpas synnais weld cynifer o dwneli tanddaearol yn arwain i bob cyfeiriad a nenfwd cegau rhai ohonynt wedi eu gwyngalchu. Synnais yn fwy fyth pan ddywedodd Cad fod yna rwydwaith o bum milltir ar hugain o dwneli tanddaearol ym mhyllau glo Tylorstown. Wrth feddwl am yr holl byllau glo—dros 60 ohonynt—a suddwyd yn y Rhondda, sylweddolais, gan ryfeddu, fod trigolion y cwm yn byw uwchben rhwydwaith o saith gant a hanner o filltiroedd o dwneli tanddaearol. Rhwydwaith, bid siŵr, ail o ran cynllun i we'r pryf copyn.

Cyn cyrraedd y pwmp yn y swmp rhaid oedd cerdded drwy dwnel serth iawn nes dod at ddrws o bren trwchus. Agorais y drws a dyna lle 'roedd y pwmp ar lwyfan o goncrit ger ceg pwll dwfn o ddŵr a'r pwmpwr yn aros amdanaf. I'r swmp yma llifai'r dŵr o wahanol rannau o'r pwll gan gronni'n llyn bychan. Rhaid oedd pwmpo'r dŵr drwy biben i fyny'r shafft i ben y pwll. Gŵr o'r enw Handel Cooper a ofalai am y pwmp—Cymro Cymraeg diwylliedig. Nid wyf yn cofio beth oedd o le ar y pwmp, ond dechreuodd bwmpo yn reit fuan. Ond cofiaf yn dda iawn y sgwrs ddiddorol a gefais i â Handel y diwrnod hwnnw. Gofynnodd i mi a oeddwn yn sylweddoli fy mod yn sefyll yn y man isaf yng Nghwm Rhondda—yn agos i ddwy fil o droedfeddi i lawr yng nghrombil y ddaear. Yna, aeth ymlaen i adrodd triban a gyfansoddwyd gan un o 'wŷr y Gloran', yn ôl pob tebyg. Dyma'r triban:

Yng ngwaelod Cwm y Rhondda
Mae pwll sy'n un o'r dyfna',
Lle clywir gaffars, dyna'r gwir
Yn rhegi gwŷr Awstralia.

Gofynnais iddo ei ailadrodd er mwyn i mi gael cyfle i'w sgrifennu â sialc ar draws cefn y drws pren.

Wedi f'ymweliad cyntaf â'r swmp, ceisiai Handel ei orau i gael fy ngwasanaeth bob tro y byddai rhywbeth o'i le ar y pwmp. Cofiaf un o'r troeon hynny pan soniodd wrthyf am lwyddiant Côr Meibion Pendyrys yn Eisteddfod Genedlaethol Dinbych, 1939. 'Roedd Handel Cooper yn gerddor da a chanddo lais swynol iawn. Ef oedd dirprwy arweinydd Côr Pendyrys—y prif arweinydd y pryd hwnnw oedd Arthur Duggan. Yn yr Eisteddfod honno yn Ninbych, y darn gosod yng nghystadleuaeth y Corau Meibion oedd 'Iesu o Nasareth' (Dr. Joseph Parry). Dywedodd Handel mai ef ei hun oedd yn cymryd rhan yr unawdydd yn y darn ac mai glowyr oedd 90 y cant o aelodau'r Côr. Yn ôl Handel, cawsant lwyddiant ysgubol a chanmoliaeth uchel iawn gan y beirniaid, ac i goroni'r cwbl dyfarnwyd iddynt 99 allan o gant o farciau.

'Roedd sain ychydig yn wahanol i bob hwter pwll glo yn y Rhondda. Achwynai pobl Tylorstown, Stanleytown a Phontygwaith am hwter pwll glo Tylorstown. Dywedent ei fod yn rhy debyg i ddolef seiren cyrch awyr. 'Rwy'n cofio Prif Beiriannydd y pwll yn gofyn i mi geisio cynllunio hwter newydd dyfnach ei gri. Gwyddai y medrwn weithio'r lêdd a'r mashîn siapio—hyfforddwyd fi i weithio'r rhain yn ffowndri Aberteifi—ac 'roedd eisiau i mi wneud yr hwter allan o far hir o efydd, dwy droedfedd o hyd a phedair modfedd diamedr. Wrth feddwl am gynllun cofiais fel yr arferwn, pan oeddwn yn blentyn yn Llangrannog, wneud whît allan o gangen helygen ifanc, suddog drwy dynnu darn o'r plisgyn i ffwrdd yn gyfan oddi ar y pren. Yna, wedi cerfio cafn ac ambell rych yn y darn pren di-blisgyn, rhoi'r plisgyn 'nôl i'w le priodol ar y pren. Drwy ychwanegu rhai newidiadau i gynllun y whît bren llwyddais i wneud hwter newydd allan o'r bar efydd. Yna, wrth agor falf briodol a reolai lif yr aer cywasgedig drwy sianelau cudd yr hwter, cynhyrchai sŵn tebyg i darw yn bugunad. 'Roedd pawb yn fodlon ar y newydd-anedig darw!

Yng nghapel Libanus ceid tipyn o weithgarwch hyd yn oed yn y pedwardegau, adeg yr Ail Ryfel Byd. Cynhelid yno dair oedfa ar y Sul, gan gynnwys Ysgol Sul a chwrdd gweddi hefyd ar nos Fawrth. Yn ychwanegol, nawr ac yn y man, ceid Noson Lawen ac ambell gyngerdd. Cofiaf un o'r cyngherddau hynny pan oedd Charles Clements, Aberystwyth, organydd glew, yn un o'r artistiaid. 'Roedd gan Libanus organ bib hardd iawn. Tra oedd Clements wrthi'n chwarae'r organ diffoddodd y golau trydan drwy'r capel i gyd, ond 'roedd y pŵer trydan i'r organ heb ei dorri. Dal ati i chwarae a wnaeth Clements yn y tywyllwch am ryw ddeng munud hyd nes daeth y golau nôl, a swynwyd pawb gan ei fedr a'i ddawn.

'Rwy'n cofio eistedd arholiad yn Libanus—arholiad sirol Henaduriaeth Dwyrain Morgannwg wedi'i seilio ar Faes Llafur yr Ysgol Sul. Arholiad i bobl ifanc o dan 21 oed ydoedd. Llwyddais i

Cyfeillion yn y gwaith, Glyn a Gwyn

gipio'r wobr gyntaf, sef medal arian. Gan mai adeg yr Ail Ryfel Byd ydoedd, rhoddwyd llyfrau yn lle medal. Trefnwyd i mi fynd i gyfarfod misol yr Henaduriaeth yng nghapel yr enwad ym Mhen-tyrch i dderbyn y wobr. Yno, cyflwynodd y Parch. D.R. Thomas, Dowlais, dri llyfr trwchus i mi. Cofiaf enw un ohonynt, sef *Bannau'r Ffydd* gan Miall Edwards, ond 'rwyf wedi anghofio enwau'r ddau lyfr arall.

Ymhen ychydig fisoedd wedi hynny cefais fy ethol yn flaenor yn Libanus. 'Wn i ddim a oedd gan *Bannau'r Ffydd* rywbeth i wneud â'r dyrchafiad hwnnw! Dyna'r amser y dechreuais bregethu'n achlysurol, neu os mynnwch, 'helpu mâs' neu lanw bwlch yng nghapeli Cwm Rhondda. Ffaith ddiddorol i sylwi arni yw'r nifer o gapeli a oedd yn y Rhondda yr adeg honno. Cofiaf i mi gael fy synnu fod cynifer ohonynt i'w cael. Yn 1860, chwe chapel oedd yn y Rhondda. Ond erbyn 1905 'roedd nifer y capeli wedi codi i 151 a digon o le i eistedd ynddynt i 85,109 o bobl. Mae dros eu hanner wedi cau erbyn hyn a nifer dda wedi eu trawsnewid yn fflatiau ar gyfer yr henoed.

Beth amser yn ôl, 'roeddwn yn edrych drwy fy Suliaduron gan rifo'r nifer o weithiau y bûm yn pregethu yng nghapeli Cwm Rhondda yn ystod yr hanner canrif diwethaf. Er syndod i mi, cefais fy mod wedi pregethu 3,267 o weithiau.

Yn y flwyddyn 1944 daeth fy mrawd, Gareth, i fyny i'r Rhondda o Langrannog wedi i mi lwyddo i gael gwaith iddo ym mhyllau Glo Tylorstown fel prentis yn yr Adran Fecanyddol. Felly, trefnais lety i ni'n dau yn 1, East Road, Tylorstown, gyda Mr. a Mrs. John Griffiths, gan nad oedd lle i ddau ohonom gyda'r Lloyds yn Brondeg Street. 'Roedd fy llety newydd o fewn dau ganllath i'r pwll glo. Ar draws y ffordd, gyferbyn â'm llety, 'roedd sied sinc, lle cyfarfyddai aelodau cyfrinfa Undeb Glowyr De Cymru, ac wedi hynny, Undeb Cened-laethol y Glowyr. Yn y sied sinc honno y sefydlwyd Côr Meibion Pendyrys yn 1922, ac nid yw Ysgol Gynradd Tylorstown, cyrchfan ymarfer y Côr o'r cychwyn cyntaf tan heddiw, ond tri chanllath i ffwrdd. O'm llety clywn leisiau swynol aelodau'r Côr yn ymarfer, a gan fod Gareth fy mrawd yn fwy cerddorol na mi, fe ymunodd â Chôr Meibion Pendyrys.

Galwai hen wreigan fach sionc yn 1, East Road, yn go aml. 'Roedd hi a'm 'landlady', Mrs. Hannah Griffiths, yn ffrindiau ac yn hoffi cael sgwrs wrth fwynhau paned o de yng nghwmni'i gilydd. Adwaenid hi fel Mrs. Evans Cwm-twrch, gan mai un o Gwm-twrch oedd ei thad yn wreiddiol, ond yng Nghwmaman, Aberdâr y ganwyd hi yn y flwyddyn 1859. Y tro cyntaf i mi ei chwrdd 'roedd hi'n ei hwythdegau. Diddorol oedd ei chlywed yn dweud iddi gerdded, pan ond yn saith mlwydd oed, o Gwmaman dros y mynydd i Flaenllechau yn y Rhondda Fach, yng nghwmni'i thad a'i mam a phedwar person arall, gyda'r bwriad o sefydlu Eglwys Fedyddiedig ym Mlaenllechau. Dirprywaeth oedd y grŵp hwn yn gweithredu dan gyfarwyddyd aelodau Seion, Eglwys Fedyddiedig Cwmaman. O ganlyniad i hyn, adeiladwyd capel gan gredinwyr Blaenllechau a'r cylch yn 1867 a'i alw yn Nasareth, capel y Bedyddwyr. Hwn oedd capel cyntaf y Bedyddwyr yn y Rhondda Fach. Cofiaf hi'n dweud sut y collodd Nasareth dri chwarter y dynion a oedd yn aelodau ynddo mewn dwy danchwa tan ddaear ym mhwll No. I, Ferndale, yn 1867 ac 1869, pryd y collwyd cyfanswm o 231 o fywydau. 'Roedd y trychinebau hyn yn fyw iawn yng nghof Mrs. Evans Cwm-twrch. Pan oedd yn ferch ifanc bu hi'n gweithio ar ben pwll glo No. 7, Tylorstown. Dywedodd wrthyf unwaith mai ei gwaith hi ar ben y pwll oedd gyrru 'winch-haulage' fechan. A diddorol oedd ei chlywed yn sôn am y moch a fagai ei thad mewn twlc yng ngwaelod yr ardd tu ôl i'w tŷ. Pan ddeuai'r amser i'r moch gael eu gwerthu ym marchnad Pontypridd, rhaid oedd eu cerdded yno yr holl ffordd— pellter o saith milltir. Adroddai am y dasg y byddai hi a'i thad yn ei chyflawni cyn dechau'r daith gerdded, sef ffitio rhyw fath o wadnau wedi eu gwneud o ledr meddal dan draed y moch er mwyn eu cadw rhag eu clwyfo ar eu taith. Y dasg arall oedd ceisio cadw'r moch rhag cyfeiliorni ar yr hewl gul o Dylorstown i Bontypridd. Yn ôl Mrs. Evans Cwm-twrch, gofid ei thad ar adeg fel hon oedd y perygl i'r moch golli pwysau o ganlyniad i'w taith gerdded.

*   *   *

Y tro cyntaf i mi gyfarfod â'r diweddar James Kitchener Davies, cenedlatholwr, gwleidydd, dramodwr a bardd, oedd yn y Porth. Ar fore Sadwrn yng Ngwanwyn, 1944, y digwyddodd hyn. Y bore hwnnw 'roeddwn wedi mynd i farchnad Pontypridd i brynu crys newydd. Ar fy ffordd nôl rhaid oedd newid bws yn y Porth ac wrth i mi gerdded o un bws i'r llall clywais lais yn dod o gyfeiriad cornel Hannah Street, canolfan siopa'r dref. O ran chwilfrydedd es yn nes at y llais er mwyn clywed yn well beth oedd gan y siaradwr i'w ddweud. A dyna lle 'roedd Kitchener Davies yn sefyll ar ben bocs sebon ac yn siarad yn gryf dros hawliau Cymru. Cofiaf iddo ddweud na allai unrhyw genedl yn yr oes fodern fyw ei bywyd yn llawn heb ei chyfundrefnau cenedlaethol, gan gynnwys Senedd. Yn cynorthwyo Kitchener drwy ddosbarthu taflenni i'r dyrnaid o bobl a wrandawai arno 'roedd dwy fyfyrwraig. Oddi ar ben y bocs sebon apeliai at y gwrandawyr i ymuno yn y frwydr dros hawliau Cymru. Gan fod ei apêl mor synhwyrol ac argyhoeddiadol, 'roeddwn i'n methu deall pam na fyddai pawb yn ymuno yn y frwydr dros iawnderau Cymru fel cenedl wareiddiedig. Daeth y ddwy fyfyrwraig ataf gan gynnig cerdyn aelodaeth i mi ac fe ymaelodais â Phlaid Cymru yn y fan a'r lle. Y ddwy fyfyrwraig oedd Hilda Price a Gwyneth Evans. Erbyn hyn mae Hilda yn briod â'r Parch. Huw Ethall ers tro byd ac mae Gwyneth yn genhades ym Madagascar.

Y dydd Sadwrn hwnnw cefais wahoddiad i gartref Kitchener yn Aeron, Heol Brithweunydd, Trealaw. O hynny ymlaen buom yn cyd-ymgyrchu dros well telerau i'r glowyr a thros hawliau Cymru'n gyffredinol, gan gynnwys y frwydr ynglŷn â sefydlu Ysgolion Cymraeg yn y Rhondda. Yn Aeron, cartref 'Kitch' a'i deulu, y cyfarfûm gyntaf â Rhydwen Williams, pan oedd yn weinidog yn Ainon, Capel y Bedyddwyr, Ynys-hir. Braint i mi oedd cael y cyfle droeon yn Aeron i wrando ar 'Kitch' a'i wraig, Mair, a Rhydwen yn trafod dramâu, awdlau a phryddestau. 'Roedd gan y tri feddyliau creadigol a threiddgar. Yr hyn yr oeddwn yn ei fwynhau fwyaf oedd clywed 'Kitch' a Rhydwen yn beirniadu gweithiau'i gilydd, yn enwedig pan enillodd Rhydwen y Goron yn Eisteddfod Genedlaethol Aberpennar, 1946.

*   *   *

Diwrnod pwysig a hanesyddol oedd 1 Ionawr 1947 pan wladolwyd y Maes Glo. 'Roeddwn yn bresennol yn y seremoni a gynhaliwyd ar ben pwll glo No. 9, Tylorstown, yn gynnar yn y bore y diwrnod hwnnw—cyn i shifft y dydd fynd lawr tan ddaear. Y siaradwyr yn y seremoni honno oedd Gethin Jones, rheolwr y pwll; Bryn Williams, cadeirydd cyfrinfa leol Undeb y Glowyr a'r Cynghorydd (Mrs.) C.M. Parfitt yn cynrychioli Cyngor y Rhondda. Teimlwn fod yno, ar y bore hwnnw, gryn frwdfrydedd ymysg y glowyr ynglŷn â'r oruchwyliaeth newydd.

Yr hyn a gododd fy ngwrychyn y bore hwnnw oedd gweld baner Jac yr Undeb yn cael ei chodi i gyhwfan gyda baner y Bwrdd Glo Cenedlaethol o'r man uchaf ar y ffrâm ddur ger yr olwyn fawr uwchben y pwll glo. Gwyddwn nad oedd Cymru yn cael ei chynrychioli ar Jac yr Undeb a theimlais yn gryf y dylai'r Ddraig Goch gyhwfan o'r un man â'r ddwy faner arall. Rhaid oedd gwneud rhywbeth ynglŷn â hyn. Wedi trafod y mater gyda'm ffrind, Brynach Davies, a oedd ar y pryd yn ffiter yn y pwll glo, a hefyd gyda'm brawd, Gareth, penderfynwyd trafod hawl y Ddraig Goch gyda Gethin Jones, Bryn Williams ac Elfed Davies, ysgrifennydd cyfrinfa leol Undeb y Glowyr (a ddaeth yn Aelod Seneddol Dwyrain Rhondda yn ddiweddarach). Anffafriol eu hagwedd oeddynt i'r syniad o gael y Ddraig Goch i gyhwfan ochr yn ochr â'r ddwy faner arall a cheisient gyfiawnhau hynny drwy ddweud bod Lloegr a Chymru'n un bellach. Fe'm gwylltiwyd gan eu hagwedd a phenderfynodd y tri ohonom fynd ati i brynu baner y Ddraig Goch, gyda'r bwriad o'i chyhwfan oddi ar y ffrâm ddur ger yr olwyn fawr. Ychydig o Ddreigiau Coch a oedd i'w cael yr adeg honno. 'Rwy'n cofio mynd mewn bws i Gaerdydd yn y gobaith o ddod o hyd i siop yn gwerthu baneri. Llwyddais i brynu baner ddwylath yn un o'r arcêds. Es nôl i Dylorstown yn hapus gan ei chario mewn clamp o fag papur.

Wedyn, rhaid oedd i Brynach, Gareth a minnau benderfynu pryd a sut y caem y Ddraig Goch i gyhwfan i fyny fry uwchben y fframyn dur. Dewiswyd nos Sadwrn fel yr amser gorau i gyflawni'r dasg. Felly, wedi dod o hyd i bolyn hir, sef darn o biben modfedd a hanner diamedr a rhyw ddeuddeg troedfedd o hyd, dringasom ein tri i dop y ffrâm ddur uwchben y pwll glo. Dygwyd gyda ni, hefyd, offer angenrheidiol i sicrhau'r polyn, a'r faner arno, ar gopa'r fframyn ger y ddwy faner arall, gan wneud yn siŵr fod y Ddraig Goch yn cyhwfan rhyw hanner troedfedd yn uwch na Jac yr Undeb. Y diwrnodau canlynol, syndod i bawb oedd gweld baner y Ddraig Goch yn chwifio'n chwareus yn yr awel. Bu llawer o holi gan rai o'r penaethiaid ynglŷn â phwy fu'n gyfrifol am y digwyddiad, ond 'roedd y glowyr cyffredin yn ffafriol iawn i ymddangosiad y Ddraig Goch. Tyfu a wnaeth y teimlad hwn ymysg y glowyr nes i rai ohonynt ofyn a oedd eisiau Jac yr Undeb yno o gwbl. Ymhen rhyw dair wythnos diflannodd y Ddraig Goch a Jac yr Undeb heb fod neb yn gwybod beth a ddigwyddodd iddynt. Teimlwn erbyn hyn fod brwydr yn dechrau twymo rhwng cefnogwyr y Ddraig Goch a chefnogwyr Jac yr Undeb. Gan fod Dydd Gŵyl Dewi yn agosáu, penderfynodd Brynach, Gareth a minnau brynu Draig Goch arall a'i gosod yn ei lle priodol ar gopa'r ffrâm ddur yn ystod y nos, cyn toriad gwawr dydd ein Nawdd Sant, fel y byddai'r glowyr yn medru ei gweld yn cyhwfan yn urddasol. Ni fentrodd neb godi baner Jac yr Undeb uwch ben pwll glo No. 9, Tylorstown, wedi hynny.

$$* \quad * \quad *$$

Wedi i'r diwydiant glo gael ei wladoli rhoddwyd mwy o sylw i ddiogelwch ac fe wariwyd llawer mwy o arian i fecaneiddio'r pyllau glo nag a wariwyd gan y Cwmnïau Preifat. Teimlwn fod agwedd y glowyr wedi newid hefyd—'roeddent yn fwy hamddenol wrth eu gwaith. Rhoddwyd cyfle, hefyd, i'r sawl a ewyllysiai gael un diwrnod yr wythnos yn rhydd i fynychu Coleg Technegol Morgannwg yn Nhrefforest. Yno, 'roedd cyfle i astudio gwahanol bynciau. Cymerais fantais o'r cyfle hwn a bûm yn mynychu'r Coleg am bedair blynedd yn astudio Peirianneg a Mathemateg, gan lwyddo i gael fy nhystysgrif 'H.N.C.'

'Roeddwn yn hoffi cael ambell sgwrs â gwahanol gymeriadau pan fyddai galw arnaf i ymweld a thrwsio rhai o'r peiriannau yn y ffas a'r twneli tanddaearol. Cofiaf i mi gael sawl sgwrs â Ben Jones, gyrrwr injan 'haulage' a dynnai'r siwrne lawn, hynny yw, tynnu tua deg ar hugain o ddramiau llawn glo o'r 'dymp' yn agos i'r ffas, tuag at waelod y pwll. Ben Jones oedd cyfeilydd medrus Côr Meibion Pendyrys. 'Roedd ef a Mansel Thomas, Pennaeth Adran Gerdd y B.B.C. yng Nghymru ar un adeg, yn ffrindiau er pan oeddent yn blant.

'Rwy'n cofio gofyn i Ben sut y daeth yn gymaint o arbenigwr ar chwarae'r piano. Eglurodd i mi sut y byddai tad Mansel, sef Theophilus Thomas a oedd yn berchen siop gwerthu papurau, yn arfer cloi'r drws ar Mansel ac yntau am chwe awr ar y tro i'w gorfodi i ymarfer eu gwersi piano. Cawn lawer sgwrs ag ef pan awn i'w siop, nad oedd ond canllath o'm llety yn East Road. 'Rwy'n cofio iddo unwaith, gyda gwên, gadarnhau'r ffaith ei fod yn cloi'r ddau blentyn mewn ystafell am chwe awr ar y tro a bod y dull hwnnw o weithredu wedi dwyn ffrwyth.

Gelwid y ffiter a ofalai am foeleri'r pwll yn Jim 'Mountain Fighter'—gŵr hynod o ddiddorol ac yn un o griw'r 'Mountain Fighters'. Mae'n debyg, yn ôl yr hyn a glywais, mai un o'r criw hwn oedd Tommy Farr cyn iddo droi'n focsiwr proffesiynol. Enw iawn Jim 'Mountain Fighter' oedd Jim Thomas. Daliodd ymlaen i weithio tan ei fod yn 73 oed. 'Doedd dim rheidrwydd ar bobl i orffen gweithio wedi iddynt gyrraedd 65 oed yr adeg honno. Un byr a thenau o gorff oedd Jim, ond yn foi tu hwnt o fedrus â'i ddyrnau. Cofiaf iddo ddweud wrthyf sut y byddai, pan oedd yn ifanc, yn trefnu gornestau moelddwrn, allan o'r golwg, ar ben rhai o fynyddoedd y Rhondda. Ymladdent am arian, a byddai nifer o'r glowyr yn eu dilyn i'r mynyddoedd ac yn betio ar bwy a enillai. Byddai'r gornestau hyn yn mynd mlân am oriau ac os na fyddai enillydd ar ôl hyn a hyn o amser byddent yn ailddechrau y diwrnod canlynol ac yn dal ati i ymladd nes cael enillydd. 'Roedd Jim yn ymladdwr glew iawn, un o'r goreuon, a medrai drechu bechgyn llawer trymach nag ef ei hun Yn fynych, byddai'r gornestau hyn yn troi'n frwydrau ffyrnig a gwaedlyd iawn.

*   *   *

Cyfnod llewyrchus ym myd y ddrama oedd y pedwar a'r pumdegau yn y Rhondda. Dyma rai o'r cwmnïau a ddaw i'm cof yn awr: dau gwmni o'r Maerdy, sef Cwmni Neuadd y Gweithwyr (cynhyrchydd Wil John Griffiths) a Chwaraewyr Moss (cynhyrchydd D. Moses Jones). Yna dau gwmni o Ferndale, sef The Arts Players (cynhyrchydd Glyn Morse), a Chwmni Neuadd y Gweithwyr (cynhyrchydd Mrs. D.T. Morris). 'Roedd cwmni yn Ynys-hir o'r enw Chwaraewyr Saron (cynhyrchydd Mrs. Megan Thomas); cwmni yn Nhrealaw o'r enw Maes yr Haf Players (cynhyrchydd Glyn Jones) ac un arall yn Nhonypandy a adwaenid fel y Garrick Players (cynhyrchydd Jack James). Yr adeg honno cynhelid yn flynyddol Wythnos Ddrama yn neuaddau mawr Cwm Rhondda, lle y byddai cwmnïau yn cystadlu yn erbyn ei gilydd. 'Roedd yr Wythnos Ddrama yn boblogaidd iawn a phobl yn ciwio dros nos am docynnau. 'Roeddwn i'n aelod ac yn actio mewn tri chwmni drama, sef Chwaraewyr Moss, y Maerdy; Cwmni Drama Neuadd y Gweithwyr, Ferndale a'r Arts Players, Ferndale. 'Roedd Gareth fy mrawd a minnau yn actio gyda Chwaraewyr Moss pan enillodd y cwmni yng nghystadleuaeth actio drama dair act yn Eisteddfod Genedlaethol Aberystwyth, 1952. Allan o'r deuddeg cwmni a fu'n cystadlu yn y gystadleuaeth honno dewiswyd dau i berfformio yn y prawf terfynol ar lwyfan Neuadd y Brenin yn Aberystwyth, a'r ddau gwmni oedd Chwaraewyr Moss a Chwmni'r Gwter Fawr, Brynaman. Perfformiwyd yr un ddrama gan y ddau gwmwni, sef *Llygad y Geiniog*, gan Louis D'Alton (cyfieithiad D.J. Thomas). Chwaraewyr Moss a enillodd. Anghofiaf i fyth yr olygfa a'r croeso a oedd yn ein haros ar sgwâr y Maerdy pan ddychwelasom adref yn oriau mân y bore. 'Rwy'n cofio i ni ennill, hefyd, yn Eisteddfod Powys ar ôl perfformio drama dair act arall, sef *Y Ddeuddyn Hyn* gan Islwyn Williams.

Cafodd Glyn Morse, cynhyrchydd yr Arts Players, Ferndale, ddylanwad mawr ar yr actor Stanley Baker. Ef, hefyd, oedd yr athro drama yn Ysgol Uwchradd y Bechgyn, Ferndale, lle 'roedd Stanley yn ddisgybl. Cymerai Stanley rannau yn nramâu yr ysgol a sylweddolodd ei athro fod ynddo botensial actor da. Trefnodd Glyn Morse iddo gael ei gyfweld gan Emlyn Williams ac o ganlyniad i'r cyfweliad cafodd gyfle i actio yn rhai o ddramâu'r Cymro yn Llundain. Ym mhen rhai blynyddoedd datblygodd yn un o'r actorion ffilm mwyaf blaenllaw. Cefais lawer sgwrs â thad Stanley. Un goes oedd ganddo; collodd y llall trwy ddamwain wrth i'r caets a gludai'r glowyr i waelod y pwll glo fethu arafu cyn cyrraedd y gwaelod, oherwydd rhyw nam ar frêc yr injan ddirwyn. Mae gennyf atgofion melys iawn o fod yng nghwmni actorion fel Prysor Williams o Dreherbert a Moses Jones o'r Maerdy pan fyddwn yn cael fy ngalw i stiwdio'r B.B.C. yng Nghaerdydd neu

Abertawe i gymryd rhannau mewn rhaglenni ysgolion neu yng nghyfres Teulu Tŷ Coch ac ambell ddrama radio. 'Roedd y profiad o weithio tan ddaear gan y tri ohonom, ond dioddefai Prysor a Moses gan glefyd y llwch. Weithiau caent drafferth i anadlu. Pan fyddai'r ddau yn teithio yn fy nghar i'r stiwdio yng Nghaerdydd neu Abertawe, byddwn yn cario silindr ocsygen ym mŵt y car rhag ofn y deuai galw i'w ddefnyddio i hwyluso ychydig ar eu hanadlu.

Un o'r Maerdy, hefyd, oedd D. Haydn Davies, cynhyrchydd nifer o Raglenni Ysgolion y B.B.C., ac un o'r Pentre yn y Rhondda oedd Evelyn Williams, a fu'n gynhyrchydd Rhaglenni'r Plant am flynyddoedd gyda'r B.B.C. Meibion y Rhondda oedd yr actorion adnabyddus, Donald Houston a Ray Smith. Brawd Donald yw'r actor Glyn Houston. Heddiw, mae actorion disglair fel Daniel Evans a Shelly Rees yn codi yng Nghwm Rhondda. Merch yn enedigol o Ferndale yw Sybil Williams, gwraig gyntaf Richard Burton. Un â'i wreiddiau yng Nghilgerran oedd tad Sybil. Câi ei adnabod fel Dai Cilgerran. 'Overman' tan ddaear ydoedd ac enw ei frawd oedd Jack—Jack Cilgerran. 'Roedd yntau yn löwr ac yn aelod o Gwmni Drama Neuadd y Gweithwyr, Ferndale. Cyn i Sybil ddechrau ar ei gyrfa fel actores broffesiynol 'roedd hithau'n aelod o Gwmni'r Neuadd. Gan fy mod innau'n aelod o'r cwmni drama hwnnw, deuthum i adnabod Sybil yn reit dda. 'Roedd yn ferch annwyl a phert iawn. Gallaf ddweud mai iddi hi mae'r diolch fy mod yn medru dawnsio rhyw ychydig. Pan ddeuai adref ar ei gwyliau o Lundain, byddai'n gwneud yn siŵr bob tro y cawn gyfle i ddawnsio gyda hi. 'Roedd hyn yn digwydd, wrth gwrs, cyn iddi briodi Richard Burton!

*   *   *

Y tro cyntaf i mi gymryd rhan mewn Etholiad Cyffredinol yn y Rhondda oedd yn 1945—y flwyddyn pan orffennodd yr Ail Ryfed Byd. 'Roedd tri ymgeisydd yn sefyll yn Etholaeth Dwyrain y Rhondda, sef W.H. Mainwaring (Llafur), Harry Pollit (Comiwnydd) a Kitchener Davies (Plaid Cymru). Cynhaliwyd cyfarfodydd cyhoeddus mewn neuaddau mawr a neuaddau ysgolion ar hyd yr etholaeth. Deuai'r glowyr yn eu cannoedd i'r cyfarfodydd hyn.

Gan fod Rwsia wedi ymladd ar ochr Prydain yn erbyn yr Almaen 'roedd Comiwnyddiaeth yn boblogaidd ar y pryd yng Nghwm Rhondda. Areithiwr grymus oedd Harry Pollit a gwae neb a fyddai'n ceisio ei heclan. 'Roedd Bill Mainwaring, wedyn, yn defnyddio ystadegau'n dda, ond gan fod Pollit mor boblogaidd 'roedd perygl i Mainwaring golli ei sedd. 'Rwy'n cofio Jim Griffiths, A.S., Llanelli yn dod i'w gefnogi a siarad o lwyfan y Neuadd Les yn Tylorstown am ragoriaethau Yswiriant Cenedlaethol.

Yn yr ymgyrch etholiadol honno 'roeddwn i'n un o brif gynorthwywyr Kitchener Davies. 'Kitch' oedd yr areithiwr mwyaf tanllyd o'r tri. Yr hyn a wnâi oedd hau cenedlaetholdeb Cymreig iachus, gan ganolbwyntio ar hawliau ac iawnderau Cymru. Cynhaliai ei gyfarfodydd mewn neuaddau ac allan yn yr awyr agored, hefyd. Teithiai ar hyd Cwm Rhondda yn ei gar bach Austin Seven gan gario yn y bŵt lwyfan bach cyfleus a hawdd i'w osod i fyny mewn unrhyw le priodol yn yr awyr agored. Perchennog a chynllunydd y llwyfan pitw hwn oedd H.W.J. Edwards a oedd yn byw yn weddol agos i gartref 'Kitch' yn Nhrealaw. Weithiau, byddai H.W.J. Edwards yn cario'r llwyfan pitw ar ei ysgwydd o fan i fan a'i osod i fyny yn ddidrafferth ar gornel stryd neu mewn parc cyhoeddus cyfleus a bwrw ati i areithio. 'Roedd grisiau priodol yn arwain i fyny i'r llwyfan. 'Rwy'n cofio bod yng nghwmni 'Kitch' mewn cyfarfod awyr agored ar sgwâr Tonypandy. Wedi iddo leoli'r llwyfan mewn man manteisiol ger y sgwâr, dringodd i fyny'r grisiau i'r llwyfan a dechreuodd siarad yn ei ffordd ddihafal gan ddenu tyrfa luosog o'i gwmpas. Tra siaradai, 'roeddwn i'n dosbarthu taflenni i'r gwrandawyr. Wedi iddo orffen siarad ac ar ôl cymeradwyaeth ddyladwy'r dorf, dyma gyhoeddi heb unrhyw rybudd i mi, 'Gofynnaf yn awr i Glyn James ddod i fyny i'r llwyfan i ddweud gair neu ddau.' Teimlwn fel petai'r ddaear yn suddo oddi tanaf. 'Doeddwn i ddim erioed wedi dweud gair yn gyhoeddus mewn ymgyrch wleidyddol. Rhois yr argraff nad oeddwn wedi clywed y cyhoeddiad o'r llwyfan, gan gario ymlaen i ddosbarthu taflenni. Cyhoeddodd 'Kitch' eto o'r llwyfan y byddai'n barod i ateb cwestiynau wedi i mi siarad. 'Doedd dim i'w wneud nawr ond ufuddhau. Aeth fy meddwl yn hollol wag. Tra oedd ef yn dod i lawr o'r llwyfan a minnau ar fy ffordd i fyny'r grisiau, sibrydodd yn fy nghlust, 'Pwysa ar y bobl i bleidleisio dros Blaid Cymru.' A dyna beth wnes i, eu hannog i roi eu pleidleisiau i Blaid Cymru, a'u gwahodd i brynu'r misolyn, *Y Ddraig Goch*, ac i ymuno â Phlaid Cymru. Methais feddwl am ddim arall i'w ddweud. Felly, cyhoeddais o'r llwyfan bod yr ymgeisydd, Kitchener Davies, yn barod i ddod 'nôl i'r llwyfan i ateb cwestiynau. Wrth iddo ddod i fyny, sibrydodd yn fy nghlust, 'Da iawn, y Cardi bach!' Wedi'r profiad ysgytwol, bythgofiadwy hwnnw ar sgwâr Tonypandy, deuthum yn fwy cyfarwydd â siarad yn gyhoeddus ac fe'm galluogodd ym mhen amser i gynrychioli Ferndale, y Maerdy a Blaenllechau ar gynghorau'r Rhondda, yr hen Forgannwg a Morgannwg Ganol am dros ddeng mlynedd ar hugain, o 1960 tan 1991. Ac yn ystod y cyfnod rhwng 1955-1979 bûm yn ymgeisydd seneddol yn y Rhondda saith o weithiau.

*   *   *

Eithriad yn y pedwardegau yn y Rhondda oedd clywed plentyn tan bymtheg oed yn siarad Cymraeg. Yn Saesneg y siaradai'r mwyafrif o aelodau'r capeli Cymraeg â'i gilydd a gyda'u plant, er bod holl wasanaethau'r capeli'n Gymraeg. 'Roedd hyn yn siom i mi a theimlais fod agwedd y bobl tuag at yr iaith yn anfanteisiol i'w plant. Dyma'r adeg yr ymunais yn y frwydr a oedd ar droed yng Nghwm Rhondda dros sefydlu Ysgolion Cymraeg. Y bobl flaenllaw yn yr ymgyrch y deuthum i'w hadnabod oedd Kitchener Davies; Y Parch. T. Alban Davies; Dan Davies, Trewiliam; y Parch. Haydn Lewis; Besi Tomas; y Parch. Emrys Jones; David Davies, Tylorstown; y Parch. W.G. Thomas a Mr. Gilbert Davies, Ferndale. 'Rwy'n cofio trefnu cyfarfod cyhoeddus yn festri Bethania, y Maerdy a gwahodd nifer o rieni Cymraeg i ddod yno i wrando ar Miss Cassie Davies (A.E.M.) a Miss Norah Isaac yn siarad am ragoriaethau Ysgol Gymraeg. Cofiaf, hefyd, fod rhai o'r rhieni Cymraeg eu hiaith a oedd yn bresennol yn gyndyn i ganiatáu i'w plant fynychu ysgol o'r fath. Eu cri oedd, 'Fydd ein plant ddim yn medru Saesneg.' Ond fe'm hargyhoeddwyd yn llwyr gan y ddwy siaradreg wybodus o fanteision Ysgol Gymraeg. Cofiaf i mi gael y fraint o fod yng nghwmni y diweddar Kitchener Davies yn ymweld â chartrefi i geisio gan rieni adael i'w plant fynychu Ysgol Gymraeg.

Llwyddodd ein cenhadaeth yn rhai o'r cartrefi. Ond ateb eraill oedd, 'Mae ein plentyn ni yn cael digon o Gymraeg yn y tŷ', 'Fydd ein plant ddim yn medru Saesneg yn iawn, fe fyddant dan anfantais.' Yr un oedd y stori pan euthum yng nghwmni y diweddar David Davies, Tylorstown, i ymweld â chartrefi yn y Rhondda Fach. Ond llwyddwyd, eto, i berswadio ambell riant.

Y Cynghorwr yn arwain rhai o famau'r Rhondda

Ffroeni trywydd San Steffan

Perswadio David Hunt, Ysgrifennydd Gwladol Cymru,
fod Rhondda yn enw i bara byth

Wedi pedair blynedd o ymgyrchu dyfal, fodd bynnag, clywyd, er mawr lawenydd i'r ymgyrchwyr, fod dwy Ysgol Gymraeg i'w sefydlu, y naill yn Ynys-wen a'r llall ym Mhont-y-gwaith. Yng nghofnodion y Pwyllgor Addysg, 2 Mai 1950, ceir fod Miss Olwen Jones, Treorci, a Miss S.E. (Bessie) Thomas, Ferndale wedi eu penodi'n brifathrawon y ddwy ysgol arloesol hyn. Agorodd Ysgol Gymraeg Ynys-wen ei drws am y tro cyntaf ar ddydd Llun, 26 Mehefin 1950, i 33 o blant. Agorodd Ysgol Gymraeg Pont-y-gwaith ei drws am y tro cyntaf ar 6 Medi 1950 i 13 o blant.

Bu rhai athrawon a phrifathrawon gwrth-Gymraeg yn euog o blannu rhagfarnau ym meddyliau rhai o rieni'r Rhondda ac o ennyn annoddefgarwch, hyd yn oed, ond y mae rhagfarnau ddoe wedi ildio i safbwyntiau mwy goleuedig ein dyddiau ni. Y mae'r Ysgolion Cymraeg eu hunain yn dwyn tystiolaeth i'r newid hwn. Lle bynnag y sefydlir un ohonynt y mae o angenrheidrwydd yn her ac yn ysbrydoliaeth i'r gymdogaeth. Yn wir, nid yw yn ormod dweud bod yr Ysgolion Cymraeg yn dangos y ffordd tua Chymru'r Dyfodol, oherwydd fel y dywedodd y diweddar Athro Griffith John Williams: 'Heb gyfundrefn addysg Gymraeg a Chymreig, y mae ar ben arnom.'

Ysgol Gymraeg Pont-y-gwaith yn dathlu ei phen-blwydd cyntaf ym 1951

Erbyn hyn, y mae pum Ysgol Gynradd Gymraeg yn y Rhondda, ac mae 250 o blant ar gyfartaledd ym mhob un ohonynt. Mae yma alw mawr am ddwy Ysgol Gymraeg ychwanegol. Yr ysgolion hyn sy'n bwydo'r Ysgol Gyfun Gymraeg yn y cwm, sef Ysgol Gyfun Gymraeg y Cymer. Onid yw hi'n rhyfedd meddwl bod Mrs. Eirlys Pritchard Jones, prifathrawes Ysgol Gyfun y Cymer, yn un o'r plant cyntaf i gerdded drwy ddrws Ysgol Gymraeg Ynys-wen pan agorwyd hi yn 1950? Difesur yw ein diolch i'r rhieni yng Nghwm Rhondda yn 1950 na fodlonai ar lai nag addysg Gymraeg mewn Ysgol Gymraeg leol i'w plant.

*   *   *

Yn ôl y farn gyffredinol ymysg glowyr y Rhondda, streic 1972 oedd y fwyaf llwyddiannus o'r holl streiciau a gynhaliwyd ganddynt. Brwydr oedd y streic honno am gyflogau uwch a gwell telerau i'r glowyr ac y mae un digwyddiad ynglŷn â hi yn fyw iawn yn fy nghof. Teimlai Glyn Owen a minnau, y ddau ohonom yn gynghorwyr ar Gyngor Sir Forgannwg ar y pryd, mai buddiol i achos y glowyr fyddai tynnu sylw'r Aelodau Seneddol a'r Prif Weinidog at eu hachos, trwy weithredu'n uniongyrchol o oriel Tŷ'r Cyffredin.

Wedi i ni benderfynu ar natur y weithred, sef taflu mil o daflenni protest i lawr dros bennau'r aelodau a eisteddai yn siambr Tŷ'r Cyffredin, aethom ati i drefnu'r ymweliad. Argraffwyd ar y taflenni bychain ychydig ffeithiau ynglŷn â chyflogau'r glowyr ynghyd â'r geiriau hyn: 'Cyfiawnder i'r Glowyr—Justice for the Miners.' Trwy ddirgel ffyrdd daethom o hyd i docynnau mynediad i'r oriel. Trefnwyd fy mod i'n cuddio'r taflenni pitw mewn pocedi cudd yn leinin cefn fy ngwasgod a'u taflu dros yr aelodau pan ddeuai'r cyfle, tra gwaeddai Glyn Owen sloganau. Rhaid oedd ciwio am oriau cyn cael mynediad i'r oriel a oedd yn orlawn y diwrnod hwnnw, gan mai dadl ar ddiweithdra oedd ar lawr y Senedd. Fe'm synnwyd o weld dim ond tua 50 yn bresennol. Sylweddolais y byddai'n rhaid i mi fynd i ffrynt yr oriel cyn y gallwn daflu'r taflenni.

Dechreuasom berfformio drwy i Glyn Owen weiddi'n uchel nifer o sloganau pwrpasol a minnau yn gwthio fy ffordd ymlaen tua ffrynt yr oriel. 'Doedd dim lle yno hyd yn oed i sefyll, felly rhaid oedd i mi neidio dros reilen y balconi gan afael yn dynn â'm braich chwith yn un o byst diogelwch y rheilen. 'Roedd fy nghorff yn hongian mewn gwagle rhwng y balconi a llawr Tŷ'r Cyffredin lle eisteddai'r Aelodau Seneddol a'r Prif Weinidog, Edward Heath. Â'm llaw dde llwyddais i wasgar y taflenni dros y llawr islaw a rhyfeddod i'r llygad oedd eu gweld fel haid o locustiaid yn glanio ar bennau moel rhai o'r aelodau. Mewn cytgord â'r taflu, gwaeddem 'Cyfiawnder i'r Glowyr—Justice for the Miners.' Tra oedd y gwrthdystiad a'r gweiddi yn parhau llanwyd llawr Tŷ'r Cyffredin gan aelodau a oedd yn absennol cyn hynny. Rhaid eu bod wedi sylweddoli bod rhywbeth o bwys yn digwydd yn Nhŷ'r Cyffredin!

Wedi i'r perfformio barhau am ryw bum munud, llwyddodd dau ddyn mewn siwtiau du a theis bwa i gyrraedd y fan lle rown i'n hongian gerfydd fy mraich. A dweud y gwir, 'roeddwn yn falch o'u gweld, oherwydd gwynegai fy mraich chwith 'rôl dal pwysau fy nghorff am gymaint o amser. Wedi iddynt fy nghodi 'nôl dros y rheilen diogelwch fe'm harweiniwyd allan o'r oriel ac i ymyl lifft gerllaw, lle 'roedd dau blismon yn aros amdanaf. Dechreuodd y plismyn fy holi gan ofyn pwy oeddwn a ble rown i'n byw. Yr unig ateb a gawsant oedd: 'I'm a miner from the Rhondda.' Gwylltiodd un o'r plismyn ac fe'm bwriodd i'r llawr a'm cicio yn fy ochrau. Yna fe'm llusgwyd i mewn i'r lifft. Erbyn hyn daethai Glyn Owen at y lifft dan ofal plismon arall. Disgynnodd y lifft nes cyrraedd ceg mynedfa a grisiau o gerrig trwchus a arweiniai i gell rhywle rhwng seiliau Tŷ'r Cyffredin a Thŷ'r Arglwyddi. Fe'm dodwyd dan glo yn y gell honno.

Ymhen byr amser cerddodd rhyw ddyn tal, sarrug yr olwg i mewn i'r gell. Dan ei drwyn tyfai mwstashen lydan ac edrychai'n berson pwysig iawn. 'Roedd ei agwedd tuag atom yn annymunol a dweud y lleiaf. Holodd ni'n fanwl ynglŷn â bwriadau ein perfformiad. Wedi iddo ddeall ein bod yn ddau Gynghorydd Sir newidiodd ei agwedd tuag atom, fel petai eisiau cyfarwyddyd pellach ynglŷn â beth i'w wneud nesaf yn ei berthynas â ni. Aeth allan o'r gell gan ein gadael ni yno. Yn cadw golwg arnom drwy dwll yn wal y gell 'roedd plismon. Bachgen dymunol iawn oedd hwn a chawsom sgwrs ddidorol ag ef. Cofiaf iddo ddweud wrthym ein bod yn sefyll mewn rhan o'r gell y cedwid Siarl I ynddi cyn iddo gael ei ddienyddio. Dangosodd i ni ran o'r grisiau cerrig anferth y cerddodd Siarl I drostynt. Arweiniai'r grisiau hyn yn ddyfnach i seiliau Tŷ'r Cyffredin. Yn ystod y nos, anodd oedd cael cwsg wrth orffwys ar ystyllen lydan a thrwchus a thwrw taro Big Ben i'w glywed pob chwarter awr. Yn ysgrifenedig ar un o waliau'r gell 'roedd y geiriau hyn: 'Where is Guy Fawkes now?', 'Ban the Bomb', 'Trech gwlad nag Arglwydd'. Ychwanegodd Glyn Owen a minnau, 'Cyfiawnder i'r Glowyr—Justice for the Miners. Cymru am Byth!'

Yn ystod sgwrs â'r plismon daeth i wybod fy mod yn löwr ac yn byw yn y Rhondda. Dywedodd wrthyf gyda balchder mai glowyr yn byw yn Nhreherbert, y Rhondda, oedd ei dad a'i dad-cu, ond bod ei dad wedi symud i Lundain yn y tridegau, adeg y dirwasgiad. Yn fuan wedyn, cawsom bobo gwpanaid o de gan y plismon bonheddig. Tua chwech o'r gloch y bore canlynol daeth y gŵr, a'n holodd y noson gynt, 'nôl atom i'r gell. Dywedodd wrthym ei fod yn ein rhyddhau ar y telerau ein bod yn cadw draw o Dŷ'r Cyffredin am o leiaf chwe mis. Cerddasom allan o'r gell ac wedi i ni gyrraedd y tu allan gwelsom grŵp o'n ffrindiau yn cerdded tuag atom. Glowyr oedd y rhain wedi teithio dros nos o Gwm Rhondda gan eu bod yn awyddus i wybod rhagor am yr hyn a oedd wedi digwydd i ni'n dau.